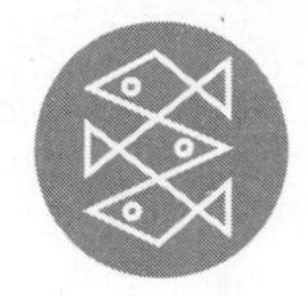

Eine idyllische Kindheit in der Lausitz am Vorabend des ersten Weltkriegs, das Berlin der goldenen Zwanziger, die große Liebe: So könnte das Glück klingen, denkt Helene. Aber steht ihr die Welt wirklich offen? Helene glaubt unerschütterlich daran, folgt ihren Träumen und lebt ihre Gefühle – auch gegen die Konventionen einer zunehmend unerbittlichen Zeit. Dann folgt der zweite große Krieg, Hoffnungen, Einsamkeit – und die Erkenntnis, dass alles verloren gehen kann. Julia Franck erzählt in ihrem großen neuen Roman ein Leben, das in die Mühlen eines furchtbaren Jahrhunderts gerät, und die Geschichte einer faszinierenden Frau.

»Man weiß gar nicht, wozu man Julia Franck mehr gratulieren soll: für die schnörkellose, poetische Sprache? Für die glaubwürdigen, ans Herz gehenden Figuren? Oder einfach nur für das Thema des Romans? All ihre Talente – der nüchterne Erzählton, die präzise Schilderung des Zwischenmenschlichen hat sie in ›Die Mittagsfrau‹ perfektioniert.«
Matthias Wulff, *Welt am Sonntag*

»Das Wesentliche, sagt ein Sprichwort, kann man nicht sehen, es ist unsichtbar und nur dem Herzen zugänglich. Bei Julia Franck kann man es mit Händen förmlich greifen, mit der Nase riechen. ›Die Mittagsfrau‹ ist ein großer Roman über das Schweigen.«
Edo Reents, *Frankfurter Allgemeine Zeitung*

*Julia Franck* wurde 1970 in Berlin geboren. Sie studierte Altamerikanistik, Philosophie und Neuere Deutsche Literatur an der FU Berlin. 1997 erschien ihr Debüt »Der neue Koch«, danach »Liebediener« (1999), »Bauchlandung. Geschichten zum Anfassen« (2000) und »Lagerfeuer« (2003). Sie verbrachte das Jahr 2005 in der Villa Massimo in Rom. Für »Die Mittagsfrau« erhielt Julia Franck den Deutschen Buchpreis 2007. Der Roman wurde in dreißig Sprachen übersetzt.

*Unsere Adressen im Internet: www.fischerverlage.de*
*www.juliafranck.de*

*Julia Franck*

# Die Mittagsfrau

Roman

Fischer Taschenbuch Verlag

Veröffentlicht im Fischer Taschenbuch Verlag,
einem Unternehmen der S. Fischer Verlag GmbH,
Frankfurt am Main, April 2009


Satz: ottomedien, Darmstadt
Druck und Bindung: CPI – Clausen & Bosse, Leck
Printed in Germany
ISBN 978-3-596-17552-9

Nichts Böses; hast Du die Schwelle überschritten, ist alles gut.
Eine andere Welt und Du mußt nicht reden.

*(Franz Kafka, Tagebücher, Zwölftes Heft, 1922)*

# Prolog

Auf dem Fensterbrett stand eine Möwe, sie schrie, es klang, als habe sie die Ostsee im Hals, hoch, die Schaumkronen ihrer Wellen, spitz, die Farbe des Himmels, ihr Ruf verhallte über dem Königsplatz, still war es da, wo jetzt das Theater in Trümmern lag. Peter blinzelte, er hoffte, die Möwe werde allein vom Flattern seiner Augenlider aufgescheucht und flöge davon. Seit der Krieg zu Ende war, genoss Peter die Stille am Morgen. Vor einigen Tagen hatte ihm die Mutter ein Bett auf dem Boden der Küche gemacht. Er sei jetzt ein großer Junge, er könne nicht mehr in ihrem Bett schlafen. Ein Sonnenstrahl traf ihn, er zog sich das Laken über das Gesicht und lauschte der sanften Stimme von Frau Kozinska. Sie kam aus den Rissen im Steinboden, aus der Wohnung unter ihm. Die Nachbarin sang. Ach Liebster, könntest du schwimmen, so schwimm doch herüber zu mir. Peter liebte diese Melodie, die Wehmut in ihrer Stimme, das Wünschen und die Traurigkeit. Diese Gefühle waren so viel größer als er, und er wollte wachsen, nichts lieber als das. Die Sonne wärmte das Laken auf Peters Gesicht, bis er die Schritte seiner Mutter hörte, die sich wie aus großer Ferne näherten. Plötzlich wurde das Laken weggezogen. Los, los, aufstehen, ermahnte sie ihn. Der Lehrer warte, behauptete die Mutter. Aber der Lehrer Fuchs erfragte schon seit langer Zeit nicht mehr die Anwesenheit der einzelnen Kinder, die wenigsten konnten noch jeden Tag kommen. Seit Tagen gingen seine Mutter und er jeden Nachmittag mit dem kleinen Koffer zum Bahnhof und versuchten einen Zug in Richtung Berlin zu bekommen. Kam einer, war er so überfüllt, dass sie es nicht hineinschafften. Peter stand auf und wusch sich. Mit einem Seufzen zog die Mutter ihre Schuhe aus. Aus dem Augenwinkel sah Peter, wie sie die Schürze abnahm, um sie in den Wäschetopf zu legen. Ihre weiße Schürze war jeden Tag befleckt von Ruß und Blut und Schweiß, stundenlang musste sie eingeweicht werden, bevor seine Mutter das Waschbrett nehmen und die Schürze darauf reiben konnte, bis die Hände rot wurden und ihr die Adern an den Armen schwollen. Mit beiden Händen hob Peters Mutter die Haube vom Kopf, sie zog die Haarnadeln aus dem Haar, und ihre Locken fielen ihr weich über die Schultern. Sie mochte es nicht, wenn er sie dabei beobachtete. Mit einem Blick aus dem Augenwinkel sagte sie: Das da auch, und ihm schien, als zeige sie mit einer gewissen Abscheu auf sein Geschlecht, damit er es wasche, dann wandte sie ihm den Rücken zu und strich mit einer Bürste durch ihr volles Haar. Es schimmerte golden in der Sonne, und Peter dachte sich, er habe die schönste Mutter der Welt.

Selbst nachdem im Frühjahr die Russen Stettin erobert hatten und einige der Soldaten seither in Frau Kozinskas Wohnung übernachteten, hörte man sie früh am Morgen singen. Letzte Woche einmal hatte seine Mutter am Tisch gesessen und eine ihrer Schürzen ausgebessert. Peter hatte laut vorgelesen, der Lehrer Fuchs hatte ihnen aufgetragen, das laute Lesen zu üben. Peter hasste das laute Lesen und ihm war schon manchmal aufgefallen, wie wenig seine Mutter zuhörte. Vermutlich war ihr die Störung der Stille zuwider. Meist war sie so tief in ihren Gedanken, dass es ihr gar nicht aufzufallen schien, wenn Peter plötzlich mitten im Satz leise weiterlas. Während er so vor sich hin gelesen hatte, hatte er zugleich Frau Kozinska gelauscht. Man sollte ihr den Hals umdrehen, hörte er seine Mutter unvermittelt sagen. Erstaunt blickte Peter sie an, aber sie lächelte nur und stieß ihre Nadel in das Leinen.

Die Brände vom vergangenen August hatten die Schule vollkommen zerstört, und so trafen sich die Kinder seither bei dem Lehrer Fuchs im Milchladen seiner Schwester. Nur noch selten konnte etwas verkauft werden, Fräulein Fuchs stand mit verschränkten Armen an der Wand hinter ihrem leeren Ladentisch und wartete. Obwohl sie taub geworden war, hielt sie sich oft die Ohren zu. Die große Ladenscheibe war herausgebrochen, auf der Fensterbank saßen die Kinder, und der Lehrer Fuchs zeigte ihnen auf der Tafel Zahlen, drei mal zehn und fünf mal drei. Die Kinder fragten ihn, wo Deutschland verloren habe, aber er mochte es ihnen nicht zeigen. Er sagte, wir werden jetzt nicht mehr zu Deutschland gehören, und er freute sich darüber. Wohin dann, wollten die Kinder wissen, wohin gehören wir dann? Der Lehrer Fuchs zuckte mit den Achseln. Heute wollte Peter ihn fragen, warum er sich darüber freute.

Peter stand am Waschbecken und trocknete mit dem Handtuch seine Schultern ab, seinen Bauch, sein Geschlecht, die Füße. Wenn er die Reihenfolge vertauschte, was schon lange nicht mehr vorgekommen war, verlor die Mutter ihre Geduld. Sie hatte ihm eine saubere Hose und das beste Hemd hingelegt. Peter ging zum Fenster, er klopfte gegen die Scheibe, und die Möwe flatterte auf. Seit die gegenüberliegende Häuserreihe und die Hinterhäuser und auch der nächste Straßenzug fehlten, hatte er freien Blick auf den Königsplatz, dorthin, wo die Reste des Theaters standen.

Komm nicht zu spät nach Hause, sagte seine Mutter, als er zur Wohnungstür hinauswollte. Nachts habe im Krankenhaus eine Schwester erzählt, heute und morgen würden Sonderzüge eingesetzt. Wir verschwinden. Peter nickte, seit Wochen freute er sich darauf, endlich mit einem Zug zu fahren. Nur einmal vor zwei Jahren, als Peter eingeschult worden war und sein Vater sie besucht hatte, waren sie mit dem Zug gefahren, sein Vater und er, sie hatten einen Arbeitskollegen des Vaters in Velten besucht. Der Krieg war jetzt acht Wochen aus, und der Vater kehrte nicht heim. Peter hätte seine Mutter gerne gefragt, warum sie nicht mehr länger auf den Vater warten wollte, er wäre gern ihr Vertrauter geworden.

Im letzten Sommer, in der Nacht zum 17. August, war Peter allein in der Wohnung gewesen. Seine Mutter hatte in diesen Monaten häufig zwei Schichten hintereinander gemacht, sie war von der Spätschicht zur Nachtschicht im Krankenhaus geblieben. Immer, wenn sie nicht da war, fürchtete sich Peter vor der Hand, die bei Dunkelheit unter dem Bett hervorkommen würde, aus der Ritze zwischen Mauerwerk und Laken. Er fühlte das Metall seines Klappmessers am Bein und stellte sich wieder und wieder vor, wie schnell er es zücken müsste, wenn die Hand erschiene. In dieser Nacht hatte sich Peter bäuchlings auf das Bett seiner Mutter gelegt und gelauscht wie in jeder Nacht. Besser, man lag genau in der Mitte des Bettes, so war zu jeder Seite genügend Platz, um die Hand rechtzeitig zu entdecken. Er musste zustoßen, schnell und fest. Peter schwitzte, wenn er sich vorstellte, dass die Hand erschiene und er von Angst gelähmt nicht in der Lage wäre, das Messer gegen sie zu erheben.

Peter wusste noch genau, wie er mit beiden Händen, von denen die eine zugleich das Messer umklammerte, den Samt der schweren Überdecke genommen hatte und seine Wange an dem Stoff rieb. Klein, fast zart, hob der erste Sirenenton an, dann gellte er auf, wurde hochgezogen zu einem langen, durchdringenden Jaulen. Peter schloss die Augen. Der Ton ließ die Ohren glühen. Peter mochte Keller nicht. Stille. Immer wieder ersann er neue Strategien, die Keller zu meiden. Der Sirenenton schwoll wieder. Das Herz klopfte, und zu eng schien ihm sein Hals. Alles an ihm wurde steif und starr. Er musste tief atmen. Gänsedaunen. Peter presste die Nase in das Kopfkissen seiner Mutter und sog ihren Geruch auf, als könne er satt werden davon. Dann war es still. Eine mächtige Stille, Peter hob den Kopf und hörte seine Zähne klappern, er versuchte, die Kiefer geschlossen zu halten, biss die Zähne mit aller Kraft zusammen, senkte den Kopf wieder und drückte das Gesicht in die Daunen.

Während er sein Gesicht an dem Kissen rieb, den Kopf dabei hin und her wiegen musste, knisterte etwas darunter. Vorsichtig fuhr er mit der Hand unter das Kissen und die Fingerspitzen tasteten Papier. Im selben Augenblick belegte ein unheimliches Rauschen seine Ohren, das Rauschen des ersten Abwurfs, Peters Atem ging schneller, es krachte und splitterte, Glas hielt dem Druck nicht stand, die Fensterscheiben barsten, das Bett, auf dem er lag, bebte, und Peter hatte plötzlich das Gefühl, jedes Ding um ihn herum lebe mehr als er selbst. Stille folgte. Den äußeren Ereignissen zum Trotz zog er mit der freien Hand einen Brief hervor. Peter erkannte die Schrift. Wie irre musste Peter lachen, ach, sein Vater, ach, der war ihm ganz entfallen, wo der ihn doch immer beschützen wollte. Da war seine Schrift, hier, sein M für Meine, für Alice das A. Unerschütterlich standen die Buchstaben, einer am anderen, nichts konnte ihnen etwas anhaben, keine Sirene, keine Bombe, kein Feuer, zärtlich lachte Peter ihnen zu. Die Augen brannten, und die Schrift drohte zu verschwimmen. Etwas bedauerte der Vater. Peter musste lesen, den Brief des Beschützers, er musste lesen, was da geschrieben stand, solange er las, geschah ihm nichts. Das Schicksal unterziehe ganz Deutschland einer schweren Prüfung. In Peters Händen zitterte das Blatt, gewiss vom Beben des Bettes. Was Deutschland anbelange, so tue er sein Bestes. Sie frage, ob er nicht in einer der Werften arbeiten könne. Werften, gewiss, Sirenen heulten, nicht die von Schiffen, andere. Peters Augen tränten. Man brauche Ingenieure wie ihn dringend woanders. Ein Zischen ganz nah, wie vor dem Fenster, ein Krachen, ein zweites, noch lauter. Fertigstellung der Reichsautobahn, im Osten wenig zu tun. Wenig zu tun? Wieder hörte Peter das Rauschen, Brandgeruch kitzelte erst in seiner Nase, dann wurde es ein beißender, stechender Geruch, doch Peter lachte noch immer, ihm war, als könne ihm mit dem Brief seines Vaters in den Händen nichts passieren. Alice. Peters Mutter. Sie halte ihm vor, dass er so selten schreibe. Es qualmte, roch es nicht rauchig, knisterte ein Brand? Nichts mit ihrer Herkunft zu tun habe das. Nichts was, hat das und was, welche Herkunft, was schrieb dieser Vater da? Eine Anweisung mit Geld. Sollte das wirklich Anweisung heißen, und Ausweisung? Dinge geschähen, die etwas zwischen ihnen veränderten.

Wie mühsam war es gewesen, diesen Brief zu entziffern. Hätte er besser lesen können, so gut wie heute, fast ein Jahr später und schon bald acht Jahre alt, hätte er vielleicht an den Schutz des Briefes glauben können, doch der Brief hatte versagt, Peter hatte ihn nicht zu Ende lesen können.

Als er sich an diesem Morgen auf den Weg in den Milchladen des Lehrers Fuchs machte, war alles gut und er benötigte keinen Brief eines Vaters mehr für das Überstehen einer Nacht, nie mehr. Der Krieg war vorbei, heute wollten sie verschwinden, seine Mutter und er. Peter entdeckte im Rinnstein eine blecherne Dose und versetzte ihr einen Stoß. Wunderbar, wie sie schepperte und wie sie taumelte. Das Grauen würde zurückbleiben, hinter ihnen liegen, kein einziger Traum sollte mehr daran erinnern. Peter musste an die ersten Angriffe im Winter denken und wieder spürte er die Hand seines Freundes Robert, mit dem er einst über den niedrigen, weißlackierten Zaun entlang des Weges gehüpft war und die Straße vom Berliner Tor hatte überqueren wollen, um in den Graben vor dem Zeitungskiosk zu springen. Ihre Schuhe waren auf dem Eis gerutscht, sie waren geschliddert. Etwas musste seinen Freund getroffen und die Hand von seinem Körper getrennt haben. Doch Peter war die restlichen Meter weitergestürzt, allein, als habe ihn das Wegreißen des Freundes beschleunigt. Er hatte die Hand gespürt, fest und warm, und sie lange nicht losgelassen. Als ihm später aufgefallen war, dass er die Hand noch immer hielt, hatte er sie im Graben nicht einfach fallen lassen können, er hatte sie mit nach Hause genommen. Seine Mutter hatte ihm die Tür geöffnet. Sie hatte ihn aufgefordert, sich auf einen Stuhl zu setzen, und hatte ihm zugeredet, er möge seine Hand öffnen. Sie hatte sich vor ihn auf den Boden gehockt, in den Händen eine der weißen Stoffservietten mit ihren Initialen gehalten und gewartet, sie hatte seine Hände gestreichelt und geknetet, bis er losließ.

Bis heute fragte sich Peter, was sie damit gemacht hatte. Er versetzte der Blechdose einen kräftigen Tritt, sodass sie hinüber auf die andere Straßenseite kullerte, fast bis zum Milchladen. Noch jetzt war es, als hielte er Roberts Hand, im nächsten Augenblick, als hielte diese ihn und beziehe sich sein Vater in dem Brief auf nichts anderes als auf dieses Ereignis. Dabei hatte er den Vater seit zwei Jahren nicht mehr gesehen und ihm nie von der Hand erzählen können.

Im vergangenen Sommer dann, in der Bombennacht vom August, als Peter den Brief des Vaters gelesen hatte, hatte er bald nur noch jeden dritten oder vierten Satz entziffern können. Der Brief hatte nicht geholfen. Die Hände hatten gezittert. Der Vater wolle die Mutter seines Sohnes ehren, er wolle aufrichtig sein, er habe eine Frau kennengelernt. Auf der Treppe waren Schritte zu hören, wieder ein Rauschen, so dicht, dass es für den Bruchteil einer Sekunde die Ohren verschloss, dann ein Krachen und ein Schreien. Peter überflog hastig die Zeilen. Sie sollten tapfer bleiben, der Krieg werde mit Sicherheit bald gewonnen. Er, der Vater, werde in nächster Zeit wohl nicht mehr kommen können, das Leben eines Mannes verlange Entscheidungen, aber er schicke bald wieder etwas Geld. Peter hatte ein Poltern an der Wohnungstür gehört, es war schwer zu sagen, ob das Jaulen von einem Geschoss, einer Sirene oder einem Menschen stammte. Er hatte den Brief zusammengefaltet und ihn zurück unter das Kopfkissen geschoben. Er zitterte. Der Rauch ließ seine Augen tränen, und in warmen Wellen näherte sich die Glut der Stadt.

Jemand packte ihn und trug ihn auf den Schultern die Treppe hinunter bis in den Keller. Als er Stunden später mit den anderen ins Freie kroch, war es hell draußen. Die Treppe hinauf zur

Wohnung stand noch, lediglich das Geländer war geborsten und lag in Balken quer auf den Stufen. Es qualmte. Auf allen vieren erklomm Peter die Treppe, er musste über etwas Schwarzes klettern, dann stieß er die Wohnungstür auf und setzte sich an den Küchentisch. Die Sonne schien geradewegs auf den Tisch, er musste die Augen schließen, so hell war es. Er hatte Durst. Lange Zeit fühlte er sich zu schwach, um aufzustehen und zum Spülbecken zu gehen. Als er den Wasserhahn aufdrehte, hörte er nur ein Röcheln, kein Wasser kam. Es konnte Stunden dauern, bis seine Mutter zurückkehrte. Peter wartete. Den Kopf auf dem Tisch schlief er ein. Seine Mutter weckte ihn. Sie nahm seinen Kopf in beide Hände und presste ihn gegen ihren Bauch, und erst, als auch er seine Arme um sie schlang, ließ sie locker. Die Wohnungstür stand offen. Im Treppenflur sah Peter das Schwarze. Er dachte an das Schreien aus der vergangenen Nacht. Die Mutter riss einen Schrank auf, lud sich Laken und Handtücher über die Schulter, griff nach den Kerzen in der Schublade und sagte, sie müsse sofort wieder hinaus. Peter solle ihr tragen helfen, Verbände fehlten und Alkohol zur Desinfektion. Sie stiegen über das verkohlte Fleisch vor ihrer Wohnungstür, eher an den Schuhen erkannte Peter, dass es sich um einen Menschen handelte, geschrumpft war der Mensch, und Peter entdeckte eine dicke, goldene Taschenuhr. Fast ein Glücksgefühl war es, das ihn an jenem Morgen durchströmt hatte, denn die Uhr konnte unmöglich zu Frau Kozinska gehört haben.

Die Fotografie von dem stattlichen Mann im feinen Anzug, der sich mit einem Arm, würdevoll angewinkelt, auf eine schwarz glänzende Karosserie stützte und mit hellen Augen gen Himmel blickte, als schaue er dem Schicksal entgegen, zumindest aber einigen Vögeln nach, stand noch immer gerahmt auf der Vitrine in der Küche. Peters Mutter behauptete, jetzt, wo der Krieg vorbei sei, werde der Vater kommen und sie nach Frankfurt holen. Dort baue der Vater eine große Brücke über den

Main. Peter könne dann in eine richtige Schule gehen, das sagte die Mutter, und es war Peter unangenehm, sie so lügen zu hören. Warum schreibt er nicht, fragte Peter in einem Augenblick des Aufbegehrens. Die Post, antwortete seine Mutter, nichts mehr funktioniert, seit die Russen da sind. Peter schlug die Augen nieder, er schämte sich für seine Frage. Von nun an wartete er gemeinsam mit seiner Mutter, Tag für Tag. Es war ja möglich, dass der Vater es sich anders überlegte.

Eines Abends, als Peters Mutter im Krankenhaus arbeiten gewesen war, hatte er unter ihrem Kopfkissen nachgesehen. Er hatte sich vergewissern wollen. Der Brief war verschwunden. Mit einem spitzen Messer hatte Peter den Sekretär der Mutter geöffnet, aber dort nur Papier und Umschläge und einige Marken gefunden, die sie in einer kleinen Schachtel aufbewahrte. Peter hatte den Kleiderschrank seiner Mutter durchsucht, er hatte ihre geplätteten, ordentlich gefalteten Schürzen und ihre Unterwäsche angehoben. Zwei Briefe lagen da, von ihrer Schwester Elsa, die Briefe kamen aus Bautzen. Elsa hatte eine so krakelige Schrift, dass Peter nur die Anrede lesen konnte: Meine kleine Alice. Keinen einzigen Brief des Vaters hatte Peter mehr finden können.

Als Peter an diesem Morgen in den Milchladen trat, waren der Lehrer Fuchs und seine Schwester fort. Die Kinder warteten vergeblich, sie sahen den anderen Menschen zu, die in den Milchladen kamen, erst zögerlich, dann stürmisch, und alle Schränke öffneten. Kisten, Zuber und Kannen wurden untersucht. Die Leute schimpften und fluchten, kein Tropfen saure Sahne, kein einziges Stück Butter war mehr da. Eine ältere Frau trat gegen den Schrank, so dass eine Tür herausbrach.

Kaum hatte der letzte Erwachsene den Laden verlassen, kniete sich der älteste Junge auf den Boden, geschickt hob er eine der Fliesen an, und darunter befand sich ein kühles Versteck. Ein Junge pfiff, und die Mädchen nickten voller Anerkennung. Aber das Versteck war leer. Was immer darin gelegen haben mochte, Butter oder Geld, es war nicht mehr da. Als der Junge aufblickte und sein abschätziger Blick ausgerechnet auf Peter fiel, fragte er ihn, warum er sich denn so rausgeputzt habe. Peter sah an sich hinunter, auf sein Feiertagshemd, erst jetzt erinnerte er sich, dass er zeitig nach Hause kommen sollte. Wir verschwinden, das hatte seine Mutter zuletzt gesagt.

Schon im Treppenhaus hörte Peter ihre Töpfe klappern. In der letzten Woche hatte seine Mutter Nachtschicht gehabt. Seit Tagen machte sie die Wohnung sauber, als wäre die je schmutzig gewesen, sie bohnerte Böden, wischte Stühle und Schränke ab und putzte Fenster. Die Wohnungstür war nur angelehnt, Peter öffnete sie. Er sah drei Männer um den Küchentisch, darauf seine Mutter, sie saß halb, halb lag sie. Der nackte Po eines Mannes bewegte sich auf Peters Augenhöhe vor und zurück, dabei wackelte das Fleisch so heftig, dass Peter lachen wollte. Doch die Soldaten hielten seine Mutter fest. Ihr Rock war zerrissen, ihre Augen weit geöffnet, Peter wusste nicht, ob sie ihn sah oder durch ihn hindurch blickte. Aufgesperrt war ihr Mund – aber sie blieb stumm. Einer der Soldaten bemerkte Peter, er hielt sich den Hosenbund zu und wollte Peter aus der Tür schieben. Peter rief nach seiner Mutter, Mutter, rief er, Mutter. Der Soldat trat ihm kräftig gegen die Beine, so dass Peter vor der Tür zusammenknickte, ein Fuß traf ihn in den Po, dann wurde die Tür zugedrückt.

Peter saß auf der Treppe und wartete, er hörte Frau Kozinska singen. Es saß ein klein wild Vögelein auf einem grünen Ästchen. Es sang die ganze Winternacht, sein Stimm tät laut erklingen. Doch es war Sommer, und Peter hatte Durst, und die Züge würden gleich fahren, er wollte mit seiner Mutter verschwinden. Peter presste die Lippen aufeinander. Sein Blick fiel auf die Tür mit der Öffnung, wo sich einst das Schloss befunden hatte. Auf dem Boden lagen noch Späne. Peter zog mit den Zähnen dünne Haut von den Lippen. Schon einmal zuvor hatte seine Mutter Besuch von Soldaten gehabt, das war nur wenige

Tage her, sie mussten die Tür aufgetreten und dabei das Schloss herausgebrochen haben. Sie waren den ganzen Tag geblieben, sie hatten getrunken und gejohlt. Peter hatte immer wieder gegen die Tür gehämmert. Jemand musste innen etwas gegen die Tür gestellt haben, vielleicht hatte ein Stuhl unter der Klinke gestanden. Peter hatte durch die Öffnung gespäht, die das herausgebrochene Schloss hinterlassen hatte, der Rauch hatte so dicht gestanden, dass Peter nichts hatte erkennen können. Also hatte sich Peter auf die Treppe gesetzt und gewartet wie jetzt. Die Zähne konnte man nicht schleifen. Peter kaute vorsichtig auf einem Fetzen abgenagter Haut. Während er sich auf die Lippen biss, rieben beide Zeigefinger an den Daumen. Obwohl ihm seine Mutter die Nägel so kurz wie möglich schnitt, gelang es ihm immer wieder, mit dem Zeigefinger Haut vom Daumen zu lösen, dort, wo der Nagel in seinem Bett lag.

Als beim letzten Mal endlich die Tür aufgegangen war, waren die Soldaten einer nach dem anderen ins Treppenhaus gestolpert, die Stufen hinabgestiegen und hatten gegen Frau Kozinskas Tür geklopft. Der letzte hatte sich umgedreht und Peter auf deutsch etwas hinaufgerufen: Einen wie dich habe ich auch zu Hause. Pass bloß auf deine Mutter auf, dabei hatte der Soldat lachend den Zeigefinger gehoben. Als Peter in die verrauchte Küche getreten war, hatte er gesehen, wie sich seine Mutter in einer Ecke der Küche bückte, sie strich ein Laken glatt. Du bist jetzt ein großer Junge, hatte sie gesagt, ohne Peter anzusehen, du kannst nicht mehr in meinem Bett schlafen.

Sie hatte ihn nicht angesehen, nicht wie heute, nie zuvor hatte er einen solchen Ausdruck in den Augen seiner Mutter gesehen wie eben, eisig.

Das Warten vor der Tür fiel Peter schwer, er stellte sich hin, er setzte sich auf die Treppe und stand wieder auf. Durch den Spalt, den das herausgebrochene Schloss hinterlassen hatte, wollte Peter etwas erkennen. Auf der letzten Stufe stellte er sich auf Zehenspitzen und beugte sich vor. So konnte er leicht das

Gleichgewicht verlieren. Peter wurde ungeduldig, ihm knurrte der Magen. Immer, wenn Peters Mutter Nachtschicht hatte, kam sie morgens nach Hause, weckte ihn zur Schule und mittags wartete sie mit einem Essen. Sie kochte eine Suppe aus Wasser, Salz und Fischköpfen. Nahm sie später die Fischköpfe heraus, streute sie etwas Sauerampfer in die Suppe. Sie sagte, die sei gesund und nahrhaft, nur selten hatte sie etwas Mehl bekommen und es zu kleinen Klößchen geformt in der Suppe gekocht. Kartoffeln gab es nach dem letzten Winter nicht mehr. Es gab kein Fleisch, keine Linsen, keinen Kohl. Nicht einmal im Krankenhaus hatten sie etwas anderes als Fisch, um es den Kindern zu geben. Peters Blick hing wie beim letzten Mal an der verschlossenen Tür und dem Spalt, den das Schloss hinterlassen hatte. Er setzte sich auf die oberste Stufe. Ihm fiel ein, dass die Mutter ihn nach dem letzten Mal gebeten hatte, ein neues zu besorgen. Überall gab es Schlösser, in jedem Haus, in jeder gottverlassenen Wohnung. Aber Peter hatte es vergessen.

Jetzt kaute Peter auch an der aufgerauten Haut am Rande des Daumennagels, man konnte die Haut in länglichen dünnen Streifen abziehen. Seine Mutter hätte abschließen können, hätte er nicht das Schloss vergessen. Peters Blick wanderte über den verkohlten Türrahmen in die verlassene Wohnung der Nachbarn. Überall sah man die Spuren des Brandes, die Wände, Decken und Böden waren schwarz. Dabei hatten seine Mutter und er Glück gehabt, nur die Wohnung über ihnen war ausgebrannt und die der alten Nachbarn nebenan.

Plötzlich sprang die Tür auf, zwei Soldaten kamen heraus. Sie klopften sich auf die Schulter, sie waren guter Laune. Peter überlegte, ob er in die Wohnung gehen konnte, vorhin hatte er drei gezählt. Einer der Männer musste noch drinnen sein. Leise stand Peter auf, er ging zur Wohnungstür und stieß sie einen Spalt weit auf. Er hörte ein Schluchzen. Die Küche wirkte verlassen. Diesmal hatte keiner der Soldaten geraucht, alles schien noch so sauber und behaglich wie am Morgen. Auf dem

Küchenschrank lag der Putzlappen seiner Mutter. Peter drehte sich um und entdeckte hinter der Tür den nackten Soldaten. Mit angewinkelten Beinen, den Kopf in die Hände gestützt, saß der Mann am Boden und schluchzte. Peter fand den Anblick seltsam, weil der Soldat einen Helm trug, obwohl er doch sonst ganz nackt war und der Krieg schon seit Wochen beendet sein sollte.

Peter ließ den Soldaten hinter der Tür sitzen und trat ins Nebenzimmer, wo seine Mutter gerade den Kleiderschrank schloss. Sie trug ihren Mantel und nahm den kleinen Koffer vom Bett. Peter wollte ihr sagen, es tue ihm leid, dass er das Schloss vergessen hatte, dass er ihr nicht hatte helfen können, aber er brachte nur ein Wort über die Lippen, und das war Mutter. Er griff nach ihrer Hand. Sie machte sich los und ging voran.

Sie gingen vorbei an dem schluchzenden Soldaten, der auf dem Küchenboden hinter der Wohnungstür kauerte, sie gingen die Treppe hinunter, die Straße hinunter geradewegs zum Fischbollwerk. Die Mutter lief mit ihren langen Beinen so schnell, dass Peter Mühe hatte, hinterherzukommen. Er lief im Hüpfschritt, und während er so hinter ihr herlief, schon sprang, fast rannte, überkam ihn ein großes Glücksgefühl. Ihn durchströmte die Gewissheit, dass sie heute den Zug bekommen würden, heute würden sie sich auf die große Reise machen, die Reise nach Westen. Peter ahnte, dass es nicht nach Frankfurt gehen würde, vielleicht nach Bautzen zur Schwester der Mutter, und zuerst Richtung Berlin. Früher hatte ihm seine Mutter beim Einschlafen von dem Fluss erzählt, dem schönen Marktplatz in Bautzen und dem wunderbaren Geruch im Druckhaus ihrer Eltern. Peter klatschte in die Hände und begann zu pfeifen, bis die Mutter ganz unvermittelt vor ihm stehenblieb und befahl, mit dem Pfeifen aufzuhören. Wieder versuchte Peter ihre Hand zu nehmen, aber die Mutter fragte, ob er nicht sehen könne, dass sie den Koffer und ihre Handtasche trage.

Ich kann den Koffer tragen, bot Peter an. Die Mutter lehnte ab.

Peter hatte seine Mutter oft zum Fischmarkt begleitet. Eine der wenigen noch arbeitenden Fischfrauen kannte die Mutter gut. Es war eine junge Frau, deren Gesicht seit dem letzten August verbrannt war, man konnte ihre Jugend kaum noch erkennen. Während die Verbrennung anfangs als Makel erschien, mochte der Makel die junge Frau in diesen Wochen schützen. Sie war die einzige, die noch jeden Tag in der Frühe einen großen roten Schirm aufspannte, wie damals, sagten die Leute. Damals, und sie meinten vor nicht allzu langer Zeit, habe der ganze Fischmarkt aus großen, roten Schirmen bestanden. In den letzten Jahren und Monaten waren sie verschwunden. Bei dieser Fischfrau holte die Mutter häufig den Fisch für die Kinder, Aale, Zander, Bleie, Schleie, Hechte und manchmal einen Wanderfisch aus dem Haff, im Krankenhaus war man über jeden Fisch froh, und im Frühjahr hatte die Mutter Peter einen Maifisch mit nach Hause gebracht. Als sie am Uferkai anlangten, hatte die Fischfrau längst ihre Kiste auf den kleinen Holzwagen gestellt, der Schirm lag quer darüber. In der Hitze des Sommertages roch es nach Teer und Fisch. Zwischen den Trümmern des Fischbollwerks lebten Katzen, Peter beobachtete, wie ein magerer Kater am Ufer entlanglief, er schwankte leicht und sprang mit einem Satz auf den kleinen Holzsteg. Wo noch im vorletzten Jahr die breiten und behäbigen Quatzen dicht an dicht mit den Fischdreweln schaukelten, lag nun kein einziges Boot mehr. Der Kater langte mit einer Tatze ins Wasser, wieder und wieder zuckte sein Kopf zurück, als erschrecke ihn etwas. War da ein Fisch oder war da keiner? Die Mutter öffnete ihre Handtasche und brachte Scheine zum Vorschein. Das schulde sie ihr. Die Fischfrau strich ihre Hände an der Schürze ab, Tausende von Schuppen blitzten dort, dass es wie ein Gewand aussah, das Gewand einer Meerjungfrau, sie nahm die Scheine und dankte. Dann fiel ihr Blick auf den Koffer, und als die Mutter ihr die Hand reichte, sagte sie: Eine gute Reise. Die Lippen der Fischfrau waren fast unversehrt, fleischig, roh und jung sahen sie aus, ihre Stimme perlte, als ob sie gleich kichern wollte. Sie hatte keine Brauen mehr, die Wimpern waren nur wenig nachgewachsen, Peter mochte es, wie sie sich zur Seite drehte und ihre Augen niederschlug, aus Verlegenheit sagte sie etwas wie: Na dann, viel Glück, und Peter glaubte, dass sie ihn ansah und meinte. Er stellte sich dicht neben seine Mutter, er lehnte seinen Kopf gegen ihren Arm, ließ seine Nase wie zufällig über ihre Armbeuge streichen, bis die Mutter einen Schritt zur Seite machte und den Koffer in die andere Hand nahm.

Zum Bahnhof gingen sie im Laufschritt. Doch schon auf der Treppe hinunter zum Bahnhof kam ihnen eine dickbäuchige Schwester in Tracht entgegen, offenbar eine Kollegin der Mutter, die sagte, die Sonderzüge kämen nicht nach Stettin rein, sie müssten hinaus nach Scheune, zur nächsten Station laufen, dort würden die Züge fahren.

Sie liefen zwischen den Gleisen entlang. Die Schwester geriet leicht außer Atem. Sie drängte sich neben die Mutter, und Peter lief hinterher, er wollte verstehen, was sie redeten. Die Schwester sagte, sie habe kein Auge zutun können, immerfort denke sie an die Leichen, die sie nachts im Hof des Krankenhauses gefunden hätten. Peters Mutter schwieg. Vom Besuch der Soldaten sagte sie nichts. Die Kollegin schluchzte, sie bewundere Peters Mutter für ihren Einsatz, und das, wo doch jeder wisse, nun, dass mit ihrer Abstammung was nicht stimme. Die Schwester legte eine Hand auf ihren gewölbten Bauch, sie schnaufte, darüber wolle sie jetzt aber nicht sprechen. Wer habe schließlich diesen Mut? Niemals hätte sie selbst einen der Pfähle anpacken und aus dem Leib einer Frau ziehen können, aufgespießt wie Tiere, der ganze Unterleib zerfetzt. Die Kollegin blieb stehen und stützte sich mit ihrem schweren Leib auf die Schulter von Peters Mutter, sie atmete tief, ständig habe die Überlebende nach ihrer Tochter gerufen, die doch längst neben ihr verblutet gewesen war. Peters Mutter blieb stehen und sagte schroff zu der Schwester, sie solle schweigen. Um Himmels willen. Schweigen.

In Scheune war der schmale Bahnsteig von Wartenden überfüllt. Die Menschen saßen in Gruppen auf dem Boden und beobachteten misstrauisch die Neuankömmlinge.

Schwester Alice! Der Ruf drang aus einer Gruppe auf dem Boden sitzender Menschen, zwei Frauen ruderten mit den Armen. Peters Mutter folgte dem Ruf der Frau, die sie offenbar erkannt hatte. Sie hockte sich neben die Sitzenden. Peter ließ sich neben seiner Mutter nieder, die Schwangere folgte ihnen, blieb aber unschlüssig stehen. Sie trat von einem Bein auf das andere. Die Frauen tuschelten, und zwei Frauen und ein Mann verschwanden mit der Schwangeren. Wenn eine Frau pinkeln musste, wurde sie nach Möglichkeit von mehreren begleitet, die Leute erzählten sich, dass hinter den Büschen der Iwan lauere und über die Frauen herfalle.

Es sollte noch mehrere Stunden dauern, bis ein Zug kam. Die Menschen drängten sich an den Zug, noch ehe er zum Stehen kam, sie versuchten Griffe und Geländer zu packen. Fast sah es aus, als brächten die vielen Menschen den Zug zum Stehen, als wären sie es, die ihn anhielten. Der Zug schien nicht genügend Türen zu haben. Arme ruderten, Füße traten, schlugen aus, und Ellenbogen boxten. Schimpfen und Pfeifen. Wer zu schwach war, wurde zur Seite gedrängt, blieb zurück. Peter spürte die Hand seiner Mutter in seinem Rücken, wie sie ihn durch die Menge schob, Peter hatte Kleiderstoffe im Gesicht, Mäntel, ein Koffer stieß ihm in die Rippen, und schließlich packte ihn seine Mutter von hinten und stemmte ihn hoch über die Schultern der anderen Menschen. Der Schaffner pfiff. Im letzten Augenblick kämpfte sich Peters Mutter den entscheidenden Meter nach vorn, sie drückte Peter, schob ihn, presste ihn mit aller Kraft in den Zug. Peter drehte sich um, er hielt ihre Hand fest, umklammerte sie, der Zug ruckte, setzte sich in Bewegung, die Räder rollten, die Mutter lief, Peter hielt sich an der Tür fest, hielt seine

Mutter fest, er würde ihr zeigen, wie stark er war. Spring! rief er ihr zu. In diesem Augenblick hatten sich ihre Hände gelöst. Die auf dem Bahnsteig verbleibenden Menschen liefen neben dem Zug her. Jemand musste die Notbremse gezogen haben oder die Lok hatte Schwierigkeiten, die Räder quietschten auf den Schienen. Eine füllige Dame mit Hut rief von hinten Bockwürstchen, Bockwürstchen! Und tatsächlich drehten sich viele zu ihr um, sie blieben stehen, streckten und reckten sich, um zu sehen, wer da gerufen hatte und wo es die Würstchen gebe. Die Frau nutzte die Gelegenheit und kämpfte sich einige Meter nach vorn. Die Menschenmenge drückte Peters Mutter mitsamt dem Koffer in den Zug. Peter umschloss seine Mutter mit beiden Armen, nie wieder würde er sie loslassen.

Im Zug standen sie im Gang, die Menschen schubsten und drängelten, die Kinder mussten sich auf die Koffer stellen. Peter stand gern auf dem Koffer, jetzt war er genauso groß wie seine Mutter. Wenn seine Mutter sich umdrehte, was sie immer wieder tat, kitzelten ihn ihre Haare, eine Locke war aus der gesteckten Frisur gefallen. Die Mutter duftete nach Flieder. Neben ihr blieb die Tür zum Sitzabteil offen, dort standen zwei junge Mädchen in kurzärmligen Kleidern auf ihren Koffern und hielten sich an der überfüllten Gepäckablage fest. Unter ihren Armen wuchsen spärlich erste Härchen, und Peter reckte sich über die Schulter seiner Mutter, um besser nach ihren Kleidern sehen zu können, die sich an gewissen Stellen wölbten. Unter seinem Kinn fühlte Peter das angenehme Reiben des Mantels seiner Mutter. Sie musste schwitzen, aber ihren Mantel hatte sie nicht zurücklassen wollen. Es ruckte, und der Zug fuhr langsam an. Am Fenster zogen die Menschen vorüber, die keinen Platz ergattert hatten. Eines der beiden Mädchen winkte und weinte, und Peter sah, dass auch unter dem anderen Arm feine Härchen sprossen.

Halt dich fest, sagte seine Mutter zu ihm, sie deutete mit dem Kopf auf den Türrahmen des Abteils. Auf ihrem blonden, hochgesteckten Haar saß das Häubchen, noch immer trug sie es, trotz Mantel und obwohl sie doch gar nicht im Krankenhaus waren. Träumst du? Halt dich fest, herrschte sie ihn an. Doch Peter legte seine Hände auf die Schultern seiner Mutter, ihm fiel der Soldat ein, der hinter der Tür gehockt und geschluchzt hatte, Peter war froh, dass sie nun endlich verschwanden, und er wollte die Arme um seine Mutter schlingen. Da bekam er einen Ellenbogen in den Rücken und stieß mit solcher Wucht gegen seine Mutter, dass diese fast das Gleichgewicht verlor, der Koffer unter Peters Füßen schwankte, er kippte, und Peter fiel nun auf seine Mutter. Die Mutter stolperte in das Abteil. Niemals hätte sie aufgeschrien, sie knurrte nur widerwillig. Peter legte seine Hand an ihre Hüfte, um die Verbindung nicht zu verlieren. Er wollte ihr aufhelfen. Ihre Augen funkelten böse, Peter entschuldigte sich, doch die Mutter schien es nicht zu hören, ihr Mund blieb schmal verschlossen, sie drückte seine Hand von sich. Um jeden Preis wollte Peter nun ihre Aufmerksamkeit erobern.

Mutter, sagte er, aber sie hörte ihn nicht. Mutter, wieder fasste er nach ihrer Hand, die kalt und kräftig war, und die er liebte. Im nächsten Augenblick ruckte der Zug, so dass die Menschen übereinanderfielen und die Mutter sich für die weitere Fahrt mit beiden Händen an Gepäckablage und Türrahmen festhielt, während Peter nun ihren Mantel ergriff, ohne dass sie es bemerken und ihn daran hindern konnte.

Kurz vor Pasewalk blieb der Zug auf offener Strecke stehen. Die Türen wurden geöffnet, und die Menschen drängten und schubsten sich gegenseitig aus dem Zug. Peter und seine Mutter ließen sich von der Menschenmasse schieben, bis sie den Bahnsteig erreichten. Eine Frau schrie laut, man hatte ihr Gepäck gestohlen. Erst jetzt fiel Peter auf, dass sie die Schwangere verloren hatten. Vielleicht war sie in Scheune gar nicht zurückgekehrt, nachdem sie wegen ihrer Notdurft hatte verschwinden müssen? Peters Mutter lief nun schnell, Menschen kamen ihnen entgegen und standen ihnen im Weg, Peter wurde immer wieder angerempelt und hielt sich umso fester am Mantel seiner Mutter.

Du wartest hier, sagte seine Mutter, als sie an eine Bank kamen, wo in diesem Augenblick ein alter Mann aufgestanden war. Von hier fahren Züge nach Anklam und Angermünde, vielleicht gibt es Fahrkarten. Ich bin gleich zurück. Sie nahm Peter bei den Schultern und drückte ihn auf den Sitz.

Ich hab Hunger, sagte Peter. Lachend klammerte er sich an ihren Armen fest.

Ich bin gleich zurück, wart hier, sagte sie.

Und er: Ich komm mit.

Und sie: Lass mich los, Peter. Doch er stand schon auf, um ihr zu folgen. Nun drückte sie ihm den kleinen Koffer entgegen und presste ihn mitsamt dem Koffer auf die Bank zurück. Peter musste jetzt den Koffer auf dem Schoß festhalten, er konnte nicht mehr nach ihr greifen.

Du wartest. Das sagte sie streng. Ein Lächeln huschte über ihr Gesicht, sie strich ihm über die Wange, und Peter war froh. Er dachte an die Bockwürstchen, die die Dame in Scheune ausgerufen hatte, vielleicht gab es hier welche, er wollte seiner Mutter suchen helfen, überhaupt helfen wollte er ihr, er öffnete den Mund, aber sie duldete keinen Widerspruch, sie drehte sich um und tauchte in der Menschenmenge unter. Peter spähte ihr nach und entdeckte ihre Gestalt hinten an der Tür zur Bahnhofshalle.

Er musste dringend und hielt Ausschau nach einer Toilette, aber er wollte warten, bis sie zurück war, schließlich konnte man sich auf solchen Bahnhöfen leicht verlieren. Langsam ging die Sonne unter. Peters Hände waren kalt, er hielt den Koffer fest und wippte mit den Knien. Kleine Farbpartikel vom Koffer klebten an seinen Händen, ochsenblutrot. Immer wieder blickte er in die Richtung der Tür, wo er seine Mutter zum letzten Mal gesehen hatte. Menschen strömten vorüber. Die Laternen gingen an. Irgendwann stand die Familie neben ihm von der Bank auf und andere setzten sich. Peter musste an seinen Vater denken, der irgendwo in Frankfurt eine Brücke über den Main bauen würde, er wusste, wie er hieß, Wilhelm, aber nicht, wo er wohnte. Sein Vater war ein Held. Und seine Mutter? Auch ihren Namen kannte er, Alice. Sie hatte eine fragwürdige Herkunft. Peter schaute wieder zu der Tür, die in die Bahnhofshalle führte. Sein Hals war steif geworden, weil er nun schon Stunden so saß und in diese Richtung starrte. Ein Zug kam, die Menschen ergriffen Gepäckstücke, ihre Nächsten, alles musste festgehalten werden. Anklam, der Zug fahre nicht nach Angermünde, nach Anklam. Die Menschen waren zufrieden, solange es weiterging. Es war nach Mitternacht, Peter musste nicht mehr, er wartete nur noch. Der Bahnsteig hatte sich geleert, vermutlich waren die verbliebenen Wartenden in die Bahnhofshalle gegangen. Wenn es einen Fahrkartenschalter gab, hatte der nicht schon lange geschlossen? Vielleicht gab es gar keine Bahnhofshalle mehr hinter der Tür, womöglich war auch dieser Bahnhof wie der in Stettin zerstört worden. Am hinteren Ende des Bahnsteigs erschien eine blonde Frau, Peter stand auf, der Koffer klemmte jetzt zwischen seinen Beinen, er reckte sich, aber es war nicht seine Mutter. Eine Weile blieb Peter stehen. Als er wieder saß und an seinen Lippen nagte, hörte er seine Mutter sagen, er schäle und esse sich an allen möglichen Stellen seines Körpers, er sah ihren angeekelten Gesichtsausdruck vor sich. Irgendeiner, das sagte sich Peter, irgendeiner musste kommen. Peter fielen die Augen zu, er öffnete sie, er durfte nicht schlafen, sonst würde er nicht bemerken, wenn einer ihn suchen käme, er kämpfte gegen den Schlaf, dachte an die Hand und zog die Beine auf die Bank hinauf. Er legte den Kopf auf die Knie und ließ doch den Blick nicht von der Bahnhofstür. Als der Morgen graute, erwachte er mit Durst, und der nasse Stoff des Hosenbodens klebte an seiner Haut. Jetzt stand er auf, er wollte eine Toilette und Wasser suchen.

# Die Welt steht uns offen

In einem Bett aus Metall, weiß emailliert, lagen zwei Mädchen und stießen abwechselnd mit ihren nackten Füßen gegen das heiße Kupfer der Wärmflasche. Immer wieder versuchte die Kleine mit den Zehen stoßend und der Ferse schiebend das Kupfer auf ihre Seite zu schaffen. Doch im letzten Augenblick hinderte sie das lange Bein der Schwester. Die Länge ihrer Beine und ihre schmalen, grazilen Füße bewunderte Helene an Martha. Aber die Entschlossenheit, mit der Martha scheinbar mühelos die Wärmflasche für sich beanspruchte und Helenes Begehrlichkeiten zurückwies, ließ Helene verzweifeln. Sie stemmte ihre Hände gegen den Rücken der Schwester und suchte mit den kalten Zehen einen Weg vorbei an den Beinen und Füßen unter der schweren Decke. Das Licht der Kerze flackerte, jeder Windstoß, ausgelöst vom Gerangel unter der Decke und ihrem plötzlichen Heben und Senken, bewegte die Flamme. Helene wollte lachen und weinen vor Ungeduld, sie presste die Lippen zusammen und umfasste die Schwester, das Nachthemd war hoch gerutscht und Helene gelangte mit ihrer Hand auf Marthas nackten Bauch, Marthas Hüfte, Marthas Schenkel. Helene wollte sie kitzeln, aber Martha wand sich, Helenes Hände glitten immer wieder ab und bald musste Helene sie kneifen, um auch nur etwas von Martha zu fassen zu kriegen. Es gab eine stillschweigende Abmachung zwischen beiden, keine durfte einen Laut von sich geben.

Martha schrie nicht, sie hielt Helenes Hände einfach fest. Ihre Augen glänzten. So stark sie konnte, drückte sie Helenes

Hände zwischen ihren zusammen, es knackte, Helene fiepte, sie winselte, Martha presste, bis Helenes Widerstand erloschen schien und die Kleine immer wieder flüsterte: Lass los, bitte, lass los.

Martha lächelte, sie wollte jetzt gern eine Seite in ihrem Buch umblättern. Die blonden Wimpern der kleinen Schwester flatterten, ihre Augen barsten. Wie fein das Geäst der Adern ihre Augäpfel umspannte. Kein Zweifel, Martha würde Helene begnadigen, früher oder später. Das alles wegen einer kupfernen Wärmflasche zu ihren Füßen. Helenes Flehen klang vertraut, es beruhigte Martha. Sie ließ die Hände der Kleinen los, wandte ihrer Schwester den Rücken zu und zog das Federbett mit sich.

Helene fror, sie setzte sich auf. Und obwohl ihre Hände noch schmerzten, streckte sie sie aus, berührte Marthas Schulter und fasste nach ihrem dicken Zopf, aus dem überall kleine Locken sprossen. Marthas Haar war wild und weich zugleich, nur wenig heller als das schwarze Haar der Mutter. Helene beobachtete es gern, wenn Martha die Mutter kämmen durfte. Die Mutter saß dann mit geschlossenen Augen da und summte ein Lied, das wie das Schnurren einer Katze klang, in verschiedenen Tonhöhen schnurrte sie behaglich, während Martha mit der Bürste das dicke und lange Fell der Mutter striegelte. Einmal stand Helene am Waschtisch, sie spülte das Laken, und als die Seife raus war, wrang sie es über dem großen Eimer aus. Sie gab acht, dass kein Wasser auf den Küchenboden spritzte. Es war nur eine Frage der Zeit, wann die Mutter aufschrie. Sie schrie nicht hoch und hell, sondern tief und kehlig, mit der Inbrunst eines großen Tieres. Die Mutter bäumte sich auf. Ihr Stuhl, auf dem sie bis eben gesessen hatte, krachte zu Boden. Sie schubste Martha von sich, die Bürste fiel zu Boden. Unter heftigen und ziellosen Bewegungen der Arme schlug sie um sich, Spangen und Kämme flogen vom Tisch, sie trat nach dem Stuhl, fasste ihn, hob ihn hoch und schleuderte ihn in Helenes Richtung. Ihr Brüllen dröhnte, als habe die Erde ihren Schlund aufgerissen und grolle.

Die auf dem Tisch liegenden Häkeleien flogen quer durch das Zimmer. Etwas hatte geziept.

Doch während die Mutter über ihre Töchter schimpfte, fluchte, sie habe eine nichtsnutzige Brut geboren, wiederholte Helene wie ein Gebet immer denselben Satz: Darf ich dich kämmen? Ihre Stimme zitterte: Darf ich dich kämmen? Als eine Schere durch die Luft flog, hob sie schützend die Arme über ihren Kopf: Darf ich dich kämmen? Und kauerte sich unter den Tisch. Darf ich dich kämmen?

Die Mutter hörte sie anscheinend nicht, erst als Helene schwieg, wandte sich die Mutter zu ihr um. Sie beugte sich nach vorn, um Helene besser unter dem Tisch sehen zu können, ihre grünen Augen blitzten. Bloß das nicht, schnaubte die Mutter. Sie richtete sich auf und schlug mit der flachen Hand auf den Tisch, dass es ihr weh tun musste. Helene solle unter dem elenden Tisch hervorkommen. Sie sei noch ungeschickter als die Große. Die Mutter betrachtete das kriechende, sich umständlich aufrichtende Mädchen mit seinen hellen, goldenen Locken wie eine Fremde.

Haare willst du kämmen. Die Mutter lachte böse. Pah, nicht mal die Wäsche kannst du richtig wringen! Die Mutter packte das Laken aus dem Eimer und schleuderte es zu Boden. Vielleicht sind dir deine Hände zu schade? Dem Eimer gab die Mutter einen kräftigen Tritt, und noch einen, bis er umfiel, scheppernd.

Unwillkürlich zuckte Helene zusammen, sie wich zurück. Die Mädchen kannten die Wutausbrüche ihrer Mutter, allein die Plötzlichkeit, dass es keinerlei Vorwarnung gab, ließ sie erschrecken. Winzige Bläschen zersprangen auf den Lippen der Mutter, neue bildeten sich, sie schillerten. Zweifellos, die Mutter schäumte, sie kochte. Geifernd erhob sie ihren Arm, Helene machte einen Schritt seitwärts und fasste nach Marthas Hand. Etwas streifte Helenes Schulter und klirrte und brach unter dem Schreien der Mutter am Boden entzwei. Glas zersprang. Tausend Splitter, abertausend. Helene flüsterte die unfassbare Zahl, die unbegreifliche, abertausend. Abertausend glitzerte. Unzählige Scherben lagen verstreut. Die Mutter musste ihre Vase aus böhmischem Glas vom Schrank gerissen haben. Helene wollte weglaufen, nur waren ihre Beine zu schwer.

Die Mutter krümmte sich, sie schluchzte und sank auf die Knie. Die Scherben mussten sich durch den Stoff ihres Kleides bohren, doch es kümmerte sie nicht. Sie durchfurchte mit ihren Händen die grünen Scherben und erstes Blut quoll zwischen ihren Fingern hervor, sie weinte wie ein Kind, zartes Stimmchen, fragte, ob denn kein verdammter Gott da sei, der ihr helfen wolle, sie wimmerte, und schließlich stammelte sie in einem fort den Namen Ernst Josef, Ernst Josef.

Helene wollte sich bücken, sich zu ihrer Mutter knien, sie trösten, aber Martha hielt sie entschlossen zurück.

Wir sind es, Mutter. Das sagte Martha streng und gefasst. Wir sind hier, Ernst Josef ist tot wie deine anderen Söhne auch, tot geboren, hörst du, Mutter. Zehn Jahre, tot. Aber wir sind da.

Aus Marthas Stimme klang die Empörung und Wut, es war nicht das erste Mal, dass sie der Mutter die Stirn bot.

Ah! Die Mutter brüllte, als ramme Martha ihr einen Dolch in die Brust.

Da zog Martha Helene mit sich aus dem Zimmer.

Widerlich, flüsterte Martha, das müssen wir uns nicht anhören, Engelchen, komm, wir gehen.

Martha legte ihren Arm um Helene. Sie gingen in den Garten und hängten die Wäsche auf.

Immer wieder hatte Helene hinauf zum Haus blicken müssen, wo durch das geöffnete Fenster das Klagen und Schreien der Mutter leiser und seltener geworden und schließlich gänzlich verstummt war, so dass Helene fürchtete, die Mutter sei nun verblutet oder habe sich noch Schlimmeres angetan.

Helene dachte weiter, als sie neben Martha im Bett saß, dass der Mutter das Schreien womöglich nur vor ihren Kindern gelang, allein musste es ihr zwecklos erscheinen. Was galt das Schreien schon ohne Gehör? Helene schüttelte sich vor Kälte und berührte den Zopf der Schwester, den Zopf, aus dessen Inneren Löckchen sprossen, fein und weich, der Schwester, die gut war, die sie im Zweifel beschützte.

Ich friere, sagte Helene. Bitte, lass mich unter die Decke.

Und sie war froh, als sich der Berg vor ihr öffnete und Martha ihre Hand ausstreckte, den Arm wie einen Stützpfeiler hob, damit Helene zu ihr unter die Federn schlüpfen konnte. Helene steckte ihre Nase in die Achselhöhle der Schwester, und als diese sich wieder zu ihrem Buch umdrehte, drückte Helene ihr Gesicht in Marthas Rücken, in tiefen Zügen atmete sie den warmen und vertrauten Geruch. Helene überlegte, ob sie ihr Abendgebet sprechen sollte. Sie konnte die Hände falten. Ihr war wohl zumute. Ein Gefühl von Dankbarkeit durchströmte sie, doch empfand sie es Martha gegenüber, nicht gegenüber Gott.

Im Schatten des Kerzenlichts spielte Helene mit Marthas Zopf. Der matte Schein ließ ihr Haar noch dunkler erscheinen als es war, fast schwarz waren die Locken. Helene streichelte sich mit Marthas Zopfende über die Stirn, die Haare kitzelten sie an den Wangen und an den Ohren. Martha blätterte eine Seite ihres Buches um und Helene begann mit dem Zählen der Sommersprossen auf Marthas Rücken. Jeden Abend zählte Helene Marthas Sommersprossen. War sie sich der Zahl auf der linken Schulter bis zum Muttermal über der Wirbelsäule sicher, schob sie den Zopf zur Seite und zählte rechts weiter. Martha ließ sich das gefallen, sie blätterte eine Seite um und kicherte leise.

Was liest du?

Nichts für dich.

Helene liebte das Zählen. Es war aufregend und beruhigend. Wenn Helene zum Bäcker ging, zählte sie auf dem Hinweg die Vögel und auf dem Rückweg die Menschen, die ihr begegneten. Ging sie mit dem Vater aus dem Haus, zählte sie, wie oft sein großer sandfarbener Hund namens Baldo das Bein hob und auch, wie oft sie gegrüßt wurden, und freute sich über die hohen Zahlen, einmal spielte sie sie gegeneinander aus, jeder Gruß vernichtete eine Marke des Hundes. Hin und wieder wurde der Vater im Übermut mit Herr Professor angesprochen, wobei es sich eher um den Ausdruck von Schmeichelei als um ein Missverständnis handelte. Jeder wusste, dass Ernst Ludwig Würsich zwar seit einigen Jahren philosophische und literarische Bücher verlegte und in seiner Druckerei setzen ließ, aber er hatte damit keinen Professorentitel erworben. Der Bürgermeister Koban blieb stehen und tätschelte Baldo über den Kopf. Die Männer tauschten Zahlen aus über die Druckauflage der Festschrift zur Räteversammlung und Koban fragte den Vater, was für einer sein Hund sei. Doch der Vater weigerte sich stets, Mutmaßungen über beteiligte Rassen zu äußern, sondern antwortete: Ein Guter.

Helene wunderte sich über die vielen Bekannten, die grußlos an ihnen vorübereilten, sobald sie mit der Mutter auf die Straße trat. Der Mutter schien das nicht aufzufallen. Helene zählte still und heimlich, wobei sie oft nicht über eine Begrüßung hinaus kam. Die Bäckersfrau Hantusch, die dem Vater sonst fast um den Hals fiel, schaute sie nicht einmal an. Lieber senkte sie ihren Schirm leicht, schob ihn wie einen Schutzschild vor sich her und verhinderte auf diese Weise jeden Blickwechsel. Vermutlich war es Martha, von der Helene eines Tages erfahren hatte, dass die Mutter keineswegs Frau Würsich genannt wurde. Die Bewohner der Tuchmacherstraße sprachen von der Fremden, die Fremde, die zwar den angesehenen Bautzener Bürger und Buchdruckmeister Würsich geheiratet hatte, aber selbst hinter dessen Ladentheke und auf der Straße mit den gemeinsamen Töchtern an der Hand eine Fremde blieb. Obwohl es in der Lausitz durchaus Brauch war, am Herkunftsort der Frau zu heiraten, gab es auch noch zehn Jahre nach der Eheschließung Gerede über die Herkunft dieser Braut. Es hieß, die Eheleute seien standesamtlich in Breslau getraut worden. Standesamtlich, das klang nach einer ehrrührigen Verbindung. Jeder wusste, dass die Fremde ihrem Mann sonntags nicht in den Petridom folgte. Ein Gerücht besagte, sie sei gottlos.

Da nützte es nichts, dass ihre Töchter im Dom getauft worden waren. Die Bewohner Bautzens empfanden offenbar die nicht stattgefundene kirchliche Trauung als Schmach für das Ansehen ihres Bürgerstandes. Niemand würdigte die Fremde eines Grußes. Jeder Blick, auch wenn er Selma Würsich nicht treffen konnte, weil sie wie in weiser Voraussicht den raren Fundstücken zwischen den Pflastersteinen mehr Aufmerksamkeit schenkte als den Bürgern der Stadt, war abschätzig von einem Kopfschütteln und Flüstern begleitet. Ob stolz oder verlegen, die Passanten blickten an Helene und ihrer Mutter vorbei, hinweg über die am Boden hockende Frau und durch sie hindurch. Begegnete Helene an der Hand der Mutter dem Bürgermeister Koban, einem Freund des Vaters, so wechselte dieser grußlos die Straßenseite. Die Söhne vom Richter Fiebinger lachten und drehten sich um, weil sie die im Sommer dünnen Stoffe anstößig und die im Winter ausladenden Kleider der Mutter seltsam fanden. Doch die Mutter schien von alldem nichts zu bemerken. Sie bückte sich und zeigte Helene strahlend eine kleine Glasperle, die sie gefunden hatte. Schau mal, ist die nicht schön? Helene nickte. Die Welt steckte voller Schätze.

Wann immer die Mutter das Haus verließ, sammelte sie auf, was sie am Boden fand – das waren Knöpfe und Münzen, ein alter Schuh, der so aussah, als könne man ihn noch einige Monate tragen und vielleicht etwas aus ihm machen, zumindest war der Schnürsenkel im Gegensatz zur Sohle neu und die Haken am Schaft erschienen in den Augen der Mutter von großer Seltenheit und besonderem Wert. Aber auch ein buntes Stück Keramik unten am Fluss, wenn es rundgespült war, entlockte der Mutter einen Ausruf der Freude. Einmal fand sie unmittelbar vor der Haustür einen Gänseflügel und weinte Tränen der Rührung.

Martha hatte damals behauptet, es sei mehr als wahrscheinlich, dass jemand den Flederwisch vor die Tür gelegt habe, nur, um zu sehen, wie die Fremde sich bückte und ihn auflas. Die Federn waren vom Gebrauch schon gestutzt, einige Kiele ragten wie abgebrochene Zähne hervor, blank und kahl.

Die Mutter sammelte Flederwische, auch wenn sie selten von einem Gebrauch machte. Sie hängte die Vogelflügel an die Wand über ihrem Bett. Ein Vogelschwarm für das Geleit von Seelen, so nannte sie ihre Sammlung. Nur ein gefundener Flederwisch erhielt einen Platz über dem Kopfende. Es waren neun an der Zahl mit diesem, sie hoffte auf den zehnten. Sind es erst zehn, so konnte sie die zweiundzwanzig Buchstaben ergänzen und Wege erhellen, wie sie sich ausdrückte. Keine der beiden Töchter erfragte, woher und wohin welche Seelen geleitet werden sollten. Ihnen war die auf parallele Welten begründete und aus ihnen geliehene Bedeutung einer wandernden Seele unheimlich. Es sollte neben ihrer Welt, in der ein Ding ein Ding war und ein Lebewesen ein Lebewesen, auch eine geben, in der die Bezüge zwischen Leben und Ding eine Einheit schufen. Helene hielt sich die Ohren zu. War es nicht schon schwierig genug, sich die Beschaffenheit einer Seele vorzustellen? Was konnte einer Seele erst geschehen, wenn sie auf Wanderschaft ging? Blieb sie die eine Seele, eine wiedererkennbare, einzelne? Würde man sich wirklich in einer anderen Welt zu gegebener Zeit wieder begegnen müssen? Die Mutter drohte damit. Wenn ich tot bin, werden wir uns wieder begegnen, wir werden verbunden sein. Es gibt kein Entrinnen. Aus Furcht wollte Helene nichts mehr über Seelen wissen. Für jeden Gegenstand kannte die Mutter eine mutmaßliche Bestimmung, notfalls erfand sie eine. Über die Jahre der Ehe hatte sich das Haus gefüllt, nicht nur in den Schränken und Vitrinen, auch auf dem Boden zwischen den Möbelstücken drohte beständig eine eigenwillige Landschaft zu wachsen, Hügel und Haufen legte die Mutter an, Sammlungen bestimmter und weniger bestimmter Gegenstände. Einzig die Haushälterin Marja, von den Herrschaften Mariechen genannt und nur wenige Jahre älter als die Mutter, schaffte es mit großer Geduld und Beharrlichkeit, in manchen Räumen für erkennbare Ordnung zu sorgen. Die Küche unterstand Mariechens Regiment, das Esszimmer, die schmale Treppe in die beiden höheren Stockwerke. Aber im Schlafzimmer der Mutter und im angrenzenden Raum waren es kaum erkenntliche Pfade, auf denen man gehen durfte. Selten war hier ein Stuhl frei, so dass man sich setzen konnte. Die Mutter sammelte Äste und Schnüre, Federn und Stoffe, aber auch kein zerbrochenes Geschirr durfte fortgeworfen werden, keine noch so angestoßene Schachtel und kein von Würmern zernagter Schemel, auch nicht, wenn er wackelte, weil eins der Beine inzwischen morsch und zu kurz war. Was das Mariechen aus ihren Wirtschaftsräumen ausrangierte, wurde von der Mutter hinauf in die oberen Gemächer getragen, wo sie den löchrigen Topf oder das zerbrochene Glas erst einmal abstellte, in der Zuversicht, eines Tages einen Platz und auch eine Verwendung für den Gegenstand zu finden. Niemand konnte in der Ansammlung eine Ordnung erkennen, einzig die Mutter selbst ahnte, in welchem Stapel sie einen gewissen Zeitungsausschnitt suchen konnte und unter welchem Kleiderhaufen sie die kostbare sorbische Spitze abgelegt hatte. War das filigrane Muster dieser Spitze nicht einzigartig, wo hatte es je so zarte und ungestüm aus der Textur herausragende Lilien gegeben wie diese?

Auf der Suche nach einem wollenen Winterkleid, das Martha vor fast zehn Jahren abgelegt hatte und das Helene nun tragen sollte, hatte die Mutter im Innern des höchsten, bis knapp unter die Zimmerdecke reichenden Kleiderberges gewühlt, war bald darunter verschwunden und kroch schließlich mit einem anderen, schon viel zu kleinen Kleid daraus hervor. Der Kleiderhaufen war mit der Suche in die Breite geraten und erstreckte sich nun über das Regal, zwei Stühle und den Trampelpfad. Helene schien es, als müsse das Haus bald unter der Last seiner Füllung auseinanderbrechen. Die Mutter bückte sich, hob einzelne Dinge auf, legte sie links und rechts zur Seite und arbeitete sich so in die Ecke des Zimmers vor. Dort stieß sie in Bodennähe auf eine runde Hutschachtel. Sie drückte die Hutschachtel an ihre Brust wie einen verlorenen Sohn.

In dieser Schachtel habe sie einst den Hut ihrer Verlobung ins eheliche Haus gebracht, einen ungewöhnlich ausladenden, mit Schleier und dunkelblau, fast schwarz schimmernden Federn einer Elster. Zärtlich streichelte sie das feine graue Papier des Deckels und strich über die kaum angestoßenen Kanten. Doch dann beäugte sie die Schachtel misstrauisch, sie drehte und wendete und schüttelte sie, und es klimperte darin, als habe sich der Verlobungshut in lauter Nägel oder Münzen verwandelt. Eine Weile versuchte die Mutter mit zittrigen Fingern das violette Schleifenband aus Atlas, das vielfach um die Schachtel gewunden war, zu lösen. Bis sie die Geduld verlor. Zorn verzerrte ihr Gesicht. Mit einem Aufschrei warf sie die Schachtel vor Marthas Füße: Du schaffst das!

Martha hob die Hutschachtel auf, die Schachtel hatte jetzt eine große Beule. Martha blickte sich um; weit und breit konnte sie keinen freien Platz entdecken, auf den sie den Schatz hätte stellen können. Also trug sie die Schachtel hinunter in die Küche und stellte sie dort auf den Tisch. Helene und die Mutter folgten ihr. Marthas Hände waren flink, geschickt öffnete sie die Knoten.

Den Deckel wollte die Mutter selbst abheben. Sie seufzte, als ihr Blick ins Innere fiel. Ein Meer von Knöpfen und anderen Nähutensilien kam zum Vorschein, geklöppelte Blüten und kleine Stofffetzen, mit denen vermutlich die noch nackten und zu erneuernden Knöpfe bezogen werden sollten.

Die Mutter musste sich auf einen Stuhl setzen und tief Atem holen. Dabei hob und senkte sich ihr Brustkorb heftig, als wehre sie sich mit aller Kraft gegen die aufsteigende Erregung. Sie schluchzte, Tränen rannen ihr über die Wangen, und Helene fragte sich, wo sich in der schmalen Mutter der schier unendliche Vorrat an Tränen verbergen konnte.

Am späten Nachmittag hatte sich die Mutter hingelegt, die Mädchen saßen nahe dem Bett, Helene auf dem Hocker, Martha im Schaukelstuhl. Helene beugte sich über die runde Schachtel und war damit beschäftigt, kleine Ösen und große Ösen, goldene und schwarze, weiße und silberne herauszufischen. In dem Knäuel aus Nähbändern und Litzen entdeckte Helene ein Gespinst von Motten. Die leeren Hüllen der Larven klebten zwischen den Stoffen. Helene blickte sich um. Die Mutter lag auf einem hohen Kissen. Sie hatte eine Hand auf ihrer kleinen Truhe mit den zwei Schubladen abgelegt, in der sich Ansichtspostkarten und Briefe, aber auch getrocknete Blätter und einzelne Spielkarten befanden – man konnte ja nie wissen, ob man nicht eines Tages wieder ein ganzes Spiel zusammenfand oder eine einzelne Karte für ein sonst unvollständiges Spiel benötigte. In der unteren Schublade bewahrte die Mutter vor allem Kaffee- und Briefmarken auf. Sie hatte die Augen geschlossen und zuvor ihre Töchter ermahnt, sie sollten ruhig sein und ihre Arbeiten erledigen. Seit Stunden litt die Mutter an heftigen Kopfschmerzen, ihre Stirn zeigte zwischen den Augen das Faltendreieck einer Leidenden. Offenbar erachtete Martha die Gelegenheit als günstig. Die ihr zugewiesene Aufgabe musste ihr mühsam und unsinnig erscheinen, sie sollte die Fäden der achtlos in den Nähkasten geworfenen Garnrollen entwirren und ordentlich aufwickeln. Die Garnrollen mussten nach Farben und Qualität sortiert werden.

Sobald der Arm der Mutter schwer im Schlaf von der kleinen Truhe rutschte und ihr Atem gleichmäßig ging, zog Martha ein schmales senffarbenes Buch unter ihrer Schürze hervor und begann darin zu lesen. Sie kicherte in sich hinein, wobei ihre Füße auf und ab wippten, als wolle sie jeden Augenblick tanzen oder wenigstens aufspringen. Helene blickte sehnsüchtig zu Martha hinüber, gern hätte sie gewusst, was der Anlass ihrer

Heiterkeit war. Helene betrachtete das Knäuel Nähbänder in ihren Händen. Ekel erfasste sie, als sie auf dem dunkelblauen Samt ihres Kleides eine weiße Made entdeckte, die mühsam in Richtung Knie kroch. Schon fiel eine zweite, winzige Made aus dem verlassen geglaubten Mottengespinst in ihren Händen und landete unweit der ersten auf ihrem Schoß. Die Made krümmte sich, es war ungewiss, welche Richtung sie einschlagen würde. Voller Hoffnung, Martha könne sie erlösen, flüsterte Helene hinüber: Kann ich das wegwerfen?

Durch die zugezogenen Gardinen schimmerte blattgrünes Licht. Von Zeit zu Zeit blähte ein Windstoß die Gardinen, und in dem schmalen Sonnenstrahl, der nur kurz durch das Fenster brach, tanzten winzige Staubkörnchen. Martha schaukelte vor, hielt einige Sekunden inne und schaukelte zurück. Sie blätterte eine Seite um und würdigte das Knäuel in Helenes Hand keines Blickes. Als sie streng den Kopf schüttelte und dabei doch lächelte, war Helene nicht sicher, ob Martha sie überhaupt gehört hatte, vielleicht war sie ganz in ihrer Welt und in Gedanken mitten in ihrem Buch, vielleicht war sie auch einfach froh, dass sie nicht selbst dieses Knäuel aus zerfressenen Nähbändern und Larven in der Hand hielt. Helene musste würgen. Vorsichtig schob sie das Knäuel auf das Bett der Mutter, wo am Fußende verschiedene Strumpfhalter, Strümpfe und Kleidungsstücke der vergangenen Tage lagen.

Martha lehnte sich im Schaukelstuhl zurück, sie streckte ihre Beine aus. Mit einer zärtlichen Bewegung legte sie sich die Locke, die aus dem dicken Zopf gerutscht war, hinter das Ohr. Hin und wieder schnalzte sie mit der Zunge, schlug ein Bein über das andere und kniff die Augen zusammen, leckte sich über die Lippen, als schmeckte ihr das Gelesene außerordentlich. Erst als der Vater mit seinem Hund das Zimmer betrat, schreckte sie zusammen. Baldo hatte den Schwanz eingeklemmt und legte sich sogleich vor den Ofen.

Doch der Vater konnte die roten Wangen seiner älteren Tochter so wenig wie das Buch bemerken, das sie eilig unter der Schürze verschwinden ließ. Einzig für seine Frau hatte er Augen. Er wusste nicht, wie er Abschied nehmen sollte, und seufzte, während er in seiner Husarenuniform auf und ab ging. Bei jeder Kehrtwende sah er seine Frau an, als ersuchte er sie um Hilfe und erbitte ihren Rat. Helene schien es, als wollte der Vater sprechen, aber er atmete nur schwer und schluckte und schickte schließlich die Mädchen aus dem Zimmer.

Später klopfte Helene gegen die angelehnte Tür, sie wollte eine gute Nacht wünschen und dabei gern einen Blick auf den neuen Säbel und die Schärpe an der väterlichen Uniform werfen. In Helenes Augen war die Furcht, die Martha und die Mutter vor dem Kriegszug des Vaters äußerten, völlig unbegründet. Der Vater mit seinem kaiserlichen Schnurrbart, den er mehr aus Bewunderung und Respekt denn wegen erster leiser Zweifel ein wenig kürzer als der Kaiser trug, und seiner felsenfesten Zuversicht und Liebe für diese wundersame Mutter erschien ihr ganz und gar unversehrbar. Dieser Eindruck wurde vom Glänzen und Funkeln des neuen Krummsäbels untermalt. Noch während Helene klopfte, öffnete sich die Tür einen Spalt. Der Vater kniete auf dem dunklen Holzboden, Eichenparkett, das erst vor wenigen Tagen poliert worden war. Es duftete nach Harz und Zwiebeln. Seine Stirn hatte er auf die Hand der Mutter gelegt.

Gute Nacht, flüsterte Helene, sie warf einen Blick auf den Säbel, den der Vater nachlässig auf dem Schaukelstuhl abgelegt hatte. Da der Vater nicht antwortete, nahm Helene an, er schlafe. Auf Zehenspitzen näherte sie sich dem Schaukelstuhl. Sie strich mit dem Finger über die Schneide und wunderte sich, wie stumpf sie war, wie kühl. Ein leises Schnalzen scheuchte sie auf, sie sah, wie der Vater mit einem Arm fuchtelte, um ihr zu bedeuten, dass sie sich davonscheren solle. Der Vater wollte mit der Mutter allein sein. Es störte ihn nicht, dass Helene die Schneide seines Säbels befühlte, einzig ihre Anwesenheit störte ihn. Er musste Abschied von seiner Frau nehmen. Selma Würsich lag mit geschlossenen Augen ausgestreckt auf ihrem Bett, vielleicht war es der hohe Kragen, der ihren Hals steif hielt und der Zwiebelgeruch, der ihren geschlossenen Augen Tränen entlockte. Die Mutter hörte nichts, sah nichts, sagte nichts.

Auf leisen Sohlen ging Helene rückwärts zur Tür, dort wartete sie, sie hoffte, der Vater würde sie noch etwas fragen, aber der Vater hatte die Stirn wieder auf den Handrücken der Mutter gelegt und wiederholte die Worte: Mein Täubchen, meine Liebe. Helene bewunderte ihren Vater für seine Liebe. Wer ihre Mutter liebte, dem konnte kein Krieg etwas anhaben.

Am folgenden Abend hatte keines der Mädchen dem Vater eine gute Nacht gewünscht. Sie hörten ihn im Zimmer nebenan auf und ab gehen und wussten, dass er weder Rat noch Hilfe erhielt. Manchmal sagte er etwas, es klang wie Freude! und wie Gott! Nur selten hörten sie zwischen diesen Worten das Fiepen seines Hundes.

Die Mädchen lagen eng aneinandergeschmiegt, Helene drückte ihre Nase zwischen die Schulterblätter der großen Schwester, von Zeit zu Zeit reckte sie ihr Kinn und schnappte nach Luft, während Martha in regelmäßigen Abständen eine Seite umblätterte und leise für sich lachte. Doch dann hörten die Mädchen laut und deutlich die tiefe, vom starken Rauchen etwas mitgenommene Stimme der Mutter: Wenn du gehst, sterbe ich.

Helene strich mit der Hand über das mattbraune Mal, Marthas Rücken war mager und zart, und sie strich auch über die Sommersprossen, mit dem Finger fuhr sie entlang der fein gehäkelten Spitze des Nachthemdes, hin und her.

Ein Wort nur, bitte.

Nicht betteln.

Bitte. Nur ein Wort.

Erst mach weiter. Oben, ja, weiter oben.

Helene folgte den Anweisungen ihrer Schwester und ließ ihre Hand über die Haut streichen, das Nachthemd und die Schulter hinauf, kreisen, von dort den Arm hinab, über die nackte Haut, und wieder das Leinen unter sich den Rücken aufwärts und abwärts und entlang der Wirbelsäule, Wirbel um Wirbel, die sie deutlich unter dem Stoff spüren konnte. Dann hielt sie still.

Ein Wort.

Stern.

Helene bewegte nur leicht ihre Hand, sie malte die Zacken, hielt inne und forderte.

Noch eins.

Will der Stern meiner Hoffnung verglühn.

Helene belohnte Martha. Sie kraulte ihren Nacken. Zeile für Zeile, Strophe für Strophe erwarb sich Helene mit ihren Händen Byrons Worte aus Marthas Mund.

Unter dem Fenster fuhr ein Pferdewagen vorüber, und mit dem Rütteln des Wagens auf dem Kopfsteinpflaster schepperte etwas und klirrte, als habe der Wagen Gläser geladen. Vermutlich war es ein Lieferant vom Gasthaus Drei Raben, das im Frühjahr sein neues Haus in der Tuchmacherstraße bezogen hatte. Die Eröffnung hatte die Straße belebt. Der Bierkutscher verstellte mit seinen Fässern den Bürgersteig, die feineren Damen gingen mitten am Tage zum Kaffeetrinken, während ihre Köchinnen und Haushälterinnen oben auf dem Kornmarkt die Einkäufe erledigten, und abends grölten die Husaren auf der Straße, die plötzlich zu schmal und zu klein wirkte.

An den Wochenenden, in der Nacht vom Sonnabend auf den Sonntag, bebte jetzt das Viertel südlich des Kornmarkts. Bis in den frühen Morgen sangen und stampften die Männer und Frauen zu den bekannten Melodien eines Klaviers. Wurde der Klavierspieler müde und verstummten seine Tasten, so packte ein anderer sein Akkordeon aus. Sie kamen aus den kleinen Orten in den Bergen, aus Singwitz und Obergurig, selbst aus

Cunewalde und Löbau reisten die Menschen an den Wochenenden an. Am Morgen gingen sie auf den Markt, verkauften ihre Leitern und Seile, ihre Körbe und Krüge, die Zwiebeln und den Kohl und erwarben etwas, das es bei ihnen nicht gab. Apfelsinen und Kaffee, feine Pfeifen und grobgeschnittenen Tabak. Die Nacht hindurch tanzten sie im Gasthaus Drei Raben, bevor sie am frühen Morgen ihre Wagen anspannten und bestiegen, manch einer zog einfach seinen Handkarren zurück ins Bergdorf. Doch während der Woche war es in Bautzen still.

Helene streichelte den Rücken ihrer Schwester, mit der Daumenkuppe strich sie die Wirbelsäule entlang.

Fester, sagte Martha, mit den Nägeln.

Helene bog ihre Finger, damit ihre allzu kurzen Nägel wenigstens die Haut ihrer Schwester streifen konnten. Vielleicht würde sie die Nägel Martha zuliebe lang wachsen lassen, sie spitz feilen, wie sie es bei einer Freundin gesehen hatte.

So? Mit der linken Hand zeichnete Helene eine Himmelskarte auf Marthas Schulterblatt, von Sommersprosse zu Sommersprosse zog sie Linien und verband sie zu Sternbildern, die sie kannte. Das erste war der Orion, der Marthas Muttermal wie ein Schutzschild über der Brust trug, der mittlere der drei hellsten Gürtelsterne war etwas erhaben. Helene wusste, an welchen Stellen sich Martha strecken und wann sie sich dehnen würde, lautlos, erstarren und krümmen. Cassiopeia ging auf ihrer Karte unmittelbar in die Schlange über, eine Schlange mit großem Kopf. In ihrer Mitte erhob sich der Schlangenträger. Helene kannte ihn aus einem Buch, das sie im Regal des Vaters gefunden hatte. An manchen Tagen wand sich Martha unter Helenes Händen, und hörte Helene genau hin, konnte Marthas Atem als ein Zischen gelten. Helene stellte sich vor, wie es wäre, Martha in die Luft zu heben, sie zu tragen, wie schwer sie wäre. Marthas Seufzen war unvorhersehbar, Helene lockte es, sie glaubte, jede Faser, jeden Nerv unter ihrer Schwester Haut zu kennen, strich an ihr entlang wie auf einem Instrument, das nur klang, wenn man die Saiten auf eine ganz bestimmte Weise strich. In Helenes Augen war Martha schon eine Frau. Vollkommen erschien sie ihr. Sie hatte Brüste, deren Knospen gewölbt waren, hell und zart und weich, und an manchen Tagen im Monat wusch sie heimlich kleine Wäsche. Nur wenn Helene eine Strafe verbüßen sollte, weil sie Rosinen stibitzt oder ein falsches Wort fallen gelassen hatte, übergab Martha Helene ihre kleine Wäsche. Helene fürchtete Marthas schroffe Weisungen. Sie wusch Marthas Blut aus dem Leinen, nahm das braune Fläschchen Terpentinöl, drehte den Schraubverschluss auf und zählte für das letzte Spülwasser dreißig Tropfen ab. Zum Trocknen hängte sie im Winter die kleine Wäsche vor das Südfenster des Dachbodens. Das Terpentin verflog, und die Sonne tat ihr Übriges, um die Wäsche weiß leuchten zu lassen. Es würde noch Jahre dauern, bis Helene selbst kleine Wäsche zu wringen hatte, sie war neun Jahre jünger als Martha und erst im vergangenen Sommer in die Schule gekommen.

Weiter unten, sagte Martha, und Helene folgte ihrem Befehl, sie streichelte tiefer die Flanke der Schwester hinab, bis dorthin, wo die Hüfte sich sanft wölbte, und von hier im Bogen zurück zum Ende der Wirbelsäule.

Martha seufzte tief, es folgte ein Schmatzen, als öffne sie den Mund, um etwas zu sagen.

Nierchen, sagte Helene.

Ja, und auf zu den Rippchen, zur Lunge, mein Herz.

Schon seit einigen Minuten hatte Helene nicht mehr das Umblättern einer Seite gehört. Martha verharrte auf der Seite liegend, den Rücken ihr zugewandt und hielt still in der Erwartung. Helenes Hände kamen und gingen, sie steigerte Marthas Verlangen, noch ein Seufzen, ein einziges wollte sie hören, ihre Hände flogen jetzt sachte über die Haut, berührten nicht mehr alles, nur noch wenig, das wenigste, ihr Verlangen ließ sie schneller atmen, erst Helene, dann Martha, und schließlich beide, es klang wie das Keuchen beim Wringen, wenn man allein am Waschtisch stand und nichts hörte als den eigenen Atem und das Gurgeln der Wäsche im Wasser der Emailleschüssel, das Sprudeln des Waschpulvers, schäumendes Soda, hier das Keuchen zweier Mädchen, noch kein Gurgeln, nur Atmen, ein Sprudeln, bis Martha sich plötzlich umdrehte.

Mein kleiner Engel, Martha umfasste Helenes Hände, die sie eben noch gestreichelt hatten, sie sprach leise und deutlich: Morgen habe ich um vier Dienstschluss, und du holst mich vom Krankenhaus ab. Wir gehen hinunter zum Fluss. Marthas Augen leuchteten auf, wie manchmal in letzter Zeit, wenn sie einen Gang zur Spree ankündigte.

Helene versuchte ihre Hände loszumachen. Sie fragte es kaum, eher stellte sie es fest: Mit Arthur.

Martha legte ihrer Schwester den Zeigefinger auf die Lippen. Nicht traurig sein.

Helene schüttelte den Kopf, obwohl sie traurig war. Sie riss die Augen weit auf, sie würde nicht weinen. Selbst wenn sie hätte weinen wollen, es ging nicht. Martha strich über Helenes Haar. Engelchen, wir treffen ihn am alten Weinberg hinter der Bahnlinie. Wenn Martha glücklich war und aufgeregt, gluckste ihr Lächeln in der Kehle. Er wird Botanik studieren in Heidelberg. Dort kann er bei seinem Onkel wohnen.

Und du?

Ich werde seine Frau.

Nein.

Das Nein kam schneller über Helenes Lippen, als sie es denken konnte, es platzte heraus. Sie fügte leise hinzu: Nein, das wird nicht möglich sein.

Nicht möglich sein? Alles ist möglich, Engel, die Welt steht uns offen. Frohlockend strahlte Martha, aber Helene kniff die Augen zusammen und schüttelte beharrlich den Kopf.

Vater wird es nicht erlauben.

Vater wird keinen Mann an meiner Seite erlauben. Martha

ließ Helenes Hände los und musste trotz ihrer Einsicht lachen. Er liebt mich.

Vater oder Arthur?

Arthur natürlich. Vater besitzt mich. Er kann mich nicht hergeben. Selbst wenn er wollte, er kann es einfach nicht. Er wird mich niemandem überlassen.

Dem gewiss nicht.

Martha drehte sich auf den Rücken, sie faltete ihre Hände, als wollte sie beten. Gott, was bleibt ihm anderes übrig? Ich habe zwei Beine, mit denen gehe ich davon. Und eine Hand, die gebe ich Arthur. Warum bist du so streng, Helene, so ängstlich? Ich weiß, was du denkst.

Was denke ich?

Du glaubst, es wäre wegen Arthurs Familie, du glaubst, Vater hegt gewisse Vorbehalte. Aber das ist nicht wahr. Warum auch, sie gehen nicht einmal ins Bethaus. Manchmal redet Vater schlecht über diese Leute, aber bemerkst du dann nicht sein Lächeln, er macht sich freundlich lustig, so, wie wenn er dich Dreckspatz nennt, Engelchen. Er hätte Mutter nicht geheiratet, wenn er so denken würde, wie er spricht.

Er liebt Mutter.

Hat er dir erzählt, wie sie sich kennengelernt haben? Helene schüttelte den Kopf und Martha fuhr fort. Wie er nach Breslau gereist ist und dort das Fräulein Steinitz mit ihren auffallenden Hüten in der Druckerei entdeckte. Apart war sie, sagt er, ein apartes Fräulein mit einem zyanfarbenen Mantel. Den hat sie heute noch. Jeden Tag trug sie einen anderen Hut.

Apart, sagte Helene vor sich hin. Das Wort klang wie eine Praline, es sollte etwas Edles bezeichnen, und doch schmeckten Pralinen nur bitter.

Ihr Onkel war Hutmacher und sie sein liebstes Modell. Keines dieser heute unansehnlichen Filzbündel darf weggeworfen werden. Einmal habe ich gehört, wie Vater ihr vorhielt, sie sei in den Onkel verliebt gewesen, deshalb könne sie sich von den

Filzbündeln nicht trennen. Da hat Mutter nur gelacht, so gelacht, dass ich dachte, es stimmt, was Vater vermutet. Meinst du, es hat ihn interessiert, dass sie Jüdin ist?

Helene sah Martha ungläubig an, sie kniff die Augen zusammen. Das ist sie nicht. Zur Bekräftigung schüttelte Helene den Kopf. Nicht richtig.

Du merkst es nicht, weil sie keine Perücke trägt. Und in welche Synagoge sollte sie gehen? Sie trennt kein Geschirr, das Kochen überlässt sie dem Mariechen. Aber natürlich ist sie eine. Du glaubst, sie wird in Bautzen die Fremde genannt, weil sie mit Breslauer Akzent spricht. Glaubst du das? Glaubst du, das ist Breslauer Akzent? Ich glaube das nicht, es ist die Sprache ihrer Sippschaft. Sie benutzt all die Worte, die dir vertraut erscheinen, von denen du nicht einmal ahnst, dass sie sie erkennbar machen.

Martha, wie redest du denn? Noch immer schüttelte Helene langsam und beharrlich den Kopf, so als könnte sie damit Marthas Worte stillen.

Ist doch wahr. Sie muss uns nichts vormachen. Was glaubst du, warum sie nie mit in die Kirche kommt? Einen großen Bogen macht sie um den Dom.

Das liegt an dem Fleischmarkt. Sie sagt, die Fleischbänke riechen übel. Helene wollte, dass Martha schwieg.

Aber Martha ließ sich nicht aufhalten. Wenn wir Weihnachten mit Vater zum Gottesdienst gehen, dann behauptet sie, einer müsste ja das Essen vorbereiten. Von wegen. Warum muss sie ausgerechnet Weihnachten das Essen vorbereiten? Weil sie dem Mariechen freigeben will, weil sie so ein großes Herz hat – weil sie schlicht mit Weihnachten in der Kirche und unserem Gott nichts am Hut hat, Engelchen. Ist dir das nie aufgefallen, nein?

Helene stützte ihren Kopf auf die Hand, so, wie sie es bei Martha sah. Hast du mit ihr darüber gesprochen?

Natürlich. Sie sagt, es geht mich nichts an. Ich sage ihr, wenn ich heiraten möchte, findet man sie in keinem Kirchenregister, und mir fehlt ihr Familienbuch und somit die Hälfte meines eigenen. Rate, was sie geantwortet hat? Ich soll nicht frech werden. Wenn ich so weitermachte, dann wollte mich nie einer heiraten.

Helene betrachtete Martha und wusste, dass die Mutter log. Martha war mindestens so schön wie die Mutter, sie hatte deren schmale schöne Nase, die weiße Haut mit den Sommersprossen und ihre geschwungene Hüfte. Wen interessierte schon ein Familienbuch?

Martha sagte, es nütze nichts, wenn das Mariechen ihnen die Stiche zeigte, mit deren Hilfe sie ihre Initialen in Leinen sticken konnten. Der Makel war die Herkunft, nicht das Initial.

Das Mariechen galt auch unter ihren wendischen Verwandten als Meisterin der Handarbeitskunst. Obwohl die Frauen häufig an die Tür in der Tuchmacherstraße klopften und Spitzentücher und Hauben und Decken bei Mariechen in Auftrag geben wollten, lehnte das Mariechen diese Bitten ab. Sie befinde sich in fester Anstellung, antwortete sie mit einem treuen Lächeln. Nur selten verschenkte sie einer Schwester, Base oder Nichte etwas. Die meisten Spitzen und Deckchen, die das Mariechen in freien Minuten häkelte und bestickte, blieben im Hause. Ihre unbedingte Treue schuf eine sonderbare Allianz zwischen der Wendin Marja und ihrer Dame, Frau Selma Würsich. Vielleicht teilten sie einfach die Liebe zu Stoffen?

Helene betrachtete Martha. Sie erkannte keinen Makel. Martha schien ihr vollkommen. Die feinen Züge ihres Gesichts zogen keineswegs allein Arthurs Blicke auf sich. Wenn Helene mit Martha über den Kornmarkt ging, dann sahen ihr nicht nur die jungen Männer nach und pfiffen fröhlich, wünschten einen guten Tag. Auch die alten Männer übten Laute, die wie Ächzen und Grunzen klangen. Marthas Schritte waren leicht und lang, den Rücken hielt sie gerade und stolz, so dass man ihr mit Achtung begegnete, zumindest war es das, was Helene empfand.

Die Männer schnalzten und schmatzten, als schmeckten sie Sirup auf der Zunge. Selbst die Marktfrauen sprachen Martha mit Schönes Fräulein und Tausendschönchen an. Es fanden sich von Tag zu Tag mehr Männer in der Nähe des kleinen Druckhauses in der Tuchmacherstraße ein, die Martha heiraten wollten. Stand Martha hinter der Theke im kleinen Ladenbereich und half aus, versammelten sich dort im Laufe des Nachmittags einige junge Männer, die sich verschiedene Papiere und Druckbilder zeigen ließen, sich aber selten entscheiden konnten. Sie wägten ab, kamen miteinander ins Gespräch, mit unverhohlenen Blicken in Marthas Richtung prahlten sie über ihre eigenen Geschäfte und Studien und umwarben Martha, so gut sie konnten. Erst wenn einer sich traute und sie fragte, ob er sie einmal zum Kaffee einladen dürfte, und sie lachend ablehnte, sie gehe niemals mit Kunden einen Kaffee trinken, rückte die Entscheidung für einen kleinen Druckauftrag näher. Aber sie kamen wieder, die Männer, sie bewachten einander, jeder Einzelne achtete darauf, dass kein anderer höher in Marthas Gunst stünde als er selbst. Helene konnte die Männer gut verstehen, nur wollte sie gern allein ein Leben lang neben der schönen Martha einschlafen und aufwachen. Die Ehe mit einem Mann erschien Helene völlig sinnlos und unnötig. Eine Heirat war das Allerletzte.

Und was glaubst du, warum Vater dich keinem Arthur Cohen zur Frau geben wird?

Warum wohl? Martha ließ ihren Kopf auf das Kissen sinken, sie sah weniger nachdenklich als ärgerlich aus, und als Martha unter dem Kopfkissen ein Taschentuch hervorholte und sich ausgiebig schnäuzte, wie die Mutter es nach langem Weinen tat, bereute Helene, Martha gefragt zu haben. Doch dann breitete sich unerwartet ihr Lächeln aus, ein Lächeln, dessen sie sich in letzter Zeit kaum erwehren konnte, das leicht in ein Kichern umschlug und selten – nur wenn kein Vater und keine Mutter zugegen war – zu einem vollen, ausgelassenen Lachen wurde.

Engelchen, wie soll er sich denn auf Mutter verlassen? Wenn Mutter zu einem Jahrmarkt fährt, wird sie für Tage nicht gesehen. Bestimmt steigt sie in Zwickau und Pirna in Gasthäusern ab und tanzt mit fremden Männern bis in den Morgen.

Niemals. Helene musste lächeln, weil sie nicht wusste, ob Martha diese Vermutung nur äußerte, um sie zu ärgern, oder ob etwas Wahres an dieser Behauptung war.

Wer soll sich dann um dich kümmern? Er kann nicht auf sein Pferd steigen und in den Krieg ziehen, ohne uns versorgt zu wissen. Er fürchtet sich, das ist alles. Und er möchte, dass ich für dich sorge. Das werde ich auch. Du wirst sehen.

Helene wollte nichts erwidern. Sie ahnte, dass jedes Wort Martha dienen könnte, eifriger und genauer über die Möglichkeiten ihres Entkommens nachzudenken. Seit Wochen schon dachte sie gewiss über nichts anderes nach, als wie sie mit Arthur Cohen ein gemeinsames Leben beginnen könnte.

Von wem ist das, was du liest?

Nichts für dich.

Ich will es aber wissen.

Alles willst du wissen. Martha rümpfte die Nase, sie freute sich über Helenes Neugier und den Vorsprung, den sie selbst noch hatte. Als Helene vor einem Jahr endlich die Städtische Mädchenschule am Lauengraben besuchen durfte, konnte sie bereits lesen und schreiben. Sie hatte von Martha auf dem alten Klavier das Spielen gelernt, wobei Martha voller Bewunderung und mit ein wenig Neid ihr dabei zusah, wie geschmeidig ihre Hände von Anfang an, so ganz ohne Übung, über die Tasten glitten, wie schnell ihr Lauf auch in den tiefen Oktaven wurde und wie sicher sie die Melodien erinnerte, die Martha sich oft mühsam zusammensuchen und Note für Note lesen musste. Noch schneller und sicherer als mit den Fingern auf dem Klavier sprang Helene mit Zahlen im Kopf um, egal, welche Zahlen Martha Helene zuwarf, Helene hatte keinerlei Mühe, die Zahlen umzuwandeln, aufzubrechen, zu teilen und mit anderen in neue Zusammenhänge zu fügen. Schon nach wenigen Wochen in der Schule setzte die Lehrerin Helene zu den älteren Schülerinnen und gab ihr die Aufgaben für Zehnjährige. Inzwischen war Helene sieben. Es zeichnete sich ab, dass die Lehrerin in wenigen Monaten ihr gesamtes Wissen an das Mädchen weitergegeben haben würde, ohne dass es das angemessene Alter erreicht hätte. Helene schämte sich dafür, nicht schnell genug älter zu werden. Sie fürchtete sich auch. Mit vierzehn, spätestens sechzehn gingen die Mädchen zurück in ihr Elternhaus, sie übernahmen die Hauswirtschaft und wurden Männern zugeführt, von denen man sagte, sie wären wohlhabend und genössen ein Ansehen, das ihnen die junge Frau mehren sollte. Nur wenige durften die Höhere Schule besuchen, diese wenigen waren unter den anderen Mädchen der Stadt bekannt und beneidet. Äußerte eine Freundin von Martha den Wunsch, Kindergärtnerin zu werden, so wurde sie von ihren Eltern abschätzig gefragt, ob das denn nötig sei. Die Familie habe genügend Geld, das Mädchen sei hinreichend gebildet und könne schon jetzt unter zwei Bewerbern einen tüchtigen und wohlhabenden Mann wählen. Wenn Martha Helene von ihren Freundinnen erzählte, klang es wie eine Gruselgeschichte. Sie setzte eine bedeutungsvolle Pause, diese Freundin wolle aber einen, den sie liebe, das habe sie den Eltern geantwortet. Darauf lächelten die Eltern. Im Ton der Weisheit gab der Vater zu bedenken, dass ja wohl erst einmal der passende Mann da sein müsse, dann könne sich die Liebe zeigen. Der Richter Fiebinger, dessen Söhne erst nach einer gewissen Dienstzeit im hiesigen Regiment das Studium aufnehmen sollten, schickte seine Töchter gleich nach Dresden, die eine ans Konservatorium, die andere zum Seminar für Lehrerinnen. Martha erzählte Helene häufig von den Töchtern des Richters. Lehrerin müsste man werden. Martha hatte noch vor wenigen Jahren in der Schule neben der angehenden Lehrerin gesessen und ihr beim Rechnen geholfen. Womöglich hätte es das Mädchen ohne ihre Hilfe nicht auf die Höhere

Schule geschafft? Martha flüsterte Helene ins Ohr, dass der Vater Helene zum Studieren schicken werde, wenn sie so weiter mache, bis nach Dresden und Heidelberg, ganz sicher. Ihre Lippen berührten beim Flüstern Helenes Ohr, es kitzelte angenehm, und Helene konnte nicht genug davon kriegen. Nachdem der Vater Martha schon die Krankenpflegeschule erlaubt habe, werde er in Anbetracht von Helenes Klugheit nicht davor zurückschrecken, seinen ganzen Stolz auf die Jüngere zu richten und sie nach Heidelberg bringen, damit sie dort als eine der wenigen Frauen Medizin studiere. Wenn Martha ihr so eine Zukunft ausmalte, hielt Helene den Atem an, sie hoffte, dass Martha nicht aufhören würde, diese Geschichte zu erzählen, sie sollte weitersprechen und davon erzählen, wie Helene eines Tages in einem großen Lehrsaal an der Dresdner Universität die Anatomie des Menschen studieren würde und welche lustigen Namen der Körper in sich trug, das Rückenmark und den Wirbelkanal. Helene konnte sich nicht satthören an diesen Wörtern, mit denen Martha nach Hause kam, die sie Helene einmal sagte, zweimal, um sie selbst bald zu vergessen. Helene wollte mehr wissen über die Rautengrube und die Arterien der Schädelbasis, doch Martha geriet ins Stottern, sie wirkte ertappt. Ratlos blickte sie Helene an und gestand, dass sie nur die Worte kenne, keinen Ort und keine Geschichte dafür. Sie strich ihrem Engelchen über den Kopf und tröstete Helene, nicht mehr lange und sie würde studieren gehen, wenige Jahre nur noch, sie werde sehen. Sobald Marthas Erzählfluss stockte, sie womöglich selig neben Helene eingeschlafen war, wurde Helene von weniger angenehmen Gedanken erfasst. Ihr fiel jetzt ein, dass der Vater sie zwar neuerdings die Buchhaltung für die Druckerei machen ließ, sich aber lediglich sanft und leise in Selbstgesprächen darüber ärgerte, wenn Helene irgendwo einen Fehler gefunden hatte. Ihm wollte einfach keinerlei Klugheit an seiner jüngeren Tochter auffallen. Solange Helene am Abend auch im Bürozimmer des Vaters sitzen blieb und rechnete, kein einziges

Mal war der Vater erstaunt und freute sich. Sie errichtete ganze Zahlenkolonnen, nur, damit er einmal stehenbleiben und sich wundern und bemerken würde, dass sie mit seinen Zahlen bald leichter umging als er selbst. Doch der Vater sah Helenes Bemühungen nicht. Als die Lehrerin die Eltern ins Schulhaus am Lauengraben bat und mit dem Vater darüber sprach, dass Helene im Laufe des Schuljahrs in manchen Fächern den Stoff der ersten vier Jahre überflogen habe, lächelte er freundlich und unaufmerksam, wie es seine Art war, er zuckte mit den Achseln und blickte voller Zärtlichkeit zu seiner Frau, die umständlich eine mitgebrachte Nähnadel aus dem Revers ihres Mantels zog und das zu Hause eingesteckte Stopfgarn aus der Manteltasche holte, um sich nunmehr anzuschicken, inmitten der Unterredung und trotz der Gegenwart dieser Lehrerin mit dem roten Garn ein Loch in ihrem malvenfarbenen Kleid zu stopfen. Während die Eltern erleichtert waren, dass Helene nichts gestohlen und sich keine andere Unartigkeit hatte zuschulden kommen lassen, begriffen sie nicht, warum die Lehrerin sie in die Schule bestellt hatte und ihnen sagte, dass sie bald nicht mehr wisse, was sie diesem Mädchen beibringen könne. Sie werde sie schlicht lesen lassen, Reime und Märchen, wenn die Eltern nichts dagegen einwendeten. Die Mutter biss mit den Zähnen das Garn durch, ihr Loch war geflickt. Der Hund schlug mit seinem langen Schwanz ungeduldig gegen das Bein seines Herren. Dem Vater war der fragende Blick der Lehrerin unangenehm. Es war doch nicht an ihm, der Lehrerin zu sagen, was sie mit Helene machen sollte.

Bei ihrer Rückkehr sprachen sie mit Helene kein Wort über den Besuch bei der Lehrerin. Es wirkte, als sei ihnen Helene peinlich.

Helene wollte gern in der Schule bleiben, sie hatte kleine und erhebliche Zweifel an dem Traum, den Martha für sie ersponnen hatte. Niemals hatte einer der Eltern das Wort Heidelberg oder Studium in den Mund genommen. Helene wollte keinesfalls vorzeitig aus der Schule nach Hause zur Mutter geschickt werden und deren Mottengespinste aus den Schränken sammeln.

Was willst du einmal werden? Manchmal fragte Martha Helene das.

Dabei kannte sie die Antwort, es war immer dieselbe: Ich werde Krankenschwester, wie du. Helene drückte ihre Nase an Marthas Schulter und sog den Duft ihrer Schwester ein. Martha duftete wie ein Brötchen und nur wenig nach dem Essig, mit dem sie sich bei Dienstschluss die Hände abrieb. Helene beobachtete Marthas Lächeln. Freute sich Martha über Helenes zuverlässige Antwort? Schmeichelte es ihr, dass die Kleine vorgab, dasselbe zu wollen wie sie? Doch im nächsten Augenblick erkannte Helene, dass Marthas Lächeln nicht zu Helenes Antwort gehörte. Martha strich über die goldgeprägten Buchstaben auf dem Einband.

Was für ein Geschenk.

Lass mich sehen.

Schließ die Augen, so, ja. Du kannst blind lesen.

Helene spürte, wie Martha ihre Hand nahm, doch anstatt sie zu dem Buchdeckel zu führen, fühlte sie Marthas Bauch, ihren Bauchnabel, der schon in einer kleinen Grube lag, im Gegensatz zu Helenes, der wie ein Knopf vorstand. Helene kniff beide Augen fest zusammen und spürte, dass Martha ihren Finger nahm und ihn in die Höhle des Bauchnabels drückte.

Und, was kannst du entziffern?

Helene fühlte die leichte Wölbung von Marthas Bauch. Wie weich Marthas Haut war. Im Gegensatz zum Bauch der Mutter, der sich vor allem unterhalb des Nabels in die Breite zog, hatte Martha einen schönen Bauch, der sich nur sanft der Länge nach andeutete, Helene ertastete Marthas Rippen und dachte an die goldenen Buchstaben auf dem senffarbenen Buch, die sie längst heimlich entziffert hatte. Byron stand da. Also sagte sie: Byron.

Byron. Martha verbesserte Helenes Aussprache. Lass die Augen zu und lies weiter.

Helene hörte an Marthas Stimme, dass Martha von ihren blindlesenden Fähigkeiten begeistert war. Lies weiter, forderte Martha sie ein zweites Mal auf. Und Helene spürte, wie Martha ihre Hand nahm und Helenes Hand über ihren Bauch führte, kreisend, wie sie Helenes Hand über ihre Hüfte führte, streichend. Lies.

Vermischte lyrische Gedichte.

Helene hatte sich die goldenen Buchstaben gemerkt und dachte seit geraumer Zeit darüber nach, was wohl lyrische Gedichte sein mochten. Doch dann nahm Martha Helenes Hand und legte sie auf den untersten Rippenbogen.

Kannst du auch unter die Haut blicken, Engelchen? Weißt du, was hier unter den Rippen liegt? Hier liegt die Leber.

Schwesternwissen. Merk dir das gut, das musst du später alles lernen. Und hier sitzt die Galle, dicht daneben, ja. Helene lag das Wort Milz auf den Lippen, sie wollte es nicht sagen, nur die Augen wollte sie öffnen, aber Martha bemerkte es und befahl: Lass die Augen zu.

Helene spürte, wie Martha ihre Hand nahm und sie zum anderen Rippenbogen führte und wie sie sie schließlich höher hinauf schob, zu ihrer Brust.

Obwohl sie die Augen fest verschlossen hielt und sie nicht sehen konnte, was sie fühlte, bemerkte Helene, wie ihr Gesicht plötzlich heiß wurde. Martha führte ihre Hand, und Helene fühlte deutlich die Spitze der Brust, das Feste, das Weiche, die vollkommene Rundung. Hinab ins Tal, wo sie einen Knochen spürte.

Rippchen.

Martha antwortete nicht mehr, schon ging es den anderen Hügel hinauf. Helene blinzelte, aber Marthas Augen prüften sie nicht mehr, sie wanderten ziellos unter den halb geschlossenen Lidern, entzückt, und Helene sah, wie sich Marthas Lippen leicht öffneten, bewegten.

Komm her.

Marthas Stimme kratzte, sie zog mit der anderen Hand Helenes Kopf zu sich und drückte ihren Mund auf Helenes Mund. Helene erschrak, sie spürte Marthas Zunge an ihren Lippen, die fordernd war, sie hatte sich nicht vorstellen können, wie rau und glatt Marthas Zunge auf ihren Lippen sein würde. Es kitzelte, fast musste Helene lachen, doch Marthas Zunge wurde fest und bedrängte Helenes Lippen, als suchte sie etwas. Die Zunge öffnete Helenes Lippen und stieß gegen ihre Zähne, Helene musste atmen, sie wollte Luft holen, sie öffnete die Lippen und schon füllte Marthas Zunge ihren Mund aus, ganz und gar. Helene spürte, wie sich Marthas Zunge in ihren Mund wühlte, sich hin und her bewegte, innen gegen die Wangen stieß und dabei ihre eigene Zunge schob und drängte, Helene dachte an den letzten Spaziergang zur Spree und wie Martha ihr befohlen hatte, einige Schritte hinter ihr und Arthur zu laufen, und bemerkte plötzlich, dass ihre Hand nun allein auf Marthas Brust lag und Marthas Hände sich längst in ihren Haaren bewegten und auf ihrem Rücken.

Sie waren zu der versteckten Mole hinter dem Weinberg gegangen, die man nur durch Weiden erreichen konnte. Der Boden war schwarz und glitschig. Komm, rief Martha einige Meter entfernt und lief mit Arthur voraus. Sie sprangen von Baumstumpf zu Baumstumpf, der Boden rutschte, gab nach, die nackten Füße sanken ein. Überall gluckste Wasser, das in kleinen Tümpeln stand. Schwärme winziger Mücken surrten. Hier in der Biege des Flusses hatte sich die Spree eine kleine Bucht geschaffen, ein Land, das nicht mehr fest war und von kaum einem Spaziergänger je betreten wurde. Sumpfdotterblumen blühten, wohin man sah. Der Kranz aus Gänseblümchen, den Martha für Helene auf der Wiese am Hang geflochten hatte, drohte Helene vom Kopf zu rutschen, sie hielt ihn mit einer Hand fest, mit der anderen hielt sie die Schuhe und hob das Kleid, damit es nicht schmutzig wurde. Es war schwer zu erkennen, wo der Boden fest war, immer wieder gab er nach, und so schnell sie auch liefen, die Zehenspitzen zuerst, waren die Füße doch bald bis zum Knöchel und zur Wade schwarz. Die schwertförmigen Blätter der Lilien schimmerten silbrig in der Sonne.

Arthur hatte hinter einer Weide einen Badeanzug angezogen und war als erster ins Wasser gerannt, hatte sich in die Strömung geworfen und ruderte wild mit den Armen, um sich nicht flussabwärts treiben zu lassen. Es sah aus, als bewegte er sich auf der Stelle. Der Wind fuhr durch das Schilf, es wogte und beugte sich zum Wasser hin. Im nächsten Augenblick blähte der Wind, die grüngelben Zweige, Halme stülpten Bäuche und verneigten sich. Das Rauschen brandete an Helenes Ohren. Obwohl Arthur immer wieder nach ihnen rief, konnte Martha sich nicht entschließen. Sie besaß keinen Badeanzug, im letzten Jahr war sie so schnell gewachsen, dass ihr der alte nicht mehr passte.

Wir lassen das Unterkleid an und gehen nur mit den Füßen ins Wasser.

Martha und Helene zogen ihre Kleider aus und hängten sie über den Ast einer niedrigen Weide. Das Wasser war eiskalt, die Kälte zog in den Waden. Als Arthur ans Ufer kam und sie nass spritzen wollte, flohen die Mädchen. Martha kreischte und lachte, sie rief ein ums andere Mal Helenes Namen. Arthur wollte sich mit Martha flussabwärts am Fuß des Hanges ins Gras legen, aber Martha fasste Helenes Hand und sagte, sie könne ohne ihre kleine Schwester nirgendwo hin. Womöglich gäbe es Grasflecken, wenn sie sich mit den Unterkleidern dort hinlegten. Arthur sagte, sie könne sich auf seine Jacke setzen, Martha lehnte das ab. Sie zeigte auf ihren Mund und ließ Arthur hören, wie laut ihre Zähne klapperten.

Ich wärme dich. Arthur legte seine Hände auf Marthas Arme, er wollte sie streicheln und reiben, aber Martha klapperte jetzt so laut mit den Zähnen, wie nur sie das konnte.

Arthur brachte Martha ihr Kleid. Er forderte sie auf, sich wieder anzuziehen, und Martha dankte ihm.

Später saßen die beiden Schwestern dicht aneinandergedrängt am Hang. Arthur hatte etwas oberhalb kleine Erdbeeren entdeckt und krabbelte nun auf allen vieren durch die Wiese. Von Zeit zu Zeit kam er zu den Mädchen, kniete sich vor Martha hin und reichte ihr auf einem Weinblatt eine Handvoll Beeren.

Kaum hatte er sich wieder entfernt, nahm Martha die Beeren und steckte abwechselnd Helene und sich selbst eine in den Mund. Sie ließen sich rückwärts ins Gras fallen und betrachteten die Wolken. Der Wind hatte sich um sie gelegt, nur einen zarten Hauch von Holz trug er vom Sägewerk zu ihnen herauf. Helene sog den Holzgeruch ein, süßer Duft irgendwelcher Blüten mischte sich darunter. Martha entdeckte einen Husaren, dessen Pferd bloß Vorderbeine hatte, und selbst die verschwanden bei längerem Hinsehen. Während es hier unten nahezu windstill schien, zogen die Wolken oben immer schneller gen Osten. Helene wollte einen Drachen erkennen, aber Martha sagte, ein Drache habe Flügel.

Kein Wunder, dass alle Welt von Mobilisierung spricht, rief Arthur herab. Wenn man euch da so liegen sieht, fällt das Beerensammeln gar nicht schwer!

Die Schwestern tauschten einen vielsagenden Blick. Arthur ging es um ihre Nähe und um keine Mobilisierung, da waren sie sicher. Keine von beiden hatte eine Vorstellung, was Arthur mit Mobilisierung meinte. Sie vermuteten, dass er über diesen Begriff ähnliche Rätsel anstellte wie sie selbst. In Fetzen trug der Wind sein Pfeifen zu ihnen, er pfiff einen fröhlichen Marsch. Wer sollte schon wofür in einen Krieg ziehen? Gab es einen herrlicheren Ort als das Spreeufer und eine größere Zuversicht, als die Sonne sie mit ihrer Wärme seit Monaten ausstrahlte? Die Ferien würden kein Ende nehmen, niemand würde dem Aufruf zur Mobilisierung folgen.

Mehr gibt es nicht, sagte Arthur, als er nach längerer Zeit mit zwei vollen Händen Walderdbeeren kam und sich vor die

Schwestern setzte. Nimmst du sie? Er streckte seine Hände Martha entgegen, die Beeren kullerten und drohten ins Gras zu fallen.

Nein, ich möchte nicht mehr.

Vielleicht du.

Helene schüttelte den Kopf. Einen Augenblick schaute Arthur unschlüssig auf seine Hände.

Teuerste. Er flehte Martha lachend an. Sie sind für dich.

Von wegen, wir füttern das Engelchen.

Martha hielt ihre Hände auf und übernahm die Erdbeeren von Arthur, einige fielen auf die Wiese.

Pack sie. Martha deutete mit dem Kopf zu Helene. Arthur folgte ihrem Befehl, er warf sich auf Helene, zwang sie unter sich und kniete fest auf ihrem kleinen Körper, mit seinen starken Händen drückte er ihre Arme zu Boden. Während Arthur und Martha lachten, kämpfte Helene, sie ballte ihre Fäuste, sie rief, dass man sie loslassen solle. Helene wollte ihr Rückgrat durchbiegen, um Arthur von sich zu schütteln, aber er war schwer, er lachte und war so schwer, dass ihr Rücken unter der Spannung nachgab. Martha drückte nun eine Beere nach der anderen zwischen Helenes Lippen. Helene presste ihre Lippen aufeinander, so fest es ging. Der Saft rann aus ihren Mundwinkeln das Kinn und den Hals entlang. Helene versuchte mit geschlossenem Kiefer zu betteln, man sollte sie in Ruhe lassen. Martha stopfte jetzt die kleinen Beeren in Helenes Nase, dass sie kaum noch Luft bekam und der Saft im Innern der Nase brannte. Martha zerquetschte die Beeren auf Helenes Mund, auf ihren Zähnen, quetschte sie, dass die Haut rund um Helenes Mund vom süßen Saft der Beeren juckte, bis Helene den Mund öffnete und mit ihrer Zunge nicht nur die Erdbeeren von den Zähnen, sondern auch Marthas Finger ableckte, die ihr in den Mund geschoben wurden.

Das kitzelt, Martha lachte, das fühlt sich an, wie, wie, fühl mal.

Schon spürte Helene Arthurs Finger in ihrem Mund. Sie dachte nicht nach, sie biss einfach zu. Arthur schrie und sprang auf.

Er war einige Meter davongerannt.

Bist du verrückt? Voller Entsetzen hatte Martha Helene angesehen, das war doch Spaß.

Jetzt, da Helene Marthas Zunge in ihrem Mund fühlte, überlegte sie, ob sie zubeißen sollte. Aber sie konnte nicht, etwas gefiel ihr an Marthas Zunge, und zugleich schämte sich Helene.

Martha rüttelte sie wach. Es war noch dunkel, Martha hielt eine Kerze. Die Mädchen sollten dem Vater ins Nebenzimmer folgen. Dort lag die Mutter steif auf dem Bett. Ihre Augen waren stumpf, kein Blick schien ihnen mehr zu entkommen. Helene wollte ein Blinzeln erkennen, sie stützte sich mit den Fäusten auf das Bett und beugte sich über die Mutter, aber die Augen der Mutter blieben reglos.

Ich sterbe, sagte die Mutter mit leiser Stimme.

Der Vater schwieg, er sah ernst aus. Unruhig fingerte er am Knauf seines Krummsäbels. Keinen Tag länger wollte er über den Sinn des Krieges und seine Aufgabe darin sprechen. In der Kaserne am Stadtrand wurde er seit letzter Woche erwartet, das Regiment duldete keine Verspätung. Es gab weder Aufschub noch Entrinnen. Dass seine Frau angesichts des Abschiedes das Sterben vorzog, überraschte Ernst Ludwig Würsich nicht. Schon häufig hatte sie mit dem Gedanken gespielt, ihn laut und leise für sich und andere ausgesprochen. Jedes Kind, das sie nach Marthas Geburt verloren hatte, war ihr als Aufforderung erschienen, ihrem Leben ein Ende zu setzen. Das Pendel der Wanduhr zerschlug die Zeit in kleine zählbare Einheiten.

Behutsam näherte Helene sich der Hand der Mutter, sie wollte sie küssen. Die Hand bewegte sich, sie wurde fortgezogen. Helene neigte sich über das mütterliche Gesicht. Aber ohne ihr einen ihrer befremdlichen Blicke zu schenken, wandte die Mutter den Kopf. Ihre vier totgeborenen Kinder sollten Jungen gewesen sein. Einer nach dem anderen war gestorben, zwei noch im Mutterleib, die anderen beiden kurz nach der Geburt. Jedes von ihnen hatte bei der Geburt schwarzes Haar, dichtes, langes, schwarzes Haar und eine dunkle, fast blaue Haut. Der vierte Sohn hatte am Morgen seiner Geburt geröchelt, mühsam geröchelt, es hatte geklungen, als atme er tief ein, dann ist es still gewesen. Ganz so, als könnte die Luft seinen kleinen Körper nicht mehr verlassen. Dabei hatte er gelächelt, wo doch sonst Säuglinge nicht lächeln. Die Mutter hatte das tote Kind Ernst Josef genannt, sie hatte das tote Kind in ihren Arm geschlossen und über Tage nicht loslassen wollen. Es lag in ihren Armen mit ihr im Bett und wenn sie zum Häuschen musste, nahm sie es mit. Mariechen hatte Martha und Helene später davon erzählt, wie sie vom Vater beauftragt worden war, nach dem Rechten zu sehen, und wie sie ins Zimmer der Mutter getreten war, wo die Mutter mit offenem Haar am Bettrand gesessen und ihr totes Kind gewiegt hatte. Nach Tagen erst hörte man sie beten und sei erleichtert gewesen. Die Mutter hatte für Ernst Josef ein langes Kaddisch gesprochen. Obwohl es niemanden gab, der Amen sagte, niemanden, der mit ihr trauerte. Der Vater und das Mariechen waren in Sorge um sie, keiner von ihnen weinte um das tote Kind. Wann immer jemand in den folgenden Tagen die Mutter ansprach, etwas zu ihr sagte, sie etwas fragte, wurde ihre Stimme lauter, ein Gemurmel, ein Sprechen, so schien es, als spreche sie ununterbrochen vor sich hin und werde das Sprechen nur bis zur Unhörbarkeit leise in den Stunden, in denen niemand das Wort an sie richtete. Bis heute hörte man sie jeden Tag beten. Die fremden Laute aus dem Mund der Mutter klangen wie eine ausgedachte Sprache. Helene konnte sich nicht vorstellen, dass die Mutter wusste, was sie da sprach. Die Worte hatten etwas Einschließendes und Abschließendes, sie besaßen in Helenes Ohren keinerlei Bedeutung und schirmten das Haus doch ab, ruhten wie ein Schweigen über dem Haus, ein geräuschvolles.

Wenn das Mariechen am Morgen die Gardinen aufzog, zog die Mutter sie wieder zu. Seither gab es lediglich ein, zwei Monate im Jahr, in denen die Mutter aus ihrer Dunkelheit erwachte, ihr fiel ein, dass sie ein lebendiges Kind hatte, ein Mädchen namens Martha, mit dem wollte sie spielen, albern, als sei sie selbst ein Kind. Es war Ostern und da kam der Mutter das Eierschieben auf dem Protschenberg gelegen. Die Mutter wirkte aufgekratzt, sie trug einen ihrer federbesetzten Hüte. Sie warf ihren Hut wie eine Wurfscheibe in die Luft und ließ sich ins Gras fallen, sie rollte über die Wiese den Hang hinab und blieb unten liegen. Martha lief hinterher. Aus sicherem Abstand schauten Damen und Herren mit Sonnenschirmen herüber, sie wunderten sich nicht mehr über die Fremde, verärgert über den Anblick schüttelten sie den Kopf und wandten sich ab, ihre Eier mussten ihnen wichtiger erscheinen als jene Frau, die soeben den Hang herabgerollt war. Marthas Vater war seiner Frau und der Tochter gefolgt, er beugte sich zu seiner Frau und hielt ihr die Hand, damit sie aufstehe. Die damals achtjährige Martha hielt die andere Hand der Mutter. Die Mutter stieß ihr kehliges Lachen aus, sie sprach davon, dass sie seinen Gott mehr liebe als ihren, die beiden aber ein und derselbe seien, nämlich kein anderer als der gemeinsame Spuk einiger wahnfreudiger Erdbewohner, Menschenwürmer, die seit Jahrhunderten und Jahrtausenden einen Großteil ihres Lebens mit dem Nachdenken über eine plausible Rechtfertigung ihres Daseins zubrächten. Seltsame Eigenart dieser Lebewesen, lächerlich.

Um sie zu beruhigen, brachte Ernst Ludwig Würsich seine Frau nach Hause.

Martha wurde dem Hausmädchen anvertraut, und der Mann setzte sich zu seiner Frau ans Bett. Niemals erwarte er von seiner Frau Respekt für seine Person, das sagte er sanft, einzig für Gott bitte er sie um Schweigen. Er streichelte seiner Frau über die Stirn, Schweiß rann ihre Schläfe herab. Ob ihr warm sei, wollte der Mann wissen und half seiner Frau, das Kleid auszuziehen. Vorsichtig strich er über ihre Schultern und Arme. Er küsste das Rinnsal an ihrer Schläfe. Gott sei barmherzig und gerecht. Gleich darauf wusste er, dass er etwas Falsches gesagt hatte. Denn seine Frau schüttelte den Kopf und flüsterte: Ernst Josef. Erst als er Sekunden später ihren Mund mit einem Kuss verschließen und besänftigen wollte, vollendete sie ihren Satz flüsternd: War einer von vieren. Wie kannst du einen Gott barmherzig und gerecht nennen, der mir vier Söhne genommen hat?

Tränen flossen aus ihren Augen. Der Mann küsste ihr Gesicht, er küsste ihre Tränen, er trank ihr Unglück und legte sich zu ihr ins Bett.

Schon am selben Abend sagte sie zu ihrem Mann: Das war das letzte Mal, ich möchte keinen Sohn mehr verlieren. Sie musste ihn nicht fragen, ob er sie verstand, denn er verstand sie, obgleich es ihm nicht gefiel.

Fast zehn Monate später wurde ein Kind geboren. Groß und schwer und weißhäutig mit einem rosigen Schimmer, ein kahler Kopf mit riesigen Augen, die binnen weniger Wochen in einem Blau erstrahlten, das die Mutter erschreckte. Das Kind war ein Mädchen, seine Mutter erkannte nichts an ihm. Und als der Vater seine Tochter zum Pfarrer bringen wollte, wählte das Mariechen den Namen für das Kind. Helene.

Die Mutter hatte keine Augen für Helene, sie wollte das Kind nicht auf den Arm nehmen und konnte es nicht an sich drücken. Das Kind schrie, während es wuchs, magerte es ab, es vertrug die Ziegenmilch nicht und spuckte mehr, als es trinken wollte. Um es zu beruhigen, legte das Mariechen das Kind an ihre Brust, aber die Brust war alt, sie hatte noch nie nach Milch geduftet und konnte keine Milch geben, das Kind schrie. Eine Amme wurde gefunden, die Helene an die Brust nahm. Das Kind trank, es wurde wieder schwer und rund. Seine Augen schienen von Tag zu Tag heller zu werden, und das erste Haar spross, weißgoldener Flaum. Die Mutter lag reglos im Bett, sie wandte ihr Gesicht ab, wenn man ihr das Kind brachte. Wenn sie von dem Kind sprach, nannte sie nicht seinen Namen, auch mein Kind kam ihr nicht über die Lippen. Sie sagte: Das Kind.

Helene wusste von diesen ersten Jahren. Sie hatte gehört, wie sich das Hausmädchen mit Martha darüber unterhalten hatte. Die Mutter wollte von keinem Gott mehr etwas hören. Sie hatte sich in dem Haus ein Zimmer angeeignet, ein Zimmer für sich allein, dort schlief sie in einem schmalen Bett unter Flederwischen und sprach vom Geleit der Seelen. Wenn Helene abends in Marthas Bett lag, Sommersprossen zählte und ihre Nase in Marthas Rücken drückte, geschah es immer häufiger, ohne Absicht, dass sie jenen Blickwinkel einnahm, der wohl einzig einem Gott vorbehalten war. Sie stellte sich die vielen kleinen aufrechten Wesen vor, die über den Erdball krabbelten und sich Bilder von ihm machten, Namen für ihn erdachten, Schöpfungsgeschichten. Der Gedanke lächerlicher Erdwürmer, wie die Mutter sie nannte, erschien ihr einerseits plausibel, andererseits empfand sie Mitgefühl für diese Wesen, die doch auf ihre Weise nichts anderes taten als die Ameisen und die Lemminge und die Pinguine. Sie sorgten für Hierarchien und Strukturen, die ihrer Art, dem Grübeln und Zweifeln, entsprachen und beides in sich einfassten, weil ein Mensch ohne seinen Zweifel nicht vorstellbar war. Sie wusste, wie empfindlich der Vater auf diese Gedanken reagierte. Und insbesondere, wenn die Mutter lachend darüber sprach, dass sie mit allen Seelen, er möge es Gott nennen, eine Nacht verbracht habe und sich nun, da sie einen Sohn unter dem Herzen trage, selig fühle, weshalb sie bald mit den Seelen gehen wolle, ihr Fleisch mit den Seelen, für immer, wurde der Vater ernst und stumm. Helene hörte, wie ein Freund, der Bürgermeister Koban, auf den Vater einredete, er solle die Mutter in eine Anstalt bringen. Aber der Vater wollte nichts davon wissen. Er liebte seine Frau. Ihn quälte die Vorstellung einer Anstalt, mehr als ihr Rückzug. Es störte ihn nicht, wenn sie sich viele Monate im Jahr in den abgedunkelten Räumen des Hauses aufhielt und keinen Fuß auf die Tuchmacherstraße setzte.

Selbst als die Wege im Haus eng geworden waren, weil seine Frau in ihren wenigen wachen Monaten von draußen unaufhörlich Dinge ins Haus schleppte, um sie zu sammeln und ihnen auf verschiedenen Haufen einen Platz zu geben, Haufen, die sie mit unterschiedlich farbigen Tüchern bedeckte, war dem Vater dieses Leben mit seiner Frau lieber als die Aussicht, ohne sie zu leben.

Hatte er sich früher noch gegen das Auflesen und Ansammeln gesträubt, ihr hier und dort geraten, einen Gegenstand aus dem Haus zu entfernen, worauf sie ihm lang und breit die Verwendung für den Gegenstand erklärte, es konnte ein besonders angelaufener Kronkorken sein, von dem sie sich das Beobachten einer Metamorphose versprach, so befragte er seine Frau in den letzten Jahren nur nach dem Zweck eines Dings, wenn ihm der Sinn nach einer Liebeserklärung stand. Ihre Liebeserklärungen zu den gemeinhin überflüssig und wertlos erscheinenden Dingen waren die aufregendsten Erzählungen, die Ernst Ludwig Würsich kannte.

Einmal saß Helene in der Küche und half dem Mariechen beim Einwecken der Stachelbeeren.

Wo sind die Apfelsinenschalen, die ich zum Trocknen in die Kammer gehängt habe?

Verzeihung, gnädige Dame, beeilte sich das Hausmädchen zu sagen, sie liegen in einer Zigarrenschachtel in der Kammer. Wir brauchten den Platz für die Holunderblüten.

Holunderblüten, Tee! Verächtlich blähte die Mutter ihre Nasenflügel. Das riecht nach Katzenurin, Mariechen, wie oft habe ich das schon gesagt? Pflück Minze, trockne Schafgarbe, aber keine Holunderblüten.

Mein Täubchen, mischte sich jetzt der Vater ein. Was möchtest du mit den Apfelsinenschalen anstellen? Sie sind schon vertrocknet.

Ja, sie erinnern an Leder, findest du nicht? Die Stimme der Mutter wurde samtig, sie geriet ins Schwärmen. Apfelsinenschalen, in einer sich windenden Schlange von der Frucht geschnitten und zum Trocknen aufgehängt. Ist der Duft in der Kammer nicht berauschend? Und wie sie sich drehen, wenn man sie an einem Faden über den Ofen hängt – das ist einfach zu schön. Warte, ich zeigs dir. Und schon stürmte die Mutter wie ein junges Mädchen zur Kammer, suchte die Zigarrenkiste und nahm mit vorsichtigen Händen die Apfelsinenschalen heraus. Wie Haut, findest du nicht? Sie nahm seine Hand, damit er die Apfelsinenschale streichelte, er sollte sie ebenso streicheln wie sie, damit er fühlte, was sie fühlte, damit er wusste, wovon sie sprach. Die Haut einer jungen Schildkröte.

Helene beobachtete, wie zärtlich ihr Vater seine Frau ansah, er verfolgte, wie sie mit den Fingern über die getrocknete Schale der Apfelsine strich, sie an ihre Nase hob, die Lider senkte, um ihre Nüstern zu blähen und daran zu riechen, und offensichtlich wollte er ihr nicht sagen, dass die Zeit des Heizens vorbei war. Sie würde die Apfelsinenschalen bis zum nächsten Winter in der Zigarrenschachtel aufbewahren, bis zum übernächsten, für immer, niemand durfte etwas wegwerfen, und Helenes Vater wusste warum. Helene liebte ihren Vater für sein Fragen und Schweigen im richtigen Augenblick, sie liebte ihn, wenn er ihre Mutter ansah wie jetzt. Im Stillen dankte er gewiss Gott für diese Frau.

Knapp zwei Jahre nach Kriegsende schaffte es Ernst Ludwig Würsich endlich, sich zusammen mit einem aus Dresden stammenden und ebenfalls zurückkehrenden Pfleger auf den Heimweg zu machen. Es wurde ein mühsamer Weg, den er größtenteils auf einem Karren saß und von dem Pfleger gezogen wurde, einem Pfleger, der ihn je nach Tageszeit beschimpfte, morgens, weil er sich für die Unannehmlichkeiten entschuldigte, die er verursachte, mittags, weil er viel zu weit wollte und abends, weil er trotz fehlenden Beins wohl einige Kilo zu schwer wog.

Zu seiner Enttäuschung hatte man ihn aufgrund der Verspätung, mit der er sich erst Wochen nach Kriegsbeginn in der Kaserne gemeldet hatte, aus dem vier Jahre zuvor errichteten 3. Sächsischen Husaren-Regiment verwiesen. Wem hätte er anvertrauen können, dass seine Frau zu Hause sagte, sie liege im Sterben, und dass ihm ohne ihr Dasein der Sinn für jegliche Heldenhaftigkeit zu fehlen drohte? Doch was gewiss noch schlimmer wog, und weshalb er vielleicht mit niemandem über das drohende Sterben seiner Frau sprechen konnte: Es war keineswegs die erste Gelegenheit, die sie zu dieser Äußerung veranlasste. Obwohl er seit einigen Jahren mit ihren Worten im Ohr lebte, die Anlässe waren verschiedene, gab es keine Gewöhnung an diese äußerste Bedrohung. Auch pflegte er ein Bewusstsein dafür, wie wenig diese Worte irgendeiner Garnison etwas anhaben konnten und dem Befehl seines Staates zur unbedingten Gefolgschaft je als Grund zur Verweigerung gelten mochten. Vor einem Deutschen Reich, dem er den Einsatz seines Lebens schuldig war, erschien das drohende Sterben seiner Selma schlicht lächerlich und bedeutungslos.

Man hatte ihm bei der Ankunft in der Alten Kaserne am Stadtrand ohne Zögern die erst wenige Monate zuvor erworbene Husarenuniform und den Krummsäbel abgenommen und ihm gesagt, auf seinem Pferd sei nun schon ein anderer gen Frankreich geritten und habe bereits den Heldentod gefunden. Auch die Artillerie sei auf und davon, er solle sich in der neuen Infanterie-Kaserne melden. Immerzu war ihm auf diesen Wegen sein Hund, der alte Baldo, zwischen die Beine gelaufen. Er hatte ihn fortgeschickt, aber Baldo ließ sich nicht fortschicken, er wollte sein Herrchen einfach nicht allein lassen. Gott mit uns! Das hatte Ernst Ludwig Würsich seinem Baldo zugerufen und ihn mit ausgestrecktem Arm von sich fortgeschickt. Dass einer, der seinen Namen zu Ehren des Reichskanzlers Theobald von Bethmann Hollweg trug, sich bei dieser Losung nicht trennen konnte, war vielleicht gar nicht so unverständlich. Baldo senkte das Haupt und wedelte tief mit dem Schwanz. So hartnäckig verfolgte der Hund ihn von Kasernentor zu Kasernentor, dass Ernst Ludwig Würsich die Tränen kamen und er ihm mit der bloßen Hand Schläge androhen musste, damit er nach Hause zu seiner Frau lief, wo niemand auf ihn wartete. In der Infanterie-Kaserne händigte man dem Bürger Würsich, der bis eben noch Husar gewesen war, die sichtlich schon zu Ehren gekommene einfache Soldatenuniform aus und überlegte einige Wochen, in welche Himmelsrichtung man ihn schicken sollte. Mitte Januar sollte er nach Masuren aufbrechen. Das Schneetreiben ließ sie kaum vorwärts kommen. Während die Männer vor und hinter und neben ihm von Vergeltung und Rückschlag sprachen, sehnte er sich unter die wärmenden Gänsefedern im Bett der Bautzener Tuchmacherstraße. Zwar bestritt die Armee, der man ihn zugeteilt hatte, kurz darauf zwischen vereisten Äckern und zugefrorenen Seen die Schlacht, aber ehe Ernst Ludwig Würsich am Saum eines noch jungen und niedrigen Eichenwäldchens seine Waffe zum Einsatz bringen konnte, verlor er beim Angriff seiner Truppe durch eine fehlgezündete Handgranate seines unmittelbaren Nachbarn das linke Bein. Zwei Kameraden zogen ihn über das Eis des Löwentinsees und brachten ihn noch im Februar in ein Lazarett bei Lötzen, in dem er für die Dauer der verbleibenden Kriegsjahre vergessen und also von einer Heimkehr ausgeschlossen werden sollte.

Sobald er auf dem Krankenlager liegend durch den Schmerz hindurch zu einem Bewusstsein gelangte, ließ er seinen Talisman suchen; seine Frau hatte ihm den Stein an einem der Tage des Abschieds in die Hand gedrückt, zuerst wohl in der Hoffnung, der Talisman würde ihn bekehren und zum Dableiben verleiten, später, als er bereits den Säbel polierte, hatte sie ihm geraten, den Talisman als Heilsbringer anzusehen. Er fand sich in der Innentasche seiner Uniform eingenäht, ein Stein in der Form eines Herzens. Seine Frau wollte darin ein Lindenblatt erkannt haben, und er sollte den Stein auf jegliche Wunde legen, damit diese heile. Da ihm die Wunde unten am Rumpf nun aber zu groß erschien und er in den ersten Wochen nach dem Unglück den Blick hinab scheute, und erst recht jegliche Berührung mit dem weit unten befindlichen, wunden Fleisch vermied, legte er sich den Stein auf die Augenhöhle. Dort wog er schwer und kühlte angenehm.

Während der Stein auf seiner Augenhöhle lag, sprach sich Ernst Ludwig Würsich Worte des Trostes zu, Worte, die ihn an die Worte seiner Frau erinnerten, gute Worte, mein Lieber, und aufmunternde Worte, es wird wieder. Später nahm er den Stein in die Hand und drückte ihn fest und es war ihm, als presse er nicht nur seinen Schmerz, den beißenden Vertrauten, dessen Aufbäumen, weiß und gleißend, ihm immer wieder die Sicht nahm, und auch das Gehör, sondern auch seine letzte Kraft in den Stein und hauche ihm Leben ein. Zumindest ein klein wenig, so wenig und viel, dass der Stein ihm bald heißer als seine

Hand erschien. Erst wenn der Stein geraume Zeit neben ihm auf dem Laken gelegen hatte, konnte er die Augenhöhle wieder kühlen. So verbrachte er Tage mit der einfachsten Handlung. Diese Tage erschienen ihm zuerst alles andere als dumpf, der Schmerz hielt ihn wach, er kratzte ihn auf, reizte ihn, dass er am liebsten gerannt wäre, mit beiden Beinen, er wusste genau, wie das Laufen ging. Niemals zuvor hatte er mit der jetzigen Leidenschaft an seine Frau gedacht, noch nie war ihm das Gefühl der Liebe so klar und rein und ohne jegliche Ablenkung und den leisesten Zweifel erschienen wie in jenen Tagen, in denen sein Handeln allein im Aufheben und Ablegen ihres Steines bestand.

Doch der Schmerz dauerte an, erschöpfte die Nerven und durch die Klarheit der ersten Tage zogen sich feine Risse, die Erkenntnis seiner reinen Liebe bröckelte, sie fiel in sich zusammen. Eines Nachts wachte er von den Schmerzen auf, konnte sich nicht nach links noch nach rechts drehen, der Schmerz war nicht mehr weiß und gleißend, er war flüssig geworden, schwarz, eine Lava ohne Licht, nur von Ferne hörte er das Wimmern und Winseln unter den anderen Laken dicht neben ihm, und ihm war, als wäre all die Liebe, die ganze Erkenntnis seines Daseins nichts weiter als ein tapferes und vergebliches Aufbäumen gegen den Schmerz gewesen. Nichts erschien ihm mehr rein und klar. Alles war Schmerz. Er wollte nicht stöhnen, aber für das Wollen war keine Zeit mehr, kein Raum. Die Hilfsschwester sorgte sich um einen anderen Verwundeten, mit dem es nicht mehr lange dauern würde, dessen war er sicher, das Jammern am Ende der Baracke müsste aufhören, ganz bald, vor seinem. Er wollte seine Ruhe. Er schrie, er wollte jemanden anklagen und ihm fehlte die Erinnerung an Gott und Glauben. Er bettelte. Die Hilfsschwester kam, sie gab ihm eine Spritze. Und die Spritze zeigte keinerlei Wirkung. Erst nach der Morgendämmerung konnte er einschlafen. Mittags ließ er sich ein Blatt Papier und einen Bleistift geben. Der Arm war ihm schwer, und kraftlos erschien ihm seine Hand, kaum konnte er den Bleistift aufrecht halten. Er schrieb an Selma. Er schrieb, um die Verbindung zwischen ihnen nicht abreißen zu lassen, so fahl schien ihm jetzt die Erinnerung an seine Liebe, so willkürlich das Objekt seiner Begierde. Die folgenden Tage widmete er sich seinem Stein aus Treue. Ein ritterliches Gefühl durchströmte ihn beim Berühren des Steines. Er hätte weinen mögen. Vorsichtig umkreisten seine Gedanken Begriffe wie Ehre und Gewissen. Ernst Ludwig Würsich fühlte Scham für sein Dasein. Was war schließlich ein verwundeter Mann ohne Bein? Nicht einmal zu Gesicht bekommen hatte er einen Russen, keinem Feind ins Antlitz geschaut. Geschweige denn hatte er in diesem Krieg sein Leben irgendeinem ehrenvollen Einsatz entgegengebracht. Sein Bein war ein kläglicher Unfall und konnte als keinerlei Tribut an den Feind gelten. Er wusste, er würde den Stein aufheben und ablegen, bis ihn die nächste Infektion der Wunde oder des Darmes ereilte, seinen Körper in Brand setzte, ausbrannte, er in ein Fieber und in die Dämmerung des Schmerzes sank.

Der Erfolg jener Winterschlacht sollte Ernst Ludwig Würsich ähnlich fremd bleiben wie das Fragen nach einem Sinn des Krieges. Als eines Tages, kurz nach Kriegsende, das Lazarett aufgelöst wurde, wollte man ihn und die anderen Verwundeten nach Hause bringen. Aber der Transport stellte sich als schwierig und langwierig heraus. Auf halber Strecke ging es einigen schlechter, Typhus breitete sich unter ihnen aus, manche starben und die Übrigen wurden vorübergehend in einer kleinen Siedlung aus Baracken nahe Warschau untergebracht. Von dort ging es mit einem größeren Krankentransport nach Greifswald. Jetzt hieß es von Woche zu Woche, man warte lediglich auf seine Genesung, um ihn zurück nach Bautzen zu schicken. Aber so gut die Genesung auch voranschritt, im Zweifel waren es Hilfskräfte und finanzielle Mittel, die für seine Heimkehr fehlten. Zwei, drei Briefe schrieb er in jedem Monat nach Hause, er richtete sie an seine Frau, auch wenn er nicht wissen konnte, ob sie noch am Leben war. Eine Antwort erhielt er nicht. Er schrieb Selma, dass der Stumpf seines Beines nicht verheilen wollte, wohingegen die Wunden im Gesicht, dort, wo sich einmal das rechte Auge befunden habe, vortrefflich zugewachsen seien, die Narben sich von Tag zu Tag ebneten. Jedenfalls vermutete er das beim Tasten, wissen konnte er es nicht, weil er keinen Spiegel besaß. Er hoffe, sie werde ihn wiedererkennen. Ausgerechnet die Nase sei fast unverändert geblieben. Ja, das Gesicht sei wunderbar verheilt, man könne wohl nur bei genauem Hinsehen und mit Hilfe einiger Rückschlüsse von der sonstigen Physiognomie erkennen, wo sich einmal dieses rechte Auge befunden habe. Er würde bei künftigen Theaterbesuchen nunmehr gern ihr goldenes Binokel ausleihen, das er ihr zum ersten Hochzeitstag geschenkt hatte, und ihr im Gegenzug endlich sein Monokel anbieten. Sie habe doch schon immer gefunden, das Monokel passe besser in ihre Hände als in seine.

Er glaubte, seine Frau könnte zumindest auf ihre bezaubernde Weise lächeln, falls sie noch am Leben war, falls sie seinen Brief las und falls sie so von seinen Verletzungen erfuhr. Allein wenn er sich das Funkeln ihrer Augen vorstellte, deren Farbe zwischen grün und braun und gelb wechselte, lief ihm ein Schauer des Verlangens und Wohlseins in der Welt über den Rücken. Selbst den bislang unbekannten Schmerz, den eine wundgelegene Stelle am Steißbein ausstrahlte, pochend und den Rücken hinauf strebend, als würden die oberen Hautschichten in feinste Streifen geschnitten, selbst den spürte er für Minuten nicht.

Wie konnte er ahnen, dass seine Frau Selma die Briefe ungelesen und noch verschlossen ihrem Mariechen zur Aufbewahrung gab?

Voller Abscheu sagte Selma Würsich dem Mariechen, es ekele sie zunehmend an, von diesem Mann, wie sie inzwischen von ihm sprach, der gegen ihren ausdrücklichen Willen und doch angeblich ihr zuliebe gerne Held geworden wäre, Kriegspost zu erhalten. Sie glaubte in diesen Lebenszeichen einen besserwisserischen Spott zu erkennen, dessen sie ihren Mann ohne weitere Gründe schon verdächtigte, solange sie einander kannten. Innerlich wartete sie auf den Tag seiner Heimkehr und darauf, ihm mit einem pure Gleichgültigkeit ausdrückenden Achselzucken die folgenden Worte des Willkommens zu sagen: Ach, sag bloß, dich gibt's noch?

Eine auf diese Weise ausgestellte Gleichgültigkeit versprach ihr nach den ersten Wochen des Vermissens und den folgenden Wochen und Monaten der Wut über seinen Weggang den höchsten Triumph. Ausgerechnet das wendische Hausmädchen, eine ältliche Jungfer, als das Ernst Ludwig das Mariechen einmal vor den Ohren der Töchter bezeichnet hatte, war ihr nun der einzige Mensch, mit dem sie noch sprach, wenn auch wenig.

Selma Würsich verbrachte die Jahreszeiten auf der Lauer. Sie fand keine Zeit mehr, eine innere Rastlosigkeit jagte sie im Frühling, von innen nach außen. Plötzlich stand eine Tochter vor ihr und fragte etwas, das Wort Himmelfahrt fiel, und schon wandte sich Selma ab, denn diese Worte hatten mit ihr nichts zu tun, so meinte sie, zwar schallten sie an ihre Ohren, richteten sich Augen einer Tochter paarweise auf sie, aber unmöglich konnte das ihr gelten. Sie sagte dann einfach, sie wollte ungestört sein, und verlangte Ruhe.

Das Verzieren der Ostereier überließ sie dem Mariechen, das in diesen Dingen ohnehin geschickter war. Überhaupt empfand Selma das Zusammensein mit anderen Menschen als immer lästiger, ihr fehlte schlicht die Geduld, das Geschnatter und Gefrage der Töchter zu ertragen. Wie zärtlich dankte sie heimlich dem Himmel, dass ihr Mariechen ihr diese Geselligkeiten vom Leibe hielt.

Im Sommer pflückte Selma die wenigen Kirschen von dem großen unbeschnittenen Baum, den ihr die Kinder der Straße und die eigenen Töchter über Wochen geplündert hatten. Dabei trug sie einen der ausladenden Hüte mit Schleier, unter dem hervor sie unauffälliger in Richtung Kornmarkt schauen konnte, und drehte sich auf der Leiter stets in die Richtung, aus der sie ihren Mann nahen glaubte. Als sie mit ihrem Korb voller Kirschen auf der Treppe vor dem Haus saß, knabberte sie das magere und wurmstichige Fleisch von den Kernen. Es schmeckte sauer und leicht bitter. Die Kerne legte sie zum Trocknen in die Sonne. Wie Knochen blichen sie aus. Alle paar Tage nahm sie eine Handvoll Kerne und schüttelte sie zwischen ihren hohlen Händen. Das Geräusch wärmte sie, so könnte das Glück klingen, dachte Selma.

Im Herbst meinte sie einmal, ihren Mann durch das Laub auf der gegenüberliegenden Straßenseite stapfen zu sehen, und drehte sich eilig um, damit sie im Haus wäre, wenn er käme. Sie bemühte sich, nichts als Gleichgültigkeit zu empfinden. Aber sie bemühte sich umsonst, die Türglocke blieb still, und er kam nicht. Der durch das Laub stapfende Mann musste ein anderer gewesen sein, womöglich einer, der mit einer leidenschaftlichen Umarmung empfangen jetzt bei einer heißen Kohlsuppe lachend mit seiner Frau am Tisch saß.

Zum Winterbeginn entfernte Selma Würsich mit einem Messer die noch grünen und die schon schwarzen, getrockneten Schalen der Walnüsse und blickte dabei aus dem Fenster hinaus in ein langsames Schneetreiben. Flocken taumelten auf und ab, als kennten sie keine Schwerkraft. Häufig sah sie ihn die Tuchmacherstraße herunterkommen. Er würde in den Jahren gealtert sein und nach Fremde riechen. Wenn er wiederkäme, würde er schon sehen.

Doch auf den kommenden Frühling und den Sommer ausdauernden Wartens und herbeigesehnter Schadenfreude folgte eine Zeit der Erschöpfung. Das Geschäft ging nur schleppend, kaum jemand verlangte Gedrucktes. Das Papier wurde teuer. Während Selma mit leerem Blick am Fenster saß, berechnete Helene nun in jedem Quartal neue Preise für Briefschaften und

Todesanzeigen. Die Ansichtskarten verkauften sich so schlecht, dass sie schon seit Monaten keine mehr nachdrucken konnten. Speisekarten wurden kaum noch bestellt, die meisten Wirte schrieben ihre wenigen Gerichte jetzt auf Tafeln. Die Ersparnisse aus der Zeit vor dem Krieg, als die Druckerei noch florierte und Helenes Vater begonnen hatte, Ratgeber für die Ehe, Hefte mit Kreuzworträtseln und schließlich Gedichte zu drucken, verloren zusehends an Wert. Die Stückzahl der jährlich verkauften Kalender war zuletzt unter hundert gesunken. Allein die Einrichtung der Blätter für 1920 versprach mehr Kosten als Aussicht auf einen Absatz der Kalender.

Einem nächtlichen Einfall folgend war Helenes Mutter dazu übergegangen, den seit vielen Jahren angestellten Schriftsetzer für Monate im Voraus zu bezahlen. Offenbar glaubte sie, auf diese Weise der Teuerung entgegenzuwirken, sie gewissermaßen zu überlisten. Aber es kamen immer weniger Aufträge, und der Schriftsetzer saß tatenlos unten in der Druckerei und löste Kreuzworträtsel, die Hefte stapelten sich im Lagerraum, weil keiner sie mehr kaufte. Aufgrund eines Minderwuchses mit zu kurzen Beinen hatte das Regiment den Mann im Krieg nicht haben wollen. Seine Frau und die acht Kinder hungerten mit ihm, manche der Kinder bettelten auf dem Kornmarkt um Brot und Schmalz, immer wieder wurden sie beim Stehlen von Äpfeln und Nüssen erwischt.

Eines Abends fand Selma in der Tasche des Kittels, den der Schriftsetzer bei Feierabend neben die Tür gehängt hatte, eine Handvoll Zuckerwürfel, die sie aufgrund von Farbe und Form unschwer als aus ihrer Küche gestohlen zu erkennen glaubte. Am nächsten Morgen war sie den Anblick des tatenlosen Mannes leid. Selma verspürte einen starken Widerwillen, mit ihm über den Zucker und das Stehlen und die Kosten seiner Arbeitskraft zu sprechen. Sie erwartete Ausreden und suchte lieber einen Ausweg, einen endgültigen. Sie würde ihm auftragen, ihre jüngere Tochter das Schriftsetzen und den Umgang mit den

Lettern und der Presse zu lehren. Schließlich würde sie Helene für die selten anfallenden Arbeiten und die wenigen Aufträge, die überhaupt noch kamen, nicht bezahlen müssen.

Das Mädchen langweilte sich in seinem letzten Schuljahr zu Tode, es wurde Zeit, dass es sich nützlich machte. Helenes Drängen, auf eine Höhere Töchterschule zu gehen, gab die Mutter nicht nach. Wo sie sich schon bisher in der Schule so gelangweilt hatte, schien es in den Augen der Mutter ein allzu kostspieliges Vergnügen, diese gepflegte Faulenzerei noch um zwei Jahre zu verlängern.

Selma Würsich stand am Fenster und schaute die Tuchmacherstraße hinauf, sie hielt sich den Morgenmantel zu, seit Tagen konnte sie den Gürtel ihres Morgenmantels nicht finden, die Glocken läuteten, gleich würden ihre Töchter aus der Kirche kommen. Allein die Vorstellung, dass ihre Tochter Lehrerin werden könnte und in ihrer kindlichen Unbefangenheit einmal den Wunsch nach einem medizinischen Studium geäußert hatte, behagte Selma nicht. Aufmüpfig und widerborstig ist das Kind, flüsterte sie für sich.

Martha hatte Helene am Arm, als sie vom Kornmarkt her die Straße entlangschlenderten. Auf der Vitrine entdeckte Selma ein Geschenkband aus violettem Atlas. Ihr Hausmädchen musste es ordentlich zusammengerollt und dort abgelegt haben. Selma band es sich an Stelle des fehlenden Gürtels um den Morgenmantel. Mit großer Sorgfalt knüpfte sie eine Schleife und lächelte über ihren Einfall. Jetzt hörte sie das hohe Läuten der Tür.

Kommt herauf, ich möchte mit euch sprechen! Oben am Geländer stand die Mutter und winkte Helene und Martha zu sich hinauf. Die Mutter wartete nicht, bis die Mädchen Platz genommen hatten.

Seit Jahren führst du die Bücher, Helene, es schadet nichts, wenn du die praktische Arbeit lernst. Die Mutter warf einen vorsichtigen Blick zu ihrer älteren Tochter, sie fürchtete deren Kritik. Aber Martha schien in Gedanken woanders zu sein.

Schon jetzt könnte ich die Abgaben nicht ohne deine Buchführung ausweisen, du kümmerst dich um die Papierkäufe und die Wartung. Der Setzer frisst uns noch die Haare vom Kopf. Es wäre gut, wenn er dir die nötigen Dinge zeigt und wir ihn entlassen könnten.

Helenes Augen glänzten. Herrlich, flüsterte sie. Sie sprang Martha an den Hals, küsste sie und rief: Als erstes drucke ich uns Geld und gleich danach ein Familienbuch für dich.

Martha schüttelte Helene von sich ab. Sie wurde rot und schwieg. Die Mutter griff Helene am Arm, sie nötigte Helene in die Knie.

Welche Flausen. Deine Freude ängstigt mich, Kind. Die Arbeit wird nicht einfach sein. Dann ließ sie locker, und Helene konnte wieder aufstehen.

Vergnügt sah Helene ihre Mutter an. Es wunderte sie nicht, dass die Mutter glaubte, es handele sich um eine schwierige Arbeit, schließlich betrat die Mutter nur selten die Räume der Druckerei – womöglich hatte sie nie zugesehen, wie etwas gesetzt wurde, und aus der Entfernung musste ihr die Angelegenheit rätselhaft erscheinen. Helene dachte an das Klacken und leise Schnaufen der Presse, das Malmen der Walzen. Wie unterschiedlich so ein Auge doch schauen konnte! Was dem Schriftsetzer gerade richtig erschien, verursachte in Helene Unruhe. Deutlich sah sie vor sich, wie sie endlich die Buchstaben und Worte so sperren würde, dass die Lücken für Harmonie und Klarheit sorgten. Die Vorstellung, allein die große Presse zu bedienen, versetzte sie in Aufregung. Schon oft hatte sie sich gewünscht, die Arbeit des Schriftsetzers vollkommen zu machen.

Selma beobachtete Helene. Das Leuchten in ihren Augen war ihr unheimlich. Die Freude ließ das Kind noch größer und heller erscheinen als sonst.

Was dir fehlt, sagte die Mutter jetzt streng, ist ein gewisses Maß für die Dinge. Ihre Stimme schnitt, jedes Wort wirkte hauchfein. Du erkennst ihre Ordnung noch nicht. Offenbar fällt dir deshalb eine Anerkennung unser aller Ordnung schwer. Eine wichtige Sache, die du von unserem Schriftsetzer wirst lernen können, ist die Unterordnung, Kind. Demut.

Helene spürte, wie ihr das Blut in den Kopf schoss. Sie schlug die Augen nieder. Hell und Dunkel brachen auseinander und zerfielen, die Farben verschwammen. Noch fehlte jeglicher Gedanke für eine Antwort. Das Kaleidoskop drehte sich, ein rostiger Nagel rückte mehrfach in die Nähe von Walnussschalen, man konnte nie wissen, wofür man das eine oder andere noch brauchte. Es dauerte Sekunden, bis ihr im Innern wieder ein klares Bild entstand. Wie ein Geschenk sah sie aus, diese Mutter, auf deren Leib Helene die violette Schleife aus Atlas entdeckte. Die violette Schleife bebte, während die Mutter sprach. Sie möchte ausgewickelt werden, kein Zweifel, schoss es Helene durch den Kopf. Helene sah jetzt die mütterliche Landschaft aus Kleiderresten und an den Enden von schwarzem Blut verkrusteten Flederwischen, die Kissenbezüge, aus deren löchrigen Zipfeln Kirschkerne rieselten, und die Berge gesammelter Zeitungen. Den Gipfel, von dem herab die Mutter ihr etwas über einen Sinn für bestehende Ordnungen erzählen wollte, konnte Helene nicht erkennen. Helene schaffte es nicht mehr, den Blick zu heben und dem ihrer Mutter zu begegnen. Suchend sah sie in Marthas Richtung, aber Martha sprang ihr nicht zur Hilfe, diesmal nicht.

Binnen weniger Wochen verlor Helene ihre Ehrfurcht vor dem Glanzstück in der Druckerei ihres Vaters. Die Tiegeldruckpresse mit dem Namen Monopol versetzte sie nicht mehr in Andacht, sondern forderte den Einsatz ihres Körpers. Während der Schriftsetzer, da er zu klein war, um vom Hocker des Vaters aus mit den Beinen an das Pedal zu gelangen, geschickt eines seiner kurzen Beine hob und mit kräftigem Treten das Pedal in Schwung hielt, rührte sich bei Helenes ersten Versuchen das Pedal keinen Millimeter. Obwohl sie gut mit der Nähmaschine umzugehen wusste und es keinerlei Schwierigkeit darstellte, deren Räder mit beständigem Treten am Laufen zu halten, brauchte es für die Monopol offenbar die Kraft eines Mannes. Helene stellte sich mit beiden Füßen auf das Pedal und sackte ab. Das Rad hatte lediglich einen Ruck vorwärts getan. Der Schriftsetzer lachte. Vielleicht wolle er ihr das Reinigen der Walzen zeigen, sagte Helene scharf und mit einem deutlichen Blick auf die Walzen, auf denen fingerdick Staub lag.

Dass ihr Lernen an der Kraft ihres Körpers scheitern könnte, wollte Helene nicht hinnehmen. Kaum verließ der Schriftsetzer am Abend das Haus, stellte sie sich an die Monopol und übte mit dem rechten Bein. Sie stützte sich auf die Papierablage und trat und trat, bis sich das große Rad immer schneller drehte und das Reiben der Walzen ein wunderbar tiefes Geräusch verursachte. Sie schwitzte, aber sie konnte nicht aufhören.

Tagsüber zeigte ihr der Schriftsetzer den Umgang mit der Heftmaschine, der Anpressmaschine und der Blechklammermaschine, beflissen kam er seinem Auftrag nach, und doch bemerkte er immer wieder mit einem Augenzwinkern, die Monopol gehorche nur ihrem Meister. Offenbar empfand er sich selbst seit der Abwesenheit des Vaters als dieser Meister. Dem Schriftsetzer behagte die Gewissheit seiner vermeintlichen Unabkömmlichkeit.

Niemand wusste, dass sich zwischen Helene und dem Schriftsetzer über die vergangenen Jahre ein freundschaftliches Arbeitsverhältnis entwickelt hatte. Er war der erste erwachsene Mensch, der Helene ernst nahm. Schon seit sie mit sieben Jahren begonnen hatte, die Bücher ihres Vaters zu führen und nun in dessen dem Krieg geschuldeten Abwesenheit Einkäufe und Buchführung übernahm, begegnete ihr der Schriftsetzer mit großer Ehrerbietung. Er nannte sie Fräulein Würsich, das gefiel Helene. Jede ihrer Rechnungen akzeptierte er anstandslos.

Selbst als Helene nach Kriegsende seinen Wünschen auf Lohnerhöhung nicht in vollem Umfang nachkam, änderte sich nichts an seiner freundlichen Haltung gegenüber dem Mädchen. Sie war diejenige, mit der er über die anstehenden Erledigungen in der Druckerei sprach. Und musste eine der Maschinen gewartet werden, so hielt der Schriftsetzer Rücksprache mit Helene. Besonders seit ihre Mutter wieder über Monate im oberen Teil des Hauses verschwand, wo sie die Gardinen schloss und den Fenstern den Rücken kehrte. Helene mochte den Schriftsetzer. Sie war es, die hinauf in die Küche ging, dort die Speisekammer aufsuchte, sich mehrfach umblickte, um sicher zu sein, dass niemand sie ertappen konnte, und eine aus Zeitung gerollte Papiertüte mit Graupen füllte, eine zweite mit Grieß und in die dritte schließlich eine Gurke, einen Kohlrabi und eine Handvoll Nüsse steckte. Als sie eines Tages im obersten Fach der Speisekammer den riesigen Karton Würfelzucker entdeckte, riss sie ohne Zögern eine Seite aus dem Bautzener Wirtschaftskalender, wickelte einen ordentlichen Stapel Zuckerwürfel ein und brachte auch den dem Schriftsetzer.

Kaum war der Schriftsetzer abends gegangen, übte Helene heimlich das Treten der Monopol. Nach einigen Tagen übte sie nicht nur mit dem rechten, sondern auch mit dem linken Bein. Sie übte, bis sie nicht mehr konnte. Und wenn sie nicht mehr konnte, übte sie weiter, sie übte das Nichtmehrkönnen zu überwinden und übte weiter. Am Abend fühlte sie, wie fest ihre Beine wurden, und am nächsten Morgen spürte sie ein ungewohntes Ziehen, dessen Bezeichnung sie bislang nur aus den Mündern der Jungen kannte: Muskelkater. Es sollte den Namen Muskelkater tragen, was für ein komisch ernsthafter Name.

Eines Abends erklomm sie den im Boden verankerten Hocker ihres Vaters. Zu ihrem Erstaunen brauchte sie ihre Beine nicht einmal auszustrecken, der Hocker schien für sie gebaut worden zu sein. Sie setzte beide Füße auf das Pedal und trat los, dabei musste sie den Bauch fest anspannen, und es kitzelte angenehm, sie hatte ein Flattern im Bauch wie beim Schaukeln. Sie musste an Marthas Hände und an Marthas weiche Brüste denken.

Erst als Selma Würsich einige Wochen später fragte, ob ihre Tochter endlich alles gelernt habe, führte der Schriftsetzer Helene an die Schneidemaschine. Bisher hatte er es vermieden, sie auch nur in die Nähe der Maschine zu bringen. Ihn erfasste jetzt eine dunkle Ahnung. Er betrachtete ihr blondes Haar, das sie zu einem dicken Zopf geflochten trug, und nur zögerlich kamen ihm die Worte über die Lippen. Knapp waren seine Kommentare: Erst öffnen. Dort einstellen. Der Schriftsetzer schob die Lineale wie Leisten übereinander. Hier anlegen.

Ohne ein Wort der Entschuldigung schob der Schriftsetzer Helene ein wenig zur Seite, er zeigte ihr schweigend, wie sie den Papierstoß erst schlagen und dann begradigen musste, um ihn in die Maschine einzupassen. In seinen Augen war die Schneidemaschine gefährlich, nicht, weil Helene ein zartes Mädchen von gerade mal dreizehn Jahren war, sondern weil sie nun alle Maschinen bedienen konnte, alle, mit Ausnahme der Monopol.

Aus Anlass von Marthas zweiundzwanzigstem Geburtstag ließ die Mutter das Mariechen einen Rinderbraten mit Thymiankruste zubereiten. Wie immer, wenn es Fleisch gab, aß sie selbst davon nichts. Niemand sprach über den Grund, aber die Töchter waren sich einig, dass es mit gewissen Speisevorschriften zusammenhängen musste. Es gab keinen koscheren Metzger in Bautzen. Zwar ließen angeblich Kristallerers beim Metzger für ihre Bedürfnisse schächten, und es ging das Gerücht, dass sie für diesen Zweck auch eigene Messer zum Metzger brachten. Aber der Mutter war es offenbar nicht angenehm, mit solchen Wünschen in die doch überschaubare städtische Öffentlichkeit zu gehen. Vielleicht stimmte auch, was sie behauptete, und sie mochte einfach kein Fleisch.

Zur Feier hatte Martha ihre Freundin Leontine einladen dürfen. Die Mutter trug ein langes Kleid aus kaffeefarbenem Samt. Den Saum hatte sie eigenhändig mit einer Spitze verlängert, die

Helene unpassend und ein wenig lächerlich erschien. Schon am Abend zuvor hatte Helene Martha die Haare aufgewickelt und sie über Nacht trocknen lassen. Nun verbrachte sie den Nachmittag damit, Marthas Haare hochzustecken, in die kleinen Zöpfe flocht sie seidene Malven, so dass Martha schließlich aussah wie eine Prinzessin und ein wenig wie eine Braut. Dann half Helene dem Mariechen beim Eindecken des Tisches, es wurde das kostbare chinesische Porzellan aus dem Schrank geholt, die Servietten steckten in Rosenblättern aus Silber, die zur Aussteuer der Mutter gehört hatten und sonst nur zu Weihnachten benutzt wurden.

Als es läutete, rannten Martha und Helene gleichzeitig zur Tür. Draußen stand Leontine. Sie versteckte ihr Gesicht hinter einem großen Strauß, den sie offenbar unten auf den Wiesen gepflückt hatte. Kornblumen, Raute und Gerste. Sie lachte wild und drehte sich einmal im Kreis: Sie hatte ihr Haar kurz geschnitten. Wo zuvor ein strenger Dutt im Nacken gesessen hatte, war nun der weiße Hals sichtbar, die Strömung des kurzen Haars mit ihren Wirbeln, das Ohr. Helene konnte sich nicht sattsehen.

Später bei Tisch haftete Helenes Blick an Leontine, sie versuchte, ihn loszureißen, aber vergebens. Helene bewunderte Leontines langen Hals. Sie war schmal und kräftig. An ihren Unterarmen konnte Helene jede Ader und Sehne erkennen. Leontine arbeitete mit Martha im Städtischen Krankenhaus. Zwar war sie nicht Oberschwester und auch noch viel zu jung dafür, aber dennoch hatte sie mit ihren dreiundzwanzig Jahren seit einigen Monaten die erste Stelle unter den Schwestern im Operationssaal inne. Leontine war die rechte Hand des Chirurgen. Sie konnte jeden Patienten alleine heben – und zugleich waren ihre Hände während den Operationen so ruhig und bestimmt, dass der erst kürzlich zum Professor ernannte Chirurg sie bei schwierigen Nähten immer häufiger um Hilfe bat.

Wenn Leontine lachte, lachte sie tief und lang.

Wann immer sich die Gelegenheit bot, verbrachte Helene ihre Zeit mit Martha und Leontine. Leontine lachte, dass es einem das Zwerchfell rührte. Wenn sie sich hinsetzte, konnte man deutlich sehen, wie unter dem Rock ihre spitzen Knie auseinanderfielen. Sie saß völlig ungerührt und selbstverständlich breitbeinig da. Hin und wieder stützte sie ihre Hand auf das Knie, und winkelte dabei den Arm leicht an, so dass der Ellenbogen nach außen stand. Es gab kurze, knappe Bemerkungen, die von einem Unglück erzählten, denen aber ihr tiefes Lachen folgte. Meist lachte Leontine allein. Martha und Helene lauschten ihrem Lachen mit offenem Mund; vielleicht konnte das Lachen so besser durchs Zwerchfell in die Bauchgrube sickern. Martha und Helene brauchten lange, bis sie wenigstens ahnten, worüber Leontine gelacht hatte. Sie mochten blöde dabei aussehen. Sie schüttelten nicht den Kopf, weil sie Leontines Lachen für ein Lachen am falschen Platz hielten, sondern weil sie staunten. Besonders gefiel Helene die Stimme. Sie war fest und klar.

Als sie nun zu Marthas Geburtstag mit dem Rinderbraten in ihrer Mitte am Tisch saßen, sagte Leontine: Mein Vater will mich studieren lassen.

Studieren? Die Mutter war überrascht.

Ja, er glaubt, es wäre gut, wenn ich mehr Geld verdienen könnte.

Die Mutter schüttelte den Kopf. Aber ein Studium kostet. Sie reichte Leontine die Schale mit den Wickelklößen.

Ich möchte auch nicht. Leontine strich sich mit der Hand das Haar aus der Stirn, ihr dunkles Haar fiel jetzt seitlich wie bei einem Mann.

Nun nickte die Mutter zustimmend. Das ist verständlich. Wer möchte schon lauter unnütze Dinge lernen? Als Krankenschwester werdet ihr immer gebraucht. Zu jeder Zeit an jedem Ort, eine Krankenschwester findet immer eine Arbeit.

Warum unnütze Dinge? Helene blickte fragend zu Leontine, in deren Mund ein großes Stück Rinderbraten verschwand.

Unnütz vielleicht weniger, antwortete Leontine, aber ich möchte nicht weg. Weg, wovon, fragte sich Helene. Als hörte Leontine ihren Gedanken, sagte Leontine: weg von Bautzen. Helene nahm es hin, obwohl sie daran zweifelte.

Wieder nickte die Mutter. Helene fragte sich, ob die Mutter echtes Verständnis für Leontines Worte aufbrachte, schließlich war sie selbst in Bautzen nach all den Jahren alles andere als verwurzelt. An Bautzen konnte der Mutter nichts liegen. In Helenes Augen konnte es nicht viele Gründe geben, weshalb Leontine in Bautzen bleiben wollte. Ihr Vater war ein angesehener Advokat, er war auch Witwer und Trinker, beides mit ganz eigenem Maß. Er bevorzugte seine jüngeren Töchter. Unternahm er geschäftliche Reisen, nahm er stets eine der beiden jüngeren mit und brachte sie in einem neuen Kleid oder mit einem modischen Sonnenschirm zurück. Der Vater war ein wohlhabender Mann, man konnte nicht behaupten, dass seine älteste Tochter ein Aschenputtel wäre, das niedere Arbeiten ausführen musste. Auch wurde sie nicht willkürlich geschlagen. Aber Leontine schien ihrem Vater lästig zu sein. Es störte ihn, dass sie nicht heiratete. Von Zeit zu Zeit machte er ihr Vorschläge und stritt mit ihr. Nachdem seine Frau vor mehr als zehn Jahren gestorben war, lebte er allein mit den drei Töchtern und einer Schwiegermutter, die seit Jahren verwirrt war. An Sonntagen führte er die jüngeren Töchter links und rechts am Arm am Rathaus vorbei in den Petridom. Die Schwiegermutter lief gemeinsam mit der Köchin einige Schritte hinter ihm, und es sah aus, als habe Leontine keinen festen Platz in dieser Familie. Es war Leontine selbst überlassen, sich eine Begleitung zu suchen. Häufig stützte Leontine ihre Großmutter, aber sobald sie die Kirche erreicht hatten und sie in der Menschentraube am Eingang Martha entdeckte, nahm sie die Gelegenheit wahr und ging mit ihr Hand in Hand bis zur Sitzbank. Hier saß sie zwischen Martha und Helene, auf jenem Platz, der in Gedanken für den aus dem beendeten Krieg noch nicht heimgekehrten Vater freigehalten wurde. Sie genoss es, wenn Martha während des Gottesdienstes ihre Hand mit den schönen langen Fingern neben ihre legte und sich ihre Finger verhakelten. Manchmal spürte sie dann von der anderen Seite ein warmes Gewicht an ihrer Schulter, Helene schmiegte ihren Kopf an ihren Arm, als habe sie in ihr eine Mutter gefunden.

Es gab kaum einen Tag, an dem Martha Leontine nicht aus dem Krankenhaus mit in die Tuchmacherstraße brachte. Gemeinsam erledigten sie Hausarbeiten und halfen je nach Dienstzeiten in der großen Bleicherei auf den Spreewiesen aus. Sie waren unzertrennlich.

Keine zehn Pferde brächten mich hier weg, bekräftigte Leontine, sie nahm sich einen etwas klein geratenen Wickelkloß und es entging Helene nicht, wie Martha mit ihrem Ellenbogen Leontines berührte, während die beiden jeden Blick untereinander vermieden, der sie verraten konnte.

Esst das Fleisch nur auf, Mädchen. Helene, wie geht es in der Druckerei voran? Die Mutter lächelte mit einem gewissen Spott. Du lernst doch sonst so schnell. Kannst du jetzt alles? Gibt es Dinge, die du noch nicht weißt?

Wie soll ich wissen, was ich nicht weiß? Helene nahm sich eine Scheibe Fleisch.

Die Mutter verdrehte die Augen. Sie seufzte. Vielleicht beantwortest du einfach die Frage, Fräulein?

Wie soll ich die Frage beantworten? Ich kann sie nicht beantworten.

Dann beantworte ich sie für dich, Liebes.

Noch nie hatte die Mutter Liebes zu ihr gesagt. Es klang wie ein Fremdwort, scharf, als wolle die Mutter vor Marthas Freundin betonen, wie freundlich sie zu ihren Kindern sei, obwohl ihr das nicht gerade leichtfalle. Zehn Wochen sind jetzt um, Zeit genug für dich, das Wichtigste gelernt zu haben. Was du jetzt nicht weißt und kannst, das wirst du dir auf eigenen Wegen aneignen. Morgen früh entlasse ich den Schriftsetzer. Fristlos.

Wie bitte? Martha ließ ihre Gabel fallen. Er hat acht Kinder, Mutter.

Und? Habe ich nicht auch zwei? Uns fehlt der Mann im Haus. Wir können ihn nicht länger bezahlen. Wir schreiben keine Gewinne mehr. Helene, du weißt es am besten von uns allen. Wie sah das vergangene Jahr aus?

Helene legte ihr Besteck beiseite. Sie nahm die Serviette und tupfte sich den Mund ab. Besser als dieses.

Und schlechter als jedes andere zuvor, sehe ich das richtig?

Helene nickte nicht, sie hasste es, der Mutter erwartete Worte und Gesten zu schenken.

Also. Der Schriftsetzer ist entlassen.

Die kommenden Wochen erschienen Helene als eine schwere Zeit. Sie war es nicht gewohnt, den ganzen Tag allein zu sein. Der Schriftsetzer hatte sich seit dem Tag der Kündigung nicht mehr blicken lassen. Es hieß, er habe mit seiner Familie die Stadt verlassen. Helene saß Tag für Tag in der Druckerei und wartete auf Kundschaft, die nicht kam. Aus Marthas Buch sollte sie für die Aufnahmeprüfung zur Schwesternschülerin lernen, aber sie blätterte es durch und entdeckte kaum etwas, das sie noch nicht wusste. Die genaue Reihenfolge der Kompressen und Wickel bei den verschiedenen Krankheiten gehörten schon eher zur Abschlussprüfung. Wie das meiste in dem Buch sich dem Wissen zuwendete, das während der Lehrzeit erworben werden sollte. Die wenigen unbekannten Einzelheiten waren mit dem Umblättern in ihrem Gedächtnis verankert. Also begann Helene andere Bücher zu lesen, die sie im Bücherregal des Vaters entdeckte. Das Herausnehmen eines Buches aus dem mächtigen Regal war den Töchtern verboten. Aber schon früher, als der Vater noch da war, galt es beiden Töchtern als Abenteuer und Mutprobe mit besonderem Kitzel, die kostbaren Bücher zu entwenden. Damit keine Lücke an der Stelle klaffte, wo eben noch Kleists Marquise von O. gestanden hatte, schob sie Stifters

Condor weiter nach links. Es herrschte keine Ordnung im Bücherregal des Vaters, das quälte Helene ein wenig, aber sie war unsicher, ob diese Unordnung von der Mutter überwacht wurde und was geschehen konnte, würde sie eigenmächtig hier ein Alphabet walten lassen. Beim Lesen waren Helenes Ohren gespitzt, und sobald sie ein Geräusch hörte, ließ sie das Buch unter ihrer Schürze verschwinden. Häufig sah Helene zur Tür hinaus, wenn sie glaubte, Leontines tiefe Stimme zu erkennen. Einmal ging ganz unerwartet die Tür, herein kamen Martha und Leontine mit einem großen Korb, sie lachten.

Du hast vielleicht rote Wangen! Stellte Leontine fest und strich dabei flüchtig über Helenes Haar. Doch kein Fieber?

Helene schüttelte den Kopf, unter ihrer Schürze klemmte ein Schatz. Sie hatte ihn ganz oben im Bücherregal entdeckt, eingeschlagen in eine Zeitung hatte er hinter den anderen Büchern wie in einem Versteck gelegen. Er war mehr als hundert Jahre alt. Der Pappeinband war mit Buntpapier überzogen und der Titel geprägt: Penthesilea. Ein Trauerspiel. Helene entschuldigte sich kurz bei Martha und Leontine, sie bückte sich hinter dem großen hölzernen Ladentisch und verbarg ihren Schatz im untersten Fach. Um es zu verdecken, legte sie einen der alten Bautzener Wirtschaftskalender über das Buch.

Ein Bauer aus den Lausitzer Bergen hatte den Korb Leontine zum Dank geschenkt. Vor Monaten hatte sie ihm einen schwierigen Bruch des Handgelenks geschient. Jetzt stellte Leontine den großen Korb vor Helene auf den Tisch. Er war voller dicker, hellgrüner Schoten. Ohne Zögern griff Helene mit beiden Händen hinein und pflügte die Schoten. Es roch grasig und jung. Helene liebte das Aufziehen der Schoten mit dem Daumen, und das Gefühl, wenn die Erbsen, glatt und glänzend und grün, von oben nach unten der Größe nach aus ihrer Schote geschoben wurden und am Daumen entlang hinab in die Schale rollten. Die winzigen, noch nicht ausgewachsenen Erbsen steckte sich Helene in den Mund. Martha und Leontine unterhielten sich über etwas, von dem Helene nichts verstehen sollte. Sie kicherten dabei und glucksten. Sie sprachen nur in rätselhaften Halbsätzen.

Alle Schwestern und Kranken hat er nach dir gefragt. Und dann sein Blick, als er dich endlich gefunden hatte! Martha war belustigt.

Mein Kindchen. Leontine verdrehte die Augen, während sie offenbar den Bauern nachahmte.

Ach, mir wird ganz blümerant, wenn ich Sie wiedersehe, fiel Martha ein. Sie prustete. Mit Leib und Seele Schwester!

Etwa nicht? Leontine lachte.

Gewiss. Du hättest sehen sollen, wie seine Hand immer wieder zur Hose ging. Ich dachte schon, er fällt gleich über dich her.

Aber unser guter Professor fand es gar nicht komisch: Nehmen Sie Ihre Erbsen und verschwinden Sie, Sie hatten schon heute Mittag Feierabend. Leontine seufzte. Wo ich ihm sonst nie lang genug bleibe.

Wundert dich das? Hast du nicht gehört, wie er letztens zur Oberschwester über dich sagte: Ein Blaustrumpf im Backfischmantel. Helene musste sich einen blauen Strumpf im Teigmantel vorstellen. Sollte sie sich den Fisch im Strumpf im Teig denken?

Er schätzt dich, aber seine Furcht wächst.

Furcht? Leontine machte eine wegwerfende Handbewegung. Herr Professor kennt keine Furcht. Warum auch? Krankenschwester bin ich, sonst nichts.

Die Mädchen pulten die Erbsen.

Das Schweigen zwischen ihnen wurde lang. Und wenn du doch gehst? Martha war zu allem bereit.

Um keinen Preis wollte Helene jetzt Marthas ernstes Gesicht sehen, sie stellte sich vor, sie wäre unsichtbar.

Leontine reagierte nicht.

Nach Dresden, meine ich. Studieren. Alle sagen das.

Niemals. Leontine zögerte. Nur, wenn du auch gehst.

Das ist dumm, Leontine, einfach dumm. Martha wurde traurig und streng. Du weißt, dass ich nicht kann.

Siehst du, sagte Leontine, ich auch nicht.

Martha legte nun ihrer Freundin die Hand in den Nacken, zog ihr Gesicht zu sich heran und küsste sie auf die Lippen.

Helene stockte der Atem, schnell drehte sie sich weg. Gewiss gab es etwas zu tun, sie musste in dem hohen Regal etwas suchen, vielleicht einen Stapel Papier aus dem Fach nehmen und ihn auf den Tisch legen. Das Bild schien wie eingebrannt auf ihrer Netzhaut, wie Martha Leontine zu sich zog und Leontine die Lippen spitzte. Vielleicht hatte sich Helene getäuscht? Vorsichtig riskierte sie einen Blick über die Schulter. Leontine und Martha standen über den Korb mit den Schoten gebeugt, und es war, als hätte es keinen Kuss gegeben.

Und wenn du sie mitnimmst? Sie könnte in Dresden zur Schwesternschule gehen. Leontine sprach jetzt leise und ihr Blick deutete auf Helene. Helene tat, als habe sie nichts gehört und würde nicht bemerken, dass von ihr die Rede war. Aus dem Augenwinkel sah sie, wie Martha den Kopf schüttelte. Das folgende Schweigen war beharrlich. Helene spürte, dass ihre Gegenwart dem Gespräch im Wege stand. Im ersten Moment wollte sie die beiden allein lassen und rausgehen, im nächsten blieb sie einfach stehen. Helene konnte ihre Füße nicht bewegen, sie entnabelte die Erbsen und empfand Scham. Sie wollte nicht, dass Leontine sie verließ, sie wollte nicht, dass Martha und Leontine wegen ihr schwiegen, und sie wollte auch nicht, dass sich Martha und Leontine küssten.

Abends im Bett drehte Helene Martha den Rücken zu. Mochte Martha sich ihren Rücken selbst kraulen. Helene wollte nicht weinen. Sie atmete tief und ihre Augen wurden immer dicker, die Nase kleiner und enger. Das Lufthole fiel schwer.

Helene wollte keine Sommersprossen zählen und unter keiner Decke nach Marthas Bauch tasten. Sie dachte an den Kuss. Und während sie sich vorstellte, Leontine zu küssen, und wusste, dass allein Martha Leontine küssen würde, entkamen Tränen ihren Augen.

Die Mutter verlangte von Helene, die Druckerei so zu führen, dass keine roten Zahlen geschrieben wurden. Das war von Tag zu Tag leichter möglich. Ein zuletzt eingetragener Gewinn konnte spielend die im zahlenmäßigen Verhältnis gering erscheinenden Verluste vom Jahresanfang ausgleichen. Was das bedeutete, war der Mutter nicht klar. Sie wunderte sich nur, wie selten Helene eine der Maschinen anwarf.

Um nicht sinnlos Papier zu verschwenden, entwarf Helene einfache Rechentabellen. Sie vermutete, dass die Leute sie in dieser Zeit der Teuerung gut gebrauchen konnten.

Schon der Anblick einer solchen Tabelle stimmte Helene froh. Wie gerade ihre Zahlen standen. Es hatte sich gelohnt, der Acht größeren Raum zu geben, und wie sauber der Rand war!

Als sich die Entlassung des Schriftsetzers in der Stadt herumsprach, dauerte es nicht lange und die Bäckersfrau Hantusch legte Helene ein ungewöhnlich kleines und zu scharf gebackenes Brot auf den Ladentisch.

Helene fragte, ob sie nicht eines der beiden größeren und helleren Brote aus dem Regal bekommen könne. Doch die Bäckersfrau, die ihr noch vor wenigen Jahren kleine Stücke Butterkuchen in die Hand gedrückt hatte, schüttelte nach bestem Vermögen ihren halslosen Kopf. Die tiefe Falte, die den knappen Übergang von Brust zu Kopf kennzeichnete, bewegte sich beim Schütteln des Kopfes keinen Millimeter. Helene solle froh sein, dass sie überhaupt noch eines kaufen könne. Helene nahm das Brot.

Armes Ding. Die Bäckersfrau japste, ihre schweren Lider verdeckten die Augen, aus ihren Worten sprach Mitleid, aber sie klangen zugleich empört und beleidigt. Bedienst jetzt schwere Maschinen. Ein Mädchen an Maschinen. Die Bäckersfrau schüttelte auf ihre mühsame Art den Kopf.

Helene blieb in der Tür stehen. Schwer sind die Handgriffe nicht, sagte Helene und fühlte sich, als lüge sie. Sie sehen schön aus, meine Preistafeln. Wenn Sie möchten, kann ich Ihnen am Montag eine mitbringen und wir könnten tauschen – Sie bekommen eine Preistafel und ich vier Laibe Brot.

Lass man, sagte die Bäckersfrau.

Drei?

Dass Mädchen jetzt die Arbeit von Männern machen, das können wir nicht unterstützen. Deine Mutter ist wohlhabend. Warum hat sie den Schriftsetzer nicht im Dienst gelassen?

Keine Sorge, im September fange ich mit der Schwesternschule an. Wir haben nichts mehr. Das meiste war Geld. Und das Geld ist wertlos geworden.

Mit dem Runzeln der Augenbrauen verriet die Bäckersfrau ihren Zweifel. Jeder verdächtigte in dieser Zeit seinen Nachbarn, mehr zu besitzen als er selbst. Helene dachte daran, wie sie zu Beginn des Jahres der Mutter eine Freude hatte machen wollen, in ihr Zimmer gegangen war und für eine große Wäsche ihr Laken abgezogen hatte. Erst als sie die Matratze anhob, um das neue Laken aufzuziehen, sah sie die Scheine. Eine Unmenge von Scheinen steckte da im Federboden. Die Scheine unterschiedlichster Währung klemmten bündelweise zwischen den Federn, zusammengehalten von Büroklammern. Es waren kleine Zahlen, die auf die Scheine gedruckt waren, lächerlich kleine. Als Helene, erschrocken über ihre ungewollte Entdeckung, eilig das alte Laken wieder über die Matratze schlug, ertönte hinter ihr die Stimme ihrer Mutter.

Du kleines Aas. Wieviel hast du mir schon entwendet, wieviel?

Helene drehte sich um und sah, wie sich ihre Mutter vor Wut kaum noch am Türrahmen festhalten konnte. Sie zog an ihrer dünnen Zigarre, als söge sie Erkenntnis.

Seit Jahren frage ich mich schon: Selma, frage ich mich, wer bestiehlt dich hier? Ihre Stimme klang leise und drohend. Wie viele Jahre sage ich mir, es wird nicht deine Tochter sein, Selma, niemals, nicht dein Kind.

Ich wollte nur die Bettwäsche wechseln, Mutter.

Was für eine Ausrede, was für eine feine, schäbige Ausrede. Mit diesen Worten stürzte sich die Mutter auf Helene, sie umklammerte ihren Hals, so fest, dass Helene nicht anders um Luft ringen konnte, als ihre Hand gegen die Mutter zu erheben und sie mit aller Kraft von sich zu drücken, sie kniff in ihre Arme, doch die Mutter ließ nicht locker. Helene wollte schreien und konnte nicht. Erst als Schritte auf der Treppe ertönten und sich das Mariechen hörbar räusperte, ließ die Mutter von ihr ab.

Seither hatte Helene keinen Fuß mehr in das Zimmer ihrer Mutter gesetzt. Helene dachte daran, wie sie sich beim Anblick der Scheine erschrocken hatte und fragte sich, wie es ihrer Mutter bei der lückenlosen Buchführung gelungen sein konnte, das Geld beiseite zu schaffen. Geld, da war sich Helene sicher, das schon jetzt, wenige Monate später, kaum noch einen Wert hatte. Geld, das beizeiten ausgegeben wohl ein ganzes Haus und vielleicht ein Studium bedeutet hätte.

Helene sah die Bäckersfrau Hantusch an. Sie musste denken, dass deren Zweifel dem Missmut über die eigene Lage entsprang.

Letzte Woche haben wir ein besonders festes Papier bekommen, mit hohem Wachsanteil. Helene lächelte so freundlich wie möglich. Es hält Feuchtigkeit aus, das wäre gerade richtig für Ihr Geschäft.

Danke, Lenchen, vielen Dank. Aber ich kann meinen Kunden den Tagespreis nennen. Die Bäckersfrau zeigte sich mit ihrem wulstigen Zeigefinger auf den Mund. Hier. Das zählt. Papier wäre die reinste Verschwendung.

Als Ernst Ludwig Würsich unangekündigt an einem Abend Ende November den Pfleger, der ihn die letzten Kilometer nach Bautzen in einem Leiterwagen gezogen hatte, an seine Haustür klopfen ließ und das Mariechen ängstlich ob der späten Störung öffnete, ihn kaum wiedererkannte und ihn schließlich doch mitsamt dem Pfleger und im Zuge der erklärenden Worte in die Stube bat, befand sich seine Frau in einem Zustand seelischer Dämmerung. Einzig ihr Nachttopf stand alle paar Stunden vor ihrer Tür. Meist leerte das Mariechen ihn und dreimal am Tag stellte sie ein kleines Tablett mit Mahlzeiten dort hin. Die Mutter lag in ihrem Bett und wusste seit Wochen zu verhindern, dass eine ihrer Töchter oder das Mariechen ihr Zimmer betrat.

Der Vater wurde in die Stube gebracht und in seinen Sessel gesetzt. Er blickte sich um und fragte: Meine Frau, lebt hier nicht meine Frau?

Natürlich, lachte das Mariechen erleichtert. Die Dame macht sich zurecht. Mögen Sie einen Tee?

Nein, ich möchte auf sie warten, sagte Ernst Ludwig Würsich, und mit jedem Wort sprach er langsamer.

Wie geht es Ihnen? Die Stimme vom Mariechen war höher als sonst, glockenklar, ihr musste daran liegen, das Warten auf die Dame des Hauses zu verkürzen, es gar in Vergessenheit geraten zu lassen.

Wie es mir geht? Der Vater blickte aus dem übrig gebliebenen Auge in die Leere. Nun, meist fühle ich mich als der, den meine

Frau in mir sieht. Er unterdrückte ein Stöhnen. Es schien, als lächelte er.

Obwohl das Mariechen gleich zu Anfang der Mutter Bescheid gegeben haben wollte, erschien die Dame nicht. Helene wärmte die Suppe vom Mittag auf und Martha verköstigte den Pfleger, der bald darauf verabschiedet werden konnte. Ernst Ludwig Würsich fiel das Sprechen so schwer wie ein Aufrichten. Die ersten Stunden verbrachte er zusammengesunken in seinem großen Sessel. Die Töchter saßen bei ihm. Sie gaben sich Mühe. Sie wollten sein fehlendes Bein nicht beachten. Nur der Blick ins Gesicht fiel schwer, es war, als gleite der Blick vom geöffneten Auge zur zugewachsenen Augenhöhle, immer wieder, er rutschte. Das Gleiten wurden zum Schliddern. Die Mädchen suchten Halt. Es gelang ihnen nicht, nur auf das eine Auge zu schauen. Sie fragten nach den vergangenen Jahren. Ihre Fragen waren allgemeine Fragen, schon um die persönliche Anrede zu vermeiden, fragten die Schwestern nach Sieg und Niederlage. Ernst Ludwig Würsich konnte keine ihrer Fragen beantworten. Wenn sich sein Mund verzog, sah es aus, als habe er große Schmerzen und versuche dennoch ein Lächeln. Ein Lächeln, das diese jungen Frauen, zu denen er seine Töchter gediehen fand, vertrösten sollte. Die Zunge klebte ihm im Mund, der Schmerz füllte ihn aus.

Helene klopfte an die Tür ihrer Mutter und schob sie ungeachtet der dahinter gestapelten Bücher und Kleider und Stoffe auf.

Unser Vater ist heimgekehrt, flüsterte Helene in die Dunkelheit.

Wer?

Unser Vater, dein Mann.

Es ist nachts, ich schlafe schon.

Helene hielt still. Vielleicht hatte die Mutter ihre Worte nicht verstanden? Helene stand in der Tür und wollte noch nicht gehen.

Nun geh schon. Ich werde kommen, sobald es mir besser geht.

Helene zögerte. Sie konnte nicht glauben, dass die Mutter in ihrem Bett bleiben wollte. Doch dann hörte sie, wie sich die Mutter wälzte und Decken über sich schlug.

Leise zog Helene sich zurück, sie schloss die Tür.

Offenbar ging es der Mutter an den folgenden Tagen nicht gut genug. Und so wurde der verletzte Hausherr an ihrer Zimmertür vorbei hinauf ins oberste Stockwerk getragen und dort auf die rechte Seite des Ehebettes gelegt. Innerhalb weniger Tage konnte das eingestaubte eheliche Schlafgemach in ein Krankenzimmer umgewandelt werden. Auf Marthas Geheiß half Helene dem Mariechen einen Waschtisch hinaufzutragen. Während der beschwerlichen Reise hatte sich der Stumpf des Beines erneut entzündet. Hinzu kamen jetzt leichte Temperaturen und jene alle anderen Sinne betäubenden Schmerzen, die er nicht zum ersten Mal im fehlenden Bein spürte.

Dem Vater zuliebe ordnete Martha eine wohldosierte Trunkenheit an. Sie sollte so lange dauern, bis es Martha gelungen wäre, aus dem Städtischen Krankenhaus Morphium und Kokain in wirksamen Mengen zu entwenden. Seit geraumer Zeit arbeitete Martha bei Leontine im Operationssaal; sie kannte die Augenblicke, in denen sich Substanzen entwenden ließen. Die Oberschwester hatte zwar als einzige den Schlüssel zum Giftschrank, aber es gab gewisse Situationen, in denen sie den Schlüssel Leontine anvertrauen musste. Wer wollte später noch messen, wieviel Milligramm dieser oder jener Kranke erhalten hatte?

Am nächsten Morgen nähte das Hausmädchen ein neues Nachthemd für den Vater. Das Fenster stand offen, von draußen waren die Krähen zu hören, die in der jungen Ulme saßen. Das Mariechen hatte die Federbetten der Kinder zum Lüften auf das Fensterbrett gelegt. Die Betten dufteten am Abend nach Holz und Kohle. Helene war hinunter in die Druckerei gegangen und saß seit geraumer Zeit über dem dicken Buch mit der monatlichen Abrechnung, als es läutete.

Vor der Tür wartete ein feingekleideter Herr. Er stand leicht vornübergebeugt. Der linke Arm fehlte ihm, mit dem rechten stützte er sich auf einen Stock. Helene kannte den Mann vom Sehen, er war früher manchmal zu Gast gewesen.

Grumbach, stellte er sich vor. Er räusperte sich. Er habe gehört, dass sein alter Freund und Buchdruckmeister, der Verleger seiner ersten Gedichte, wieder daheim wäre. Ein Räuspern. Sechs Jahre habe man sich nicht gesehen, da wolle er es sich nicht nehmen lassen, ihm einen kurzen Besuch abzustatten. Das feuchte Räuspern war offenbar weniger Verlegenheit als ständige Notwendigkeit. Grumbach wollte sich nicht setzen.

Wir haben uns lang nicht gesehen, hörte Helene ihn zum Vater sagen. Sie konnte Herrn Grumbach nicht aus dem Auge lassen, sie fürchtete, dass er mit seinem Räuspern dem Vater zu nahe käme. Der Vater schaute ihn an, er bewegte die Lippen.

Vielleicht geht es ihm morgen besser? Der Gast schien diese Frage nur für sich zu stellen, er sah weder Helene noch das Hausmädchen an. Räuspernd trat er den Rückweg an.

Wider Erwarten läutete der Gast am folgenden Tag erneut.

Seine Augen leuchteten, als er Martha entdeckte. Sie war an diesem Tag nicht ins Krankenhaus gegangen. Schon an der Tür ließ er sich den Schirm abnehmen, lehnte aber noch höflich die Tasse Tee ab, die ihm Helene anbot.

Am folgenden Tag nahm er sie; und von jetzt an kam er täglich zu Besuch. Man hatte ihn nicht einladen müssen. Er trank den Tee in großen Zügen, leerte eine Tasse nach der anderen und kaute geräuschvoll auf dem Brocken Kandiszucker. Schon im Laufe eines Besuches musste die Schale aufgefüllt werden. Der Gast war einarmig. Mit dem vorhandenen Daumen wies er auf seinen Rücken, er sei mit einem Splitter aus dem Krieg heimgekehrt, der ihn tief vornübergeneigt nicht ohne Stock gehen lasse, er mied das Wort Buckel, doch er freue sich bester Laune. Er räusperte sich. Helene musste sich fragen, ob der Splitter im Rücken die Lungen verletzt haben könnte und er sich deshalb in einem fort räusperte. Über die vergangenen Monate habe er so viele Gedichte geschrieben, dass sie nun gemeinsam eine siebenbändige Werkausgabe vorbereiten könnten, das sagte der Gast vergnügt. Er wollte nicht bemerken, dass ihm sein guter alter Freund nicht antworten konnte – nach der letzten Spritze seiner schönen und großen Tochter schien dem Kranken der nötige Speichel für jegliche Worte zu fehlen.

Obwohl Martha Helene hinunterschickte, wo sie dem Mariechen beim Entkernen, Erhitzen und Einwecken der Pflaumen helfen sollte, blieb Helene sitzen. Der süffige Pflaumengeruch stieg bis unters Dach, er drang in jede Ritze und nistete sich in Helenes Haar. Sie lehnte sich zurück. Niemals wollte sie diesen Gast mit ihrem Vater und ihrer Martha allein lassen.

Wie schön, dass wir nun endlich wieder Zeit zum Plaudern haben, sagte Grumbach, er schätzte wohl das gewohnte Schweigen seines Freundes.

Helene betrachtete den Spazierstock, dessen feingeschnitzter Griff aus Elfenbein in einem sonderbaren Kontrast zu den drei Plaketten stand, die er an den Stock geschraubt hatte. Es waren dies eine farbige, eine goldene und eine silberne Plakette, deren Prägung Helene auf die Entfernung nicht erkennen konnte. Am unteren Ende des Stockes war an der nachträglichen Schnitzung deutlich erkennbar, dass er über der Metallspitze einmal gekürzt worden sein musste. Vermutlich besaß Grumbach diesen Stock schon unzählige Jahre und konnte ihn nach dem Krieg nicht mehr in seiner ursprünglichen Länge verwenden.

Der Gast ließ Martha nicht aus den Augen. Martha streckte sich jetzt, um das Oberfenster zu öffnen.

Du erinnerst dich doch an mich, den alten Onkel Gustav? Gusti? Fragte der Gast in Marthas Richtung und freute sich gewiss über ihr großzügiges Lächeln, in dem alles liegen mochte, das Erkennen wie eine Freude des Wiedersehens.

Grumbach hatte in dem Ohrensessel neben dem Bett seines Freundes Platz genommen, konnte aber nur vornübergebeugt darin sitzen. Begleitet vom bekannten Räuspern und einem leisen Schmatzen lutschte er den Brocken Kandis. So ein Brocken verlangte mutige Zähne, aber seit dem Mann erst kürzlich der dritte Backenzahn rausgebrochen war, zog er das Lutschen vor.

Onkel Gustav, flüsterte Helene bei nächster Gelegenheit Martha zu, sie musste kichern. Helene erschien der Versuch einer Vertrautheit und die dafür entdeckte Bezeichnung des Wortes Onkel so plump und abwegig, dass ihr trotz der offenbaren Gebrechlichkeit von Onkel Gustav nach Lachen war. Sein Schlürfen bei halbgeöffnetem Mund setzte kleine Akzente in der Stille. Helene durfte ihn nicht aus den Augen lassen. Sie beobachtete, wie sein Blick über Marthas Gestalt wanderte, so, als stünde ihm mit dem Gastrecht nun auch ein gewisses Recht der ungezügelten Betrachtung zu. Das hochgesteckte schimmernde Haar, der lange weiße Hals, die schlanke Taille, und erst das, was darunter kam. Das alles ließ dem Anschein nach Onkel Gustav Stolz und Frohlocken empfinden. War es ihm bis vor wenigen Tagen lediglich vergönnt, Martha von ferne zu beobachten, so fühlte er sich ihr nun endlich angemessen nah. Wie die meisten Männer im Umkreis der Druckerei hatte auch er ihr Heranwachsen mit jener seltsamen Mischung aus Staunen und schwer zu unterdrückender Gier verfolgt. Grumbach bewachte das Einhalten der gebührenden Distanz anderer Verehrer so peinlich, wie diese ihn im Auge hatten. Die Heimkehr und das Wiedersehen des alten Freundes beglückte ihn also nicht minder als die mit ihr verbundene Gelegenheit, ungestört Zutritt zum Haus und zur Gegenwart seiner Töchter zu erhalten. Wenn der Gast dabei zusah, wie Martha jetzt sorgsam die Spritze reinigte, ihm den Rücken zukehrte und am Waschtisch mit Tüchern und Essenzen der Wundheilung hantierte, so war es ein Leichtes, den Krückstock und die auf ihm ruhende Hand wie zufällig einige Zentimeter zur Seite sinken zu lassen, um bei ihrer nächsten Wendung mit dem Handrücken den rauen Stoff von Marthas Kleiderschürze zu spüren. Die schlanke Taille und was erst darunter kam. Offenbar bemerkte Martha die Berührung nicht, gewiss waren die Falten von Kleid und Schürze zu dicht, immer wieder drehte und wendete sie sich vor dem Waschtisch. Der Gast genoss mit diebischer Freude das von ihren Bewegungen ausgelöste Streicheln seines Handrückens.

Helene beobachtete, wie Onkel Gustav die Nase hob und schnupperte, gewiss entging ihm nichts und bemerkte er den Geruch von Kaffee in der Luft, und während ihn Marthas ungewolltes Streicheln erregte, schwankte er vielleicht, ob er Helene bitten sollte, ihm eine Tasse zu bringen. Es bereitete ihm Vergnügen, die beiden Töchter seines Freundes nach verschiedenen Dingen im Haus umherzuschicken. Obwohl Martha ihn ermahnte, in Gegenwart ihres Vaters nicht zu rauchen, hatte er sich von ihr einen Aschenbecher für seine Pfeife bringen lassen, dann ein Glas Wein, und später hatte er auch den Haferbrei nicht abgelehnt, den Helene für ihren Vater gekocht hatte und von dem der Vater kaum etwas hatte essen können.

Wonach es so gut rieche, das wollte Grumbach jeden Tag wissen, wenn er wie zufällig um die Mittagszeit das Haus betrat. Rhabarbergrütze, Bohneneintopf und Kümmel, gestampfte Kartoffeln mit Muskat. Grumbach beteuerte, dass er seit dem Krieg keine Uhr mehr besitze und so ganz ohne Frau und Kinder, da verliere man die Zeit aus dem Auge. Umso erstaunlicher schien es, dass der Gast immer rechtzeitig zur Mittagszeit an die Tür klopfte.

Wenn Martha und Helene ihm von allem etwas angeboten hatten, in der Hoffnung, er wäre dann satt und würde verschwinden, blieb Grumbach sitzen, wippte fröhlich mit dem

Oberkörper und machte es sich gemütlich. Er schnallte den Holzarm ab und drückte ihn ganz selbstverständlich Helene in die Hand, damit sie ihn in die Ecke stellte.

Herrlich, wie alles wächst und gedeiht, sagte der Gast und tätschelte mit den Augen Marthas Rücken. Wenn sie des Vaters Bett machte, sich weit vornüber neigte, um die Laken festzustecken, ihre Schürze sich hinten leicht öffnete und das Kleid darunter zum Vorschein kam, dann war dem Mann, als beuge sie sich nur für ihn.

Alles verkommen, sagte Helenes Vater und blinzelte.

Was, Vater, was ist verkommen? Martha stand wieder am Waschtisch und der Gast im Ohrensessel ließ sich von ihrer Schürze den Handrücken streicheln.

Das Haus, schaut euch mal die Blätter an, Blätter voll Farbe, große Blätter.

Tatsächlich war in den Jahren seiner Abwesenheit wenig im Haus gemacht worden. Niemand kümmerte sich um die Farbe, die hier oben unter dem Dach welkte und wie alte Haut von der Wand blätterte.

Dass sein Freund und Vater der Mädchen sich über den Zustand des Hauses wunderte, störte Grumbach nicht bei seiner stillen Lust. Zu süß schien ihm die Berührung von Marthas Kleid. Erst als Helene aufstand, drehte sich Martha zu ihnen um. Ihre zart geröteten Wangen leuchteten, ihre feinen Grübchen betörten. Die Unschuld, die der Gast in ihrem Augenaufschlag vermuten konnte, ließ ihn vielleicht Scham empfinden. Helene hoffte das.

Kann ich dir helfen? fragte Helene und schnitt mit ihrem Blick den Gast, der gern Onkel Gustav genannt werden wollte.

Martha schüttelte den Kopf. Helene drängelte sich zwischen Martha und dem Gast vorbei, sie kniete am Kopfende des Bettes nieder.

Sind Sie wach? Helene flüsterte. Seit der Rückkehr des Vaters konnte sie nicht anders als Sie zu ihm sagen. Ihm fehlte die

Stimme und Aufmerksamkeit, um die Fremdheit zwischen ihnen zu bannen.

Vater, ich bin es, die Kleine. Ihr Goldblatt.

Helene nahm die Hand des Vaters in ihre und küsste sie. Bestimmt fragen Sie sich, was wir die ganze Zeit während Ihrer Abwesenheit gemacht haben. Ihre Stimme klang beschwörend. Es war nicht erkennbar, ob der Vater hörte, was sie sagte. Wir sind in die Schule gegangen. Martha hat mir Etüden beigebracht, die Ödnis, dann das Wohltemperierte Klavier, Vater. Ich fürchte, mir fehlt die Geduld für das Klavierspiel. Wir haben den Arthur Cohen vor gut drei Jahren mit seinem Gepäck zur Eisenbahn gebracht. Hat Martha Ihnen davon erzählt? Stellen Sie sich vor, der Arthur konnte nicht in den Krieg. Sie hatten ihn nicht erfasst.

Jud, unterbrach Grumbach Helenes Raunen, er lehnte sich in seinem Ohrensessel zurück und fügte mit einem abfälligen Schnalzen hinzu, wer erfasst den schon?

Helene drehte sich nur halb zu ihm um, so weit, dass er ihren Blick auf seinem Handrücken an Marthas Kleid bemerken musste, und kniff die Augen zusammen. Der Gast schnaufte, ließ aber seine Hand an Marthas Schürze. Das musste ihm der angemessene Lohn seines Schweigens sein. Helene wandte sich zurück zum Vater, küsste die Innenfläche seiner Hand, den Zeigefinger, jeden Finger einzeln, und fuhr fort.

Als Arthur sich meldete, hieß es, ohne nachweislichen Wohnsitz in Bautzen sei er nicht erfasst und man wolle ihn keinem Regiment zuordnen. Arthur protestierte, bis man ihn untersuchte und ihm sagte, man könne ihn wegen einer Rachitis im Krieg nicht gebrauchen. Er solle nur nach Heidelberg fahren, wenn er das notwendige Geld und die Empfehlungen beisammen habe. Von einem jungen Arzt habe man im Zweifel mehr als von einem rachitischen Soldaten.

Der Vater räusperte sich, Helene fuhr fort.

Sie erinnern sich an ihn? Arthur Cohen, der Neffe des Peruquiers. Er hat hier in Bautzen die Schule besucht. Sein Onkel hat sie ihm bezahlt. Ein guter Schüler.

Der Vater begann jetzt lauter zu husten und Martha sah von ihrer Tätigkeit am Waschtisch auf, um einen strengen Blick auf Helene zu werfen. Ihr Blick verriet, dass sie sich vor einer Offenbarung ihrer Bekanntschaft mit Arthur Cohen fürchtete. Weder der Vater noch sein Gast, niemand sollte von den Spaziergängen an die Spree etwas erfahren.

Er studiert jetzt in Heidelberg. Helene machte eine Pause, sie atmete tief, es fiel ihr nicht leicht, die Worte Heidelberg und die erläuternden auszusprechen: Botanik. Genau, er studiert dort Botanik. Und er hat uns einen Brief geschickt, darin schrieb er, dass es dort Frauen gibt, die Medizin studieren.

Der Vater hustete jetzt so laut, dass Helenes Worte untergingen, obgleich sie mit aller Mühe ihre Stimme angehoben hatte. Was noch konnte sie dem Vater zu Heidelberg und dem Studium sagen? Was würde ihn begeistern, sie zögerte, doch schon im nächsten Augenblick erbrach sich der Vater mitsamt dem Husten. Helene sprang zurück, sie riss dabei den Stock des Gastes mit sich. Hätte sie sich nicht an Marthas Kleid festgehalten und sich gleich darauf von den Knien des hinter ihr sitzenden Gastes abgestoßen, sie wäre wohl rückwärts gestolpert und dabei unmittelbar auf den Gast gefallen. Da dieser vornübergebeugt saß, wohl auf dessen Kopf und Schulter.

So aber landete Helene auf dem Boden. Ihr Blick fiel auf die vielen Abzeichen, mit denen der Stock des Gastes geschmückt war. Weimar. Cassel. Bad Wildungen. Helene erhob sich und gab den Stock zurück.

Der Gast schüttelte den Kopf. Er stand auf, nahm seinen Holzarm vom Bett und stellte sich neben Martha. Er flüsterte so laut, dass Helene ihn hören musste: Ich werde um deine Hand anhalten.

Nein, das werden Sie nicht. In Marthas Stimme klang mehr Verachtung als Furcht.

Doch, sagte der Gast. Dann eilte er die Treppe hinunter ins Freie.

Martha und Helene wuschen ihren Vater. Martha zeigte Helene, wie sie die Kompressen am Stumpf des Beines erneuerte und in welchem Verhältnis das Morphium gespritzt werden musste. Vorsicht war geboten, denn die letzte Gabe lag nicht lang zurück. Unter Marthas wachenden Augen setzte Helene dem Vater ihre erste Spritze. Ihr gefiel das gelöste Lächeln, das sie kurz darauf im Gesicht des Vaters entdeckte, ein Lächeln, das zweifellos ihr galt.

Schon am nächsten Tag gegen Mittag klopfte Grumbach erneut an die Tür seines Freundes. Das Mariechen öffnete. Über den Lausitzer Bergen hatte es die ganze Nacht geschneit und beim Öffnen der Tür musste das Mariechen blinzeln, so blendete das Licht von der Straße her. Die Schneeflocken schmückten das Haar des Gastes. Er trug offenbar seinen besten Anzug. In der Hand hielt er zusammen mit dem Stock einen kleinen Korb voller Walnüsse, und auch die Nüsse trugen Schneehäubchen.

Ach, wann immer ich komme, duftet es herrlich in diesem Haus, sagte der ungeladene Gast. Er stampfte mit den Füßen, damit der Schnee von seinen Schuhen fiel. Das Mariechen blieb in der Tür stehen, als sei es unentschlossen, wie weit es den Gast eintreten lassen könne. Grumbachs Blick fiel durch die offene Tür in die Stube zum Esstisch, auf dem drei gefüllte Teller standen. Der Gast drängte sich am Mariechen vorbei ins Haus hinein. Es roch nach Roten Beeten. Aus den Tellern dampfte es und die Suppenlöffel lagen in den Tellern, als habe man eilig aufspringen und den Tisch verlassen müssen. Die leeren Stühle standen etwas abseits. Während sich der Gast umständlich seiner Stiefel entledigte, wagte er einen zweiten neugierigen Blick ins Esszimmer. Das Mariechen schlug die Augen nieder, denn aus dem oberen Stockwerk drang ein Rumpeln und Scheppern.

Plötzlich war laut und deutlich die Stimme von Selma Würsich zu hören.

Dein Vater braucht Pflege? Ein hämisch keckerndes Lachen folgte. Weißt du überhaupt, was das ist, Pflege? Spielst hier die Gute und hast nicht mal ein Glas Wasser für deine Mutter. Etwas polterte. Deine Mutter! Hörst du? Wart nur, eines Tages wirst du mich pflegen müssen. Ha. Mich, hörst du? Bis zum Tode. Meine Exkremente mit den Händen halten.

Das keckernde Lachen verebbte, es wandelte sich und wurde zum Schluchzen.

Sehen wir nach dem Rechten, sagte der Gast und stieg entschlossen dem Mariechen voran die Treppe hinauf.

Gerade als der Gast die letzte Stufe erreichte, flog nahe vor seinem Gesicht ein Stiefel an die Wand. Helene hatte sich geduckt, da packte die Mutter schon den zweiten Stiefel und warf auch den mit aller Kraft in Helenes Richtung.

Verfluchtes Balg, du kleine Zecke, du bringst mich noch um!

Helene hielt sich schützend die Arme über den Kopf.

Nein, diesen Gefallen werde ich dir nicht tun. Helenes Antwort kam leise und klar.

Niemand wollte das Erscheinen des Gastes bemerken. Er traute seinen Augen nicht. Wäre ihm das Mariechen nicht auf dichtem Fuß die Treppe hinauf gefolgt und stünde jetzt hinter ihm, versperrte ihm den Weg hinaus, er hätte sich umgedreht und gemacht, dass er unentdeckt wieder davonkäme. Frau Selma Würsich stand dort im Nachthemd, dessen Ausschnitt mehr von ihren Brüsten sehen ließ, als ihr recht sein konnte. Gestickte Margeriten rankten sich entlang der Spitze. Das offene Haar aber wirbelte durch die Luft und ringelte sich auf ihren nackten Schultern, als lebe es. Die silbernen Fäden glänzten. Blindschleichen wanden sich auf ihren Brüsten. Offenbar hatte sie mit keinem Besuch gerechnet und sah ihn auch jetzt nicht, wo er unschlüssig auf der vorletzten Treppenstufe stand und nach einem Ausweg für sich suchte.

Frech bist du, verdorben!

Wer hat mich denn erzogen, Mutter?

Und so etwas ernähre ich in meinem Haus. Die Mutter schnaubte. Schämst du dich nicht?

Martha ernährt uns, Mutter, ist dir das nicht aufgefallen? Helenes Stimme war von herausfordernder Gelassenheit. Ich schreibe dir vielleicht rote und schwarze Zahlen in die Bücher der Druckerei, aber Martha ernährt uns. Was glaubst du, von welchem Geld wir am Sonnabend auf dem Markt bezahlen? Von deinem? Gibt es das, dein Geld?

Aah, du kleiner Teufel, scher dich davon, mach, dass du wegkommst! Die Mutter riss ein Buch aus dem Regal und warf es in Helenes Richtung.

Die gute Reue. Helenes Stimme war leise. Warum hast du mich geboren, Mutter? Warum. Warum nicht zu den Engeln geschickt?

Ehe der Gast ausweichen konnte, prallte ein Buch von seiner Schulter ab.

Sag bloß, du hast nicht gewusst wie?

Erst jetzt bemerkte Selma Würsich den Gast. Tränen schossen aus ihren Augen, sie sank auf die Knie und flehte den Gast an: Haben Sie das gehört, mein Herr? Helfen Sie mir! Das will meine Tochter sein. Sie schluchzte haltlos.

Verzeihen Sie. Der Gast stammelte. Unschlüssig stand er an der Treppe, mit einer Hand stützte er sich auf seinen Stock, Weimar, Cassel, Bad Wildungen, wo wart ihr? Er lehnte sich an das Geländer, er zitterte.

Und das will meine Tochter sein! Die Mutter brüllte jetzt, die Stadt sollte von ihrem Unglück erfahren, die Menschheit. Ihre Seele wollte zu mir, sie war es, die mich gewählt hat.

Helene würdigte den Gast keines Blickes, leise murmelte sie, von Wollen kann keine Rede sein.

Sie richtete sich auf, ordnete ihr Haar und ging zielstrebig die Treppe hinauf zu ihrem Vater, der auf der rechten Seite des Ehebettes lag und gewiss ihre Pflege und Hilfe benötigte. Noch ehe der

Gast Helene folgen konnte, hinauf, wo er Martha vermuten durfte, kroch ihm die Frau seines alten Freundes in den Weg. Sie packte sein Bein, umfasste es mit beiden Händen, sie stöhnte, sie winselte. Der Gast drehte sich um, mit den Augen suchte er das Mariechen, das Mariechen war verschwunden. Er war allein mit der Fremden.

Helene versuchte oben die Tür zu öffnen, aber vergeblich. Die Tür ließ sich nicht öffnen, und so setzte sich Helene ins Dunkel der obersten Stufe und blickte unbemerkt durch die Stäbe des Geländers hinab zu ihrer Mutter. Die umklammerte Grumbachs Bein und robbte dabei den Boden entlang; vergeblich versuchte Grumbach ihr zu entkommen.

Haben Sie das gesehen? Ihre Nägel krallten sich in Grumbachs Fesseln.

Verzeihen Sie, wiederholte der Gast, ah, verzeihen Sie. Kann ich Ihnen aufhelfen?

Wenigstens ein Mensch mit Herz in diesem Haus. Helenes Mutter reckte dem Gast ihre Hand entgegen, zog sich schwer an ihm hoch und stützte sich mit ihren nackten Armen schließlich auf ihn und seinen Stock, dass er ins Schwanken geriet. Sein Blick fiel auf ihre Brüste und von dort zur zarten Stickerei mit Margeriten, zurück zu den Brüsten, wo sich die dunkel silbernen Locken wanden. Schließlich riss er diesen Blick los und richtete ihn mühsam auf den Boden.

Kaum stand sie wieder aufrecht, sah sie auf den gebückten Mann vor sich herab.

Wer sind Sie? Das fragte sie verwundert.

Sie strich sich die Haare aus dem Gesicht, noch immer schenkte sie ihrem weiten Ausschnitt keine Beachtung. Misstrauisch sah sie den Mann an. Kenne ich Sie? Was machen Sie in unserem Haus?

Grumbach mein Name, Gustav Grumbach. Ihr Mann hat meine Gedichte gedruckt: An die Holde. Grumbach räusperte sich, er versuchte aus der Aufregung ein zutrauliches Lächeln zu formen.

An die Holde? Die Mutter brach in schallendes Gelächter aus. Der Wechsel vom herzzerreißenden Weinen zum donnernden Lachen war so plötzlich, dass dem Gast ein Schauer über den Rücken laufen musste, vielleicht klopfte sein Herz, zumindest wagte er es nicht, der Frau in die Augen zu blicken. Überhaupt wusste er nicht, wohin er blicken sollte, da ihm wohl auch der Ausschnitt ihres Nachthemds mit den winzigen Brüsten nicht als angemessener Ort des Verweilens erschien. Etwas mehr als zwanzig Jahre kannte er Selma Würsich nun aus der Ferne. Früher hatte sie noch manchmal hinter dem hölzernen Ladentisch der Druckerei gestanden, bestimmt hatte er sich ein paar Male mit ihr unterhalten, nur fiel es ihm in diesem Augenblick nicht mehr ein. Sie hatte sich über die Jahre aus dem städtischen Bild gestohlen. Man hatte sie vergessen, man musste sie vergessen.

Seit seiner Heimkehr aus Verdun hatte Grumbach sie nur ein einziges Mal von Ferne gesehen. Wenn sie es überhaupt war. Dass mit ihr einiges nicht stimmte, erzählten sich die Bewohner der Stadt. Umso mehr musste Gustav Grumbach erleichtert gewesen sein, dass er dieser Fremden seit dem Beginn seiner Besuche im Hause Würsich nie begegnet war.

An die Holde? Selma Würsich hatte ein ernstes Gesicht aufgesetzt, sie fragte es und ließ dabei die Schulter des Gastes nicht los. Und wer ist sie, diese Holde? Wer soll das sein? Während sie noch fragte, schien sie etwas zu suchen, sie befühlte ihren Unterrock und blickte unruhig über die Schultern des Gastes. Zigarette? fragte sie und griff nach einer Schachtel, die auf dem schmalen Regal in Griffweite stand.

Danke nein.

Selma Würsich zündete sich eine der feinen Zigaretten an und atmete tief. Wissen Sie, wer die Holde ist? Ich nehme an, Sie haben da eine bestimmte im Herzen, ja? Sie werden den Daumer kennen? Wehe Lüftchen, lind und lieblich. Die Stimme der Mutter war rau. Wehe! Sagte sie tief und mit drohender

Stimme. Wehe! Sie lachte, und das Krächzen tat Helene weh. Helene legte sich beide Hände auf die Ohren.

Prüfend zog Selma Würsich den Rauch ihrer Zigarette ein, in kleinen Wölkchen ließ sie ihn durch die Nasenlöcher entweichen.

Grumbach presste die Worte heraus: Ja, natürlich.

Das war wohl mehr eine Behauptung, so zumindest deutete Helene den Druck hinter seinen Lauten und den rastlosen Blick.

Willst du dein Herz mir schenken, so fang es ... begann die Mutter mit bedeutungsvoller Stimme.

... heimlich an. Dass unser beider Denken niemand erraten kann. Natürlich, auch das, ja, beeilte sich der Gast zu sagen – aber er schien für die Gemeinsamkeit keine rechte Freude aufbringen zu können.

Nur haben Sie je darüber nachgedacht, welche Hinterlist in diesem Liebesschwur liegt? Nein? Ja? Welche Polemik. Ich verrate es Ihnen: Er fordert sie zum Schweigen auf, damit ihm selbst die Stimme über das Gemeinsame gehört. Und die ist nicht glücklich. Haben Sie verstanden? Ungeheuer, sowas. Für diese offenkundige Schmäh ihrer Worte und die im Unglück liegende Abkehr von sich selbst muss der Leser weinen. Wenigstens die Leserin, flüsterte sie fast nicht mehr hörbar, dann sagte sie laut zu ihm: Sie aber weinen nicht. Sie wollen triumphieren. An die Holde!

Wieder hörte Helene das böse Lachen ihrer Mutter, dessen Abgrund einem Gast wie diesem nur schwer einsichtig sein konnte. Dieser Heine gehört von Ihnen nicht gelesen. Haben Sie gehört? Sie verraten ihn, noch ehe Sie ihm nahegekommen sind. Was, und Sie lesen ihn aber, ja? Sind Sie noch bei Verstand?

Nicht gelesen?

Nicht von Ihnen. Sie machen aus Ihrem Missverstehen gleich einen ganzen Band. An die Holde. Hören Sie, das geht nicht. Das ist nicht einfach schlecht, schlimm ist das, schlimm.

Verzeihen Sie, gnädige Dame. Der Gast stotterte.

Doch mit dem Verzeihen schien Helenes Mutter so ihre Schwierigkeiten zu haben.

Gnade, die gibt es nicht unter Menschen. Wir sind dafür nicht zuständig.

Verzeihen Sie, Werte. Vielleicht haben Sie recht und ich habe nichts als leeres Stroh gedroschen. Schwamm drüber, verehrte Frau Würsich. Es ist nicht mehr der Rede wert.

Leeres Stroh gedroschen? Hören Sie, Grumbach, dreschen Sie Stroh, soviel Sie wollen. Nur verschonen Sie Ihre Mitmenschen mit sich und Ihren Schwämmen. Die wahre Gnade, die suchen Sie nur bei Ihrem Gott, mein Herr. Helenes Mutter konnte sich über die letzten Worte fassen, sie sprach klar und streng.

Wenn er klug war, dachte Helene, sollte Grumbach jetzt gehen, am besten wortlos. Aber es gehörte offenbar nicht zu seinen Fähigkeiten, einem anderen das letzte Wort zu lassen.

Ich möchte Sie wirklich bitten, hob Grumbach an.

An die Holde! Und wieder hörte Helene das Lachen ihrer Mutter, dessen Abgrund ein Gast wie dieser nicht einmal erahnen und niemals vermessen konnte; was nur gut war.

Helenes Mutter hielt dem Gast den Rest ihrer Zigarette hin.

Und jetzt, mein Herr, nehmen Sie das hier mit vor die Tür. Sie wollen mich bitten? Betteln, Hausieren und Musizieren, Sie wissen schon ... Sie entschuldigen mich.

Von oben aus ihrem sicheren Dunkel sah Helene den Gast nicken. Er nahm die Glut der Zigarette, die an seinen Fingern brennen musste. Noch als die Mutter hustend in ihrem Schlafgemach verschwunden war und die Tür hinter sich geschlossen hatte, nickte der Gast. Er stieg vorsichtig, Stock und verglühende Zigarette in einer Hand, die steile Treppe abwärts. Er nickte noch immer, als er unten an der Eingangstür anlangte und auf die Tuchmacherstraße trat. Die Tür fiel ins Schloss.

Helene stand auf und wollte die Tür zu ihrem Vater öffnen. Sie rüttelte an der Tür.

Lass mich rein, ich bins.

Zuerst blieb es still hinter der Tür, dann aber hörte Helene Marthas leichte Schritte.

Warum hast du nicht geöffnet?

Ich wollte nicht, dass er sie hört.

Warum nicht?

Er hat sie vergessen. Ist dir aufgefallen, dass er in den letzten Wochen nicht mehr nach ihr fragt? Ich könnte ihm nicht sagen, dass sie einen Stock tiefer lebt und ihn einfach nicht sehen möchte.

Martha nahm Helene bei der Hand und zog sie mit sich an das Bett des Vaters.

Wie befreit er aussieht, bemerkte Helene.

Martha blieb stumm.

Findest du nicht, er sieht befreit aus?

Martha antwortete nicht und Helene dachte, er musste froh sein, eine Tochter zu haben, die als fürsorgliche Krankenschwester ihm nicht nur täglich den entzündeten Stumpf seines verlorenen Beines versorgte, sondern ihm auch ein Mittel gegen die Schmerzen spritzte und Tag für Tag bemüht war, sich selbst und ihm die Furcht vor einem mitgebrachten Typhus auszureden. Der Vater konnte keine Flüssigkeiten mehr bei sich behalten, aber dafür gab es einige Erklärungen, die Martha eilig heraufbeschwor, während Helene in medizinischen Lehrbüchern las, angeblich um sich auf ihr Leben als Krankenschwester vorzubereiten, in Wirklichkeit jedoch, um den Wunsch nach einem Studium nicht gänzlich aus den Augen zu verlieren.

Helene setzte sich auf den Stuhl, und während Martha sich anschickte, den gelben Fuß des Vaters zu waschen, nahm sie das oberste Buch des neben ihr liegenden Stapels. Sie blickte nur hin und wieder auf. Sie gab zu bedenken, dass es sich bei dem treppenförmig ansteigenden Fieber doch um einen Typhus handeln könnte, einer, der sich verzögert entwickelte.

Martha sagte nichts dazu. Ihr war keineswegs entgangen, dass sich der Zustand des Vaters seit der Rückkehr erheblich verschlechtert hatte. Aber sie sagte: Du verstehst davon noch nichts.

In den vergangenen Wochen hatte Martha Helene jeden ihrer Handgriffe gezeigt. Abwechselnd betasteten sie den Leib des Vaters. Und der Vater lag ganz wehrlos da, so erschien es Helene. Es blieb ihm nichts anderes übrig, als die Hände seiner Töchter auf seinem Leib zu dulden. Das war kein Streicheln aus Liebe, sie drückten, als ginge es um Erkenntnis und als nütze ihnen die etwas. Martha erklärte Helene, wo sich welches Organ befand, obwohl Helene das längst wusste. Martha musste bemerken, wie die Milz von Tag zu Tag anschwoll, sie musste wissen, was das bedeutete.

Seit geraumer Zeit konnte Martha nicht mehr morgens zum Krankenhaus gehen. Sie blieb zu Hause, um das Leben ihres Vaters zu bewachen und zu erleichtern. Helene bemerkte, dass Martha sich von Tag zu Tag häufiger kratzte. Nach jedem Besuch am Bett des Vaters kratzte sich Martha jetzt gründlich die Hände, bis hinauf zu den Ellenbogen, sie nahm die Haarbürste zu Hilfe und schrubbte sich schamlos ihren Rücken.

Erst bat sie Helene zögerlich, dann wurde es selbstverständlich, dass Helene die Bettpfannen voller Flüssigkeiten aus dem Zimmer trug, sie mit kochendem Wasser spülte und das Fieberthermometer reinigte. Helene wusch sich die Hände, bis hinauf zu den Ellenbogen, sie schrubbte mit der Nagelbürste die Finger, die Handteller und Handrücken. Es sollte nicht jucken, es durfte nicht jucken. Kaltes Wasser auf die Handgelenke, Seife, viel Seife. Schäumen musste es. Es juckte nicht, nur waschen musste sie sich. Gewissenhaft trug Helene die Daten des Thermometers in die Kurve ein. Martha beobachtete sie dabei.

Du weißt, was die Schwellung der Milz bedeutet, sagte Helene. Martha schaute sie nicht an. Helene wollte Martha helfen, sie wollte wenigstens den Puls des Vaters fühlen, aber Martha stieß sie vom Bett und vom Kranken zurück.

An einem Abend stieg Helene dem süßen Geruch entgegen die Treppe hinauf. Das Faulige nahm ihr fast den Atem. Sie öffnete das Fenster, der Geruch von feuchtem Laub stieg herauf. Ein kühler Oktobertag neigte sich seinem Ende zu. Der Wind ging durch die Ulme, und das Auge des Vaters wollte sich nicht mehr öffnen, er atmete durch den weit geöffneten Mund.

Nicht ohne sie. Martha stand neben Helene, sie fasste nach ihrer Hand, drückte die Hand der kleinen Schwester, dass es beide schmerzte, und wiederholte ihre Worte: Nicht ohne sie.

Martha verließ das Zimmer. Notfalls unter Gewaltanwendung wollte sie die Tür zum Schlafgemach der Mutter aufbrechen.

Seit Tagen war dies der einzige Augenblick, den Helene allein mit ihrem Vater hatte. Helene konnte nur flach atmen. Sie trat an sein Bett. Seine Hand war schwer, und spröde war die Haut. Seine gelbe Haut blieb stehen, als Helene sie mit zwei Fingern anhob. Helene war nicht verwundert, als sie im Schein der Lampe durch die Öffnung des Nachthemds den roten Ausschlag auf seiner Brust sah. Die Hand ihres Vaters war angenehm warm, sein Fieber war Tag für Tag um Zehntelgrade auf vierzig angestiegen.

Von unten hörte sie das Poltern und wütende Schreie. Niemand sollte die Mutter stören. Helene wechselte das Laken, das dem Vater in diesen Tagen innerster Hitze als Decke diente. Unwillkürlich fiel ihr Blick auf den eiternden Stumpf, der süße Duft hatte Maden gelockt. Sie wollte nicht länger hinsehen, es war ihr, als lebe seine Wunde, als lechze der Tod ihr entgegen. Helene schluckte, als sie sein Geschlecht entdeckte – es erschien ihr klein und wie vertrocknet, als wäre es verwelkt und liege nur noch zufällig an jenem Ort. Das Instrument ihrer Zeugung. Helene legte ihre Hand auf die Stirn des Vaters, sie beugte sich über ihn.

Die Worte, ich liebe Sie, flüsterte sie nicht einmal. Allein ihre Lippen formten die Worte, während sie seine Stirn küsste.

Ein Raureif, klein, klein. Mein Täubchen. Wir frieren nicht

mehr. Das stammelte der Vater. Seit Wochen hatte er nicht gesprochen. Sie erkannte seine Stimme kaum, aber es musste seine sein. Helene blieb bei ihm, sie ließ ihre Lippen auf seiner Stirn liegen. Ihr Kopf war plötzlich so schwer, dass sie sich mit ihrem Gesicht auf das des Vaters legen wollte. Sie wusste, dass der Vater die Mutter von jeher Täubchen genannt hatte.

Nichts als Tarnung so ein Körper, flüsterte der Vater. Ganz und gar, unsichtbar. Im Bau ist es warm, Täubchen, komm herein zu mir, niemand kann uns entdecken, keiner uns erschrecken. Der Vater nahm die Hände zu seinen Ohren und hielt sie sich zu. Bleibt bei mir, meine Worte, lauft nicht aus. Das Täubchen kommt, mein Täubchen kommt.

Einen Augenblick schämte sich Helene, hatte sie doch die für die Mutter bestimmten, zumindest an die Mutter gerichteten Worte empfangen und würde sie diese für sich behalten.

Erst als das Zittern begann, erhob sich Helene, während sie dem Vater über den Kopf strich. An ihrer Hand blieben unzählige seiner lang gewachsenen Haare kleben. Es waren so viele Haare, die an Helenes Hand klebten. Voller Verwunderung fragte sie sich, wie es sein konnte, dass er überhaupt noch welche auf dem Kopf hatte. Was als Zittern begonnen hatte, wurde heftiger, ein Rütteln ging durch den Körper des Vaters, Speichel floss ihm aus dem Mundwinkel. Helene erwartete, dass er nun blau werde, wie sie es vor einigen Tagen schon einmal erlebt hatte. Sie sagte: Ich bin es, Helene.

Aber inmitten des Zitterns klangen seine Worte unnatürlich klar: Süßes Lächeln, du. Vertraut wir zwei. Nur Granaten kommen, und verraten uns, weil sie so laut sind, und wir zu weich. Zu weich. Es spritzt, pass auf!

Helene wich einen Schritt zurück, damit die ausschlagende Faust des Vaters sie nicht treffen konnte.

Vater, möchtest du etwas trinken?

Ein Bein, ein Bein, das tanzt von ganz allein. Der Vater lachte und mit dem Lachen ebbte sein Zittern ab. Wellen, die sich von ihrem Ursprung lösen. Helene war unsicher, ob er vom verlorenen Bein sprach.

Trinken?

Plötzlich packte die Hand des Vaters Helene, unerwartet kräftig, und hielt sie am Handgelenk fest.

Helene erschrak, sie drehte sich um, doch von Martha weit und breit keine Spur. Lediglich unklare Geräusche aus dem unteren Stockwerk zeugten davon, dass Martha sich mit dem Mariechen Zutritt erobert hatte. Helene wand sich aus dem Griff ihres Vaters, der im nächsten Augenblick zu schlafen schien. Sie nahm die Karaffe Wasser vom Nachttisch und goss etwas davon in das Fläschchen, das Martha während der vergangenen Tage benutzt hatte, um dem Vater Wasser in den Mund zu flößen.

Kaum setzte sie das Fläschchen an die Lippen des Vaters, sagte dieser mitten aus der Haltung des Schlafes heraus: Getrunkene Weiber in meinem Mund.

Er konnte nicht trinken, kein Wasser mehr aufnehmen. Mit den Fingern benetzte sie die Lippen ihres Vaters.

Helene nahm die Spritze zuhilfe, sie zog die Nadel ab und träufelte ihm Wasser in den Mund.

Dann steckte sie die Nadel wieder auf und zog die Spritze bis zum untersten Strich mit Morphium auf, sie hielt die Spritze in die Höhe und presste die Luft hinaus. Da die Arme des Vaters vollkommen zerstochen waren, wollte sie ihm die Spritze in den Hals setzen. Dort hatte sich ein Abszess gebildet, aber gleich daneben entdeckte sie eine gute Stelle für den Einstich. Sie drückte langsam.

Später musste sie vor Erschöpfung an seinem Bett eingeschlafen sein. Es dämmerte, als sie den Kopf hob und hörte, unter welchen Flüchen sich die Mutter näherte. Offenbar wurde sie gewaltsam die Treppe heraufbefördert. Da war Marthas Stimme, laut und heftig: Sieh ihn dir an, Mutter.

Die Tür wurde geöffnet, die Mutter wehrte sich, sie wollte das Zimmer nicht betreten.

Ich will das nicht, sagte die Mutter wieder und wieder, ich will das nicht. Sie schlug um sich. Aber Martha und das Mariechen nahmen keine Rücksicht, sie schoben die Mutter zur Tür hinein und stießen sie, die sich jetzt an den beiden festklammerte, mit aller Kraft auf das Bett des Vaters.

Einen Augenblick war Stille. Die Mutter rappelte sich. Sie entdeckte ihren Mann, den sie sechs Jahre nicht gesehen hatte. Sie schloss die Augen.

Was hat er dir getan? Martha durchbrach das Schweigen, sie konnte ihre Empörung nicht verbergen. Zum ersten Mal in ihrem Leben hörte Helene das Mariechen in ihrer Sprache sprechen, ein weicher Singsang, den sie vom Markt her gut kannte. Das Mariechen faltete die Hände, offenbar betete sie.

Dessen ungeachtet tastete sich die Mutter auf dem Bett vorwärts, wie ein blindes Hündchen, ein Welpe, der seinen Weg nicht kennt, aber aufnimmt. Sie erfasste das Laken des Vaters und neigte sich über den Kranken. Als er das gesunde Auge öffnete, flüsterte sie mit einer Zärtlichkeit, die Helene erschrecken ließ: Sag bloß, du lebst noch.

Ihr Kopf sank auf die Brust des Vaters und Helene war sicher, dass sie nun weinen würde. Aber sie blieb reglos und still.

Mein Täubchen, sagte der Vater, mühsam suchte er Worte zusammen. Ich habe dir kein Zimmer in meinem Haus gegeben, damit du dich darin einschließt.

Die Mutter wich zurück.

Doch, sagte sie leise. All die Dinge in meinem Gemach, die Berge und Täler, die sie bilden, darin bin ich zu Hause. Nirgend sonst. Ich bin das. Wer schätzt, mit welcher Sorgfalt meine Trampelpfade angelegt sind? Lichtungen. Deine Töchter wollten einfach die Bautzener Nachrichten entsorgen, Ordnung machen, nennen sie das. Sie haben den Chiffon fortgerissen, als berge er nichts, sie haben die Ausgaben vom letzten Dezember auseinandergepflückt, dass ich tagelang Mühe hatte, sie wieder auf einen Stapel zu bringen. Thematisch. Ihren Themen folgend, Thema, Gegenstand und Stoff, tithenai, setzen, stellen, legen, nicht dem Datum nach. Ich bin ein Nachttier. Bei mir ist es dunkel und doch nie dunkel genug.

Helene warf über das Bett und die Eltern hinweg einen Blick zu Martha. Die Eltern waren so miteinander beschäftigt, dass Helene sich wie im Theater fühlte. Vielleicht dachte Martha dasselbe wie sie. Die Mutter sei am Herzen erblindet, das hatte Martha einmal gesagt, als Helene ihre Schwester gefragt hatte, was die Mutter habe. Sie könne nur noch Dinge wahrnehmen, keine Menschen mehr, deshalb sammele sie die alten Töpfe, die löchrigen Tücher und gewöhnlichen Obstkerne. Man konnte nie wissen, wozu man das eine und andere eines Tages brauchte. Erst kürzlich nähte sie sich einen Pfirsichkern als Knopf an ihren wollenen Umhang. In einer gebogenen Baumwurzel entdeckte die Mutter ein Pferd und flocht ihm die jüngst abgeschnittenen Haare einer Tochter statt eines Schweifes an den Hintern. Durch das Loch eines Emaille-Topfes, auf dem in großen Buchstaben Seife stand, zog sie einen Wollfaden, an den sie verschiedene Knöpfe und Steinchen knotete, die sich in den vergangenen Jahren angesammelt hatten. Diesen Seifentopf hatte sie über die Tür ihres Schlafzimmers gehängt, als Glocke, damit sie noch im Dämmerzustand gewarnt wurde, wenn jemand ihr Gemach betrat. Helene fiel ein Spaziergang vor vielen Jahren ein, vielleicht die letzte gemeinsame Unternehmung, bevor der Vater in den Krieg gezogen war. Es war ein Spaziergang, den die Mutter nur widerwillig und nach mehrmaligen Bitten ihres Mannes mit ihrer Familie unternommen hatte. Sie hatte sich plötzlich gebückt, das abgesprungene Eisen eines Wagens aufgehoben und glücklich ausgestoßen: Heureka! Sie erkannte die Erde im Eisen und das Feuer in seiner Form. Nahm sie es auf, in die Luft und mit nach Hause, wo sie ihm als Schuhanzieher eine neue Bestimmung zuwies, erkannte sie eine Seele im Ding. Sie sprach ihm die Seele zu, verlieh sie gewissermaßen. Die Mutter als Gott. Alles sollte sein Dasein einzig durch sie erfahren. Heureka, über die Bedeutung des Wortes hatte Helene häufig nachdenken müssen. Nur ihre jüngere Tochter konnte die Mutter nicht mehr erkennen, eben blind am Herzen, wie Martha sagte, dass sie niemanden mehr sehen konnte; ertragen konnte sie lediglich jene Menschen, die ihr vor dem Tod der vier Söhne erschienen waren.

Helene betrachtete ihre Mutter, die von sich als Nachttier sprach. Die Kunde von ihrer Sorge um ihre Pfade und Lichtungen und ihr Dasein gab, und die bei all diesen Geständnissen wie eine glänzende Darstellerin wirkte. Das Böse war ihr zum Wesen geworden: Was zählte, war die Wirkung. Helene konnte sich irren. Der böse Schein war ihr die einzig mögliche Rüstung und das böse Wort die Waffe im Sieg über das, was beide einmal verbunden hatte, Mann und Frau. Etwas an dieser Frau erschien Helene so unermesslich falsch, so unbarmherzig auf sich selbst bezogen ohne den winzigsten Schimmer einer Liebe oder auch nur eines Blickes für den Vater, dass Helene nicht anders konnte, als ihre Mutter zu hassen.

Der Vater bewegte seinen Mund, er kämpfte mit einem Kiefer, der ihm nicht gehorchen wollte. Und dann sagte er deutlich: Ich wollte dich sehen, mein Täubchen. Wegen dir bin ich hier.

Du hättest nicht gehen dürfen.

Da war kein Leid mehr in der Stimme der Mutter, alles Leid war zur Gewissheit erstarrt. Deine Töchter wollten meine Bücher entsorgen, aber ich habe dir einen Satz gerettet, einen meines Geliebten, der mich über deine Abwesenheit tröstete.

Ich bin froh, dass du Trost hattest. Die Stimme des Vaters war schwach und bar jeden Spottes.

Sein Name ist Machiavell, du erinnerst dich seiner? Höre, das erste Gesetz für jedwedes Wesen heißt: Erhalte dich! Lebe! – Ihr sät Schierling und tut so, als sähet Ihr Ähren reifen!

Mein Bein ist fort, schau, jetzt bleibe ich. Der Vater bemühte sich um ein Lächeln, ein gütiges. Ein einvernehmliches, frommes. Eines, mit dem er früher noch jede Unstimmigkeit zwischen ihnen besänftigen konnte.

Hier wäre es nie verloren gegangen, hier, bei mir.

Der Vater schwieg. Helene verspürte den dringenden Wunsch, ihn zu verteidigen, sie wollte etwas sagen, das sein Gehen vor sechs Jahren gerechtfertigt hätte, aber ihr fiel nichts ein. Deshalb sagte sie: Mutter, er ist für uns alle in den Krieg gegangen, er hat für uns alle sein Bein verloren.

Nein, die Mutter schüttelte den Kopf. Für mich nicht.

Sie stand auf.

Sie ging aus der Tür und drehte sich noch einmal um, ohne Helene dabei eines Blickes zu würdigen, sagte sie: Und misch dich da nicht ein, Kind. Was weißt du schon von mir und ihm?

Martha folgte der Mutter ins Treppenhaus, sie war unerschrocken, sie ließ sich nicht beeindrucken.

Nun trat diese herzensblinde Mutter, von der Helene vor allem Befehle und sich selbst aus der Welt ausschließende Gedanken kannte, zurück an das Bett ihres sterbenden Mannes, sie wusste ihre Töchter in ihrem Rücken, und doch sagte sie die Worte: Ich sterbe nicht zum ersten Mal.

Helene griff nach Marthas Hand, ihr war nach Lachen zumute. Wie oft hatte sie die Mutter schon diesen Satz sprechen hören, meist war er die Einleitung zur Forderung nach mehr Fleiß im Haushalt, größerer Ehrerbietung oder einem Botengang gewesen, manchmal eine bloße Erklärung, deren Absicht nicht leicht entzifferbar war und über deren Ziel sich die Mädchen mitunter stundenlang Gedanken machten. Doch hier am Sterbebett ihres Mannes galt der Mutter offensichtlich nichts etwas als die eigene Ergriffenheit und die Niederung eines Fühlens, das nur noch für sich selbst langte.

Martha löste ihre Hand aus Helenes. Sie packte die Mutter an der Schulter. Siehst du nicht, dass er es ist, der stirbt? Vater stirbt. Nicht du, es geht hier nicht um dein Sterben, begreif das endlich.

Nicht? Die Mutter sah Martha erstaunt an.

Nein. Martha schüttelte den Kopf, als müsse sie die Mutter überzeugen.

Der ratlose Blick der Mutter fiel plötzlich auf Helene. Ein Lächeln trat in ihr Gesicht, anscheinend entdeckte sie einen Menschen, den sie lange nicht gesehen hatte. Komm her, meine Tochter. Das sagte sie zu Helene.

Helene wagte keine Bewegung mehr, sie wollte sich der Mutter keinen Zentimeter nähern, keinen noch so kleinen Schritt. Am liebsten hätte sie das Zimmer verlassen. Sie mied weniger die im nächsten Augenblick drohende Abweisung der Mutter als eine Berührung, eine Berührung, die etwas wie Ansteckung mit sich bringen könnte. Helene spürte die alte Furcht in sich aufkommen, sie könne eines Tages erblinden wie diese Mutter. Das Lächeln der Mutter, eben noch zutraulich, erfror. Helene kannte nur einen Albtraum, der sie seit Jahren immer wieder heimsuchte: Zwei Götter, die aussahen wie Apollo auf dem Stich über dem Papierregal im Verkaufsraum der Druckerei. Die beiden Götter, die aussahen wie Apollo, stritten sich um ihre alleinige Daseinsberechtigung, jeder brüllte aus vollem Halse: Ich! Gleichzeitig riefen sie: Ich bin der Herr, dein Gott. Und es wurde finster um Helene. So finster, dass sie nichts mehr sehen konnte. In diesen Träumen tastete sie sich vorwärts, sie fühlte Glitschiges und Schnecken, Heißes und Feuer und schließlich das Nichts, in das sie fiel. Ehe sie aufschlagen konnte, erwachte sie jedes Mal, ihr Herz raste, sie drückte ihre Nase in den Rücken der gleichmäßig atmenden Martha, und während ihr das Nachthemd nasskalt am Rücken klebte, betete sie zu Gott, er möge sie von diesem Albtraum befreien. Doch Gott zürnte offenbar. Der Albtraum kehrte wieder. Vielleicht war er nur beleidigt. Helene wusste warum, weil er ahnte, dass Helene ihm eine Gestalt zudachte, es war die Gestalt eines stattlichen Apollo, und nicht nur das, sie sah ihn doppelt, sie sah den Bruder, und während sie zu dem einen betete, wandte sie dem anderen den Rücken zu – und schließlich ließ allein ihr Gebet einem Gott keine andere Wahl als den Zorn.

Im nächsten Augenblick, den sie erstarrt dastand und längst deutlich war, dass sie der Aufforderung ihrer Mutter nicht nachkommen wollte und konnte, fiel ihr ein, wie die Mutter vor Jahren auf dem Protschenberg über ihren Gott gesprochen hatte und den des Vaters, als rivalisiere ihrer beider Glaube. Dass die Mutter die Menschen als Erdwürmer bezeichnete, empfand Helene als Ausdruck des Hasses, den ihr die Mutter von jeher mitteilen wollte und der Früchte zeigte, wenn Helene von den nackten Schnecken träumte, um in ein Nichts zu fallen, das ihr wie der mütterliche Schoß erschien.

Helene wollte sich waschen, die Hände waschen bis zum Ellenbogen, den Hals, das Haar. Alles musste gewaschen werden. Ihre Gedanken drehten sich. Sie wandte sich ab und stolperte die Treppe hinunter. Sie hörte das Mariechen hinter sich rufen, sie hörte, wie Martha ihren Namen rief, aber sie konnte nichts denken und nicht einhalten, sie musste laufen. Sie öffnete die Haustür und rannte die Tuchmacherstraße hinauf und über den Lauengraben bis zur Kronprinzenbrücke. Dort tastete sie sich auf Zehenspitzen im Dunkeln unterhalb des Bürgergartens die Böschung zur Spree hinab, mal konnte sie sich mit den Händen am dicken Fundament der Brücke halten, mal hielt sie sich an Büschen und Bäumen. Sie lief auf der unteren Straße am Lattenzaun entlang, vorbei am Restaurant zur Hopfenblüte, wo noch reger Betrieb herrschte, Tanzmusik erschallte, laut, die Menschen wollten endlich mit dem Krieg und seinem Schweigen und ihrer Niederlage brechen, und erst als sie unten am Wehr anlangte und in der Finsternis nichts als das Glucksen und Rauschen des Flusses hörte, konnte sie stehenbleiben. Sie ging in die Hocke und hielt ihre Hände in das eisige Wasser. Nebel hing in dem Flussbett und Helene lauschte auf ihren Atem, der ruhiger wurde.

Spät, als die Musik aus dem Gasthaus verstummt war und

ihre Kleider feucht und kalt von der Nacht und dem Fluss geworden waren, kehrte sie nach Hause zurück. Sie schlich auf Zehenspitzen hinauf in ihr dunkles Zimmer, tastete nach Martha und schlüpfte zu ihr unter die Decke. Martha legte einen Arm über sie und ein Bein, ihr schweres, langes Bein, unter dem sich Helene geborgen fühlte.

Helene stand am Fenster und zerkratzte mit dem Fingernagel die Blätter der Eisblumen. Eine feine Schicht Eis, noch glatt, das Schaben der Blumen, schon weiß. Kleiner Haufen, winzige Kristalle. Der Vater ist tot. Martha hatte ihr das am Morgen gesagt. Helene suchte die Worte einzeln nach ihrer Bedeutung ab. Widersprachen sich nicht schon ist und tot, sein und haben? Er hatte kein Leben mehr, noch gab es den, der irgendetwas sein eigen nennen konnte. Wie wollte es sich auch besitzen lassen, so ein Leben? Sie fragte sich, warum Martha sie in der Nacht nicht geweckt hatte, damit auch sie die Hand des Vaters hätte halten können. Martha war allein bei ihm gewesen.

Wie war das?

Was?

Wie ist er gestorben?

Du hast ihn doch gesehen, Engelchen.

Aber das letzte Atmen, was kam danach?

Nichts. Martha sah Helene mit offenen Augen an, Augen, die nicht blinzelten und die sagen wollten, sie können nicht lügen. Helene wusste, dass Martha ihr darüber nicht mehr sagen würde, selbst wenn sie etwas wüsste. Sie würde es für sich behalten. Danach kam also nichts. Helene hauchte ihren Atem gegen die Eisblätter, sie berührte mit den Lippen die spitzgezackten Blüten. Ihre Lippen klebten am Eis und brannten. Haut abgezogen, feine Lippenhaut. Martha wird ihm die Hände gefaltet, das Laken über sein Gesicht gelegt und das Bett zum

Fenster gedreht haben, damit seine Seele zu Gott schauen konnte. Roh das Fleisch der Lippen.

Helene wäre gern geweckt worden. Vielleicht wäre er nicht gestorben, wenn sie seine Hand gehalten hätte. Zumindest nicht so, so einfach, einfach so, nicht ohne sie.

In allen Zimmern des Hauses brannten Kerzen, der Tag wollte nicht beginnen. Die Wolken lagen tief und schwer über den Dächern, sie hingen zwischen den Mauern, die Nacht schaukelte noch in den Wolken.

Wir warten auf den Pfarrer, sagte Martha und setzte sich auf die Treppe.

Du wartest, ich gehe hinauf und lese mein Buch, antwortete Helene. Sie ging hinauf, aber nicht ins Mädchenzimmer, wo ihre Vertrauten warteten, der Werther und die Marquise, deren Ohnmacht Helene noch für sonderbar und unglaublich hielt, sie stieg eine Treppe höher. Über Nacht war es kalt hier oben geworden. Niemand mehr hatte heute Morgen den kleinen Ofen befeuert. Sie trat zum Bett und sah, wie sich seine Nase durch das Laken drückte. Sie fragte sich, wie er jetzt wohl aussah. Doch es entstand kein Bild vor ihren Augen. Selbst die Erinnerung daran, wie er ausgesehen hatte, als er noch lebte, fehlte; gestern hatte sie versucht, ihm etwas Wasser einzuflößen, und er hatte den Mund nicht mehr geöffnet, keinen Spalt weit, von seinem gestrigen Aussehen fehlte in ihr eine Spur. Überall auf dem Kopfkissen hatten Haare geklebt, seine aschfahlen, zuletzt gelblichen, langen Haare, daran erinnerte sie sich. Sie hatte die Haare vom Kopfkissen gezupft und lange in ihrer Hand gehalten, weil sie nicht wusste, wohin damit. Konnte sie das Haar ihres sterbenden Vaters wegwerfen? Sie konnte. Sie hatte sein Haar ins Häuschen auf dem Hof gebracht und wollte es dort in die gefrorene Grube fallen lassen. Das Haar war nicht einfach aus der Hand gefallen. Es hatte sich nicht aus ihrer Hand lösen wollen. Auch im Häuschen hatte sie es abzupfen müssen, von ihren Händen, Haar um Haar. Und es war nicht gefallen, es schwebte, so langsam, dass sie Ekel empfand und nicht hinsehen wollte. Daran erinnerte sich Helene, an sein Haar, gestern, nicht aber an sein Aussehen. Das Laken war weiß, und sonst nichts. Helene hob es an, erst vorsichtig, dann ganz, sie betrachtete ihren Vater. Die Haut über seiner Augenhöhle spiegelte, makellos glatt. Er trug einen Verband um den Kopf, der wohl den Kiefer geschlossen halten sollte, ehe die Totenstarre einsetzte. Helene wunderte sich, dass seine Haut noch schimmerte, das Gesicht noch glänzte. Mit dem Handrücken berührte sie seine Wange. Das Nichts war nur ein wenig kühl.

Sie legte das Laken über ihn und verließ den Raum auf Zehenspitzen, sie wollte nicht, dass die Mutter im Zimmer unter ihr ihre Schritte hörte, sie sollte nicht hören, dass sie bei ihm war. Helene stieg die Treppe wieder hinab und stellte sich vor das Fenster. Sie atmete tief ein und hauchte ein Loch in die Eisblumen. Durch das Loch konnte Helene sehen, wie der Pfarrer mit schnellen Schritten vom Kornmarkt herunter kam, er lief dicht an den rußigen Mauern der Häuser entlang, wechselte die Straßenseite und kam herüber zum Haus. Er blieb stehen. Er suchte etwas in seinem langen Mantel, fand ein Taschentuch und schnäuzte sich. Dann läutete er.

Martha bot dem Pfarrer Tee an. Sie sprachen leise und Helene hörte kaum zu. Einmal läutete es und das Mariechen öffnete sechs schwarz gekleideten Herren. In einem erkannte Helene den Bürgermeister Koban, der sich nicht am Krankenbett des Freundes hatte sehen lassen, in einem anderen erkannte sie Grumbach, der aber scheute sich, den Blick zu heben, ihrem zu begegnen. Vor der Tür wartete ein Zweispanner. Die Pferde trugen Decken gegen die Kälte. Sie schnaubten und ihr Atem sah aus wie der einer kleinen Dampflok. Die sechs Herren trugen den Sarg die Treppe hinauf und kurze Zeit später die Treppe wieder hinab.

Wir müssen gehen, die Menschen warten am Friedhof, sie werden frieren, die Kapelle hat im Krieg nicht nur die Glocke, sondern auch ihren Ofen verloren, sagte der Pfarrer und fragte: Ist Ihre werte Mutter zum Aufbruch bereit?

Erst jetzt horchte Helene auf.

Nein, sagte Martha. Sie wird nicht mitkommen.

Sie wird nicht ...? Der Pfarrer sah verständnislos zu Martha, dann zu Helene und zuletzt zum Mariechen, das die Augen niederschlug.

Nein, sagte Helene, sie will nicht.

Sie sagt, sie ist müde, erklärte Martha, ihre Stimme wirkte sonderbar schwach.

Müde? Dem Pfarrer blieb der Mund offen stehen. Helene mochte es, wie weich er das D sprach. Er war nicht aus der Gegend, er kam aus dem Rheinland und hatte die Pfarrei erst seit zwei Jahren. Helene mochte seine Predigten, in seiner Sprache glaubte sie etwas von der großen Welt zu hören, etwas, das weit über die Welt des Gottes, von dem er sprach, hinausschwang.

Martha nahm entschlossen ihren Mantel. Der Pfarrer blieb sitzen, das letzte Geleit, hob er an und verstummte. Weich das G und hart das T. Wo waren seine Worte für fehlenden Gehorsam?

Gehen wir und lassen ihr den Willen, forderte Martha den Pfarrer nun streng auf.

Nein, stammelte der Pfarrer. Wir können doch nicht ohne sie, ohne seine Gattin, ohne Ihre werte Mutter – gehen. Ich werde mit ihr sprechen. Erlauben Sie? Der Pfarrer erhob sich. Er hoffte, dass Martha ihn zur Dame des Hauses führen würde. Aber Martha stellte sich ihm in den Weg.

Es hat keinen Zweck, glauben Sie mir. Martha strich sich zum Aufbruch bereit über das Haar.

Bitte. Der Pfarrer gab nicht nach. Er zeigte deutlich, dass er nicht aufgeben würde.

Wie Sie wollen. Aber Sie sagen selbst, die Menschen am Friedhof warten.

Martha bedeutete dem Mariechen mit einem Nicken, sie

möge dem Pfarrer den Weg hinauf ins Gemach der Mutter weisen.

Kommt Leontine? Helene zog ihren Mantel über und bemerkte, wie Martha errötete.

Von oben hörten die Mädchen das Klimpern der Steinchen und Knöpfe in der Zimmerglocke ihrer Mutter. Dann war es ungewohnt still, kein Schreien, kein Poltern. Marthas Erröten zeigte Flecken bis zum Hals, sie sah unglücklich aus.

Was ist? Habt ihr gestritten?

Wie kommst du darauf? Martha war empört. Leise setzte sie hinzu: Leontine ist verhindert.

Der Pfarrer und das Mariechen kamen die Treppe hinunter. Das Mariechen zog sich ihren Mantel über und öffnete die Tür.

Die Mutter wollte nicht, hab ich recht? Helene blickte den Pfarrer forschend an.

Wir wollen sie nicht zwingen. Jeder mag seinen eigenen Weg zu Gott finden.

Sie nicht. Wissen Sie nicht, dass sie Jüdin ist?

Auch die Juden werden eines Tages vor Gott stehen. Der Pfarrer sprach bedächtig und mit einer strengen, ja nicht entrinnbaren Güte, mit weichem D und G und hartem T. Er schien über eine Gewissheit zu verfügen, eine Gewissheit des Glaubens, die Helene Ehrfurcht empfinden ließ.

Für den Leichenschmaus hatte Martha einen Tisch im Keller des Rathauses bestellt. Keiner der schwarzgekleideten Herren sagte ein Wort. Sie schwiegen und tranken. Das Mariechen weinte leise. Und während der Pfarrer in einem fort aus dem Buch Hiob zitierte, wollte Helene sich die Ohren zuhalten, trotz seiner angenehmen Stimme. Helene streckte unter dem Tisch ihren Fuß nach Martha aus, sie berührte sanft Marthas Wade, doch Martha antwortete ihr mit keinem noch so kleinen Zeichen des Erkennens.

Und sehen Sie, Fräulein Martha, Gott nimmt diejenigen zu sich, die ihm die Liebsten sind. Und er gibt Freude und Liebe an all jene, die ihren Weg noch vor sich haben. Schauen wir uns um in unserer Gemeinde. Ist das Fräulein Leontine nicht eine gute Freundin von Ihnen? Sehen Sie, ihre Verlobung ist der Beginn eines neuen Weges, die Wiege ihrer Kinder und ihres Glückes. Der vertraute A-Dur-Akkord vom Petridom erklang, der Glockenschlag schien dem Pfarrer recht zu geben.

Verlobung? Helene war erstaunt. Ging ihre Frage im Geläut der Glocken unter?

Martha weinte jetzt, sie schluchzte hemmungslos.

Fräulein Leontine heiratet nach Berlin, mit einem gewissen Stolz lächelte das Mariechen in die Herrenrunde, vielleicht war es bloß Freude, sie trocknete ihre Tränen und tätschelte Helenes Arm. Vermutlich war sie erleichtert, dass die schwer vermittelbare junge Frau nun doch noch einen Mann bekam. Offenbar war Helene die Einzige am Tisch, die nichts von Leontines Verlobung gewusst hatte.

Wusstest du das? Helene beugte sich vor, in der Hoffnung, dass Martha sie ansehen würde. Doch Martha blickte niemanden an, sie nickte nur, fast unmerklich.

Auch wenn Sie in diesem Augenblick nicht daran denken mögen, Fräulein Martha, auch Sie wird der Vater beschenken. Sie werden heiraten und Söhne gebären. Das Leben, mein gutes Kind, hält so vieles bereit.

So vieles? Martha schnäuzte sich. Verstehen Sie Gott, verstehen Sie, warum er uns leiden lässt?

Der Pfarrer lächelte milde, geradeso als habe er auf diese Frage von Martha gewartet. Der Tod Ihres Vaters ist eine Prüfung. Gott meint es gut mit Ihnen, Martha, das wissen Sie. Es geht nicht um das Verstehen, mein gutes Kind, Bestehen ist alles. Als der Pfarrer seine Hand über den Tisch hinweg ausstreckte, um sie tröstend auf Marthas zu legen, sprang Martha auf.

Sie entschuldigen mich bitte. Ich sollte nach der Mutter sehen. Martha stürzte die Treppe hinauf und verließ den Ratskeller. Helene blieb nichts anderes übrig, sie musste allein am Tisch sitzen bleiben, obwohl sie ahnte, dass Martha nichts als eine passende Ausrede gefunden hatte, um wegzulaufen.

Sie hat ihren Vater sehr geliebt, sagte Grumbach, der in dieser Runde zum ersten Mal das Wort erhob. Die anderen Männer nickten, und in die allgemeine Zustimmung sagte er mit Grimm: Zu sehr.

Gottes Liebe ist groß. Eine Tochter kann ihren Vater nicht zu sehr lieben. Sie kann von Gott nur lernen, das Lieben und Geben. Martha wird diese Prüfung bestehen, daran zweifeln wir keinen Augenblick. Der Pfarrer glaubte an seine Worte und wusste um deren Wirkung. Die Herren nickten.

Beide Kinder haben ihn geliebt, beide. Das Mariechen hörte nicht auf, Helenes Arm zu tätscheln.

Als der Leichenschmaus beendet war, schickte Helene das Mariechen zu ihren Freundinnen, um Garn für neue Spitzen zu besorgen, in Wahrheit aber, damit sie allein in die Tuchmacherstraße zurückkehren konnte. Im Haus war es still. Helene klopfte an die Tür der Mutter, ein Mal, zwei Mal, und da keine Antwort kam, öffnete sie.

Ist Martha hier gewesen?

Die Mutter lag mit offenen Augen im Bett und starrte Helene an. Immerzu sucht ihr einander. Habt ihr nichts Besseres zu tun?

Wir haben Vater beerdigt.

Die Mutter schwieg und so wiederholte Helene ihre Worte: Wir haben den Vater beerdigt.

So.

Helene wartete, in der Hoffnung, der Mutter falle noch ein weiteres Wort oder gar ein ganzer Satz ein.

Was gibts? Warum stehst du so in der Tür? Martha ist nicht hier, das siehst du doch.

Helene lief die Treppe hinunter. Sie trat durch die Hintertür. Reif lag noch auf den schwarzen Bäumen und dem Laub. Es wirkte, als könne der Tag nicht anbrechen, als bliebe es nun ewig Morgen, Novembermorgen am frühen Nachmittag. Helene trat in den Garten, sie stapfte zum Häuschen, das Laub brach unter ihren Füßen. Die Tür war verriegelt.

Bist du da drinnen? Helene klopfte zögernd an die Tür. Von innen hörte sie es rascheln und schließlich öffnete ihr Martha.

Es ist alles gut. Martha strich sich das Haar aus dem Gesicht und strahlte plötzlich.

Ja? Helene sah Marthas glasige Augen, sie wollte nicht belogen werden.

Ja, alles ist gut! Martha atmete tief durch und breitete die Arme aus. Helene umschlang Marthas Hüften. Nicht so stürmisch, meine Kleine! Martha lachte auf. Vergiss nicht, wir sind im Freien, alle können uns sehen!

Du bist schrecklich, Martha. Helene lächelte, sie schämte sich, sie hatte an nichts anderes als an Trost gedacht. Sie wollte Martha trösten, sie wollte alles über Leontine und Martha wissen und hatte sich doch fest vorgenommen, keine Fragen zu stellen.

Gehen wir hinauf? Martha blickte Helene lüstern an.

Helene konnte nicht nein sagen, aber sie sagte: Ich wollte dich nur trösten.

Ja, tröste mich! Martha atmete wieder tief und hörbar ein und aus. Unter dem dicken Mantel trug Martha ihr neues schwarzes Kleid mit dem hohen Kragen, Mariechen hatte es eigens für die Beerdigung genäht. Das Schwarz stand in einem reizvollen Gegensatz zu Marthas weißer Haut. Ihre Wangen und ihre große, feine Nase waren von der Kälte gerötet. Die glasigen Augen wirkten heller als sonst. Tröste mich!

Helene wollte nach Marthas Hand greifen, aber Martha zog ihre Hand fort. Sie hielt etwas in dieser Hand, das sie jetzt in der Manteltasche verschwinden ließ.

Die Schwestern gingen die Treppe hinauf und verschlossen ihre Zimmertür. Sie ließen sich auf das gemeinsame Bett fallen und entkleideten sich. Helene erwiderte Marthas Küsse, sie empfing jeden von ihnen, als gelte er allein ihr und dächten sie nicht beide an Leontine.

Meine Brüste wachsen nicht mehr, flüsterte Helene später in das blaue Licht der Dämmerung.

Das macht nichts, sagte Martha, sie werden schöner. Ist das nichts?

Helene biss sich auf die Zunge. Martha hätte sagen können, dass sich Helene noch ein, zwei Jahre gedulden sollte, schließlich gab die Zeit einigen Anlass für solche Hoffnungen, aber an ihrer freundlichen Antwort las Helene ab, wie schwer ihr an diesem Tag die Aufmerksamkeit für die Schwester fiel. Dabei dachte auch Helene vor allem an Leontine und deren Verlobung nach Berlin. Vielleicht hatte Leontine Martha einen Brief geschrieben und den hatte Martha im Häuschen heimlich gelesen und in ihrer Manteltasche verschwinden lassen, ehe sie Helenes Hand ergreifen konnte. Ein Abschiedsbrief, einer, der Martha erklären sollte, woher dieser Verlobte plötzlich kam und warum sie entgegen bisherigen Versprechen doch fortgehen würde. Helene fragte sich, was nun aus Martha werden konnte. Doch Martha wollte offenbar nicht über Leontine sprechen.

Ich habe Durst, sagte Martha.

Helene stand auf. Sie nahm den Wasserkrug vom Waschtisch, goss etwas in einen Becher und reichte ihn Martha.

Leg dich auf mich, Engelchen, komm.

Helene schüttelte den Kopf, sie setzte sich an den Bettrand und streichelte Marthas Arm.

Bitte.

Helene schüttelte wieder den Kopf.

Dann geh ich hinunter. Ich glaube, ich hab das Mariechen vorhin gehört. Ich werde ihr beim Abendbrot helfen. Martha stand auf, befestigte ihre wollenen Strümpfe und zog ihr schwarzes Kleid an.

Kaum war Martha aus der Tür und waren ihre Schritte auf

der Treppe verklungen, streckte Helene ihren Arm aus, sie hob den am Boden liegenden Mantel auf. Helene fand keinen Brief und keinen Zettel in der Manteltasche, sondern ein Taschentuch und darin eine Spritze. Eine Erinnerung an den Vater? Helenes Gedanken fielen übereinander. Warum sollte Martha die Spritze des Vaters heimlich verschwinden lassen, auf dem Taschentuch entdeckte Helene kleine Blutflecken, sie wickelte die Spritze hastig in das Taschentuch zurück, es öffnete sich wieder, Helene rollte es, wickelte es und stopfte das kleine Bündel dorthin zurück, woher sie es genommen hatte, warum in ihrer Manteltasche, warum mit ihr im Häuschen, mit der Spritze, und nicht mit einem Brief von Leontine?

# Kein schönerer Augenblick als dieser

Im Winter nach dem Tod des Vaters fror die Spree vom Ufer her zu, bis im Januar die Eisschollen so dicht saßen, dass es eine Mutprobe für die Jungen der Stadt war, auf ihnen den Fluss zu überqueren. Für Helene galt das Schauspiel als Hinweis auf die Wahrheit der Bibel. Konnte nicht auch in der Wüste das Wasser gefrieren und war es nichts als ein zeitlicher Hinweis, wann es war, dass Jesus über das Wasser ging? Aus den Schornsteinen quoll in der Frühe Rauch, seine Schwaden hüllten die auf dem Granitfelsen liegende Stadt ein. Nur die Spitze des Lauenturms, der Petridom und der schiefe Reichenturm ragten in den Morgenstunden aus dem weithin sichtbaren Bautzener Nebel. Selbst die hohen Mauern der Ortenburg und die Alte Wasserkunst waren in Dunst getaucht. In den meisten Häusern ging das Brennholz Ende Januar aus, und wo das Geld fehlte und die Lieferung von Kohle auf sich warten ließ, zerhackten die Menschen kleinere Möbelstücke, Schemel und Bänke, Gartenmöbel, solche, die ihnen mitten im Winter unnütz erschienen. Martha und Helene sahen, wie ihre Barschaften schwanden. Kaum konnten sie einen Kalender oder eine Ansichtskarte verkaufen, wollte das eingenommene Geld umgehend ausgegeben werden. Nie war das Brot so teuer wie morgen. Sie wollten einen Pächter für die Druckerei finden, doch alles Werben und Suchen war vergeblich. Die Fabriken unten am Fluss entließen ihre Arbeiter, wer konnte, floh nach Breslau, Dresden oder Leipzig; jede größere Stadt versprach bessere Möglichkeiten, an Essbares und eine beheizte Bleibe zu gelangen.

Helene räumte die Lagerräume und die Regale im Werkraum auf. Auf den oberen Brettern lag dicker Staub und eine Vielzahl kleinerer Druckvorlagen, die niemand mehr benötigen würde. In den unteren Fächern hatte Helene in den vergangenen Jahren Papiere gestapelt, aber vieles davon war in den letzten Wochen in die Öfen gewandert. Ein kurzes Brennen war besser als gar keins. Sicherlich würden die langen Bretter des hohen Regals gut heizen. Man musste ja nicht gleich das ganze Regal auseinandernehmen. Nur das Holz der oberen beiden Fächer wollte Helene verwenden. Die Bretter waren fest in den Stützpfosten verankert. Das Regal streckte sich an der Längswand vom Boden bis zur Decke und von der hinteren Ecke bis nach vorne zur Tür und darüber hinweg. Es würde noch groß genug sein, wenn die obersten Bretter fehlten. Mit einem Hammer in der Hand stieg Helene auf die Leiter. Eine Pappe war hinter das Regal gerutscht und klemmte dort zwischen einem Brett, der Wand und dem Pfosten. Helene beugte sich vor, hielt sich mit einer Hand an dem Regal fest und wollte die Pappe herausziehen. Mit dem Hammer wollte sie sodann das oberste Brett aus seiner Verankerung schlagen. Die Pappe klemmte fest. Helene tastete an der Wand entlang und versuchte, die eine Ecke der Pappe hinter dem Pfosten zu lösen, als sie etwas Bewegliches, Metallisches spürte. An der Rückseite des äußeren Stützpfostens ertastete sie den Gegenstand, sie löste ihn und fand in ihrer Hand einen Schlüssel. Er hatte etwas Rost angesetzt, aber Helene wusste sofort, um welchen Schlüssel es sich handelte. Seine Form und seine ungewöhnliche Verzierung am Kopf waren ihr vertraut. Selbst sein Gewicht kam ihr bekannt vor – dabei hatte sie ihn nie zuvor in der Hand gehalten. Ein wenig kleiner wirkte er, als wäre er geschrumpft. Helene erinnerte sich gut, wie vor dem Krieg zum Feierabend der Vater die Kasse geleert hatte, den Schlüssel in der Hand, und mit den Händen voller Geld in den hinteren Raum gegangen war, wo er die Tür zum großen Schrank öffnete. Obwohl Helene sich schon beim

Öffnen der Kasse zur Tür wandte, zwinkerte er ihr jeden Abend mit dem später fehlenden Auge zu und sagte: Hältst du an der Tür Wache? Und wenn jemand kommt, dann pfeifst du. Manchmal sagte Helene: Mädchen sollen nicht pfeifen. Dann fragte er lächelnd zurück: Ja, bist du denn ein Mädchen? Und einmal sang er hinter der geöffneten Schranktür hervor jenen Vers, den er ihr schon ins Album geschrieben hatte: Sei wie das Veilchen im Moose, sittsam, bescheiden und rein, nicht wie die stolze Rose, die immer bewundert will sein. Dann veränderte er seinen Tonfall, drohend, fast beschwörend flüsterte er: Aber jedes Mädchen muss pfeifen können, merk dir das.

Helene wusste, dass sich in der Rückwand des Schrankes die Tür zum Tresor befand. In den Jahren der Abwesenheit des Vaters fand sich der Schlüssel nicht, und nach seiner Rückkehr hatte die Gelegenheit gefehlt, ihn nach dem Schlüssel zu fragen. Helene liebte ihren Vater, wenn er ihr über das Haar strich und ihren Kopf an sich zog wie den seines großen Hundes, wollte sie die gefundene Geborgenheit um keinen Preis mehr verlassen, sie verharrte still, bis der Vater sie mit einem freundlichen Klaps hinauf in die Küche oder auf die Straße schickte. Trotzdem der Spruch vom Veilchen Helene nicht gefiel. Sie mochte den süßen Duft von Veilchen und auch ihr zartes Äußeres, aber mindestens ebenso gefiel ihr der aufrechte Wuchs von Rosen, die Stacheln, mit denen sie sich schützten, ihre leuchtenden Farben, das aufbrechende Rosa, ein Gelb wie das späte Sonnenlicht im Oktober, und besonders liebte Helene das Lied von Maria, die durch den Dornwald ging. Leontine hatte es ihnen beigebracht, ehe sie nach Berlin gegangen war. Erwiesen die Dornen Maria nicht alle erdenkbare Ehrfurcht, ja Hingabe, indem sie blühten? Alles an der Rose erschien Helene wenn nicht beneidens-, so zumindest bewundernswert. Nur aus Achtung für ihren Vater versuchte sie, dem Gleichnis der Blumen mit Mädchen etwas abzugewinnen, doch es blieb bei dem Versuch. Im Garten vor dem Haus hegte Helene seit dem vergangenen Jahr Rosen, keine Veilchen. Sie züchtete die Rosen nicht, sie hegte Wildlinge, die sie am Hang des Schafberges gefunden und ausgegraben hatte.

Als Helene nun gemeinsam mit Martha zum ersten Mal den Tresor öffnete, fanden sie alte Geldscheine in mehreren Stapeln geordnet, die zusammengerechnet gut zweitausend Mark ergaben und Martha und Helene lächeln ließen. Was hatte man damit wohl vor Jahren kaufen können? Ein ganzes Brot vielleicht, vielleicht ein halbes. Wenigstens ein halbes Pfund. Zweitausend Brote, behauptete Martha. Sie entdeckten ein ledernes Adressbuch, dessen Schnitt golden angemalt war, und eine Mappe mit ungeordneten Lithographien verschiedenster Größe und dem Druckbild nach unterschiedlicher Herkunft. Auf den Lithographien waren nackte Frauen zu sehen. Füllige Frauen, solche, die ihnen selbst und ihrer Mutter sehr unähnlich waren. Frauen in Strümpfen und Frauen mit Schleiern und Korsagen, aber auch Frauen, die einfach gar nichts auf dem Leib trugen.

Gemeinsam machten sich die Schwestern daran, die Namen und Adressen aus dem ledernen Buch auf Briefumschläge zu schreiben. In jeden Umschlag steckten sie eine Todesanzeige. Unter S lasen sie den Namen einer Tante, von der sie noch nie etwas gehört hatten. Dort stand: Fanny Steinitz. Hinter dem Namen hatte der Vater mit der feinen Handschrift eines leidenschaftlichen Buchhalters in Klammern Selmas Base, Tochter des verstorbenen Bruders von Hugo Steinitz aus Gleiwitz vermerkt. Die Adresse lautete Achenbachstraße 21, W 50, in Berlin-Wilmersdorf.

Noch ehe Helene in der folgenden Woche einen Augenblick geistiger Klarheit bei ihrer Mutter abwarten und nutzen konnte, um sie auf ihre in Berlin lebende Cousine anzusprechen, verfasste Helene eigenmächtig einen kurzen Brief. Geehrte Tante, so begann sie den Brief, leider wenden wir uns heute mit einer traurigen Nachricht an Sie, denn unser Vater, der Gatte Ihrer Base Selma Würsich, ist am elften November vergangenen Jahres an den Folgen seiner Kriegsverletzungen gestorben. Unsere

Traueranzeige finden Sie anbei. Helene überlegte, ob und in welcher Weise sie sich zum Zustand der Mutter äußern, ihn erklären sollte. Schließlich würde sich die Base wundern, dass sie den Brief von ihren Nichten und nicht von ihrer Base erhielt. Gewiss würde Ihnen unsere Mutter die besten Wünsche senden, doch leider erfreut sie sich in den vergangenen Jahren keiner prächtigen Gesundheit. Mit herzlichen Grüßen, Ihre Nichten Martha und Helene Würsich.

Helene fragte sich, ob die Tante wohl noch unter jener Adresse wohnte. Musste sie nicht im Laufe der Jahre einmal geheiratet haben und heute einen anderen Namen tragen? Natürlich mochte die Tante staunen, weshalb man nach so vielen Jahren einen Kontakt aufnahm – zumal etwas vorgefallen sein musste, das zu dem Verschweigen jener mütterlichen Base aus den erzählten Geschichten der Familie geführt hatte. Doch Helenes Wunsch, diesen Brief zu schreiben, ihre Neugier und die Hoffnung auf eine Antwort aus Berlin ließen sie schnell alle Bedenken beiseite schieben.

Es wurde Ostern, ehe der Postbote einen selten schmalen, gefalteten Umschlag brachte, auf dem ihr Name stand: Fräulein Helene Würsich. Die Tante schrieb mit einer schwungvollen, beinahe auf dem rechten Rücken liegenden Schrift, die obere Schleife ihres Hs lag sanft auf dem feingestrichelten e. Das sei ja eine ungeheure Überraschung! Nach diesem Ausruf ließ die Tante zwei Zeilen frei. Schon lange habe sie nichts von ihrer verrückten Cousine gehört. Es freue sie aufrichtig, dass es mit den Jahren offenbar zwei Kinder gebe, denn ihr Kontakt sei nach der Geburt des ersten Kindes, Martha, abgerissen. Sie habe sich schon gefragt, ob ihre Cousine wegen früherer Streitigkeiten den Kontakt verweigere oder gar im Kindbettfieber gestorben sei. Im Postskriptum fragte Tante Fanny ihre Nichten, ob deren Mutter ernstlich erkrankt sei.

Ein Briefwechsel begann. Über die Mutter sei wenig zu berichten, da es ihr seit Jahren nicht gut gehe und wohl kein Arzt ihr helfen könne. Helene überlegte mit Martha, wie sie den Zustand ihrer Mutter beschreiben konnten. Eine schlechte Verfassung sagte wenig, zumal der Mutter organisch nichts fehlte. Ihnen fiel die Mittagsfrau ein, von der das Mariechen von Zeit zu Zeit sprach. Mit einem merkwürdigen Lächeln bemerkte das Mariechen dann, ihre Dame, wie sie die Mutter nannte, weigere sich einfach, mit der Mittagsfrau zu sprechen. Da könne man nichts machen, sagte das Mariechen und zuckte die Schultern. Dabei müsse die Dame nichts weiter tun, als der Mittagsfrau eine volle Stunde lang von der Verarbeitung des Flachses zu erzählen, nichts sonst. Das Mariechen blinzelte. Nur ein wenig Wissen weitergeben. Martha und Helene kannten die Geschichte von der Mittagsfrau, solange sie denken konnten, es lag etwas Tröstliches in ihr, weil sie nahelegte, dass es sich bei der mütterlichen Verwirrung um nichts anderes als einen leicht zu verscheuchenden Fluch handelte. Da kann man nichts machen, sagte das Mariechen dann wieder und zuckte mit den Achseln, ihr Lächeln verriet, dass sie sich ihrer Mittagsfrau sicher war und nur ein winziges Mitleid für ihre ungläubige Dame empfand. Andererseits gehörte ihr ihre Dame auf diese Weise, unentrinnbar, ihr und ihrem Glauben. Doch Martha und Helene unterließen es, der Berliner Tante von der Mittagsfrau zu schreiben, sie wollten vermeiden, dass die Tante sie mit jenem ländlichem Volksglauben in Verbindung sah und ihnen Einfalt unterstellte. Also beließen sie es bei einer sachlichen Schilderung: ein unerklärliches Leiden, eine Seelenqual, deren Ursache schwer bestimmbar und deren Behandlung wohl unmöglich sei.

Ach, das würde sie nicht verwundern, schrieb Tante Fanny zurück, solche Leiden lägen in der Familie, und sie erkundigte sich, wer denn jetzt für die Mädchen sorge.

Sie sorgten selbst für sich, sagte Martha stolz und bat Helene, das zu schreiben. Alle beide. Helene sollte der Tante nur berichten, dass sie nach gerade zwei Jahren im September als jüngste Schwesternschülerin ihre Prüfung bestehen werde. Schon jetzt helfe sie in der Wäscherei des Krankenhauses und verdiene dabei etwas, so dass ihrer beider Einkommen für ihren bescheidenen Lebensunterhalt langten. Die Reste des elterlichen Vermögens konnten bislang die Mutter, das Haus und das treue Mariechen unterhalten, gerade so.

Helene zögerte. Wäre es nicht besser, von einem spärlichen Vermögen zu schreiben?

Warum? Ein Vermögen kann nicht spärlich sein. Es war beträchtlich, Engelchen.

Aber jetzt ist alles weg.

Muss sie das erfahren? Wir sind doch keine Bettler.

Helene wollte Martha nicht widersprechen. In Marthas Stolz lag eine Unbezwingbarkeit, die Helene gefiel. Helene schrieb weiter. Die Druckerei haben wir nicht verpachten, wohl aber einige der Maschinen verkaufen können. Auch die Monopol müssen wir nun verkaufen, da die im Wert zerfallenden Barschaften sich ihrem Ende neigen und von der Breslauer Erbschaft keine Nachricht kommt. Ob Tante Fanny etwas von dem verstorbenen Onkel wisse, dem Hutmacher Herbert Steinitz mit seinem großen Salon, den er zuletzt in Breslau am Ring geführt haben soll.

So was, der Hutmacher, schrieb Tante Fanny zurück. Der betuchte Onkel mochte nur einen Menschen auf der Welt, das sei ihre sonderbare Cousine Selma gewesen. Gewiss habe er alles allein ihr vermacht. Aber die Bekanntschaft zu diesem Onkel habe sie selbst wahrlich nie gepflegt. Vielleicht sollte sich das nachträglich ändern lassen? Immerhin, das Ansehen des Onkels beziehe sich ausschließlich auf sein Vermögen. Sie könne ihre Brüder nach ihm fragen, von denen einer noch in Gleiwitz, der andere in Breslau lebe.

Es sollte Herbst werden, ehe Martha und Helene die Erbschaft für ihre Mutter erhielten. Es waren dies ständige Mieteinnahmen aus einem Wohn- und Geschäftshaus, das der Onkel in Breslau hatte bauen lassen, als auch einige Wertpapiere, die kaum noch einen Wert besaßen, und schließlich ein großer, nagelneuer Schrankkoffer, der an einem der ersten kühlen Tage Ende September von einem Fuhrwerk gebracht wurde.

Der Fuhrmann erklärte, der Schrankkoffer sei so leicht, dass er ihn gern allein die Treppe hinauftragen könne.

Es war ein Glück, dass die Mutter in ihrem Schlafgemach das Eintreffen des Koffers nicht bemerkte. So warteten Martha und Helene, bis sich das Mariechen am Abend in seine Kammer zurückgezogen hatte. Mit einem Messer und einem Hammer brachen sie die Plomben und Siegel auf. Ein Duft von Thymian und südländischem Nadelholz schlug ihnen entgegen. Im Koffer befanden sich zwischen Seidenpapier und einer Vielzahl ausgefallener Hüte, die aufwendig mit Federn und Steinen verziert waren, eckige Holzklötzchen, die einen harzigen Geruch ausströmten und zwar glatt geschliffen waren, aber an den Seiten klebten. Auf jeden Hut kam eines der flachen Säckchen aus gelbem Hanf, gefüllt mit getrockneten Kräutern, die wohl Motten abhalten sollten. Unter den Hüten waren zwei merkwürdige, kleine, runde Hüte, die wie Töpfe aussahen und sich eng an die Köpfe von Helene und Martha schmiegten. Am Boden des Koffers lag, eingeschlagen in schweren moosgrünen Samt, eine Menora und ein sonderbarer Fisch. Der Fisch bestand aus zwei verschiedenfarbigen Hörnern, die mit Schnitzereien verziert und kunstvoll zusammengesetzt waren. Seine Augenhöhlen, Intarsien aus hellem Horn in dunklem, mochten einst Edelsteine geborgen haben, zumindest glaubte Martha das. In seinem Inneren, dem hohlen Hornleib, fand Helene einen zusammengerollten Zettel. Testament. Ich vermache alles meiner geliebten Nichte Selma Steinitz, geehelichte Würsich in Bautzen. Unterzeichnet war dieser Wille vom Onkel Herbert. Tiefer im Bauch des Fisches versteckte sich eine dünne goldene Halskette mit winzigen durchsichtigen Steinen von bläulichem Rot. Rubine, vermutete Martha. Helene wunderte sich, woher

Martha eine Kenntnis von Edelsteinen besitzen wollte. Unwillkürlich ließ Helene die Steine durch ihre Hand gleiten und zählte sie, zweiundzwanzig.

Wir verwahren den Fisch hier in der Vitrine, sagte Martha, sie nahm Helene den Fisch aus den Händen und schloss die Vitrine auf. Sie legte den Fisch in eines der unteren Fächer, die von außen nicht einsehbar waren. Es geschah im stillen Einvernehmen, dass Helene und Martha ihre Mutter nicht fragten, was mit diesem Fisch geschehen sollte. Das Wort Verwahren kennzeichnete möglicherweise einen Zeitraum, der der Lebenszeit der Mutter entsprechen sollte. Sie erzählten ihr nichts vom Fisch, und die beiden modernen Topfhüte ließen sie in ihrem Kleiderschrank verschwinden.

Als Martha eines Morgens mit Helenes Hilfe den Schrankkoffer mit den anderen Hüten, dem Testament und der Menora zur Mutter ins abgedunkelte Schlafgemach erst schob und dann trug, mit vorsichtigen Schritten, von Lichtung zu Lichtung, weil der Boden im Zimmer keinen freien Weg mehr für den großen Koffer ließ, blickte die Mutter erschrocken auf. Wie ein scheues Tier verfolgte die Mutter die Bewegungen ihrer Töchter. Sie trugen den Koffer über einen Haufen Stoffe und Kleider, über zwei Tischlein voller Vasen und Ästchen, Kästchen und Steine, und unzähliger auf den ersten Blick nicht erkennbarer Gegenstände hinweg, stemmten ihn in die Höhe und ließen ihn schließlich am Fußende auf das Bett der Mutter fallen. Martha öffnete den Koffer.

Von dem Onkel aus Breslau, dem Hutmacher, sagte sie und hielt zwei große, mit Strass, Steinen und Perlen reichbesetzte Hüte in die Höhe.

Onkel Herbert, Breslau, bekräftigte Helene.

Die Mutter nickte so eifrig und schaute gehetzt zur Tür, zum Fenster und zurück zu Helene, dass die Mädchen nicht wussten, ob die Mutter sie verstanden hatte.

Nicht die Vorhänge öffnen, herrschte die Mutter Helene an.

Sie schnaubte verächtlich, als Helene die Menora auf das Fensterbrett neben den kleineren Leuchter der Mutter stellte. Die Menora der Mutter hatte zum letzten Mal am Tag des Todes ihres Mannes gebrannt, die Mutter hatte nur sechs Lichter angezündet und auf Helenes Frage, warum die Mutter ausgerechnet die mittlere Kerze weggelassen hätte, hatte die Mutter tonlos geflüstert, es gebe kein Hier mehr, ob das dem Kind nicht aufgefallen sei. Helene öffnete das Fenster, als sie plötzlich ein Kichern hinter sich hörte. Die Mutter schnappte nach Luft, etwas musste ihr ungemein komisch erscheinen.

Mutter? Helene versuchte es zuerst mit der Anrede, schließlich gab es Tage, an denen eine Frage völlig umsonst gestellt wurde. Die Mutter kicherte. Mutter?

Plötzlich verstummte die Mutter. Wer sonst? Fragte sie und das Kichern brach wieder aus.

Martha, die schon die Treppe hinunterging, rief nach Helene. Doch als Helene an die Tür gelangte, hob die Mutter von neuem an.

Glaubst du, ich wüsste nicht, warum du das Fenster öffnest? Wann immer du mein Zimmer betrittst, öffnest du es, ungefragt.

Ich wollte einfach ...

Du denkst nicht nach, Kind. Du meinst wohl, in meinem Zimmer stinkt es? Ja, ist es das, was du mir zeigen möchtest? Ich stinke? Soll ich dir etwas verraten, Dummerchen? Das Alter kommt, es wird auch über dich kommen, und es macht die Wesen faulen. Ja, schau nur genau hin, so wirst auch du eines Tages faulen. Buhh! Die Mutter sprang in ihrem Bett auf und drohte, auf den Knien schaukelnd, kopfüber vom Bett zu kippen. Dabei lachte sie, das Lachen rollte ihr aus der Kehle, dass es Helene weh tat. Ich verrate dir ein Geheimnis: Wenn du nicht das Zimmer betrittst, dann stinkt es auch nicht. Ganz einfach, ha! Die Mutter lachte nun nicht mehr böse, sondern unbekümmert, erleichtert. Helene blieb unschlüssig stehen. Sie versuchte, über den Sinn der Worte nachzudenken. Was ist? Troll dich, oder möchtest du mich stinken lassen, du Unbarmherzige?

Helene ging.

Und schließ die Tür hinter dir! Hörte sie die Mutter in ihrem Rücken rufen.

Helene schloss die Tür. Sie legte ihre Hand auf das Geländer, als sie die Treppe hinunterging. Wie vertraut ihr das Geländer erschien, fast empfand sie ein Glück, dass dieses Geländer sie so sicher nach unten führte.

Unten fand Helene Martha im Sessel des Vaters sitzen. Sie half dem Mariechen beim Stopfen der Bettwäsche.

Für die vermittelnde Tätigkeit dankten Helene und Martha ihrer Tante Fanny in einem langen Brief voll ausführlichster Wetterbeschreibungen und Schilderungen des kleinstädtischen und alltäglichen Lebens. Sie schrieben ihr, dass sie im Garten hinter dem Haus eine zweite Aussaat von Wintersalaten gemacht hätten, erst am folgenden Tage seien die Kohlsorten zum Überwintern an der Reihe. Niemand würde verlangen, dass man sich in Zeiten wie diesen um einen Blumengarten kümmerte, doch ihnen sei es eine wahre Herzensangelegenheit. Wiewohl sich der Wasserzins erschreckend erhöhe, sei es ihnen über den Sommer gelungen, das Beet vor dem Haus nicht verdorren zu lassen. Der Spätsommer erfordere viel Arbeit im Freien. Nun habe Helene schon alle Rosenblätter abgeschnitten und verbrannt. Eine Kupferbrühe sei angerührt, mit der man gegen Rost, und eine Schwefelkalkbrühe, mit der man gegen Mehltau spritzen wolle. Die Astern blühten prächtig. Unsicher sei man nur mit den Blumenzwiebeln. Das Mariechen empfehle, die Zwiebeln von Scilla und Narzissen, von Tulpen und Hyazinthen jetzt zu pflanzen. Aber im vergangenen Jahr seien viele dieser früh gepflanzten Zwiebeln über den Winter erfroren. Rapünzchen und Spinat mochten sie sehr und hätten für den Winter große Mengen gesät, wo es doch nicht absehbar sei, wann sich die allgemeine Lage bessern werde. Schließlich haben sie auf einer kleinen Presse, die noch voll funktionstüchtig abgedeckt im Werkraum gestanden habe, kleine Kalender für das kommende Jahr gedruckt und diese kolorierten sie nun jeden Abend von Hand. Man hoffe sehr, dass sich mit ihnen auf den Jahrmärkten, spätestens aber im Winter zum Christmarkt noch etwas machen ließe. Gottseidank sei der Christmarkt einheimischen Händlern vorbehalten. Die Bauern aus den Bergen drückten sonst die Preise. Jeder schaue, wo er bleibe. Gestern erst hätten sie einen kleinen Kalender mit Bauernregeln und guten Leitsätzen entworfen. Die Menschen hier in der Provinz mochten das Mahnen an ihre Tugenden, vor Gott, so erscheine es Helene zunehmend, sei es die Übereinkunft in diesen Fragen, die hier in der Lausitz Gemeinsamkeit, Trost und Tapferkeit stifte. Und was sei wichtiger in diesen Zeiten als Zuversicht und Hoffnung? Was die Tante zum Beispiel von derlei Empfehlungen hielte: Mäßigkeit und Arbeit sind die wahren Ärzte des Menschen; die Arbeit reizt den Appetit und die Mäßigkeit verhindert die missbräuchliche Befriedigung desselben. Wie oft die Menschen Bildung und Sitte mit Etikette verwechseln! Einen Bubenstreich vergeben sie eher als einen Verstoß gegen die herkömmlichen Formen des Umgangs. Man verdirbt einen Jüngling am sichersten, wenn man ihn verleitet, den Gleichdenkenden höher zu achten als den Andersdenkenden. Man kann einen Vorsatz nicht sicherer abstumpfen, als wenn man ihn öfter durchspricht.

Solcherlei erschien Helene und Martha wie ein Strecken ihrer anmutigen Seelen in den Berliner Himmel, und nichts hofften sie inniger, als mit diesen Zeilen mitten ins Herz der Tante zu gelangen. Bildung heißt, sich mit jedem Menschen auf den Ton setzen zu können, dessen Zusammenklang mit dem eigenen Wohllaut gibt, nicht wahr, verehrte Tante Fanny? Sie sind uns da ein heiliges Vorbild.

Helene und Martha bemühten sich, Zeile um Zeile der Tante frohgemute Eigenständigkeit und zugleich Dankbarkeit zu beweisen. Eine Freude! Diese Behauptung erschien Helene zu schön, um nicht aufgeschrieben zu werden. Martha dagegen empfand einen solchen Ausdruck als Lüge und Demütigung im Verhältnis zur Erschöpfung, die sie in Gedanken an ihr Leben in Bautzen befiel. Der schmale Grat zwischen Stolz und Bescheidenheit im Tone erschien ihnen als wahre Herausforderung des Briefes. Immer wieder wurden Sätze gestrichen und neue formuliert.

Heiliges Vorbild, zweifelte Martha, das könnte sie falsch verstehen.

Warum falsch?

Weil sie vielleicht glaubt, wir wollen uns belustigen. Womöglich empfindet sie sich alles andere als heilig und möchte gar kein heiliges Vorbild sein.

Nicht? Helene sah Martha forschend an. Dann wird sie wenigstens lachen können. Wir sollten den Satz unbedingt schreiben, anders lernen wir sie doch gar nicht kennen.

Martha schüttelte nachdenklich den Kopf.

Nach Stunden erst konnten sie sich an die saubere Abschrift machen, die Helene ausführen musste, da Marthas Schrift in jüngster Zeit häufig wackelig und krumm erschien. Etwas sei an ihrem Auge, behauptete Martha, aber Helene glaubte ihr nicht. Sie schrieb den Satz mit dem heiligen Vorbild und im letzten Satz schließlich fragte sie die Tante höflich, ob sie sie einmal in Bautzen besuchen wolle.

Als nach Tagen und einer Woche und zweien keine Antwort kam, wurde Helene unruhig.

Marthas Augen waren ganz sicher nicht erkrankt. Gingen sie spazieren, und zeigte Helene auf einen weit entfernten Hund, einen sandfarbenen, der dem alten Hund des Vaters ähnlich sah, jenem, der seit dem Tag verschwunden war, an dem der Vater hatte in den Krieg ziehen müssen, oder wies sie auf eine winzige Blume am Wegesrand, hatte Martha keine Mühe, das eine und andere scharf zu erkennen. Helene vermutete, dass die nur an manchen Tagen unsaubere Schrift wie auch ihre plötzliche Zerstreutheit in manchen Stunden in einem gewissen Zusammenhang mit der Spritze stand, die in den vergangenen Monaten manchmal auf dem Waschbeckenrand lag, wo sie offenbar von Martha nachlässig liegen gelassen worden war. Sooft Helene im Krankenhaus jetzt mit Spritzen hantierte, der Anblick einer solchen auf ihrem heimischen Waschbecken schnürte ihr die Kehle zu. Alles in Helene krampfte sich zusammen, wenn sie die Spritze sah und nicht sehen wollte. Die ersten Male erschrak Helene so und schämte sich für Martha, dass sie die Spritze verschwinden lassen wollte, ehe das Mariechen sie entdeckte oder etwa Martha selbst ihre Nachlässigkeit bemerken musste. Doch ein Verschwinden musste erst recht bemerkt werden und ein Schweigen unmöglich machen.

Mit der Zeit gewöhnte sich Helene an den Gedanken, dass Martha eine Gewohnheit, einen alltäglichen Umgang mit der Spritze pflegte. Helene sprach Martha nicht darauf an. Auch hätte sie kaum aufrecht die Frage stellen können, wo sie doch wusste, dass Martha seit dem Sterben des Vaters und Leontines Verlassen hin und wieder geringe Mengen spritzte, Morphium vermutlich, vielleicht Kokain.

Es waren in der Zeit seit Vaters Tod vor allem die Briefe von Tante Fanny, die Helene auf ein noch fremdes Leben jenseits der Bautzener Stadtgrenzen hoffen machten. Allein die Ansichten, die Helene von Berlin kannte, ließen sie von den vielen Gesichtern der Stadt schwärmen. War Berlin mit seinen elegant gekleideten Frauen nicht das Paris des Ostens, das London des Kontinents mit seinen nie endenden Nächten?

Doch Tante Fanny schwieg den ganzen Oktober zu jenem ausführlichsten und prächtigsten Brief, den ihr Martha und Helene je zugedacht hatten. Anfang November ertrug Helene das Warten nicht länger und schrieb erneut. Sie hoffe, der Tante sei nichts zugestoßen? Immerhin, hier in Bautzen sei man ihr wirklich mehr als dankbar für die Vermittlungen zu den Verwandten des Erblassers nach Breslau. Ob der letzte Brief angekommen sei? In Bautzen ginge das Leben so seinen Lauf. Helene habe nach den Prüfungen, das Wort glänzend strich Helene wieder, im September ihre Arbeit in der chirurgischen Abteilung des Krankenhauses aufgenommen. Seither verdiene sie etwas mehr, freue sich aber besonders über die Arbeit, die ihr zugeteilt werde. Martha nahm Helene die Feder aus der Hand und ergänzte mit ihrer krakeligen Schrift, dort erobere sich Helene den Platz der vor zwei Jahren nach Berlin verzogenen Schwester Leontine, einer Freundin. Aufgrund ihres außerordentlichen Talents wünsche sich der Professor nun immer häufiger Helene an seine Seite, wenn er bei schwierigen Operationen eine Unterstützung mit ungewöhnlicher Aufmerksamkeit und sicheren Händen brauche. Helene wollte Marthas Sätze streichen, etwas daran schien ihr prahlerisch und unbotmäßig. Aber Martha sagte, Helenes größter Fehler könne werden, ihre Fähigkeiten zu verheimlichen und schließlich als armes Hascherl bettelnd in den Armen eines Mannes zu enden. Martha hielt Helene die Feder entgegen.

Das glaubst du nicht wirklich? Es wäre Helene lieb gewesen, wenn Martha sie nicht immer wieder auf ihre Weise herausforderte. Helene nahm die Feder und schrieb weiter.

Die Pflege der Mutter sei nunmehr dank der Hinterlassenschaften des Onkels gesichert. Tante Fanny wäre herzlich eingeladen und zu jeder Zeit der willkommenste Gast. Mit besten Grüßen und in der Hoffnung auf ein baldiges Lebenszeichen.

Helene überlegte, ob sie sich für die ausschweifenden Beschreibungen ihrer Wirtschaftsverrichtungen im vorangegangenen Brief entschuldigen sollte. Schließlich mochte die Tante von derlei gelangweilt und abgestoßen sein. Dass sie das heilige Vorbild für eine Beleidigung halten konnte, wollte sich Helene nicht vorstellen. Womöglich empfand sie es als Zumutung, von den beiden protestantischen Nichten aus dem Lausitzer Kaff zum Vorbild erkoren worden zu sein?

Es vergingen Wochen. Erst kurz vor Weihnachten traf der langersehnte Brief ein. Er war umfangreicher und erschien flüchtiger geschrieben als die vorigen, die ineinanderliegenden Buchstaben waren kaum entzifferbar. Sie habe jede Menge mit den Erledigungen für die Festlichkeiten zu schaffen, die Kinder ihres Vetters freuten sich auf Chanukka und sie wolle ihnen kleine Geschenke kaufen, selbst ihr Geliebter rechne zu Weihnachten mit einer Aufmerksamkeit. Der werde schon sehen. Sie erwarte zu Chanukka Besuch von den Vettern aus Wien und Antwerpen mit der ganzen Mischpoke. Gerade heute habe sie alle Hände voll zu tun, weil sie mit ihrer neuen Köchin die Speisefolge für die Festtage besprechen wolle. Die Köchin sei noch ganz grün hinter den Ohren, jung und unerfahren, so dass sie ihr immer wieder beim Zubereiten der Speisen helfen müsse. Das gefalle ihr gut, schließlich koche sie selbst gern und habe es nicht gemocht, mit wieviel Mehl ihre alte, endlich in Pension entlassene Köchin, jede Soße zu einem festen Brei geraten ließ. Je älter die Köchin geworden sei, desto dicker wären ihre Soßen geraten, auch mehrten sich die Mehlklümpchen, die sie entweder mit ihren trüben Augen nicht mehr hatte erkennen können oder die sie vielleicht gar absichtlich in den Soßen hatte entstehen lassen. Aus Überdruss an der Arbeit? Womöglich im Ärger über ihren Mann, der sie bis an sein Lebensende allein hatte arbeiten lassen und den schlaffen Ärmel als Vorwand dafür genutzt hatte, ihre Tüchtigkeit auszubeuten. Sie habe die alte Köchin im Verdacht gehabt, Milch oder Sahne in die Töpfe zu schütten, obwohl sie ihr mehrfach geboten hatte, solcherlei zu unterlassen. Bestimmt wolle sie nicht heucheln und behaupten, nach alten Speisevorschriften zu leben. Nein, sie möge derlei milchige Manschereien nicht. Mehr noch als die Klümpchen hätten sie zuletzt die täglichen Schimpfereien über den faulen Mann zu Hause gestört. Und das wolle was heißen, wo doch die Soßen kaum noch Soßen zu nennen waren! Dass schließlich die Frikasseestücke aufrecht im Mehlbrei gestanden hätten, dabei sei nicht die Spur mehr von Lorbeer und Zitrone zu schmecken gewesen. Fleischpudding, einfach scheußlich!

Helene und Martha mussten lachen, als sie den langersehnten Brief in den Händen hielten. Eine Welt lag da aufgefaltet vor ihnen, jeder Satz musste mehrmals gelesen werden.

Helene und Martha fragten sich, ob solche Vettern aus Wien und Antwerpen auch ihre Verwandten wären, die Bezeichnung und der Umstand, dass Tante Fanny in keinem ihrer Briefe einen Ehemann erwähnte, ließ die Vermutung zu. Unmerklich richteten sich Martha und Helene auf. Sie saßen auf der Ofenbank und wärmten ihre Rücken. Es schien ihnen, als umspanne der Brief den ganzen Erdball mit einem Netz und wäre Tante Fanny die Vertraute und Kennerin dieser Welt, wenn nicht gar die Welt selbst. Im Postskriptum schrieb die Tante, ihr Weg führe in absehbarer Zeit gewiss nicht in die Lausitz, im Postpostskriptum schrieb sie, aber sie könne sich vorstellen, dass die Mädchen einmal nach Berlin kommen wollten, zu Besuch, und gern auch für länger. Anbei fänden die Mädchen zwei Eisenbahnfahrkarten erster Klasse von Dresden nach Berlin. Gewiss sei Dresden der nächste richtige Bahnhof? Ihre Wohnung sei groß genug, da sie selbst keine Kinder habe. Arbeit gäbe es in Berlin bestimmt für die beiden Mädchen. Sie wolle zu gern dafür sorgen, dass aus ihnen etwas werde.

Helene und Martha sahen sich an. Lachend schüttelten sie den Kopf. Hatten sie noch vor zwei Jahren beim Tode des Vaters geglaubt, ihr Leben werde von nun an darin bestehen, im Krankenhaus zu arbeiten und an der Seite ihrer zunehmend verwirrten Mutter in Bautzen alt zu werden, gab dieser Brief den Auftakt für eine erst zu erträumende Zukunft. Helene griff nach Marthas Hand und wischte ihr eine Träne aus dem Gesicht. Sie betrachtete ihre große und ältere Schwester, die sie stets für die bescheiden wirkende Haltung bewundert hatte, deren Augenaufschlag seine Anmut aus dem vollkommenen Schein einer Reinheit bezog, und deren Reiz doch von jenen Küssen geprägt war, die Helene zwischen Martha und Leontine beobachtet hatte. Helene kannte den Anschein weiblicher Tugend gut, das sittsame und bescheidene, das reine Mädchen, nichts lieber als das sollte ein Mädchen geben, machte ein Mädchen aus, doch etwas anderes sprach aus diesem Brief und weckte jetzt Helenes Verlangen. Helene küsste ihre ältere Schwester auf das Ohrläppchen, sie saugte sich daran fest, und je hemmungsloser der Schwester die heißen Tränen über die Wangen flossen, desto besinnungsloser lutschte Helene – als wäre dieses Lutschen am Ohrläppchen und den salzigen Rinnsalen der Schwester ihre einzige Möglichkeit, deren Tränen nicht zu sehen und nichts denken noch sagen zu müssen. Helene und Martha saßen eine unbestimmte Zeit aneinander, Gesicht an Gesicht. Erst nach einer Weile kam das Denken wieder. Marthas Weinen, die Erleichterung, von der es ausgelöst und gekennzeichnet war, ließ Helene ahnen, wie sehr Martha gelitten haben musste. Wechselte Martha nicht seit zwei Jahren romantische Briefe mit ihrer fernen Freundin in Berlin, die zwar unglücklich in ihrer Ehe war, aber froh über die vielen Theater und Clubs der Stadt? Vor einigen Tagen erst, als Helene noch voller Hoffnung und Ungewissheit auf den Brief von Tante Fanny wartete, hatte sie nicht widerstehen können und heimlich einen an Martha adressierten Brief an sich genommen. Er kam von Leontine aus Berlin. Helene hatte Marthas Spätdienst im Krankenhaus ausgenutzt und den Brief geschickt über dem dampfenden Wasserkessel geöffnet. Süße Freundin, so begann Leontine. Ich kann Dir gar nicht sagen, wie sehr ich Dich vermisse. Das Studium fordert nur selten ein Lernen bis in die späte Nacht. In der Pathologie halte ich schon den jüngeren Studenten Vorträge. Aber die Wochenenden gehören mir. Gestern waren wir tanzen. Antonie brachte ihre Freundin Hedwig mit. Ich führte ihnen ungeniert meine neue Garderobe vor – die habe ich Lorenz entwendet. Meine Freundinnen jubelten, aber ich trage seine Hose nur im Haus. Zum Ausgehen habe ich mir ein neues Kleid genäht. Auch

Antonie trug ein bezauberndes Kleid, ein cremefarbenes Teekleid, für das wir sie bewunderten und lobten. Knielang! Ohne Taille! Sie tanzte darin einfach wunderbar, und genoss es, uns um den Verstand zu bringen. Was gibt es Aufregenderes als die Ahnung einer Taille und einer Hüfte, wenn der ganze Schnitt des Kleides behauptet, da wäre nichts!? An ihrem Ausschnitt blühte eine Pfingstrose aus Seide. Wir rissen uns darum, mit ihr zu tanzen. Meine schöne, große Freundin, ich musste immerzu an Dich denken. Weißt Du noch, wie wir die halbe Nacht auf unserem Dachboden getanzt haben? Du süßes, zartes Mädchen, wie oft bin ich in Gedanken bei Dir. Wie zerreißt es mir das Herz, dass ich auch dieses Weihnachten nicht werde kommen können. Lorenz will davon nichts wissen. Er meint, es wäre eine unnötige Ausgabe, schließlich ginge es meinem Vater doch in Schwester Mimis Familie sehr gut und vermisse mich niemand daheim. Lorenz achtet immer sehr darauf, recht zu haben. Er sagt nichts, das auch nur entfernt zweifelhaft wäre. Ich sage Dir, er hätte Jurist werden sollen. Die Gerichte hätten ihre wahre Freude an ihm. Nur im zivilen Zusammenleben behagt sein rechtschaffener Blick aus den echsenhaft zusammengekniffenen Augen in die Welt wenig. Du kannst Dir denken, wie sehr mich seine Behauptungen reizen. Immerzu könnte ich ihm widersprechen. Doch dann sind mir seine Worte unversehens gleichgültig und ich verlasse häufiger das Zimmer und noch lieber das Haus, ohne ihm zu antworten. Er liebt das letzte Wort und bleibt damit immer öfter allein. Ob ihn das zufriedenstellt? Zum Glück sehen wir uns nur selten. Er schläft in der Bibliothek. Jeden Morgen behaupte ich, man höre sein Schnarchen durch das ganze Haus. Wenn es das nur wäre. Dir kann ich die Wahrheit ja sagen: Er schnarcht so selten wie Du und ich. Aber mir ist es lieber, wenn er am anderen Ende der Wohnung schläft und wir uns möglichst wenig begegnen. Heute Abend gehe ich mit Antonie ins Theater. Vorn an der Hardenbergstraße hat das Terra-Kino geschlossen und an seiner Stelle im Oktober ein

Theater eröffnet. Der Ruf von Miss Sara Sampson schallt schon durch die ganze Stadt. Lucie Höflich als Marwood muss einfach wunderbar sein. Aber was erzähle ich Dir, mein Herzblatt, Du hast sie ja noch nie gesehen. Was gäbe ich darum, mit Dir heute Abend dorthin zu gehen. Nicht eifersüchtig sein, Du, mein süßer Honigmund. Antonie wird im April heiraten und sie sagt, sie wäre schon ganz verliebt. Einmal habe ich ihren Bräutigam von Ferne gesehen, er wirkte nicht gerade fein, ein grober, breitbeiniger Kerl war das! Das ganze Gegenteil von der zierlichen Antonie. Wie ist es mit Helenes Prüfungen gegangen? Grüß mir die Kleine, sei umarmt und geküsst, Dein Leo.

Es fehlte das E für Deine, und zumindest ein langer Tintenschwung für den Rest des Namens, aber es war zweifellos Leontines Schrift. Helene hatte sich nicht anmerken lassen, dass sie den Brief von Leontine an Martha gelesen hatte. Doch als sie nun, Tage später, Gesicht an Gesicht über dem Brief von Tante Fanny saßen und Martha weinte und im nächsten Augenblick aus Freude über die Einladung lachte, war Helene sicher, dass Martha nichts lieber tun wollte, als sofort einen Koffer packen und für immer nach Berlin reisen. Mit einer Bahnfahrt erster Klasse, von Dresden nach Berlin. Was zählte da schon, dass Bautzen durchaus einen großen Bahnhof hatte, einen, von dem Helene für ihren Professor immer wieder seine Kollegen, Ärzte und Professoren aus ganz Deutschland abholte, einen Bahnhof, der sich keineswegs provinziell nennen ließ. Auch wurden von hier aus die in der Bautzener Waggonfabrik gefertigten Wagen um die halbe Welt geschickt, gewiss auch nach Berlin. Es war Tante Fanny nicht vorzuwerfen, dass sie Bautzen für ein Dorf hielt, zeigte sie doch eine ungeahnte Großzügigkeit mit den Fahrkarten erster Klasse. Wo weder Martha noch Helene jemals mit einem Zug gefahren waren!

An einem Nachmittag im Januar, die Dunkelheit war schon angebrochen, bat der chirurgische Professor die junge Schwester

Helene in sein Arztzimmer. Er eröffnete ihr, er wolle im März für eine Woche nach Dresden reisen. Dort sollte er sich mit Kollegen an der Universität treffen und wollte ein gemeinsames Buch über die neuesten Erkenntnisse der Medizin vorbereiten. Er fragte Helene, ob sie ihn begleiten würde, es solle nicht ihr Schaden sein. Er wolle nicht zuviel versprechen, so sagte er der noch fünfzehnjährigen Schwester, aber er könne sie sich durchaus eines Tages als Assistentin vorstellen. Ihre Flinkheit an der Schreibmaschine und ihre Kenntnisse in der Stenographie überzeugten ihn. Sie sei begabt und gescheit, es wäre ihm eine Ehre, sie zu der Professorenrunde mitzunehmen. Gewiss sei sie noch nie mit einem Automobil gefahren? Sein feierlicher Blick ließ Helene verlegen werden, sie spürte, wie sich ihr Hals verengte. Sie brauche sich nicht fürchten, der Professor lächelte nun, sie müsse lediglich das eine oder andere Protokoll erstellen, denn seine alte Sekretärin könne aufgrund des Wassers keine Reisen mehr unternehmen und sei nur noch wenig belastbar. Helene merkte, wie sie errötete. Noch vor kurzer Zeit wäre ihr dieses Angebot als die schönste Herausforderung erschienen. Doch heute hegte sie andere Pläne, von denen freilich der Professor nichts wissen konnte.

Wir werden im März die Stadt verlassen, alle beide, Martha und ich, platzte Helene heraus.

Und da der Herr Professor sie schweigend ansah, ganz so, als verstehe er den Sinn ihrer Worte nicht, suchte sie nach mehr Worten.

Wir wollen nach Berlin, dort lebt eine Tante, die uns Logis angeboten hat.

Der Professor stand nun auf und beugte sich mit dem Monokel vor dem großen Pharus-Plan, der an seiner Wand hing, nach vorn. Berlin? Es wirkte, als kenne er diese Stadt nicht und müsse sie mühsam auf der Landkarte suchen.

Helene nickte, die Fahrkarten von Dresden nach Berlin habe die Tante geschickt, nur das Geld für die Bahnfahrt von Bautzen nach Dresden fehle ihnen. Sollte der Herr Professor die Freundlichkeit besitzen, sie, nun ja, mit dem Automobil bis Dresden mitnehmen zu können, wolle sie ihm gern während seiner Professorenrunde die Protokolle schreiben und erst anschließend die Weiterreise mit dem Zug nach Berlin antreten. Dürfte ich erfahren, wann Ihre Professorenrunde zusammenkommen wird?

Der Professor Chirurg konnte sich nicht recht mit Helene freuen. Er antwortete auf ihre Frage nach dem genauen Zeitpunkt nicht, vielmehr warnte er sie jetzt vor unüberlegten Taten. Und als Helene ihm versicherte, dass sie keineswegs unüberlegt seien, im Gegenteil, Martha und sie bereits seit geraumer Zeit an nichts anderes mehr dächten, wurde er unwirsch.

Die jungen Damen sollten sich nicht überschätzen, mahnte er. Sie seien doch Töchter einer protestantischen Bürgersfamilie, ihr Vater sei ein angesehener Bautzener Bürger gewesen. Die arme Mutter wäre, soweit er wisse, einsam und pflegebedürftig? Was denn in sie gefahren sei, dem Schoß ihrer Herkunft so unverantwortlich den Rücken zu kehren?

Helene wippte mit den Fersen auf und ab. Sie erinnerte den Professor daran, dass auch Schwester Leontine in Berlin lebe und dort vor allem dank seiner Empfehlungen Medizin studiere. Doch das hätte sie wohl nicht sagen dürfen. Jetzt wurde der Professor zornig. Er schrie: Dank meiner Empfehlungen? Ein undankbares Pack seid ihr, kennt keinen Anstand! Von Dankbarkeit ganz zu schweigen. Es sei ja wohl mehr als offensichtlich, dass diese Heirat von Leontine keine Liebesheirat gewesen sei. Er habe genau gehört, wie sie zu einer anderen Schwester gesagt habe, diese Heirat sei eine kluge Sache. Keine gute Sache, nein, eine kluge Sache! Das müsse man sich mal vorstellen, sich das auf der Zunge zergehen lassen. Wollte sie ihn, ihren Professor, lächerlich machen, eifersüchtig gar? Vielleicht sei der kleinen Leontine ihre Verehrung zu ihm etwas zu Kopfe gestiegen! Eine kluge Sache? Klüger wäre es gewiss, Leontine wäre an seiner Seite geblieben. Welch vergebliche Mühe, Frauen das Studieren zu gestatten! In einem Beruf, der Ausdauer, Kraft und Konzentration, ja das Beugen des Menschen in geistige und körperliche Zwänge bedeute, da hätten Frauen nichts verloren. Sie würden immer in zweiter Reihe stehen, einfach, weil in seiner Zunft nur die Besten forschen und praktizieren könnten. Der Professor geriet außer Atem. Schärfe des Geistes, darauf kommt es an. Er keuchte nur mehr. Warum also sollte eine Frau studieren? Leontine sei eine hervorragende Schwester gewesen, wirklich, exzellent. Ein Jammer wäre es um sie. Wer hätte das ahnen können? Als wahrer Verrat erscheine es ihm, dass sie seine Empfehlung bedenkenlos in die Tasche gesteckt und nach Berlin geheiratet habe!

Helene schlug sich die Hände vor das Gesicht. Niemals hätte sie erwartet, dass der Professor einen derartigen Zorn gegen Leontine hegte. Wann immer er vor den anderen Schwestern und den Ärzten an sie erinnerte, sprach er voller Respekt und Ehrerbietung von Schwester Leontines Fähigkeiten. Helene hatte geglaubt, einen Stolz in seiner Stimme zu hören, wenn er berichtete, dass seine kleinste Schwester, wie er sie nannte, heute in Berlin studierte.

Nehmen Sie Ihre Hände weg, Helene, rief er und griff mit seinen nach ihren Händen, um sie aus ihrem Gesicht zu zerren, um ihr in die Augen zu sehen, wobei seine Hände ihre Brüste berührten, mit dem Handrücken und so grob, dass Helene sich Mühe gab anzunehmen, er bemerke es nicht. Er zog sie jetzt mit beiden Händen am Kopf von ihrem Stuhl hoch. Seine Hände pressten ihre Ohren so fest an den Kopf, dass es schmerzte. Was bilden Sie sich ein, Schwester? Glauben Sie, Sie könnten es jemals besser haben als an meiner Seite, auf meiner Station? Sie dürfen meine Instrumente halten, wenn ich Köpfe öffne, selbst bei der Operation meiner Frau habe ich Sie nähen lassen. Was wollen Sie?

Helene wollte seine Frage beantworten, aber in ihrem Kopf war es taub und still.

Der Professor ließ nun ihren Kopf los und ging mit schnellen Schritten auf und ab. Helene spürte, wie ihr die Ohren weh taten, wie sie glühten. Seit sie zum ersten Mal bei einer Operation dabei gewesen war und seine Hände entdeckt hatte, die ruhig und sicher wirkten, fast sanft, so als spiele er ein Instrument und lange nicht nach Knochen und Sehnen, Gewächsen und Arterien, seit diesem ersten Anblick seiner Hände, der Beobachtung der feinen und genauen Bewegungen einzelner Finger, hatte sie ihn bewundert. Anfangs hatte sie ihn gefürchtet, ob ihrer Bewunderung und seiner Fähigkeiten, später lernte sie ihn schätzen, gerade weil er diese niemals missbrauchte, um einen seiner Mitarbeiter zu demütigen, weil er stets im Dienste der Patienten und seiner Kunst, der medizinischen Kunst, stand. Noch nie hatte Helene ein lautes Wort, geschweige denn eine grobe Geste an ihm bemerkt. Selbst wenn sie zehn Stunden am Stück gearbeitet hatten, einmal fünfzehn Stunden, die halbe Nacht hindurch, nach dem Unglück in der Waggonfabrik, stets schien der Professor von einer göttlichen Ruhe beseelt, die nicht nur an Selbstgewissheit, auch an Güte denken ließ. Jetzt drehte der Professor die Lampe seines Schreibtisches so, dass sie Helenes Augen blendete.

Übermut? Der Professor fragte, als wolle er eine Anamnese stellen. Wohl kaum, gab er sich zur Antwort. Er trat einen Schritt auf sie zu und nahm ihr Kinn in seine Hand.

Gedankenlosigkeit? Gewiss. Dabei legte der Professor den Kopf schief und seine Stimme wurde sanft. Vielleicht: Dummheit? Als überlege er, ob Helene mit dieser Diagnose zu helfen sei.

Helene senkte die Augen. Verzeihen Sie, bitte.

Verzeihen? Dummheit ist das Letzte, was ich verzeihen könnte. Sagen Sie mir offen und frei heraus, was versprechen Sie sich von Berlin, Kind?

Helene sah auf den Boden, der blank gewichst war. Wir, wir, sie stammelte und suchte nach Worten, die mehr sagen mochten, als sie denken konnte. Die heutige Zeit, die Teuerung. Herr Professor. Die Menschen wollen vor den Stadtrat ziehen, sie wollen Arbeit und Brot fordern. Auch hier im Krankenhaus gab es Gerüchte um Entlassungen. Davon müssen Sie doch erfahren haben, Herr Professor? In Berlin werden Martha und ich Möglichkeiten haben, bitte verstehen Sie, Möglichkeiten. Wir werden dort arbeiten, studieren – vielleicht.

Studieren – vielleicht? Sie haben ja gar keine Vorstellung, was das bedeutet, Kind. Wissen Sie, welchen Einsatz ein Studium erfordert, welche Beherrschung des Geistes, welche Fordernisse? Denen sind Sie nicht gewachsen. Es tut mir leid, Ihnen das offen sagen zu müssen, Kind, aber ich möchte Sie warnen. Ja, ich muss Sie warnen. Und die Kosten, Sie machen sich keine Vorstellung von den Kosten. – Wer soll für Sie aufkommen, wenn Sie studieren? Sie sind doch kein Freiwild, das als Dirnen durch die Welt tingeln wollte.

Gewiss, Herr Professor, gewiss. Mehr fiel Helene nicht ein. Sie schämte sich.

Gewiss, murmelte der Professor. Sein Blick haftete auf ihrem großen und flachen Gesicht, das bestimmt nichts verbergen konnte, schwer schien sein Blick, er drückte sich in sie, sie wollte etwas erwidern, seinen Blick abwehren, aber sie erkannte ein Begehren darin, das sie eilig wegsehen und ihren Tränen jetzt freien Lauf ließ. Sie nahm ihr Taschentuch aus dem Ärmel und tupfte sich die Augen ab.

Helene. Die sanfte Stimme des Professors schmiegte sich in ihr Ohr. Weinen Sie nicht, Kind. Sie haben ja niemanden, ich weiß. Niemand, der für Sie sorgt und Sie schützt, wie nur ein Vater es könnte.

Diese Worte ließen Helene noch heftiger weinen, sie wollte es nicht, aber sie schluchzte jetzt und ließ es zu, dass der Professor seine Hand auf ihre Schulter und sogleich seinen Arm um sie legte.

So hören Sie doch auf, flehte er. Helene, verzeihen Sie mir

meine Strenge. Helene. Der Professor drückte sie nun vorsichtig an sich, Helene spürte, wie sein Bart ihr Haar berührte, wie er den Kopf senkte und Mund und Nase auf ihrem Haar lagen, als wären sie Mann und Frau und gehörten zusammen, als Mann und Frau. Es war das erste Mal, dass ihr ein Mann so nahe war. Er roch nach Tabak und Wermut und vielleicht nach Mann. Helene bemerkte das Flimmern in ihrer Brust, ihr Herz raste. Ihr wurde heiß und kalt und dann war ihr übel. Sie musste das Atmen vergessen haben. Schließlich dachte sie nur noch daran, dass er sie loslassen müsse, weil sie ihn andernfalls von sich stoßen musste, mit aller Kraft, von sich weg, wie es sich wohl gehörte für ein junges Mädchen.

Und er ließ los. Ganz plötzlich. Einfach so. Er trat einen Schritt zurück und wandte sich ab. Ohne sie anzusehen sagte er mit trockener Stimme: Ich werde Sie mitnehmen, Helene, nach Dresden, Sie und Ihre Schwester. Sie sagen, die Fahrkarten für die Weiterreise haben Sie?

Helene nickte.

Der Professor trat hinter seinen Schreibtisch und rückte den Stapel Bücher auf Kante.

Natürlich werde ich Ihnen in Dresden die Protokolle schreiben, beeilte sich Helene zu sagen. Ihre Stimme klang leise.

Wie bitte? Der Professor sah sie jetzt fragend an. Protokolle? Ach, das meinen Sie. Nein, Schwester Helene, Sie werden keine Protokolle für mich schreiben, jetzt nicht mehr.

In den kommenden Wochen bestellte der Professor nur noch selten Schwester Helene an seine Seite zum Operationstisch. Auch diktierte er ihr keine Berichte und Briefe mehr. Und jede Tätigkeit, die abseits des Operationstisches wartete, unterstand den strengen Anweisungen der Oberschwester. Helene reinigte die Instrumente, sie wusch und fütterte die Patienten in den Betten und leerte die Bettpfannen. Sie kratzte den Alten den Belag von der Zunge und salbte ihre Wunden. Da ihr der Schlüssel zum Giftschrank noch nicht entzogen worden war, konnte sie winzige Mengen Morphium für Martha beiseiteschaffen. Durch die Flügeltür hörte sie das Schreien und Winseln der Frauen aus dem Kreißsaal, und an Sonnentagen beobachtete sie, wie die Frauen im Garten ihren Neugeborenen den Schnee zeigten. Die Station der Wöchnerinnen war in der festen Hand der Hebammen. Wollte Helene hierbleiben, wäre sie wohl hinübergegangen und hätte ihre Hilfe angeboten. Aber hätte sie hierbleiben wollen, würde sie noch am Operationstisch stehen und dem Professor seine Instrumente reichen, die Nadel nehmen und Bäuche zunähen. Helene schrubbte die Böden. Der Vorteil war, dass sie nun häufiger mit Martha arbeitete und sie gemeinsam beim Aufwischen der Flure über die Zukunft und Berlin sprechen konnten. Ungeachtet der Operationen, an denen Helene kaum noch teilnahm, zumal sich der Professor eine neue Schwester an die Seite geholt hatte, ließ der Professor an der Einlösung seines Versprechens nicht den geringsten Zweifel. Es galt nur zu warten, bis es März und bald Ende des Monats wurde.

Es gelang dem Professor mit Hilfe seines Assistenzarztes, den Koffer der beiden Schwestern am Heck seines Wagens zu befestigen. Sodann durften die jungen Frauen aufsteigen. Während der Fahrt belehrte er die Mädchen schreiend, der laute Motor und die sonstigen Fahrgeräusche nötigten ihn dazu. In dieser Zeit wäre es wichtig, seine Werte in bleibenden Gütern anzulegen. Ein Automobil wie seines wäre da gerade das Richtige. Ob sie auch einmal fahren wollten?

Unbedingt. Martha sollte als erste steuern dürfen. Nach wenigen Metern lenkte sie das Gefährt geradewegs auf ein Feld. Die noch schwarzen Furchen des Ackers gaben nach, als das Fahrzeug in die Erde fuhr. Dann steckte es fest und dampfte. Alle drei mussten aussteigen. Auf dem Wasser, das in den Furchen des Ackers stand, hatte sich eine dünne Haut aus Eis gebildet, die knackte, wenn man sie eintrat. Während Martha sich ihren Arm rieb, schoben und stemmten der Professor und Helene mit aller Kraft, bis sie das Automobil wieder zurück auf die Straße geschafft hatten. Nun wollte der Professor nichts mehr davon wissen, dass eine der Schwestern fahren könnte.

Noch vor Mittag fuhren sie über das Blaue Wunder. Der Professor schwärmte von der Pracht und Genialität der Konstruktion, aber Martha und Helene konnten nur metallene Streben erkennen, die neben dem Fenster in die Höhe ragten und deren sagenumwobenes Blau nichts war gegen die Farbe des Stromes. Viel prächtiger erschien ihnen die Elbe, die hoch über ihre Ufer stand. Die Fahrt durch das Villenviertel dauerte länger als gedacht, einmal mussten sie anhalten und Wasser nachfüllen. Dann ging alles sehr schnell, Droschken überholten sie, Verkehr kam auf. Helene wollte gern den Hafen besichtigen, aber die Zeit drängte. Der Professor brachte die Schwestern wie versprochen zum Hauptbahnhof. Die Uhren an den zwei Türmen zeigten unterschiedliche Zeiten; der Professor war sicher, dass man der um zehn Minuten schnelleren glauben musste. Die Größe der dreischiffigen Stahlbogenhalle ließ Martha und Helene staunen. Zum ersten Mal sahen sie solche Stahlbögen für ein gewölbtes gläsernes Dach. Die Sonne blitzte durch graue Wolken, es würde regnen. Menschenmassen drückten sich vor den prunkvollen Schaufenstern der Geschäfte und strebten einem der vielen Bahnsteige entgegen. Ein Korb Zitronen fiel um und die Menschen bückten sich nach den kullernden gelben Früchten, als gebe es kein Morgen. Auch Helene musste sich bücken und ließ eine Zitrone in ihrer Tasche verschwinden. Zwei kleine Jungen bestürmten Martha und Helene, ihnen ein Bündel Weidenkätzchen abzukaufen. Eine alte Frau mit einem Säugling im Arm hielt die Hand auf. Es konnte unmöglich ihr Kind sein, Helene musste denken, dass die Mutter im Kindbett gestorben sein könnte. Aber was fiel ihr ein, den Tod einer Mutter zu denken? Ehe sich die Schwestern versahen, lud ein Kofferjunge ihr Gepäck auf seinen Wagen und lief ihnen mit den Rufen Platz da, Platz da voraus. Der Professor ermahnte Martha und Helene, sie sollten in dem Gedränge niemals ihre Taschen und den Kofferjungen aus dem Auge verlieren. Trotz Widerrede bestand der Professor darauf, die beiden Schwestern zu ihrem Zug zu bringen. Er begleitete sie auf den Bahnsteig, zum Gepäckwagen, zu ihrem Waggon und schließlich bis zu ihren Sitzplätzen in ihrem Abteil der ersten Klasse. Mit einem gefassten Lächeln überreichte er Martha ein kleines Päckchen mit Proviant, das ihm seine Frau am Morgen zurechtgemacht hatte. Brühwurst und hartgekochte Eier, sagte er leise. Wie schon auf der bisherigen Reise vermied es der Professor, Helene anzusehen. Doch er war freundlich, er reichte beiden die Hand und stieg aus dem Zug. Vielleicht würde er vor dem Fenster auf dem Bahnsteig erscheinen und mit einem weißen Taschentuch winken? Aber nein, sie sahen ihn nicht wieder.

Der Zug zischte. Nur stockend fuhr er aus dem Dresdner Bahnhof aus. Das Wummern der Lok war so ohrenbetäubend, dass Helene und Martha nicht miteinander sprachen. Noch drängelten sich die Reisenden auf dem Gang und suchten ihre Abteile und Sitzplätze. Helene und Martha saßen schon länger auf ihren samtgepolsterten Sitzen. Zwar hatten sie in der Aufregung vergessen, ihre Mäntel und Handschuhe abzulegen, aber sie lehnten sich vor und zur Seite, um keinen Blick aus dem Fenster zu verpassen. Sie hatten das bestimmte Gefühl, dass mit ihren vornehmen Plätzen, diesem Fenster und diesem Zug ein neues Leben begann, eines, das nichts mehr mit Bautzen zu tun haben würde, eines, das sie die letzten Wochen mit der fluchenden und dämmernden Mutter vergessen lassen sollte. Linkerhand ragten in der Ferne Kräne in den Himmel, die bestimmt zu dem Hafen und der Werft gehörten, der vom Zug aus nicht zu sehen war. Gewiss würde sich das Mariechen gut um die Mutter kümmern, sie wollten ihr zu jedem Monatsersten ausreichend Geld schicken, das hatten Martha und Helene beim Abschied versprochen. Wofür sonst gab es die Breslauer Mieteinnahmen? Gemeinsam hatten sie beschlossen, dass das Mariechen vorerst mit der Mutter in der Tuchmacherstraße wohnen bleiben sollte. Das Mariechen dankte ihnen für diesen Vorschlag, sie hätte wohl auch nicht gewusst, wohin sie in ihrem greisen Alter nach den siebenundzwanzig Dienstjahren in der Familie hätte ziehen sollen.

Die letzten Häuser der Altstadt zogen vorüber, der Zug fuhr so langsam auf die Marienbrücke, dass man hätte laufen können, die Elbwiesen waren noch mehr schwarz als grün. Die Elbe füllte ihr Bett und trat hier in der Stadt kaum über die Ufer. Ein mit Kohle beladener Kahn schleppte sich träge gegen den Strom. Helene musste Zweifel haben, dass er es bis Pirna schaffen würde. Wieder kamen Häuser, Straßen, Plätze, der Zug fuhr durch einen kleinen Bahnhof. Es dauerte, bis die Stadthäuser vorübergezogen waren und auch die flachen Häuschen und Gärten der Vorstadt hinter ihnen lagen. In der Ferne glaubte Helene die Ausläufer der Lausitzer Berge zu erkennen, eine freudige Erregung und Erleichterung erfasste sie, als auch diese aus ihrem Blickfeld verschwanden und der Zug endlich durch Auen und Wald und Flur schnaufte. Über den vorbeiziehenden Äckern hing Nebel, noch kaum ein Grün kündete vom anbrechenden Frühling, nur die Sonne leuchtete immer wieder durch den Nebelteppich.

Helene erschien es, als seien sie bereits seit Wochen unterwegs. Sie öffnete das Proviantpäckchen von Frau Professor und bot Martha etwas an. Sie verzehrten die Brote mit der sogenannten Brühwurst, die nach Blutwurst schmeckte und auch die feine Konsistenz gestockten Blutes hatte, sie schlangen die Brote mit dem rotschwarzen Brei herunter, als hätten sie schon Jahre nichts mehr zu essen bekommen und sei Blutwurst eine wohlschmeckende Speise. Dazu tranken sie den Tee, den sie sich in einer korbummantelten Flasche mitgenommen hatten. Später fühlten sie sich schlapp, noch ehe der Zug ein nächstes Mal hielt, fielen ihnen die Augen zu.

Als sie wieder aufwachten, standen die Reisenden bereits an den Fenstern und auf dem Gang. Die Einfahrt in die Stadt und bald darauf in den Anhalter Bahnhof entlockte ihnen leise Ausrufe des Staunens. Wer konnte sich Berlin vorstellen, seine Größe, die vielen Passanten, Fahrräder, Droschken und Automobile? Glaubten sich Martha und Helene nach dem Dresdner Bahnhof bestens gewappnet für die Metropole, hielten sie sich nun gegenseitig an kalten und schwitzigen Händen fest. Durch die geöffneten Fenster drang ohrenbetäubender Lärm aus der

Bahnhofshalle ins Innere des Zuges. Die Reisenden drängten aus den Abteilen auf den Gang und strebten zu den Türen, von draußen hörte Helene das Pfeifen und Rufen der Gepäckträger, die schon vom Bahnsteig her laut ihre Dienste feilboten. Eine Panik überfiel die Mädchen, sie fürchteten, nicht rechtzeitig aus dem Zug zu gelangen. Martha stolperte beim Aussteigen und verhedderte sich mit ihrem Mantel, so dass sie von der letzten Stufe auf den Bahnsteig halb rutschte, halb fiel. Sie landete auf allen vieren. Helene musste lachen und schämte sich. Sie ballte ihre Faust, sie biss sich auf den Handschuh. Im nächsten Augenblick fasste sie nach der Stange, nahm die helfende Hand eines älteren Herrn und beeilte sich, aus dem Zug zu steigen. Gemeinsam mit dem älteren Herrn half sie Martha auf. Der Bahnhof war voller Menschen, solchen, die ihre Nächsten vom Zug abholten, aber auch viele Händler und junge Frauen liefen auf und ab, sie boten von der Zeitung über Blumen bis zum Schuheputzen lauter Dinge an, von denen Martha und Helene erst jetzt merkten, dass sie ihnen fehlten. Zur selben Zeit schauten sie aneinander herab und wurden sich ihrer dreckigen Schuhe bewusst. An ihnen haftete noch die Erde vom sächsischen Acker, aus dessen Furchen sie das Automobil des Professors befreit hatten. Ihre Hände waren leer, wo sie doch längst an ein Gastgeschenk für die Tante hätten denken müssen. War nicht kürzlich erst der Physiker Röntgen gestorben? Helene durchforstete ihr Gedächtnis und jagte darin nach welthaltigen Nachrichten, von denen sie in jüngster Zeit etwas gehört hatte. Nur selten nahm Helene die Gelegenheit wahr, im Krankenhaus eine der liegengebliebenen Zeitungen zu lesen. Was wussten sie schon über das Weltgeschehen im Allgemeinen und das Berliner im Besonderen? Ein kleines Sträußchen Märzbecher vielleicht? Waren das echte Tulpen? Noch nie hatte Helene so große und schlanke Tulpen gesehen.

Da Helene keinen der flüchtigen Gedanken erhaschen und festhalten konnte – in die Notenpresse hätten sie beizeiten einsteigen sollen, dachte sie, und: welcher Unsinn, und: wer war noch Cuno? Reichspräsident, Kanzler? Und dann fiel ihr wieder jener wohlklingende Name ein: Thyssen und Frankreich und Kohle, Kohle, Kohle, eine Notenpresse, das wäre es gewesen, legal oder nicht – sagte sie zu Martha, die sich noch den Mantel ausschlug und das Haar unter den Hut steckte: Auf gehts. Hoffentlich gab es ihren Koffer noch.

Gemeinsam eilten die Schwestern den Bahnsteig entlang zum Gepäckwagen. Dort hatte sich eine Schlange gebildet. Immer wieder schauten sich die Mädchen über die Schulter. Zwar hatte die Tante im letzten Brief vorgeschlagen, dass sie einen Kremser oder die Straßenbahn nehmen sollten, um zu ihr in die Achenbachstraße zu kommen. Aber war es nicht möglich, dass sie trotz dieses Ratschlags zum Bahnhof kommen und sie abholen würde?

Glaubst du, Tante Fanny wird uns erkennen?

Ihr wird nichts anderes übrigbleiben. Martha hielt das Gepäckbillet bereit und zählte schon das passende Geld ab, obwohl vor ihnen noch eine dichte Schlange stand.

Bei dir wird es nicht schwer sein. Helene musterte Martha: Du siehst Mutter ähnlich.

Fragt sich nur, ob Tante Fanny das bemerken kann und will. Vielleicht weiß sie gar nicht mehr, wie ihre Cousine ausgesehen hat?

Sie wird keine Fotografie von Mutter haben, Mutter besitzt von der Zeit vor unserer Geburt nur eine einzige, die von ihrer Hochzeit.

Besitzt? Martha lächelte. Ich würde sagen, sie besaß. Zumindest habe ich die Fotografie mitgenommen. Wir brauchen doch eine Erinnerung, nicht?

Eine Erinnerung? Helene sah Martha ratlos an. Sie wollte sagen: Ich nicht, unterließ das aber.

Unterkunft jefällig? Anständjes Hospiz, meene Frolleins? Jemand zupfte und zog hinten an Helenes Mantel. Oder ne billige

Bude, privat, bei ner Wirtin? Helene drehte sich um, hinter ihr stand ein junger Mann in abgerissener Kleidung.

Fließend Wasser und elektrische Beleuchtung? Fragte ein zweiter und schubste den ersten beiseite.

Ick kann da wat empfehlen, die Fremdenheime sind lausig und die Hotels kann ja keena mehr bezahlen. Kommen Se mit! Eine ältere Frau packte Helene am Arm.

Lassen Sie los! Vor Angst überschlug sich Helenes Stimme. Danke, danke, wir brauchen nichts, sagte Martha in alle Richtungen.

Wir haben eine Tante in Berlin, ergänzte Helene und schloss jetzt den oberen Knopf ihres Mantels.

Bestimmt mochten sie einander nicht, weil Tante Fanny sich als etwas Besseres fühlte. Das rief Martha hinter vorgehaltener Hand Helene ins Ohr. Und auch was Besseres war!

Meinst du? Das glaube ich nicht. Helene war es oft unangenehm, wenn Martha etwas Schlechtes über die Mutter sagte. So sehr sie die Mutter auch fürchtete und mit ihr gestritten hatte, so sehr erschrak sie und so wenig ertrug sie es, wenn Martha völlig ohne Zusammenhang ihre schlechte Meinung kundtat. Die Benennung des Schlechten bereitete Martha Lust, eine Freude an der Entblößung, die Helene erst zart und nur in wenigen Augenblicken teilte.

Tante Fanny hat Mutter bestohlen, behauptete Helene jetzt. Sie erinnerte sich daran, dass die Mutter es an jenem Abend gesagt hatte, als sie ihr zum ersten Mal von ihrem Briefwechsel mit Tante Fanny erzählten.

Ach ja, glaubst du das? Martha spottete. Was soll sie denn gestohlen haben? Einen getrockneten Fliegenpilz vielleicht? Wenn du mich fragst, hat sie sich das ausgedacht. Vielleicht war es andersrum. Tante Fanny hätte das nicht nötig, niemals.

Sie wird eine feine Dame sein, da bin ich sicher. Helene schaute nach vorn, die Schlange hatte sich gelichtet und die beiden Schwestern waren im Eifer des Gesprächs so abgelenkt gewesen, dass sie nicht gehört hatten, wie der Mann vorne an der großen Tür des Gepäckwagens bereits zum vierten Mal ihre Nummer und nun auch ihren Namen in die Runde rief.

Anträge der demokratischen Parteien abgelehnt! Ein Mann brüllte aus vollem Hals und winkte wild mit einer Zeitung, der Stapel drohte ihm aus dem Arm zu rutschen. Weiter lebe die Sturmabteilung der nationalsozialistischen Partei!

Olle Kamellen, höhnte ein anderer Zeitungsbursche und schrie nun seinerseits aus vollem Halse: Erdbeben! Auch er winkte wild, und Helene fragte sich, ob er sich die Nachricht gerade ausgedacht hatte, um besseren Absatz zu machen. Immerhin, die Menschen rissen ihm die Zeitungen aus der Hand. Großes Erdbeben in China!

Und jetzt zum letzten Mal! Erste Klasse, Würsich, Numero vierhundertsiebenunddreißig!

Hier, das sind wir, brüllte Helene jetzt so laut sie konnte und stürzte die wenigen Meter nach vorn zu dem Mann, der gerade ihren Schrankkoffer in Ermangelung eines Besitzers auf den großen Gepäckwagen für nicht abgeholte Stücke schieben wollte.

Rote Fahne! Rief ein dünnes Mädchen mit einem kleinen Handwagen voller Zeitungen. Rote Fahne!

Die Vossische!

Der Völkische Beobachter! Helene erkannte den jungen Zeitungsburschen von vorhin. Wie alt mochte er sein? Zehn? Zwölf? Besetzung im Ruhrgebiet dauert an! Keine Kohle für Frankreich! Erdbeben in China! Auch er rief jetzt das Erdbeben aus, obwohl zweifelhaft war, dass sich seine Zeitung schon damit befasste.

Kaufen Sie die Weltbühne, meine Damen und Herren, ganz druckfrisch, die Weltbühne! Ein auffallend großer Herr mit Hut, Brille und Anzug lief in langen Schritten den Bahnsteig entlang. Obwohl er mit einem seltsamen Akzent sprach, hinter dem Helene sofort einen Russen vermutete, fanden seine kleinen, roten Hefte besten Anklang. Kurz nachdem er an Martha und Helene vorübergeschritten war, nahm ihm eine elegante Dame das letzte Heft ab.

Erst als jemand Vorwärts! Vorwärts! Vorwärts! rief, fasste Helene den mutigen Entschluss, ein Bündel Markscheine aus der Manteltasche zu ziehen. In ihrem Mantel steckte noch die Zitrone. Die Markscheine rochen jetzt nach Zitrone. Schließlich kannte sie den Vorwärts, und es sah hoffentlich fein und gebildet aus, wenn sie mit einer Zeitung unter dem Arm bei der Tante eintrafen.

Sie nahmen eine Droschke mit mehreren Sitzen, vielleicht war es das, was Tante Fanny mit einem Kremser meinte. Die Häuser und Litfaßsäulen warfen schon lange Schatten. Am Schöneberger Ufer kam die Droschke zum Stehen, es sah aus, als wollte sich das Pferd verbeugen, es ging auf die Knie, die Vorderbeine sackten ihm ein, es krachte, Holz knackte, und das Pferd fiel seitlich in das Geschirr. Der Kutscher sprang auf. Er schrie etwas, stieg ab und klopfte dem liegenden Pferd auf den Hals, er ging um die Kutsche herum, nahm den Eimer vom Haken und entfernte sich ohne ein erklärendes Wort. Helene konnte erkennen, dass er zu einer Pumpe ging, wo er warten musste, bis ein anderer seinen Eimer voll hatte und er drankam. Die Laternen entlang der Straße wurden angezündet. Überall leuchtete und funkelte es. So viele Lichter, Helene stand auf und drehte sich rundherum. Ein Automobil mit einem lustigen Schachmuster, das sich wie eine Borte rund um das Gefährt rankte, hielt neben ihnen. Ob sie Hilfe benötigten, wollte der Fahrer aus seinem Fenster heraus wissen. Vielleicht brauchten sie ein Taxi? Aber Martha und Helene schüttelten den Kopf und blickten sich wieder nach ihrem Kutscher um. Der Taxifahrer ließ sich das nicht zweimal sagen. Vorn auf der Kreuzung winkte ein junger Mann nach ihm.

Wir hätten vielleicht umsteigen sollen, Helene blickte sich

um. Der Kutscher kam mit dem Eimer Wasser in der Hand zurück. Er spritzte das Pferd nass, schüttete dann den ganzen Eimer Wasser über das Pferd, aber das Pferd rührte sich nicht. Die Sonne war untergegangen, die Vögel zwitscherten noch, es wurde kühl.

Ham Ses noch weit? Das war das erste, was der Kutscher jetzt zu ihnen sagte.

Martha und Helene zuckten unschlüssig die Schultern.

Ach ja, Achenbach. Det is weit, kann ick nich lofen, Ihr Jepäck is ja och noch da. Der Kutscher sah betrübt aus.

Ein Wachmann schlenderte heran. Der Koffer wurde abgeladen, Martha und Helene mussten absteigen. Ihnen wurde eine andere Droschke gewunken. Der Himmel war blau, als sie schließlich vor dem Haus in der Achenbachstraße ankamen. Der Hauseingang des vierstöckigen Hauses war erleuchtet, eine breite fünfstufige Steintreppe führte zu der eleganten Eingangstür aus Holz und Glas. In der Tür wartete ein Diener, der sie willkommen hieß und zur Droschke trat, um ihren Koffer in Empfang zu nehmen. Martha und Helene stiegen die breite Treppe hinauf in die Beletage. War das Marmor, echter, italienischer Marmor?

Da seid ihr endlich, rief eine große Frau. Sie streckte Martha und Helene ihre Hände entgegen, die bis über den Ellenbogen in Handschuhen steckten. Darüber glänzten nackte Schultern. Martha zögerte nicht lang, sie ergriff eine Hand, verneigte sich und küsste sie.

Nicht doch, sind wir bei Königen? Meine Nichten. Tante Fanny drehte sich auf dem Absatz und ihr langer Schal wehte Helene ins Gesicht. Anerkennend nickten einige der umherstehenden Damen und Herren, sie hielten den Schwestern zum Zeichen des Willkommens ihre Gläser entgegen und prosteten sich gegenseitig zu. Die Damen trugen Kleider aus dünnen Stoffen ohne deutliche Taille mit Kordeln und Tüchern um die Hüfte, ihre Röcke gingen nur wenig über das Knie hinaus und an den Füßen hatten sie Schuhe mit Riemchen und Absätzen. Manche von ihnen trugen das Haar so kurz, wie es sich einst Leontine geschnitten hatte, bis zum Ohrläppchen und im Nacken noch kürzer. Bei einer Frau schien das Haar in Wellen eng an den Kopf gepresst worden zu sein, neugierig betrachtete Helene die Frisuren und fragte sich, wie sie hergestellt wurden. Allein die vielen Hälse, wie sie hier aus geraden, markanten Schultern ragten, dort aus zierlich abfallenden, und stets zum Kopf der Mädchen, jungen Frauen und Damen führten, als sei neuerdings ihr Kopf die Krone der Schöpfung und nicht mehr ihre Hüften, an der sich alle längst sattgesehen hatten, verwirrten Helene. Die Herren trugen feine Anzüge und rauchten Pfeife, sie betrachteten die eingetretenen Schwestern mit begehrlichem Wohlwollen. Ein beleibter Herr blickte freundlich in Helenes Gesicht, dann glitt sein Blick an ihr entlang, über den sich öffnenden Mantel, unter dem ein in seinen Augen gewiss ländlich altmodisches Kleid zum Vorschein kam. Mit einem onkelhaft gütigen Nicken drehte er sich um, nahm dem Fräulein mit dem Tablett eins der Gläser ab und vertiefte sich in ein Gespräch mit einer kleinen Frau, deren Federstola bis zur Kniekehle reichte.

Was für hübsche Kinder! Eine Freundin hakte sich bei Tante Fanny ein und schwankte trunken, den Kopf voran wie ein Stier mit roten Locken, Helene entgegen. Ihr gewaltiger Paillettenbusen blinkte, als sie kurz vor Helene in die Höhe schoss.

Warum hast du uns diese zauberhaften Wesen so lange vorenthalten, meine Teure?

Lucinde, meine Nichten.

Ein Herr beugte sich neugierig über Tante Fannys nackte Schulter und schaute von Helene zu Martha und wieder zurück. Offenbar füllten die Gäste die Beletage bis in den letzten Winkel aus. Noch stand die Tür hinter ihnen offen. Helene blickte sich um, sie wollte fliehen. Als Helene etwas an ihrer Wade spürte und an sich herabsah, entdeckte sie einen kohlschwarzen

Pudel, der frisch frisiert war. Es war der Anblick des Pudels, der sie ruhiger atmen ließ.

Ein Hausmädchen und ein Diener nahmen den Schwestern die Taschen aus den Händen und halfen ihnen aus den Mänteln, achtlos wurde Helene die Zeitung abgenommen, zwei weitere Diener kamen mit dem Koffer die Treppe herauf. Helene eilte einige Schritte hinter dem Fräulein mit ihrem Mantel her und nahm ihre Zitrone aus der Manteltasche.

Eine Zitrone, wie entzückend! Der rotlockige Stier namens Lucinde kreischte so leise wie nur möglich.

Rasch, macht euch frisch und zieht euch um, das Diner beginnt in einer Stunde. Tante Fanny strahlte. Ihr Gesicht, schmal und ebenmäßig, erinnerte an ein Gemälde, so dunkel waren die Wangen vom Rouge, so grüngold schimmerten ihre Augenlider. Die langen Wimpern hoben und senkten sich wie schwarze Schleier über ihren großen schwarzen Augen. Ein junger Mann ging an ihr vorbei. Mit dem Rücken zu Martha und Helene blieb er an Tante Fannys Seite stehen. Er küsste sie auf die bloße Schulter, dann legte er ihr nur flüchtig die Hand an die Wange und ging weiter zu einer anderen Dame, die offenbar auf ihn wartete. Fanny deutete ein Klatschen in die Hände an, vornehm, elegant, grazil – in Helenes Kopf überschlugen sich Worte für ihre Erscheinung, anmutig, wobei ihre langen Hände sich zwar berührten, aber keinen Laut von sich gaben. Phantastisch. Meine Perle wird euch alles zeigen. Otta?

Das Hausmädchen Otta, weißhaarig und glatthäutig, bahnte den Weg durch die große Versammlung von Gästen und führte die Schwestern in ein kleines Zimmer am Ende der Wohnung. Es roch nach violetten Blüten. Dort waren zwei schmale Betten gemacht und ein Waschtisch mit einem großen Spiegel, in dessen Ränder Lilien geschliffen waren, stand in einer Nische der Wand. Die Kerzen eines fünfarmigen silbernen Leuchters gaben das Licht eines Altars. Das Hausmädchen zeigte ihnen Handtücher, Nachtgeschirr und Kleiderschrank. Ein Badezimmer und die Toilette, das Hausmädchen flüsterte die Worte, mit Wasserklosett, befänden sich zudem vorne am Eingang. Dann entschuldigte sich das Hausmädchen, es müsse weitere Gäste empfangen.

Eine Feier? Martha sah erstaunt zur Tür, die sich hinter dem Hausmädchen geschlossen hatte.

Umziehen? Helene warf ihre Zitrone auf das Bett und stemmte ihre Hände in die Hüften. Mein bestes Kleid trage ich schon.

Engelchen, das kann sie doch nicht wissen. Sie wird nicht genau hingeschaut haben.

Hast du ihre Lippen gesehen, wie sie geschminkt ist?

Zinnober. Und ihr Haar, kurz bis zu den Ohrläppchen, das ist die Stadt, Engelchen. Morgen schneide ich dir dein blondes Haar ab, sagte Martha, sie lachte nervös und öffnete den Koffer. Mit beiden Händen wühlte sie und seufzte erleichtert, als sie ihr kleines Täschchen fand. Sie drehte Helene den Rücken zu und schüttete den Inhalt des Täschchens auf dem Waschtisch aus. Helene setzte sich vorsichtig auf das eine der beiden Betten. Sie streichelte den Überwurf, der weich war. Das Wort Kaschmir kam ihr in den Sinn, aber sie hatte keine Ahnung, wie sich Kaschmir anfühlte. Unter Marthas Armen hindurch sah Helene, wie Martha ein kleines Fläschchen öffnete und die Flüssigkeit mit der Spritze aufzog. Ihre Hände zitterten. Sie krempelte den Ärmel ihres Kleides hoch. Geschickt schlang sie sich ihr großes Taschentuch als Binde um den Arm und setzte die Spritze an.

Helene war erstaunt über die Offenheit, mit der Martha sich ihr zeigte. Noch nie hatte Martha vor ihren Augen zu der Spritze gegriffen. Helene stand auf und trat an das Fenster, das zu einem schattigen Hof mit Ahornbäumen, einer Teppichstange und einem kleinen Brunnen hinausging. Osterglocken blühten in die blaue Stunde.

Warum machst du das jetzt?

Martha in ihrem Rücken antwortete nicht. Sie presste den Inhalt der Spritze langsam in ihre Vene und sank dann rückwärts auf das Bett.

Engelchen, gibt es einen schöneren Augenblick als diesen? Wir sind angekommen. Wir sind da. Martha rekelte sich auf dem Bett und streckte einen Arm nach Helene aus. Berlin, sagte sie leise, als sterbe ihre Stimme und ertrinke im Glück, das sind jetzt wir.

Sag nicht sowas. Helene machte einen Schritt zum Koffer hin, fand in der Tasche des Deckels ihre Bürste und öffnete ihr Haar.

Das Gift ist süß, Engelchen. Schau mich nicht an wie eine Verdammte. Ich sterbe, ja und? Ein wenig leben wird doch vorher noch gestattet sein? Martha kicherte, dass es Helene für einen Augenblick an die im Wahnsinn zurückgelassene Mutter erinnerte.

Auf dem Rücken liegend streifte sich Martha mit den Füßen die Schuhe ab, deren lange Senkel sie offenbar schon zuvor gelöst hatte, sie öffnete die Knöpfe ihres Kleides und legte wie selbstverständlich eine Hand auf ihre entblößte Brust. Weiß war ihre Haut und dünn und fein, so fein, dass Helene die Adern darunter schimmern sah.

Helene kämmte sich ihr Haar. Sie setzte sich an den Waschtisch und goss aus dem silbernen Krug etwas Wasser in die Schüssel, sie nahm die selten duftende Seife in die Hände, Lavendel aus dem Süden, und wusch sich. Martha seufzte in Abständen.

Singst du mir ein Lied, Engelchen?

Was soll ich denn singen? Helenes Stimme war eingetrocknet. Trotz des langen Nachmittagsschlafes im Zug war sie matt und vermisste in sich die Freude und das Glück, das sie mit ihrer Ankunft in Berlin erwartet und noch auf dem Bahnhof empfunden hatte.

Liebst du mich, Herzchen, Goldblatt mein?

Helene drehte sich zu Martha um. Es fiel Martha schwer, ihre

Augen auf Helene zu konzentrieren, immer wieder glitten sie ihr davon und es schien, als sperrten ihre Pupillen die Augen bis zum Rand.

Martha, brauchst du Hilfe? Helene betrachtete ihre Schwester und fragte sich, ob es ihr danach immer so ging.

Martha summte eine Melodie, die in Helenes Ohren nur selten bekannt klang, ein Schlingern zwischen Fis-Dur und b-Moll. Ob sie ein Klavier hat, die Tante?

Du hast schon ewig nicht gespielt.

Noch ist es nicht zu spät. Martha kicherte wieder sonderbar und schmatzte sanft, als falle es ihr schwer, das Kichern hinunterzuschlucken. Sie würgte. Im nächsten Augenblick richtete sich Martha auf, griff nach einem der kleinen roten Gläser, die auf der Vitrine standen, und spuckte hinein.

Das ist edel, so ein Spuckgläschen. Sie hat für alles gesorgt, unsere feine Tante.

Martha, was soll das? Helene nahm ihr Haar zusammen, drehte es an den Seiten ein und steckte es auf. Wir müssen in einer halben Stunde da draußen erscheinen. Schaffst du das? Kannst du dich zusammenreißen?

Warum die Sorge, Engelchen? Habe ich nicht alles geschafft, bisher, ich meine, alles?

Vielleicht öffne ich das Fenster.

Alles, Engelchen, was blieb mir anderes übrig, als alles zu schaffen. Aber jetzt sind wir da, Goldblatt.

Warum nennst du mich Goldblatt, so hat Vater mich genannt. Helene wollte wohl die Augenbrauen runzeln, dabei bildeten sich lediglich winzig feine Falten über ihrer Nase, so flach war die Delle zwischen ihrer gewölbten Stirn und der auffallend kleinen Nase.

Ich weiß, ich weiß. Und ist die Liebkosung mit ihm gestorben, Engelchen?

Helene reichte Martha einen Becher voll Wasser. Trink, ich hoffe, dann lichtet sich dein Nebel.

Ts ts ts, Nebel, mein Herzchen. Martha schüttelte den Kopf. Das hier ist Frühlings Erwachen, Engelchen.

Bitte, zieh dich an, ich helf dir. Ehe Martha Helenes Angebot zurückweisen konnte, knöpfte Helene ihr das Kleid zu.

Und ich dachte, du wolltest mich küssen, mein Herz. Geantwortet hast du nicht. Du erinnerst dich an meine Frage?

Helene kniete jetzt vor Martha, um ihr in die Schuhe zu helfen. Martha ließ sich wieder rückwärts aufs Bett fallen und säuselte: Herzchen, Herzchen, du wirst mir doch antworten.

Als Helene Marthas Schnürstiefel zugebunden hatte, zog sie an ihrem Arm, damit sie sich aufsetzte. Marthas langer Oberkörper war schwer und schwankte. Sie sank zurück.

Mein Fuß, er ist zu leicht für das Parkett, halt ihn bitte fest. Helene sah, wie Martha beide Beine steif von sich streckte, so dass sie über den Rand des Bettes ragten, dabei atmete sie tief Luft ein und zog ihre Schultern hoch.

Kannst du aufstehen?

Nichts besser als das. Martha richtete sich nun, gestützt auf Helenes Arm, auf und hob ihren Kopf, mit dem sie Helene nur noch wenig überragte. Ihre Worte kamen gestochen scharf aus ihrem Mund, jedes S zischte, nur die Abstände zwischen den einzelnen Worten waren auffallend lang. Vielleicht glaubte Martha, so sprechen zu müssen, um klar und nüchtern zu wirken.

Jemand klopfte von außen an die Tür.

Ja bitte? Helene öffnete, und das Hausmädchen Otta trat mit einem kurzen Schritt zur Seite und einem Knicks ein. Ihr Häubchen saß so weiß und steif in ihrem Haar, als habe es am heutigen Abend noch keinerlei Anstrengung gegeben.

Wenn ich den Mademoiselles noch behilflich sein kann?

Danke sehr, wir finden uns zurecht. Helene zupfte ein Haar von Marthas Kleid. Wie sprach man in Berlin wohl das Hausmädchen an?

Sie werden gleich den Gong hören, das Essen beginnt. Wenn Sie kommen und sich setzen wollen?

Wir wollen, sagte Martha feierlich und schritt erhobenen Hauptes am Hausmädchen vorbei in den langgestreckten Flur. Ihr Schwanken war kaum zu erkennen.

Bei Tisch gab es Platzkarten.

Sobald sich die Abendgesellschaft gesetzt hatte, erhob sich ein Herr am Kopf des Tisches. An jedem Finger seiner Hand steckte ein Ring, einer prächtiger als der andere. Bonsoir, mes amis, copains et copines, cousin et cousine. Er erhob sein Glas vornehm in die Runde. Die schmalzig zurückgekämmten Haare lagen auf seinem Hemdkragen auf, sein weißes Gesicht wirkte geschminkt. Er lachte schallend und sprach nun Deutsch mit französischem Akzent. Es ist mir eine Ehre, meiner lieben Cousine, ach, werfen wir heute die Lügen über Bord und widmen uns anderen Lastern, es ist mir eine Freude, meiner jungen Geliebten ein noch langes Leben zu wünschen. Auf Fanny, auf unsere Freundin!

Helene blickte erstaunt in die Runde. Sollte er Fanny gemeint haben, Tante Fanny? Wie konnte er sie als seine junge Geliebte bezeichnen, wo sie doch Mitte vierzig sein mochte und der Sprecher keine dreißig war? Fanny dankte, sie lächelte mit ihren schwarzen Augen, deren Wimpern schwer über den Augäpfeln hingen. In ihrem Haar funkelten Sterne. Sie legte sich selbst die Hand an den langen Hals und es schien, als streichele sie sich, hier am Tisch, vor ihren Gästen. Über ihrem kurzen dunklen Haar spannte ein Netz, das wohl von Diamanten übersät war. Vielleicht waren es auch nur Glassteinchen. Aber sie trug sie wie Diamanten. Die Damen und Herren erhoben ihre Gläser und stießen enchanté und à votre santé, ma chère und à mon amie auf Tante Fanny an.

Schräg gegenüber am Tisch hielt sich Martha aufrecht, ihre Augen leuchteten, sie plauderte mit ihren Nachbarn, lachte immer wieder hell auf und ließ sich Champagner nachfüllen. Helene behielt sie im Auge, sie wollte achtgeben auf Martha. Die Köstlichkeiten rührte Martha kaum an, mal stocherte sie mit der Gabel in der Pastete und später pustete sie unaufhörlich ins Soufflé, als wäre dieses zu heiß. Aus einem großen messingfarbenen Trichter knarzte es, es knackte, eine Stimme krächzte: In fünfzig Jahren ist alles vorbei. Als es vom Tisch zur Chaiselongue ging, nahm Martha dankbar den Arm des Mannes, der beim Diner neben ihr gesessen und ihrem Plaudern gelauscht hatte. Einmal schien es Helene, als weine Martha. Doch kaum hatte sich Helene den Weg durch den Saal zu ihr gebahnt, wurde gelacht und tupfte sich Martha mit jenem Taschentuch, das sie sich vorhin um den Arm geschlungen hatte, die Tränen der Freude vom Gesicht. Im Verlauf des Abends nahm Martha Zigaretten an, sie rauchte mit einer Spitze, die Helene noch nie in Marthas Händen gesehen hatte. Später ließ der Geliebte von Fanny, mit Namen Bernard, französisch gesprochen, eine Pfeife anzünden. Nichts Geringeres als Opium sei zu ihrer Lobpreisung angemessen. Die Freunde klatschten.

Als Martha einmal lauter rief, Tante, welch wunderbares Fest, und Helene ihren Ohren nicht traute, weil sie Martha noch nie in einer solchen Runde frei rufen und lachen gehört hatte, rief Tante Fanny lachend aus der anderen Ecke des großen Berliner Zimmers zurück: Tante? Liebchen, soll das mein Name sein? Da fühle ich mich gleich hundert Jahre älter. Eine Greisin, ist das nicht die Tante? Fanny, Liebchen, nur Fanny!

Helene bot man keine Pfeife und keine Zigaretten an, es hatte sich wohl bald herumgesprochen, dass sie noch keine sechzehn war und aus der Lausitz kam. Zwei Herren kümmerten sich um das Küken, sie gossen Helene Champagner ein und später Wasser, wobei sie offenbar Freude daran hatten, sich gegenseitig immer wieder daran zu erinnern, dass Helene noch ein Kind war. Was für ein Küken! Reizend sei es, wie sie das Wasser aus dem Glas hinunterstürze. Ob sie immer solchen Durst habe? Die beiden Herren amüsierten sich, während Helene sich vorsah, Martha nicht aus den Augen zu verlieren. Martha lachte in alle Richtungen, sie stülpte anzüglich ihre Lippen, als wolle sie den jungen Herrn, der seine Mütze nicht absetzte, küssen. Doch im nächsten Augenblick schlang sie ihren Arm um eine halbnackte Frau, die ein ähnlich ärmelloses Kleid wie die Tante trug und deren Schreie oh là là weithin über alle Köpfe hinweg spitz an Helenes Ohr drangen, dass es wehtat. Oh là là, rief die Frau immer wieder und legte nun ihrerseits einen Arm um Martha, wobei Helene genau sah, wie ihre Hand nach Marthas Schulter fasste und wenig später an ihrer Taille lag, bis es so schien, als wolle die Frau Martha gar nicht mehr loslassen. War das eine Pfeife, an der Martha da zog? Vielleicht hatte sich Helene getäuscht.

Noch etwas Wasser? Einer der beiden Herren neigte sich vor, um Helene aus der kristallenen Karaffe Wasser einzuschenken.

Am späten Abend brach die Abendgesellschaft auf. Nicht aber, wie Helene zuerst glaubte, um nun nach Hause zu gehen, sondern man wollte gemeinsam in einen Club.

Du hilfst meiner Nichte in den Mantel, befahl Fanny mit samtiger Stimme einem großen blonden Verehrer, ihr Blick wies auf Martha. Zu Helene sagte die Tante freundlich, sie solle sich ganz zu Hause fühlen und süß träumen.

Doch das süße Träumen fiel Helene nicht leicht, an Schlaf war nicht zu denken. Helene, die mit dem Personal allein zurückblieb, hatte sich zwar stracks in ihr Zimmer zurückgezogen, aber sie konnte nicht anders, sie wartete dort bis zur Morgendämmerung. Erst als matt das Morgenlicht durch die steingrünen Vorhänge fiel, hörte sie Geräusche in der Wohnung. Eine Tür fiel ins Schloss. Stimmen, Lachen, Schritte auf dem langen Flur näherten sich. Ihre Zimmertür wurde geöffnet und Martha wurde halb stolpernd, halb torkelnd ins Zimmer geschoben, wo sie unmittelbar auf Helenes Bett fiel. Die Tür schloss sich wieder. Draußen im Flur hörte Helene Fanny mit ihrem französischen Liebhaber und einer Freundin lachen. Vielleicht war es Lucinde. Helene stand auf, sie schob das zweite Bett an ihres und entkleidete Martha, die nur noch ihre Lippen bewegen konnte.

Engelchen, wir sind da. Der Pfand ist ein Kuss. Du musst sie nur aufstoßen, die Himmelspforte, wenn du noch durchpasst. Martha konnte nicht mehr kichern, sie schnaufte und schlief. Ihr Kopf fiel zur Seite.

Helene zog Martha das Nachthemd an, öffnete ihr Haar und legte die große Schwester neben sich. Martha roch nach Wein und Rauch und einem Helene nicht bekannten schweren Duft, blumig und harzig. Helene schlang ihre Arme fest um Martha, sie starrte noch in die Dämmerung, als Martha schon längst leise schnarchte.

Der kommende Winter brachte viel Schnee. Martha und Helene hatten den Koffer weit unter das Bett geschoben und selbst zu Weihnachten war ihnen nicht eingefallen, ihn zu packen und die Mutter in Bautzen zu besuchen. An jedem Monatsanfang kam ein Brief vom Mariechen. Es beschrieb den Gesundheitszustand der Mutter, berichtete vom Wetter und den häuslichen Finanzen. Während Fanny Marthas Gesellschaft genoss, sie in jeden Club und jede Revue führte, genoss Helene die Stille der Beletage. Was für eine umfangreiche Bibliothek besaß Fanny, alles Bücher, die sie selbst offensichtlich nie gelesen hatte, deren Anblick ihr aber schmeichelte. Oft verbrachte Helene ihre Nächte lesend auf der Chaiselongue. Stolperten Fanny und Martha am frühen Morgen zur Tür herein, stets im Hintergrund hielt sich der Mann, den sie im Schlepptau hatten, und fiel ihr Blick auf Helene, brachen sie in Gelächter aus. Rümpfte Fanny die Nase? Vielleicht war es ihr nicht recht, dass Helene ihre Bücher las. Kindchen, spottete Fanny und hob drohend den Zeigefinger, wer schön werden will, muss schlafen. Lag Helene später im Bett und roch den Rauch und das Parfum von Marthas Nacht, streckte sie zögernd die Hand aus. Sie strich ihr über den Rücken und ließ die Hand auf Marthas Hüfte liegen. Mit dem gleichmäßigen Atem der Schwester schlief Helene ein.

Ich liebe euch, beteuerte Fanny eines Vormittags, als sie bei Tee und Ingwerstäbchen am niedrigen Tisch ihrer Veranda saßen, dessen Kacheln blass mit Rosen bemalt waren. Die Veranda war vom Duft der Bergamotte ausgefüllt, Fanny trank ihren Tee mit viel Kandis und ohne Milch. Auf dem Tisch stand wie jeden Morgen ein Teller mit Mohnkuchen, von dem Helene aus Scheu vor dem unaufgeforderten Über-den-Tisch-Langen und dem Zugreifen noch nie gekostet hatte. Gewiss lag Fannys Liebhaber noch im Bett, in der Kemenate, wie Fanny gern sagte. Zumindest einer von ihnen. In letzter Zeit war häufig ein neuer da, der große, blonde Erich. Wie Bernard war auch er einige unbedeutende Jahre jünger als Fanny. Noch schien sich Tante Fanny zwischen beiden nicht entschieden zu haben, aber es kam selten vor, dass sie gleichzeitig zu Gast waren. Wie Bernard schlief auch Erich meist bis zum Mittag, doch während sich Bernard den Rest des Tages mit Wettgeschäften rund um die Pferderennen und als Zuschauer auf der Trabrennbahn seine Zeit vertrieb, lockte es den großen blonden Erich auf die Tennisplätze am Grunewald und jetzt im Winter in die Hallen. Einmal hatte er Helene gefragt, ob sie ihn begleiten wolle. Dafür hatte er einen Augenblick abgepasst, in dem Fanny nicht zugegen war, und er hatte dabei Helene so plötzlich und ungestüm seine Hand in den Nacken gelegt, dass Helene seither Begegnungen mit Erich fürchtete. Zwar beachtete er sie in Fannys Beisein nicht im Geringsten, umso jäher aber fielen seine Blicke über Helene her, kaum dass Fanny ihnen den Rücken zukehrte. Die Fenster der Veranda waren beschlagen, in der Wohnung wurde noch kräftig geheizt, und der Februarschnee blieb auf den Bäumen und Dächern liegen.

Die Tür wurde geöffnet und das Hausmädchen Otta brachte auf einem Tablett eine Kanne mit frisch aufgebrühtem Tee. Aus Ceylon, sagte Otta und stellte die Kanne auf den Tisch. Sie stülpte einen silbern schimmernden Wärmehut über die Kanne und entschuldigte sich.

Ich liebe euch, flüsterte Fanny wieder. Ihr schwarzer Königspudel, der auf den Namen Cleo hörte, sie sprach es englisch aus und behauptete, es käme von Cleopatra, wedelte mit dem kurzen Schwanz, ein weiches Knäuel. Sein Fell glänzte. Er blickte aufmerksam von einer jungen Frau zur anderen. Wenn Fanny ihm ein kleines Stück vom Mohnkuchen zuwarf, schnappte er es auf, ohne sie dabei anzusehen, so, als warte er auf keine süße Zuwendung, sondern gehöre seine Aufmerksamkeit ganz dem Gespräch. Mit dem Taschentuch tupfte sich Fanny die Nase ab, nicht nur im Winter musste sie häufig schniefen.

Meine Nase ist wieder gereizt, flüsterte sie und starrte dabei gedankenverloren auf ihre Knie, wie überhaupt meine Sinne, meine Kinder, ich liebe euch.

Auf der hölzernen Lehne von Marthas Sessel saß Leontine und wippte ungeduldig mit den Zehen. Martha hatte Leontine im Sommer wiedergetroffen, seither sahen sich die beiden jeden Tag. Immer häufiger übernachtete Leontine in der Beletage der Achenbachstraße.

Mein Freund sagt, sie haben nur eine Stelle frei. Sie suchen eine erfahrene Schwester. Das ist Martha. Fanny machte einen mitleidigen Schnabelmund in Helenes Richtung, sie klimperte mit den Wimpern, damit Helene ihr Bedauern erkannte und für wahr nahm. Gute Helene, Liebchen, für dich werden wir etwas anderes finden, ganz bald.

Schon in der kommenden Woche sollte Martha in der Exerzierstraße im Norden der Stadt anfangen. Fannys Verehrer war Oberarzt auf der Sterbestation des Jüdischen Krankenhauses. Fanny behauptete, er sei greis und lüstern und habe die Stelle entsprechend ausgeschrieben. Die Schwester sollte zwischen zwanzig und dreißig sein. Also Martha. Im richtigen Alter sollte sie sein. Er mochte Frauen im richtigen Alter. Nur solche. Weshalb sich die Verehrung für Fanny in den letzten Jahren etwas verflüchtigt habe. Die Sterbestation sei schwer zu verkraften, wegen der Siechen und Sterbenden, deshalb sei der Leitung eine ältere Schwester lieber. Nun sei sechsundzwanzig noch nicht alt, aber immerhin, Martha habe im Vergleich zu Helene schon mehr Erfahrung, nicht wahr?

Helene bemühte sich um ein bescheidenes Gesicht. Martha konnte ihr Gähnen nicht unterdrücken. Sie trug noch den seidenen Morgenmantel, den ihr die Tante jüngst überlassen hatte.

Leontine nickte für Martha: Kein Zweifel, Martha leert und füllt, reinigt und beruhigt, füttert und wickelt wie keine andere.

Das Beten wirst du noch lernen? Fanny meinte es ernst. Sie nahm Martha zu hohen Feiertagen mit in die Synagoge, aber Martha war schon im Petridom keine beflissene Beterin gewesen.

Martha spreizte den kleinen Finger ab, sie griff nach einem Ingwerstäbchen aus der blütenförmigen Glasschale und knabberte zögernd daran. Helene und Martha hatten sich häufig in den letzten Monaten darüber unterhalten, wie ungern sie der Tante zur Last fielen und auf ihre Kosten lebten. Sie genossen das gemeinsame Leben in der großen Wohnung, aber sie hätten Fanny gern etwas Geld gegeben und eigenes Geld zur Verfügung gehabt. Es war ihnen unangenehm, die Geldgeschenke der Tante annehmen zu müssen. Die Breslauer Erbschaft entpuppte sich als Schwierigkeit. Die Mieten kamen nicht flüssig, der bestellte Verwalter meldete sich schon seit Monaten nicht mehr. Martha und Helene trauten sich nicht, die Tante um Geld zu bitten, das sie gern nach Bautzen geschickt hätten. Als ein hilfesuchender Brief vom Mariechen gekommen war, sie wisse nicht, wovon sie der Mutter etwas zum Essen kaufen sollte, hatte sich Helene in die Speisekammer geschlichen und Lebensmittel erbeutet, die in einem Paket nach Bautzen geschickt worden waren. Zur gleichen Zeit hatte Martha eine von Fannys Schallplatten entwendet und sie im Pfandhaus gegen etwas Geld eingelöst. Eine Leihgabe, so hatten es Martha und Helene voreinander bezeichnet, bis Tante Fanny sie beiläufig gefragt hatte, ob sie wüssten, wohin ihr Richard Tauber verschwunden sein könnte. Helene hatte einen Hustenanfall erlitten, um Fanny nicht die angebrachte Gewissensnot zeigen zu müssen. Die sei ihr runtergefallen und kaputt gegangen, das hatte

Martha sofort geantwortet. Sie habe sich nur nicht getraut, es der Tante zu sagen. Falsche Reue? Marthas Augenaufschlag, die Unschuld in ihrem Antlitz war immer wieder erstaunlich. Fanny konnte Großmut beweisen.

Martha und Helene hatten sich in den vergangenen Monaten in einigen Krankenhäusern vorgestellt, aber bislang ohne Erfolg. Die ganze Stadt schien Arbeit zu suchen, und wer welche hatte, wollte eine bessere, eine mit höherem Lohn. Wer keine hatte, machte Geschäfte, aber von denen verstanden die Schwestern noch zu wenig. In Andeutungen wurde von Schiebereien und Wetten gesprochen und davon, dass sich nur hübsche Mädchen verkaufen könnten, zumindest in der Revue. Lucinde, Fannys Freundin, arbeitete in einer Revue, nackt, wie sie zum Besten gab, bekleidet nur mit ihrem Haar. Helenes Zeugnisse aus Bautzen fanden einige Bewunderung, doch schreckte ihr Alter ab, man fand sie für eine feste Stelle im Krankenhaus zu jung.

Das werde ich machen, Martha legte das angeknabberte Ingwerstäbchen auf den Rand ihrer Untertasse. Sie lehnte ihren Kopf an Leontine und hielt sich wieder die Hand vor den Mund. Fanny betrachtete Leontine und Martha, sie lächelte und fuhr sich mit der Zunge erst über die Zähne und anschließend über die Lippe.

Das freut mich. Ihr wisst ja, ihr seid meine Gäste, für immer, wenn ihr so wollt. Meinetwegen müsst ihr nicht arbeiten, keine von euch. Das wisst ihr? Fanny blickte in die Runde. Zwar hatte sie keinen Mann und keine Eltern mehr, aber offenbar war Fanny noch so reich und allein mit ihrem Vermögen, dass sie sich keine Gedanken über finanzielle Dinge machen musste. Außer Leontine natürlich, sagte Fanny, wer wollte nicht endlich eine schöne Frau zur Hausärztin haben. Leontine, wann machst du dein Examen?

Im Herbst. Keine falschen Hoffnungen, ich werde bei Professor Friedrich an der Charité anfangen. Es könnte sein, dass er sich für eine Habilitation einsetzt.

Du enttäuschst mich, Liebchen, ich sehe dich mit dem Arztkoffer in einem kleinen Doktorwagen vor meinem Haus halten. Warum keine Praxis – du könntest dir junge Assistenten zur Hilfe nehmen, solche wie Erich oder Bernard.

Leontine lächelte geschmeichelt. Sie hatte sich in Berlin eine seltsame Geschmeidigkeit zugelegt, sie lächelte häufiger, manchmal nur mit den Augen, und selbst ihre Bewegungen waren denen einer Katze ähnlich geworden. Leontine erhob sich und ging um den Tisch herum. Sie nahm Helenes blonden Zopf in beide Hände, als wolle sie ihr Haar wiegen, und legte dann ihre Hand auf Helenes Kopf. Helene wurde warm, es gab nichts Besseres als Leontines Hand auf dem Kopf.

Den privaten Patienten fehlt noch das Zutrauen in eine Ärztin, sagte Leontine und hob entschuldigend die Augenbrauen. Zudem verfüge ich nicht über das nötige Kleingeld.

Selbstverständlich müssen es keine Assistenten sein, es könnten auch Assistentinnen sein, Leontine. Solche wie Martha und Helene. Fanny kicherte. Wie ich höre, bist du mit einem debilen Paläontologen verheiratet. Man möchte meinen, der hätte etwas Kleingeld.

Lorenz und debil? Leontines Augen funkelten. Wer behauptet das? Mein werter Mann hegt wohl nicht das nötige Vertrauen in meine Niederlassung. Jetzt lachte Leontine ihr altbekanntes schwarzes Lachen.

Muss er nicht debil sein, wenn ihm nicht auffällt, dass seine Frau ihre Nächte nicht zu Hause verbringt? Fannys Zunge glitt wieder an der oberen Zahnreihe entlang und fuhr über die Lippen.

Lorenz ist liberal, von Grund auf, und zudem hat er schlicht das Interesse an mir verloren.

Fanny warf ihrem Königspudel Cleo einen Brocken vom Mohnkuchen zu und schenkte sich ein Glas Weinbrand ein. Jetzt fiel Fannys Blick auf Helene. Leontine sagt, du beherrschst die Schreibmaschine und Stenographie? Fannys Nase lief, doch sie bemerkte es zu spät. Es gelang ihr lediglich, das Rinnsal mit dem Taschentuch am Kinn aufzufangen. Du hast die Buchhaltung in der Druckerei eures Vaters gemacht?

Helene zuckte unschlüssig die Achseln. Es schien ihr lange her zu sein, dass sie diese Dinge erledigt hatte. Ihr altes Leben war in eine gute Ferne gerückt, sie erinnerte sich lieber nicht. Was sie übte, war die Erinnerungslosigkeit, nur so, das hatte sie bei einer Gesellschaft jüngst einem Galan zugeflüstert, könne man die Jugend halten. Dabei hatte sie ihn so unschuldig angesehen, dass der Galan sie ernst nehmen musste und ihr zustimmen wollte.

Die vergangenen Monate in Berlin hatten für Helene vornehmlich aus dem Lesen in Fannys Bibliothek, Spaziergängen und der heimlichen Sorge um Martha bestanden. Helene ließ Martha nur ungern aus den Augen. Dabei bewunderte sie jene Furchtlosigkeit, mit der Martha und Leontine sich in jeden noch so anrüchigen Club auf der Bülowstraße schmuggelten. Helene hasste die Nächte, in denen sie vom Stöhnen ihrer Schwester und der Freundin geweckt wurde. Nie fühlte sie sich einsamer als auf dem schmalen Bett, wenn keinen Meter entfernt auf einem ebenso schmalen Bett Martha und Leontine um Luft rangen. Mal kicherten sie, mal hielten sie inne, sie wisperten und fragten sich so laut, dass Helene es hören musste, ob Helene wohl von ihrem Geflüster geweckt wurde. Dann wieder ihr Schmatzen, das Seufzen, vor allem Marthas, und das Rascheln ihrer Bettdecke. Manchmal hatte Helene den Eindruck, sie spüre die Wärme, die von ihren Körpern ausging.

Du kennst meinen Freund, Clemens, den Apotheker, er sucht eine Helferin, eine, die mit der Schreibmaschine kann, die hübsch ist und freundlich zu den Kunden. Ich könnte ihn fragen.

Das ist sie, sagte Leontine und strich Helene über das Haar.

Du bist doch verschwiegen? Martha zog zweifelnd ihre Stirn kraus.

Das ist sie, wiederholte Leontine und hörte nicht auf, Helenes Haar zu streicheln.

Apotheker wahren Geheimnisse, Fanny flüsterte nicht, sie raunte mit ihrer samtigen Stimme, meine, Bernards, Lucindes, die der halben Stadt.

Helene wusste nicht, was sie antworten sollte. Im Gegensatz zu Martha war es ihr nicht gelungen, Fannys Zuneigung und Vertrauen zu gewinnen. Zwar wohnten sie nun schon fast ein Jahr bei der Tante, überließ die Tante ihnen ihre Kleider und führte sie in ihren Freundeskreis ein, aber es schien, als hielte sie Helene für ein unschuldiges Kind und wollte sie alles dafür tun, dass sich daran nichts ändere. Manchmal glaubte Helene, an Fanny eine Scheu ihr gegenüber zu erkennen. Bestimmte Dinge besprach sie nur mit Martha, ob es sich um die Garderobe oder den Klatsch der Gesellschaft handelte. Selten hatte Helene die neun Jahre Altersunterschied zwischen Martha und sich so groß empfunden wie in Gegenwart der Tante. Gewöhnlich standen alle Türen in der Beletage offen. Doch wenn Fanny Martha zu sich in ein Zimmer rief, schloss sie häufig die Tür, und Helene ahnte, dass Fanny hinter der Tür ihre kleine runde Dose mit dem Löffelchen und dem weißen Pulver zum Vorschein brachte, das sie einzig mit Martha teilte, mit niemandem sonst. Dann lauschte Helene auf Zehenspitzen und hörte sie schnupfen und seufzen, und Helene bereute in diesen Augenblicken, in denen sie auf Zehenspitzen mit kalten Füßen in einem dunklen Flur stand und ihr nur das Pendel der weißen, englischen Standuhr mit ihrem goldenen Ziffernblatt Gesellschaft leistete, dass sie mit Martha nach Berlin gegangen war. Kein einziges Mal hatte Fanny gefragt, ob Helene sie abends begleiten wolle.

Nur wenn Leontine mit Martha in den etwas abgetakelten Lunapark ging, durfte Helene mitgehen. Dort ließen sich die Mädchen im alten Wellenbad treiben, dessen Wellen nur noch vom Wind erzeugt wurden, sie unterhielten sich, sie planschten, und es war ihnen gleich, wenn die am Beckenrand lungernden jungen und älteren Herren sie dabei beobachteten. Das Wellenbad trug in der Stadt die Spitznamen Nymphenbecken und Nuttenaquarium, was den Mädchen als schlechte Formulierung für die Lebensfreude junger und älterer Herren erschien. Die Mädchen bezahlten ihren Eintritt selbst, sie mochten die Wellen und die Rutschbahn in den See. Nahm das den männlichen Zuschauern nicht das Recht, sich als Luden und auch nur als potenzielle Freier zu fühlen?

Die Stadt ist klein, das verrate ich euch. Alle Welt hält sie für groß, weil sie eine so wunderschöne Seifenblase unserer Phantasien ist. Fanny zündete sich eine ihrer englischen Zigarren an und legte ihren Kopf in den Nacken. Jede eurer phantastischen Blasen dehnt sie, macht sie größer, schillernder, fragiler. Taumelt sie? Fanny zog an der dünnen Zigarre. Steigt sie? Fanny paffte kleine Ringe. Sinkt sie? Fanny gefiel ihre Idee, dann verschwand ihr Lächeln. Gut, wenn du Geheimnisse wahren kannst, Helene. Das wird der Apotheker zu schätzen wissen. Und ich auch. Ich werde ihn fragen. Fanny nickte, als müsse sie ihre Worte bekräftigen und sich Mut machen. Sie nahm den letzten Schluck Weinbrand aus ihrem Gläschen, tupfte sich mit dem Taschentuch behutsam die Nase ab. Ihr rann eine Träne aus dem Augenwinkel. Meine Sinne, Kinder, ich liebe euch. Ihr wisst, dass ihr nicht arbeiten müsst? Warum sollte es euch schlechter gehen als Erich und Bernard. Bleibt bei mir. Füllt mir das Haus wie das Herz, sagte sie und war nun sichtlich ergriffen und gerührt. Ob von ihrer Einsamkeit oder der Vorstellung eines großen Herzens, das fragte sich Helene. Fanny schnäuzte sich und streichelte Cleos Schnauze.

Es läutete an der Tür. Wenig später erschien Otta und meldete einen Besuch an. Ihr Freund, Mademoiselle, der Herr Baron. Er kommt mit mehreren Koffern. Soll ich ein Zimmer herrichten?

Ach, habe ich das vergessen? Meine gute alte Otta, bitte, ja, richten Sie ein Zimmer, das goldene am besten. Er wird länger bleiben, er möchte sich in Berlin umsehen. Zu Martha sagte

Fanny: Er ist Maler, ein echter Künstler. Fanny riss ihre geröteten Augen auf. Die Asche ihrer Zigarre war lang geworden. Suchend blickte sich Fanny um. Sie hatte den Aschenbecher aus dem Auge verloren und streifte die Asche nun an dem Teller mit Mohnkuchen ab. Er hat es in Paris versucht, jetzt kommt er her. Hier kann er malen bis zum Umfallen. Wenn es das nur wäre. Heute will ja jeder gleich einen Club gründen und Häuptling werden. Fanny schüttelte sich. Kürzlich war sie einem kleinen, aufgedrehten Mann begegnet, der viel von sich reden und sich selbst einen Namen gemacht hatte, einem Künstler, der sich gegen jeden Inhalt wehrte. Allein die Form galt ihm, das Dasein als Künstler, die Anerkennung und, freilich, die Gefolgschaft. Er gründete einen Club und ernannte sich selbst zum Häuptling. Es war ihm ernst, das erstaunte Fanny. Etwas an der Begegnung musste Fanny nachhaltig missfallen haben, womöglich war es der Anspruch auf liebendes, vergötterndes Gefolge.

Neugierig blickten die Mädchen auf, noch nie hatten Martha und Helene einen Adligen aus der Nähe kennengelernt. Doch wie sich schon bald im Gespräch herausstellte, war er nicht adlig. Einzig sein Name lautete Baron, Heinrich Baron.

Er besaß nicht viel, vor allem wenig Geld. Das wenige, das er hatte, wollte er mit einem jungen hübschen Mädchen teilen, das ihm Modell stehen wolle und ihn zeichnen lasse, zeichnen bis zum Umfallen. Der Baron war ein kleiner Mann, klein war einer, der genauso groß war wie Helene. Seine Stirn war hoch, licht war das Haar, eine Schneise deutete sich von der Stirn bis zum Hinterkopf an. Sie mochte seine Augen, die mit ihrem traurigen und verlorenen Ausdruck wohl leicht Vertrauen weckten und ein junges Mädchen wie Helene größer erscheinen ließen.

Auch wenn es Helene unangenehm war, wie die Augen des Barons an ihr klebten, so versprach sein Augenmerk einen gewissen Schutz vor dem großen Erich, der nun kaum noch eine ungestörte Gelegenheit fand, Helene in eine dunkle Ecke zu schubsen und ihr, während Fanny nur kurz in die Küche gegangen war, um nach Otta zu schauen, und Martha im Krankenhaus arbeitete und lediglich Cleo mit ihren aufmerksamen Augen und zuversichtlich wedelndem Schwanz Zeugin wurde, eine Hand auf die Brust zu legen, um ihr im selben Augenblick die dicke, nasse Zunge ins Ohr zu stoßen und schnaufend seine Zunge in ihrer Ohrmuschel zu wälzen. Sobald Helene hörte, die erschrocken den Atem anhielt und der es nicht einfiel, laut zu rufen, an den leichten Trappelgeräuschen von Cleos Beinen, dass Fanny aus der Küche zurückkam, und waren endlich auch ihre Schritte zu hören, ließ Erich so plötzlich von Helene ab wie er nach ihr gegriffen hatte, und trat festen Schrittes Fanny entgegen. Ob sie nicht ihren Schläger nehmen und mit zum Grunewald kommen wolle, er habe ein Automobil geliehen, sie fahre doch so gern.

Eines Tages setzte der Baron seine Brille ab, putzte sie und fuhr sich sacht mit der flachen Hand über seine ausgeprägte Stirnglatze. Er fragte Helene, ob sie etwas verdienen wolle. Helene fühlte sich geschmeichelt, noch nie hatte ein Maler sie zeichnen wollen. Sie schämte sich. Wer außer Martha hatte sie schon nackt gesehen?

Scham ist etwas für andere Mädchen, nicht für Schönheiten wie sie eine sei. Das sagte der Baron laut aus der anderen Ecke des Zimmers, in dem sie sich an einem Sonntagmorgen, an dem niemandem mehr einfiel zur Kirche zu gehen oder auch nur an Gott zu denken, verabredet hatten. Er hoffte, Helene damit hinter dem Paravent hervorzulocken. Sie sollte es ja nicht umsonst tun, sich zeigen. Sie bekam etwas dafür. Der Baron wedelte mit einem Schein. Dass ihre Brüste winzig waren, störte den Baron wenig, er hielt es für ein Zeichen ihrer Jugend. Ihr blondes Haar machte ihn froh. Er lachte, sie sei ja noch ein Kind. Das gefiel ihm und er zeichnete und fiel und fiel einfach nicht um. Helene wurde müde. Nach einigen Wochen sagte er, sie sei eine Magierin, da sie jeden Tag anders aussähe und ihn neu sehen ließe.

Der Baron sprach davon, dass sie ihm neue Augen schenke, jeden Tag. Er gab ihr die frischgepressten Münzen und die druckfrischen Scheine, auf denen jetzt nicht mehr Rentenmark, sondern Reichsmark stand, und die Helene wie Eintrittskarten in ein selbstbestimmtes Leben erschienen.

Helene ging nun tagsüber in die Apotheke, bewies dort ihre Verschwiegenheit, und abends zog sie sich für den Baron aus, für einen Baron, der sie als Magierin und Kind sah und in dessen Gegenwart sie sich doch zum ersten Mal als Frau fühlte. Das verheimlichte sie ihm. Schließlich lag es an der Scham und an der Aufregung, nicht etwa an seinem taxierenden Blick, mit dem er um sie herum schlich, sie bat, sich zu setzen, zu legen, den Arm anzuwinkeln, und das linke Bein etwas mehr nach außen, ja, so zu spreizen; und bald hatte er eine Sehnenentzündung. Helene musste an jenen Drachen denken, der auf dem Felsen lebte und sich von Jungfrauen ernährte. Sie war sich keiner Schuld bewusst, er erregte ihr Mitleid. Er konnte die Kohle nicht mehr halten. Helene sollte sich nicht mehr ausziehen. Sie verdiente nicht mehr sein weniges Geld und ging nun länger in die Apotheke.

Abends, wenn sie aus der Apotheke kam, brachte Helene in einer kleinen Schachtel weißes Pulver mit, das sie Fanny zum Beweis ihrer Vertrauenswürdigkeit wortlos auf den Nachttisch stellte. Für Martha sorgte Leontine, wenn auch widerwillig, nur manchmal, wenn sich eine gute Gelegenheit ergab, brachte Helene für Martha etwas Morphium aus der Apotheke mit. Im Berliner Zimmer saß der Baron auf der Chaiselongue und erwartete Helene mit seinen traurigen und verlorenen Augen. Dass er sie nur ansah und nicht anrührte, mochte Helene. Alle Frauen um sie herum pflegten Verhältnisse. Helene fühlte sich nicht mehr zu jung, nur konnte sie sich nicht entscheiden. Sie verband den Arm des Barons und kühlte und wärmte ihm die Sehne. Er schenkte ihr ein Sträußchen hellgelbe Astern. Sie nahm es gerne an. Schon während sie die Blumen in eine Vase stellte, stellte sie sich vor, es wären späte Rosen und wie es wäre, wenn Clemens, der Apotheker, ihr diese Blumen geschenkt hätte. Helene wollte lieben, mit aller Unbedingtheit und Furcht, die wohl dazu gehörte. Aber war das schon alles, das Kitzeln im Bauch und das Flimmern unter der Brust? Sie musste lächeln. Fannys Glauben, es handele sich bei Clemens um einen Freund, konnte Helene nicht teilen. Der ausgemergelte Apotheker, an den Helene häufig denken musste, wenn sie mal einen Tag frei hatte, blickte weder Fanny noch einer anderen Frau länger in die Augen als nötig. Auch sah er keiner von ihnen nach und sprach kein Wort zuviel. Einzig, wenn seine Frau die Apotheke betrat und mit zwei, drei ihrer insgesamt fünf kleinen Kinder an den Rockzipfeln etwas abholen oder erfragen wollte, die Kälte hatte ihr rundes Gesicht gerötet und ihre riesigen blauen Augen leuchteten, öffnete sich das Gesicht des Apothekers und er erwachte. Er küsste seine Frau und herzte seine Kinder, als sähe er sie nur selten.

Der Apotheker kam aus keiner vermögenden Familie, er verdiente sein Geld schwer und musste Schulden für die Apotheke auslösen. Tagsüber verzehrte er sich nach seiner Frau und den Kindern. Wenn Fanny in ihm einen Freund sah, mochte es daran liegen, dass sie nicht erkannte, wie wichtig ihm das Geldverdienen war. Helene schrieb auf der Schreibmaschine für ihn die Bestellungen, Briefe und Abrechnungen. Er zeigte ihr, zu welchen Konsistenzen sich Fette und Säuren mischen ließen, brachte ihr notwendige Kenntnisse über die Reaktionen von Basen und Säuren bei und überließ ihr schließlich ein dickes Buch für das Lernen zu Hause. Helene wusste, dass sie diese Kenntnisse für ein mögliches Studium benötigen könnte, also eignete sie sich alles an, was ihr geboten wurde. Sie machte es sich zur Gewohnheit, dem Apotheker jeden Abend fünf Maiblätter, und wenn das große Glas leer war, ihm aus dem kleinen Glas Himbeeren und Veilchenbonbons einzupacken. Seine Kinder freuten sich darüber. Helene arbeitete seine Rechnungsbücher vor und rührte Salben an, sie blieb nach Ladenschluss in der Apotheke, wenn er schon nach Hause zu seiner Frau und seinen Kindern eilte. Das Abzweigen von Giften war ein Leichtes, nach kurzer Zeit kannte Helene die Unterschriften und Stempel der Ärzte, sie wusste, wer was wem verordnete und wo sie eine Null an die Bestellungen hängen konnte. Aus zwei Gramm Kokain wurden zwanzig, aber nur selten aus einem Gramm Morphium zehn und hundert. Die Bestellungen nahm sie selbst entgegen, sie wusste, wann der Lieferant kam. Sie ordnete die Gläser und Schachteln selbst, bestätigte den Empfang und wog die Substanzen. Der Apotheker wusste, dass er Helene vertrauen konnte. Sie entlastete ihn, in der Verantwortung, aber auch bei der Arbeit. Wenn sie die Kristalle zu Pulver rieb und in Kapseln stopfte und Flüssigkeiten in kleine Fläschchen füllte, genügten kurze Anweisungen und ein flüchtiges Lächeln. Im Laufe der Zeit lernte Helene hinzu, sie mischte Alkohol mit kostbaren Wirkstoffen und ermittelte Basen und Säuren der Tinkturen, so dass sie den Apotheker nicht weiter behelligen musste.

Aber das Lächeln des Apothekers war zu flüchtig. Ein sanftes Kitzeln im Bauch und ein Flimmern unter der Brust entfachte noch kein Feuer und bescherte Helene nicht das Verhältnis, von dem sie glaubte, dass sie es nun haben müsste.

Der Baron umschmeichelte sie und bewachte sie mit seinen aufmerksamen Blicken, nur ließ er jede noch so günstige Gelegenheit verstreichen, die Hand nach Helene auszustrecken.

Einmal saßen sie am frühen Abend beisammen, Martha hatte den Kopf auf Leontines Schoß gelegt und war eingeschlafen, Fanny stritt sich mit Erich über die weitere Abendgestaltung und Helene las aus der neuen Ausgabe von Rot und Schwarz vor. Der Baron hatte sich in den Sessel neben Helene gesetzt, nippte an einem Glas Absinth und lauschte.

Leontine entschuldigte Martha und sich, umständlich stand sie auf, Martha barmte, ihre Knochen, ihre Nerven, ihre Haarwurzeln taten weh, halb musste Leontine Martha tragen, halb stützte sie Martha, um mit ihr ins Bett zu kommen. Kaum hatten die beiden das Zimmer verlassen, sprang Erich entschlossen auf. Die Nacht sei jung, und das nicht lang, er wolle endlich aufbrechen. Fanny hielt ihn am Hemd fest. Erich schüttelte sie ab. Nimm mich mit, flehte sie. Türen schlugen.

Plötzlich war Helene mit dem Baron allein, sie las weiter, wie Julian Madame Rênal anbot, ihr Haus zu verlassen, wie er angeblich die Ehre seiner Herzensdame und doch auch beider Liebe retten wollte, wie sich die Dame erhob und zu allem Leid bereit war. War dies nicht der Augenblick, in dem der Abstand zwischen dem Baron und Helene so ganz geronnen war, geschmolzen? Angeregt durch die fremde Leidenschaft, die hier größer zu werden schien als die Seiten im Buch, musste er bloß seine Hand ausstrecken. Aber er hob den Arm nur, um seine Hand jetzt auf der Lehne seines Sessels, zwischen sich und Helene, abzulegen. Mit der anderen hielt er fest sein Glas, nahm den letzten Schluck und füllte sich das Glas neu auf. Helene bemerkte, wie ihre Ungeduld in Ärger umschlug. Sie hielt beim Lesen inne.

Möchtest du auch etwas trinken, Helene?

Sie nickte, obgleich sie nicht wollte. Nie hätte Stendhal Julian jetzt etwas derart Profanes sagen lassen. Helenes Blick fiel auf die erste Seite: Die Wahrheit! Die bittere Wahrheit! Helene ahnte, was dieser Stendhal mit dem Ausruf Dantons bezweckte. Unverdrossen goss der Baron Helene ein Gläschen ein, er prostete ihr zu und fragte, ob sie nicht weiterlesen wolle. Vielleicht bemerkte der Baron ihr Zögern? Mit eigensinniger Freude holte er aus. Zwar sei er in Frankreich gewesen und spreche fließend, aber er habe in seinem Leben noch keine Zeit gefunden, diesen Roman zu lesen. Wie dankbar sei er nun, dass Helene ihm auch diese Welt eröffne. Helene spürte Müdigkeit aufkommen, nur halbherzig unterdrückte sie ein Gähnen. Eine Jungfrau sollte eine Jungfrau bleiben sollte eine Jungfrau bleiben. Während sie lustlos und bald angestrengt fortfuhr, erblassten ihre noch eben von der Erwartung geröteten Wangen. Ein Kopfweh kroch ihr den Nacken herauf. Als die Standuhr im Korridor ihren Gong zur vollen zehnten Stunde schlug, schloss Helene das Buch.

Ob sie nicht weiterlesen wolle? Der Baron wirkte erstaunt.

Nein. Helene stand auf, ihre Kehle war trocken, der Geschmack des Absinth verursachte eine leichte Übelkeit. Sie wollte nur noch in ihr Bett und hoffte, dass Martha und Leontine im gemeinsamen Zimmer schon fest schliefen.

Der Frühling flog vorbei; ohne Erwecken und Erwachen. Im Juni zur kürzesten Nacht wurde Helene neunzehn. Noch keine einundzwanzig, aber alt genug, wie Fanny und Martha meinten, um sie das erste Mal mit in die Weiße Maus zu nehmen. Fanny überreichte Helene einen schmalen Umschlag, darin steckte ein mit ihrer wunderbar liegenden Schrift verfasster Gutschein über einen Gymnasialkurs für Mädchen in der Marburger Straße. Der Kurs sollte schon im September beginnen, er würde sich gut mit Helenes Arbeit vertragen, da er abends stattfinden sollte. Aus unerfindlichem Grund hatte Fanny dem Gutschein den Titel Zur Bewährung gegeben, sie hatte diesen über allem thronenden Titel unterstrichen, und es schien Helene, als wolle sie damit auf jenen unsichtbaren Graben verweisen, der durch die Geste keineswegs zugeschüttet werden durfte.

Helene bedankte sich, aber Fanny sah sie nur streng an und begann mit Martha eine Unterhaltung über den im nächsten Jahr anstehenden ersten Schönheitswettbewerb auf deutschem Boden, an dem Martha nach Fannys Ansicht dringend teilnehmen sollte.

Lauter Knochen und Nerven, bündelweise, sagte Martha erschöpft.

Ach was, entgegnete Fanny, von außen sieht man besser. Schau dich mal an. Fanny legte Martha ihre lange Hand in den Nacken. Helene musste wegsehen.

Aus einer Laune heraus und zur Erschütterung des Barons

schnitt Leontine Helenes Haare am Nachmittag kurz, kurz bis zum Ohrläppchen, der Haarsaum wurde im Nacken mit dem Messer angeschoren. Wie leicht ihr Kopf jetzt war.

Zur Feier des Tages, sagte Leontine und ließ sich zum Dank von Helene küssen. Dass Helene ihren angewachsenen Ohrläppchen jemals so nah sein würde! War es möglich, diese Ohrläppchen zu küssen? Helene berührte nur flüchtig mit ihren Wangen Leontines Wangen, ihre Küsse flogen in die Luft über Leontines Schultern, zwei, drei, vier, nur Helenes Nase berührte die Ohren der Freundin. Wie konnte Leontine ihren Duft aus der Lausitz bis in den heutigen Tag retten?

Der Baron war während der Prozedur des Haareschneidens ständig an der offenen Tür des Badezimmers vorbeigeschlichen, steckte unter fadenscheinigen Vorwänden seinen Kopf zur Tür herein und stieß dabei Klagen aus. Das könne er nicht sehen, rief er, während er mit der Hand nur zaghaft die eigene Bresche befühlte und kaum mehr bedecken konnte. Eine Sünde ist das!

Martha überreichte Helene ein knielanges Kleid aus Seidenatlas und Chiffon, das sie selbst noch in der letzten Saison getragen hatte und das ursprünglich von Fanny stammte. Helene würde jetzt groß genug sein, das stimmte. Nur war Helene nicht so mager wie Fanny und Martha. Leontine zögerte nicht, sie ließ das Kleid an den Nähten aus und verlangte eine Nadel. In weniger als einer halben Stunde passte das Kleid Helene wie angegossen. Aus dem Augenwinkel sah Helene, wie der Baron sich bückte und ihr zu Boden gefallenes Haar aufhob. Er legte sich die langen goldenen Strähnen über den Arm und verschwand damit, beinahe unbemerkt, aus dem Badezimmer. Fanny verkündete, sie fühle sich für Atlas zu alt und zu jung. Für Helene wäre das Kleid das richtige, sagte Fanny und sah nicht mehr hin, als Helene das Kleid angezogen hatte. Gymnasialkurs und Kleid mussten ihr als geeigneter Weg erscheinen, Helene loszuwerden.

Die Nacht in den Sommer, die Luft war warm, ein Wind kam auf. War Helene die neue Frisur nicht geheuer? Sie setzte jenen Hut auf, der mit der Hinterlassenschaft des Breslauer Großonkels nach Bautzen geschickt worden war, ein topfähnlicher Hut, ähnlich denen, die jetzt alle Frauen trugen, nur war ihrer aus Samt und mit Straßsteinchen besetzt.

Fanny ging mit Lucinde und dem Baron voraus, Leontine und Martha nahmen Helene in ihre Mitte und hängten sich ein. Der Duft von Lindenblüten wehte ihnen entgegen. Ein durchsichtiger Schal aus Organza ersetzte Helene ein Jäckchen. Angenehm kühl strich der Wind um ihren Hals.

Am Eingang der Weißen Maus standen zwei weißgesichtige Menschen, deren Schminke schwer erkennen ließ, ob es sich um Männer oder Frauen handelte. Die Portiere verhandelten ohne Lächeln über den Einlass der Gäste, Bekannte wurden begrüßt und Fremde abgewiesen. Fanny wurde erkannt, sie steckte mit einem der beiden Portiere den Kopf zusammen und sagte ihm wohl, dass der Baron, Lucinde und die jungen Frauen zu ihr gehörten. Dem Portier war das recht, mit einer einlassenden Geste öffnete er ihnen die Tür. Das Lokal war nicht besonders groß, die Menschen standen eng aneinandergedrängt. Weiter vorn an einer Bühne gab es Tische, an denen Gäste saßen. Die Zeit, in der eine gewisse Anita Berber hier ihren Tanz des Lasters und des Grauens aufführte, ein Spektakel, das nur mehr Totentanz hieß, war vorüber, es hieß, sie sei jetzt auf einer richtigen Bühne angekündigt, erscheine aber nicht allzu häufig. Doch jeder der Gäste sah sie noch hier auf der Bühne stehen. Immer wieder gingen die Blicke zu den roten Vorhängen, als vermute man, sie könne dort jeden Augenblick erscheinen und tanzen. Man hatte lesen müssen, wie sie von ihrem Liebsten in Wien bestohlen und verlassen worden war, worauf er nach Amerika gereist sein und dort binnen eines Jahres vier Frauen geheiratet haben sollte. Das neueste Gerücht lautete, er sei zurück in Hamburg schnell verstorben.

Doch statt der Berber versammelten sich bald drei Musiker auf der Bühne, eine Posaune, eine Klarinette und eine Trompete. Und als Helene noch glaubte, mit diesen langgezogenen Tönen übten sie, begannen einzelne Gäste mit dem Tanzen. Helene wurde durch die Menge geschoben, Fanny gab an der Garderobe ihren Umhang ab und nahm Helene ungefragt den Hut vom Kopf, Lucinde ließ Champagner und Gläser kommen. Sie tuschelten, war das nicht Margo Lion, die dort hinten in einer Traube von Menschen stand? Die Blicke des Barons galten einzig Helene, sie klebten an ihr, an ihrem Gesicht, an ihren Schultern, ihren Händen. Seine Blicke gaben ihr ein zugleich sicheres und unangenehmes Gefühl. Die Nacktheit ihres Halses war wohl eine Herausforderung, eine nicht ungewollte, wie Helene zu sich sagte, aber eine durchaus erregende. Plötzlich spürte sie einen Atem auf ihrer Schulter, und der Baron sagte mit seiner zarten Stimme, die fast quietschte, wo er ihr Festigkeit verleihen wollte: Helene, dein Schal ist dir von der Schulter geglitten. Helene sah an sich herab, verständnislos betrachtete sie den Baron, der ihr heute Nacht noch kleiner als sonst erschien. Wieder näherte er seine Lippen, fast küsste er ihren Hals: Ich sehe deine Grübchen in den Schultern, und sie machen mich verrückt.

Helene musste lachen. Jemand stieß ihr sacht in den Rücken.

Du solltest den Schal wieder um die Schultern legen, sonst entdecken dich andere Männer.

Der Baron wollte wohl ein Recht an ihrer Nacktheit äußern. Helene drehte sich um. Hinter ihr standen Fanny und Lucinde, sie hatten Bernard und einen Freund getroffen. Fanny forderte ihre Freunde und Nichten auf, sich ein Glas vom Tablett zu nehmen. Es war ein Glück, dass es in diesem Lokal laut war. Helene wollte dem Baron nichts erwidern, sie ließ nachlässig den Schal in ihren Armbeugen, auch das Klimpern mit den falschen Wimpern war aufregend, und es machte ihr gar nichts aus, wenn andere Männer ihre Grübchen sahen.

Leontine begrüßte einen jungen Mann, sie stellte ihn vor, sein Name sei Carl Wertheimer. Die Musik wurde so laut, dass Leontine schreien musste, während er sich mit den Händen die Ohren zuhielt. Er sei einer ihrer Studenten in der Pathologie, schrie Leontine, einer, der sich hineingeschummelt habe. In Wirklichkeit studiere er Philosophie und Sprachen, Latein, Griechisch, aber auch neuzeitliche Literaturen, offenbar wolle er Dichter werden. Der junge Mann schüttelte heftig den Kopf. Niemals. Doch, sagte Leontine lachend, sie habe schon einmal beobachtet, wie er im Kreise von Studenten ein Gedicht aufgesagt hätte, gewiss ein selbst gedichtetes. Carl Wertheimer wusste nicht, wie ihm geschah. Er sei ein ganz gewöhnlicher Student, wenn er den Ovid oder Aristoteles zitiere, dann dürfe man das nicht mit den nachahmenden Bemühungen Heranwachsender vergleichen. Im Übrigen besitze er in Anbetracht der klugen Damen nicht den Mut, sich zu solchen Bemühungen zu bekennen. Leontine fuhr ihm über das Haar, so, wie eine große Schwester es machen könnte, sie ließ ihn als kleinen Jungen erscheinen, und Helene blickte ihn jetzt forschend an, seine Augen befanden sich auf ihrer Höhe, sein schmaler Körper war der eines Knaben. Er mochte in Helenes Alter sein. Helene sah ihn einen Augenblick lang wie einen, der zu ihr gehören könnte, aber noch galt seine Aufmerksamkeit ausschließlich Leontine. Es war deutlich, dass Carl Wertheimer zu Leontine aufblickte, nicht nur, weil sie wenige Zentimeter größer zu sein schien als er, vermutlich schätzte er diese ungewöhnliche Frau als Lehrerin, vielleicht war er ein wenig verliebt in sie.

Auf der Bühne gesellten sich weitere Musiker zu den ersten, auch sie spielten Posaune, Klarinette und Trompete. Die Töne wurden verschleppt, der Takt schlingerte und schwang. Zu Helenes Erstaunen begannen immer mehr Menschen um sie her zu tanzen, schon konnte Helene kaum noch den Tanzboden erkennen, das Parkett unter ihren Füßen vibrierte mit der Musik. Fanny und Bernard stürmten voran, Lucinde nahm Bernards

Freund an die Hand, selbst Martha und Leontine mengten sich unter die Tanzenden, nur der Baron zog sich zurück. Er bewachte das Tablett mit den zurückgelassenen Gläsern, er stand mit dem Rücken zur Wand und ließ Helene, die noch unschlüssig war, nicht aus den Augen. Eine Hand legte sich sacht auf Helenes Arm. Ob sie tanzen wolle, fragte ein bartloser Mann, er nahm ihr das Glas aus der Hand und zog sie mit sich. Mit einer Hand hielt er Helene fest, als müsse er aufpassen und könne die Musik sie davonlocken, erst tragend, dann schnell, mit der anderen Hand berührte er wie zufällig beim Tanzen ihre nackten Arme. Kein Ding und kein Lebewesen blieb von der Musik verschont, sie ging durch sie hindurch, erfasste jedes Teilchen und wandelte in Bruchstücken der Zeit den Aggregatzustand des Raumes, der eben noch still und starr war, jetzt aber sich in einem Aufruhr befand, wie es Helene schien, der nicht nur jedes Molekül und jedes Organ in Schwingungen versetzte, sondern die Hüllen der Körper wie auch die Grenzen des Raumes strapazierte, ohne sie zu sprengen. Die Musik dehnte sich aus, erfüllte den Raum mit ihrem matten Glanz, einem zarten Glitzern, dem Sprühen feinster Melodien, die kein übliches Maß mehr kannten, sie bog die Körper der Tanzenden, krümmte sie, richtete sie auf, das Schilf im Wind. Einmal legte der Bartlose seine Hand auf ihre Hüfte, dass Helene erschrak, aber er wollte sie nur davor bewahren, mit einem tanzenden Paar zusammenzustoßen. Helene hielt Ausschau, sie erkannte Leontines Hals, ihr dunkles kurzes Haar, Helene drängte seitwärts, sie wand sich an den Körpern entlang, die sich ihr zuneigten und abwendeten, sie schlängelte sich durch die Tanzenden, der bartlose Mann folgte ihr mit jedem Schritt, vorbei an Tänzern, unter ihren Armen hindurch, bis Helene Marthas Hand erwischte und Leontines Lachen entdeckte. Der Bartlose ruderte wild mit den Armen, er drohte, er machte Handstand und kam wieder auf die Füße. Helene musste lachen. Sie versuchte, dem Eiern der Musik zu folgen, ihre Schultern und Arme bewegten sich, die Menschen um sie her zappelten, sie wirbelten sich in die Musik, verhedderten sich und traten einander auf die Füße. Die Musik erinnerte Helene ans Schaukeln: Wurde man angestoßen, riss der Schwung alles mit sich und wirkte zielgenau und stark, doch schon im folgenden Takt begann das Straucheln. Ließ man sich baumeln und streckte die Beine mal in die eine, dann in die andere Richtung, so begann ein Taumeln und ein Trudeln, ein elliptisches, mit einer eingeschriebenen Konsequenz sich verringernder Kreise. Marthas Kopf wackelte bedenklich, ihr Haar löste sich, wie eine Ertrinkende warf Martha ihre Arme in Leontines Richtung. Helene sah ihre glasigen Augen, den nachtverschleierten Blick, der keinen mehr traf und niemanden erkennen konnte. Sie winkte Martha zu, aber Martha stützte sich jetzt auf Leontine und ein trunkenes, etwas dümmliches Lächeln quoll aus ihrem Gesicht. Wieder stieß die Trompete vor, gab Anstoß und die Tanzenden gerieten ins Schwitzen und die nackten Arme und Schultern der Frauen glänzten im schmalen Lichtschein der kleinen Lampen. Im nächsten Augenblick konnte Helene das Veilchenblau von Leontines Kleid nicht mehr sehen, und Marthas rührseliges Lächeln war verschwunden, ein neuer Rhythmus setzte ein, Helene schaute sich um, konnte aber weder Leontine noch Martha entdecken. Derweil erblickte sie den Rücken ihres bartlosen Tanzpartners vor sich, der nun mit einer anderen jungen Frau tanzte.

Helene fand sich allein inmitten der aufgebrachten Menge. Die Musik umfing sie, nahm Besitz, wollte herein in sie und zugleich hinaus, Helene stieß Arme und Beine von sich. Eine Angst ermächtigte sich Helenes Körper, Helene kannte keine der Bewegungen, noch wusste sie, wo sich der Boden befand. Selbst wenn der Boden nachgab, ihre Füße landeten und hoben sich von ihm, man befand sich in gegenseitiger Abhängigkeit. Helene wollte an den Rand gelangen, dorthin, wo sie den Baron vermutete, auch wenn sie seinen Hut nicht entdecken konnte und auch sonst keinen der ihrigen sah, aber die Tanzenden stießen sie immer wieder in ihre Mitte und ihre Beine hörten nicht auf, dem Rhythmus zu folgen. Nirgends war ein Verschwinden möglicher als inmitten dieser tanzenden Menschen. Helene gab sich hin; ihre Füße wurden von den Tönen der Klarinette gejagt, schon holte der Takt sie ein, mit den Armen stieß sie Löcher in die Luft.

Eine Hand griff nach ihr, sie kannte den Mann nicht. Sein Gesicht war weiß geschminkt, die Lippen fast schwarz, und Helene tanzte. Mit jedem Tanz änderte ihr Gegenüber Gesicht und Gestalt. Bald tauchten Leontine und Martha wieder auf, Martha lachte ihr beim Tanzen zu, vielleicht, vielleicht galt das Lachen ihrer Himmelsrichtung, den Tönen, dem Verschwinden, aber Helene suchte nicht länger ihre Nähe. Es gab einen Blick, der Helene seit geraumer Zeit verfolgte, aus dem Dunkel neben der Bühne, von einem der kleinen Tische mit den grünen Lämpchen her. Helene erkannte Carl Wertheimer und war froh, dass er sie endlich entdeckt hatte. Vielleicht war er bloß neugierig, mit welchen Freunden sich Leontine umgab. Sein Blick war kein lästiger, er war aufmerksam. Carl Wertheimer trug noch seinen Mantel, der glatte Pelzkragen schimmerte, vielleicht war er im Aufbruch begriffen. Er rauchte eine kurze schlanke Pfeife. Immer wieder glitt sein Blick zu den anderen Tanzenden, zu Leontine, und wieder zurück zu Helene. Trotz der Jugend waren seine Züge ernst, würdevoll, musste Helene denken.

Die Klarinette rief, Helene sprang, die Posaune schob und Helene lehnte sich zurück, die Trompete lockte, Helene sträubte sich, noch.

Bald darauf knickte Helene mit dem Fuß um, sie stolperte und verlor das Gleichgewicht. Damit sie nicht fiel, packte sie Marthas Schulter und stützte sich. Martha musste sie verwechselt haben, ohne genau auf sie zu achten, entfernte Martha Helenes Hand mit einer groben Geste. Das Riemchen von Helenes Schuh war gerissen, ihr blieb nichts anderes, sie nahm den Schuh in die Hand und drängelte sich zwischen den Tanzenden und ihrem süßsauren Geruch hindurch. An der Bühnenbrüstung hielt sie sich links. Kaum war sie der dunstigen Wärme der Tänzer und ihren hitzigen Fängen entkommen, zog es kühl aus der Dunkelheit. Gab es Fenster? Fenster gab es keine. Womöglich hatte jemand die Tür zum Lüften geöffnet. Helene blickte über die Köpfe hinweg, weit hinten im Dunkel des Raumes erkannte sie Fannys weißes Gesicht. Vom Hut des Barons war glücklicherweise weit und breit nichts zu sehen. Was trinken? Jemand rempelte sie an, Helene dankte flüchtig und eilte weiter. Ihr Weg führte vorbei an nachterschöpften Gestalten und morgenblassen Gesichtern. Ein Frösteln zog über ihren Rücken und unversehens blickte sie jenem Mann mit den hageren Gesichtszügen in die Augen.

Verzeihen Sie, sagte er, Sie sind eine Freundin von Leontine. Seine Stimme war erstaunlich tief für seine Jugend. Ihr Blick fiel auf seinen Pelzkragen. Das Schimmern war so schön, dass sie am liebsten den Pelz berührt hätte.

Helene nickte, gewiss kannte er ihren Namen nicht. Also sagte sie: Helene, Helene Würsich.

Wertheimer, Carl. Fräulein Leontine war so freundlich, mich zu Beginn des Abends vorzustellen.

Der Student.

Er nickte und bot ihr seinen Arm. Benötigen Sie Hilfe?

Und wie, mein Schuh ist hinüber. Helene hielt ihm zum Beweis den Schuh entgegen. Ihr fiel Martha ein, ängstlich schaute sie sich um und entdeckte ihre Schwester unter den Tanzenden, sie schlang ihre Arme um Leontine, es fehlte nicht viel und Martha würde Leontine vor aller Augen küssen. Ein leichtes Unwohlsein, ein zarter Ekel überkam Helene, es war mehr die Furcht vor dem Entdecken des Fremden, der Entblößung jenes Geflechts, zu dem sie als Schwester und Mitwisserin gehörte, als das schwache Gefühl des Ausgeschlossenseins. Rasch wollte Helene Wertheimers Aufmerksamkeit ablenken.

Ihr kennt Doktor Leontine schon lang?

Unsere Tante hat uns eingeladen, ihr Freundeskreis ist groß. Helene machte eine unbestimmte Geste. Ich fürchte, ich muss jetzt gehen.

Gewiss. Darf ich Sie begleiten? Es wäre nicht gut, wenn Sie allein durch die leeren Straßen hinken.

Gern. Weder Asche noch Tauben haben mir Anmut geschenkt, sagte sie und merkte, dass ihre Ohren glühten, mit dem Wort Anmut meinte sie wohl so etwas wie jungfräuliche Geduld.

Helene verabschiedete sich von ihrer Tante. Fanny würdigte den jungen Studenten Wertheimer keines Blickes, sie versicherte Helene, dass Otta zu Hause die Tür öffnen werde.

Draußen war es hell geworden. Die Vögel schilpten nur noch leise dem längst angebrochenen Sommertag entgegen und die Laternen waren erloschen. Eine Droschke wartete auf Kundschaft. Offenbar mussten die ersten Menschen zur Arbeit gehen. An der Ecke stand ein Zeitungsverkäufer, er bot die Morgenpost und den Querschnitt an.

Der Querschnitt am frühen Morgen auf der Straße, Carl schüttelte lächelnd den Kopf.

Helene genoss die Begegnung mit Wertheimer, und während sie einander erste Fragen nach ihrem Leben stellten, verschwieg sie ihm, wie nah sie wohnte. Ein Fuß im Schuh, den anderen auf dem Pflaster spürte Helene das Kleben der Straße, die Linden hatten über Nacht ihren Nektar tropfen lassen.

Komm, wir wollen uns näher verbergen ..., Wertheimer sah Helene forschend an.

Das Leben liegt in aller Herzen. Helene sagte es nebenher, als ginge es sie nichts an.

Wie in Särgen. Wertheimer frohlockte, doch Helene antwortete nicht mehr, sie zog es vor zu lächeln. Was ist, wollen Sie nicht weiter?

Ich habe vergessen, wie es geht.

Das glaube ich nicht. In seinen Blick trat Befremden, sie besänftigte ihn.

Sie sagen es so fröhlich, das Weltende ist ein trauriges Gedicht, meinen Sie nicht?

Traurig nennen Sie das? Es ist optimistisch, Helene! Was ist verheißungsvollerer als die Hingabe, der Kuss, eine Sehnsucht, die uns umfängt und sterben lässt.

Glauben Sie, sie denkt an Gott?

Keineswegs, das Göttliche ist ihr näher. Wie anders beginnt ihr Gedicht, als mit mehrfachem Zweifel, sie spricht vom Weinen, als ob der liebe Gott gestorben wär. Aber glaubte sie an Gott, würde sie ihm die Unsterblichkeit zugestehen, als ob ist eine doppelte Ablehnung des Glaubens, sie glaubt nicht an den lieben, so wenig wie an den bösen oder irgendeinen. Gottes Sterben sollte ein Weinen in der Welt verursachen, die Welt weinen wegen ihm oder weinen, weil sie ihn los ist?

Helene sah Wertheimer an, sie durfte nicht vergessen, die Lippen zu schließen. Hatte nicht Martha immer zu ihr gesagt, sie solle den Mund zumachen, sonst flögen Fliegen hinein? Noch nie hatte sie einen Menschen über ein Gedicht sprechen hören.

Gehörte das Gedicht nicht ihr, ihr allein? Eifer entfachte, Helene sprach drauflos, um ihr Gedicht mehr als um ihr Leben, aber das ließ sich gegenüber einem Wertheimer nicht mehr scharf trennen.

Lasker-Schüler delektiert sich nicht an Gott, sie erfreut sich auch nicht an den Menschen und ihrem Leid, dem sie gehorchen, nur gönnt sie ihnen einen Kuss vor dem Vergängnis. Glauben Sie mir, die eigene Sterblichkeit, der sie ins Auge blickt, ob an der Sehnsucht und begleitet von einem Weinen oder nicht, diese menschliche Sterblichkeit, ihre Einsicht, die Unausweichlichkeit, die steht doch deutlich der Unsterblichkeit Gottes gegenüber.

Lesen Sie Gedichte immer von hinten?

Nur wenn jemand kommt, der auf Linearität besteht.

Der junge Mann wollte die Straßenbahn oder einen Autobus nehmen und bog um die Ecke.

Und Sie benutzen gern lateinische Begriffe, delektieren sich, unterstellen mir Linearität!? Ich verlasse die Gerade gern und werde gewiss auf gar nichts bestehen, Ihnen gegenüber nicht. Wertheimer gab seinen Worten Strenge, im nächsten Augenblick leuchtete Schalk aus seinen Augen. Wie steht es mit dem Müll von Kultur und Wissenschaft? Sagen Sie, halten Sie nicht unsere ganzen Bemühungen für verwerfliche Anmaßung? Hat der Club, in dem jeder Vorsitzender sein darf, nicht den größten Zulauf? Ist Dada ein Papierkorb für die Kunst?

Helene überlegte. Was sollte schlecht an Unterschieden sein, sagen Sie mir das? Es war eine aufrichtige Frage, schließlich, so dachte Helene, wen störten all die Clubs, solange jeder gründen und beitreten konnte, sooft er nur wollte.

Am Kurfürstendamm ließen sie die erste Straßenbahn durchfahren, sie war voll besetzt, allein die Mutigen schwangen sich auf und ihr Gespräch ließ keine Pause zu, fand keine Unterbrechung für ein bisschen Mut, noch für den Kuss.

Sie kennen den Lenz von Büchner, woran leidet er, Helene?

Helene sah, mit welcher Neugier Carl auf ihre Antwort lauerte, sie zögerte. An dem Unterschied. Das meinen Sie? Aber nicht jeder Unterschied verursacht Leid.

Nein? Carl Wertheimer schien plötzlich zu wissen, worauf er hinauswollte. Er wartete nicht mehr auf ihre Antwort. Sie sind eine Frau, ich ein Mann – glauben Sie, das bringt Glück?

Helene musste lachen, sie zuckte mit den Achseln. Was sonst, Herr Wertheimer?

Selbstverständlich, werden Sie sagen, Helene. Zumindest hoffe ich das. Das sei Ihnen zugestanden. Aber nur, weil Glück und Leid sich nicht ausschließen. Im Gegenteil, Leid schließt die Vorstellung von Glück in sich ein, birgt es gewissermaßen. Die Vorstellung vom Glück kann im Leid niemals verloren gehen.

Nur sind die Vorstellung vom Glück und das Glück selbst ja verschiedene Dinge. Helene spürte ihre Langsamkeit, sie hinkte, nur kurz bemerkte sie, wie weh ihre Füße taten. Lenz hat doch alles, seine Wolken sind rosa, der Himmel leuchtet – all das, wovon andere bloß träumen.

Helene und Carl bestiegen einen Autobus gen Osten, sie nahmen an Deck Platz, der Fahrtwind wehte ihnen entgegen, und damit Helene nicht fror, legte Carl seinen Mantel um ihre Schultern.

Aber das lässt Büchners Lenz leiden, warf Carl ein. Was sind ihm die Wolken, was das Gebirg, wenn er Oberlin nicht gewinnt.

Gewinnt? Helene glaubte eine Unschärfe in Carls Gedanken zu entdecken, ihre Aufmerksamkeit ließ sie schwer darüber hinweghören. Carl mochte ihre Nachfrage falsch verstanden haben.

Was führt euch Schwestern nach Berlin, ein Besuch bei der Tante?

Helene nickte entschlossen. Ein Besuch auf lange Zeit, wir sind gute drei Jahre hier. Helene schmiegte ihr Kinn an den Pelzkragen seines Mantels. Wie glatt der war, wie gut der duftete, ein Pelzkragen im Sommer. Martha arbeitet im Jüdischen Krankenhaus. Ich bin auch Krankenschwester geworden und habe meine Prüfung noch in Bautzen abgelegt, aber hier in Berlin ist es nicht leicht für eine Schwester, wenn sie so jung ist und keine Referenzen hat. Helenes Füße brannten. Sie überlegte, ob sie ihm sagen sollte, dass sie Geburtstag hatte und dass sie einen Gymnasialkurs für Mädchen beginnen würde, dass sie studieren wollte, und ließ es bleiben. Schließlich war ihr Geburtstag seit einigen Stunden vorüber und die Morgensonne, die erste Sommersonne nach der Sonnenwende, die ihnen jetzt warm ins Gesicht schien, war etwas wichtiger, solange sie diesen Pelz an ihrer Wange spürte.

So jung? Carl sah sie schätzend an. Helenes Wangen glühten, ihre Füße waren kalt geworden, der eine Schuh lag in ihrem Schoß, am Rücken klebte das vom Tanzen durchnässte Kleid und machte sie frieren, doch ihre Wangen glühten und sie lächelte und erwiderte Carls Blick.

Er beugte sich zu ihr, Helene glaubte, er wolle sie küssen, aber er flüsterte ihr tonlos in Ohr: Wenn ich mich traute, würde ich Sie gern küssen.

Helene zog den durchsichtigen Schal fester um ihre Schultern, ihr Blick fiel durch das Blattwerk der Platanen auf die vorüberziehenden Geschäfte. Sie sprang auf, hier mussten sie raus.

Wir sind doch erst eine Station gefahren. Wertheimer lief hinter ihr her, die Treppe hinunter und hinaus auf die Straße.

Helene humpelte, ihr rechtes Bein war nun viel kürzer als das linke.

Ich würde Sie tragen, Helene, aber das gefiele Ihnen vielleicht nicht.

Was mir nicht alles gefiele, Helene verdrehte die Augen, die Nacht hatte sie aufgekratzt und die Helligkeit des Morgens ließ sie sich mutiger fühlen. Vergnügt legte sie ihre Arme um Carl Wertheimer. Er war erstaunt und zögerte kurz. Kaum umfasste er sie, um sie hochzuheben, gab sie ihm einen flüchtigen Kuss, seine Wange war rau, und schubste ihn freundlich von sich.

Die Sonne scheint ja schon. Helene blieb stehen, sie stützte sich auf Carl Wertheimers Schulter und zog ihren zweiten Schuh aus. Keine Sorge, die Steine sind warm.

Während sie einige Schritte vor ihm herlief und er sie einholen wollte, begann sie zu rennen. Sie sagte sich, dass er sie zum Abschied küssen werde. Plötzlich erschien es Helene so, als durchschaue sie die Menschen und wisse genau, welcher Schritt zu welchem Ziel führte. Sie konnte die Menschen lenken, jeden einzelnen, wie Marionetten an den Fäden ihrer Wege ziehen, ganz besonders galt das für Carl Wertheimer, den sie hinter sich wusste, dessen Schritte immer näher kamen, dessen Hand sie im nächsten Augenblick an ihrer Schulter spürte. Vor ihrem Haus blieb sie stehen und drehte sich zu Carl Wertheimer um, er nahm sie bei der Hand, zog sie in den Hauseingang und legte seine Hand an ihre Wange.

So weich, sagte er. Helene mochte seine Hand, sie meinte, dass sie den jungen Freund ermutigen könnte, sie legte ihre Hand auf seine, presste sie an ihr Gesicht und küsste den spröden Rücken seiner Hand. Vorsichtig suchte sie seinen Blick. Carls Augenlid zuckte, nur das eine, es flatterte wie ein junger ängstlicher Vogel, vielleicht hatte er noch nie ein Mädchen geküsst, er zog sie an sich. Sie mochte seinen Mund an ihrem Haar. Helene wusste nicht, wohin mit ihren Händen, sein Mantel schien ihr abweisend und zu grob. Eine Hand legte sie an seine Schläfe, seinen Wangenknochen, die Höhle seiner Augen, mit ihrem Finger suchte sie sein Augenlid, das flatternde. Schützend legte sie ihre Finger auf sein Auge, es sollte sich beruhigen. Helene spürte Seitenstiche, sie atmete tief, sie atmete gleichmäßig, so gleichmäßig wie nur möglich. In Carl Wertheimers Umarmung war sie nicht klein noch groß, seine Hände an ihrem nackten Hals wärmten sie und riefen Gänsehaut an ihren nackten Armen hervor. Helene musste sich schütteln. Die Berührung war ihr noch unbekannt, das Begehren umso vertrauter. Eine Amsel flötete laut, eine zweite übertönte sie erst trillernd, dann flötend im Dreiklang von niedrigerer Warte und die beiden Amseln gerieten in Wettstreit. Helene prustete aus Anspannung; er mochte es als Lachen verstehen. Dann spürte sie seinen ernsten Blick auf sich ruhen und ihr Lachen wurde leise. Sie schämte sich, sie fürchtete, dass er ihre noch eben vermutete Allmacht bemerkte, eine Hülse, deren Keim zerfallen war, von der nichts mehr blieb als der Anschein von Hochmut oder gar Eitelkeit, die er gering bewerten musste. Sie fragte sich, was er wollte. Überhaupt und mit ihr. Ihr Herz pochte am Hals. Sie mussten Abschied nehmen.

Stolz sagte sie ihm, dass sie seit neustem einen Telefonapparat besäßen.

Carl Wertheimer fragte nicht nach der Nummer, es war, als habe er sie nicht gehört, er sah ihr nach und winkte, sie winkte zurück, ihre Hände waren warm.

Schon als sie an Fannys prächtiger Tür den schweren Messingring hob, um zu läuten, sie hatte sich fest vorgenommen, sich nicht nach Carl umzudrehen, und Otta ihr öffnete, in Schürze und Häubchen, von Kopf bis Fuß angekleidet, zweifelte Helene, ob Carl anrufen würde. Er wollte ein Techtelmechtel, vielleicht, vielleicht nur einen Kuss, den er jetzt schon hatte, und womöglich war das alles, und sonst wollte er nichts.

Es duftete nach Kaffee, die Standuhr schlug, es war halb sieben. Aus der Küche hörte Helene das vertraute Geklapper von Besteck und Geschirr, gewiss brühte die Köchin den Kaffee auf und bereitete ungeachtet der Abwesenheit ihrer Herrschaften ein Frühstück vor, schnitt den Mohnkuchen auf und rührte das Porridge an, das Fanny gerne aß, sobald sie etwas zu sich nehmen konnte. Helene spürte keinerlei Müdigkeit. Mit leichtem Schritt, der noch ganz einem Tanz von Trompete und Klarinette gehörte, ging sie in die Veranda und ließ sich in einen der niedrigen, gepolsterten Stühle fallen. Ihre Haarsträhnen, die kaum noch bis zur Nase reichten, rochen nach Rauch. Sie fühlte ihr Haar im Nacken, die Leichtigkeit, mit der sie ihren Kopf jetzt bewegen konnte, verlockte zu schnellen Bewegungen, führte man sie ruckartig aus, so fiel einem das Haar ins Gesicht. Helene zupfte sich die falschen Wimpern von den Lidern. Ihre Augen brannten vom Rauch der Nacht. Als sie die Wimpern auf den Tisch legte, dachte sie, es wäre schön, wenn sie ihre Augen danebenlegen könnte. Cleo sprang aus ihrem Körbchen unter dem Tisch hervor, sie wedelte mit ihrem aufrechten Stummelschwanz und leckte Helenes Hand ab. Die Zunge kitzelte, Helene musste an die Ziegen im Garten der Tuchmacherstraße denken, die sie als Kind manchmal gemolken hatte. Die Finger von oben nach unten pressend war ihr die Haut des Euters rau an den Handflächen erschienen, und man hatte die Hände gründlich waschen müssen, am besten in heißem Wasser mit viel Seife, der Geruch haftete wie Pech und Schwefel, er hatte etwas ranziges, ranzige Ziege. Sie war entkommen, dachte

Helene erleichtert, und während sie es sich genüsslich im Polster bequem machte, schämte sie sich nur wenig und süß für diese Empfindung. Was galt das schon, entkommen? Mit Schnelligkeit ein Leben durchjagen. Konsequent, konsequent, flüsterte Helene zu sich, und als sie ihr Flüstern hörte, sagte sie lauter, mit fester Stimme die beschließenden Worte des Büchnerschen Lenz: Inkonsequent, inkonsequent. Helene streichelte dem Hund über das feste, lockige Fell. Was für ein liebes Tier du bist. Seine Schlappohren waren seidig und weich. Helene küsste den Hund auf die lange Schnauze, noch nie hatte sie Cleo geküsst; an diesem Morgen konnte sie nicht anders.

Das unerwartete Auftauchen Carl Wertheimers fand keine große Beachtung im Hause der Tante. Zwar rief er Helene nicht über das Telefon an, aber er ließ ihr durch einen Boten Blumen bringen. Helene war erstaunt, erschrocken, erfreut. Bergend legte sie ihre Hand um die Blüten, um die Luft der Blüten, die zu dicht war, ihren leichten Duft zu tragen. Wie einen Schatz brachte sie die Anemonen in ihr Zimmer. Dort war sie allein und froh, dass Martha erst spät kommen würde. Sie fragte sich, wo er jetzt noch Anemonen gefunden hatte. Sie betrachtete die Blüten, ihr Blau veränderte sich über den Tag. Die zarten Blätter wurden schwer.

Als die Anemonen am Ende des Tages gewelkt waren, verbot sie Otta, die Blumen aus der Vase zu nehmen. Helene konnte nicht schlafen. Wenn sie die Augen schloss, sah sie nur blau. Ihre Aufregung galt einer Begegnung, wie sie noch nie eine erlebt hatte, ein Zusammentreffen mit einem Menschen, mit dem es ein gemeinsames Denken, eine gemeinsame Neugier, ja, wie sie Martha anvertraute, eine gemeinsame Leidenschaft für die Literatur gab.

Martha gähnte bei dieser Vertraulichkeit. Du meinst geteilt, Engelchen, nicht gemeinsam.

Helene wusste jetzt umso deutlicher, dass ihr etwas ganz Einzigartiges widerfahren war. Sie wollte nicht länger um Martha buhlen, ihre Begegnung mit Carl war unvergleichbar und schien sich einer Martha nicht vermitteln zu lassen.

Als es am Sonntag endlich klingelte und Helene im Flur

Ottas Stimme hörte, die höflich und mit deutlicher Stimme nachfragte: Carl Wertheimer? sprang Helene auf, griff zu dem seidenen Jäckchen, das Fanny erst kürzlich abgelegt und ihr geschenkt hatte, und folgte Carl in den frühen Sommertag.

Sie nahmen die Wannseebahn und spazierten zum Stölpchensee. Carl wagte es nicht, sie an der Hand zu nehmen. Ein Hase sprang vor ihnen über den Waldweg. Durch die Blätter glitzerte von unten das Wasser, und in der Ferne wölbten sich weiße Segel. Helenes Hals war wie zugeschnürt, sie fürchtete plötzlich, dass sie stottern könnte und sich ihre Erinnerung an das Gemeinsame und ihre Freude als eine einzelne entpuppte.

Da begann Carl: Ist nicht das Genügen der Natur in sich, das Selbstherrliche des Augenblicks, wie Lenz es uns sichtbar macht, die Lobpreisung des Lebens?

Der Frevel an Gott.

Sie meinen den Zweifel, Helene, das Zweifeln sei erlaubt, der Zweifel ist kein Frevel.

Vielleicht sehen Sie das anders, für uns Christen ist es so.

Protestantin, habe ich recht? Carl Wertheimers Frage enthielt keinerlei Spott und so nickte Helene schwach. Es erschien ihr plötzlich ungültig, was sie über ihre Zugehörigkeit zum lutherischen Glauben und sein Wesen äußerte, nicht weil sie den Atheismus und die andere Geburt ihrer Mutter bedachte, sondern weil ihr Gott hier so fern und von Büchner aus der Welt gejagt schien. Wer wollte schon aus Gott Alles erkennen?

Darf ich Ihnen etwas anvertrauen, Carl? Helene und Carl blieben an einer Weggabel stehen, rechts ging es zur Brücke und links tiefer in den Wald. Die Entscheidung für einen der beiden Wege konnte nicht getroffen werden, ehe sie ihm gesagt hätte, was ihr auf dem Herz lag, bleiern.

Wissen Sie, in den letzten Jahren, seit wir in Berlin sind, habe ich mich geschämt vor Gott, wann immer er mir einfiel, und ich wusste, dass ich ihn über viele Tage und Wochen vergessen hatte. Wir sind hier in keine Kirche gegangen.

Und gab es Ersatz?

Wie meinen Sie das, Carl?

Hat Ihnen etwas Freude gemacht, können Sie glauben?

Nun ja, wenn ich ehrlich bin, habe ich mir diese Frage nicht gestellt.

Carl ballte eine Faust und stemmte sie in den Himmel: Und es war ihm, als könnte er die Welt mit den Zähnen zermalmen und sie dem Schöpfer ins Gesicht speien; er schwur, er lästerte.

Lachen Sie nicht, Sie machen sich lustig.

Helene, ich mache mich doch nicht lustig. Das würde ich nie wagen. Carl zügelte seine Fröhlichkeit so gut er konnte.

Lachen Sie nur. Mit dem Lachen nahm der Atheismus schon von Lenz Besitz.

Sie glauben, ich wäre Atheist? So einfach ist das nicht, Helene. Tatsächlich kennt Gott das Lachen nicht. Und ist das nicht schade? Carl steckte seine Hände in die Hosentaschen.

Auf die Idee, Sie mit Lenz zu verwechseln, wäre ich nicht gekommen. Helene zwinkerte ihm zu. Endlich wusste sie, für welchen Augenblick sie in den letzten Wochen stundenlang vor dem Spiegel mit den geschliffenen Lilien gestanden und das Zwinkern mit einem Auge geübt hatte. Dann wurde sie ernst und sah Carl streng an. Ich wollte Ihnen etwas anvertrauen.

Ich weiß, ich schweige. Und Carl schwieg wirklich.

Es dauerte eine Ewigkeit, ehe Helene das Schweigen brechen konnte.

Ich schäme mich nicht mehr, das ist es, was mich entsetzt. Verstehen Sie? Ich war in keiner Kirche mehr, ich habe Gott vergessen, über lange Zeit habe ich mich geschämt, wenn er mir einfiel. Und jetzt? Nichts.

Gehen wir weiter. Carl schlug den Weg zur Brücke ein. Die Wolken türmten sich auf, dicke weiße Wolken, einzeln, der blaue Himmel dahinter war unerschütterlich. Auf der anderen Seite der Brücke lag ein Lokal mit Garten. Es gab kaum einen leeren Tisch im Garten, die Gesellschaften mit Sonnenschirmen und Kindern unterhielten sich laut, auch sie schienen an keinen Gott mehr zu denken. Carl wählte einen Platz. Er sagte, dieser Platz gehöre ihm, erst gehörte er nur seinen Eltern, und seit er alleine hin und wieder herkomme, gehöre er ihm. Helene stellte sich ein Leben mit Eltern in einem Gartenlokal schön vor. Carl wies zu einem anderen Tisch und flüsterte ihr zu, dass dort häufig die Maler säßen. Helene erschien der Zauber dieser Welt so fremdartig, dass sie am liebsten aufgestanden und gegangen wäre. Aber jetzt griff Carl nach ihrer Hand und sagte ihr, dass sie ein schönes Lächeln habe, das wolle er öfter sehen.

Carl Wertheimer kam aus gutem Hause, wohlhabend und gebildet, sein Vater war Professor für Astronomie, und so konnte trotz wirtschaftlicher Einbußen der letzten Jahre dem Sohn ein Studium ermöglicht werden. Der Kellner brachte Himbeerbrause. Carl zeigte in die nordöstliche Richtung, dort hinten am Ufer stehe das Haus seiner Eltern. Seine zwei Brüder waren im Krieg verschollen, der älteste sei umgekommen, seine Habseligkeiten waren geschickt worden, aber die Eltern weigerten sich, an seinen Tod zu glauben. Helene dachte an ihren Vater, aber sie mochte nicht von ihm erzählen.

Er selber habe zum Glück seiner Mutter nicht in den Krieg gemusst. Seine Schwester schließe ihr Physikstudium in diesem Jahr ab, sie sei die einzige Frau an ihrer Fakultät. Im nächsten Jahr wolle sie heiraten. Kein Zweifel, Carl war stolz auf seine Schwester. Er sei der Jüngste, für ihn sei noch Zeit, das sage seine Mutter. Carl schnalzte entschuldigend mit der Zunge, obwohl seine Augen blitzten und das Bedauern alles andere als ernst erscheinen ließen. Ein Spatz setzte sich zu ihnen auf den Tisch, er hüpfte vor und zurück und pickte die Krumen, die er von Vorgängern auf dem Tisch fand.

Der Ausblick in Carls friedliche Welt am Wannsee erweckte in Helene eine unbestimmte Beklommenheit. Was hatte sie dem entgegenzusetzen, was dem hinzuzufügen? In ihrer Himbeerbrause schwamm eine Wespe, sie rang um ihr Leben.

Carl bemerkte wohl, wie Helene ihm gegenüber am Tisch verstummt war. Er sagte zu ihr: Ihre Augen sind blauer als der Himmel. Und als er ihr Lächeln entdeckte, das wie in den Zwingen eines Schraubstocks klemmte, dachte er vielleicht, sie schämt sich doch, sie hat ihren Gott nicht vergessen. Kein Wunder, wenn ich nach ihrer Hand greife. Wohl, um sie aus der Schwere zu erobern, sagte er: Meine Liebe, hat Ihre Welt nun einen ungeheuren Riss?

Helene sah den Schalk in seinen Augen, sie entdeckte etwas an ihm wieder, so als kennte sie ihn nun schon ein wenig – und allein das tröstete sie. Jetzt konnte er nicht aufhören, in seinem Erinnerungsschatz zu wühlen: Um es nicht allein an Lenz festzumachen, möchte ich Ihnen raten, lassen Sie nur die abstrakten Worte in Ihrem Mund zerfallen wie modrige Pilze. Selbst Hofmannsthal hat sich von seiner Langeweile erholt. Und ist es etwas anderes als Langeweile, wenn sich das Nichts vor uns ausdehnt und uns mit Unbehagen füllt?

Da war es wieder, das Unbehagen. Helene empfand seine Worte als zudringlich, etwas drohte zu missglücken, die Wespe in ihrer Himbeerbrause rutschte an der Wand des Glases ab, es war Helene, als müsse sie Kopfschmerzen bekommen. Am Nebentisch wurde laut gelacht und Helene hatte vergessen, Carl zu antworten.

Ich möchte mit Ihnen Boot fahren. Sie sollen im Boot liegen und das Wasser soll Sie schaukeln und Sie müssen in den Himmel schauen, versprechen Sie mir das? Carl winkte dem Kellner, er wollte zahlen.

Vor dem Lokal stand ein offener Mercedeswagen, um ihn herum drängten sich die Leute, sie staunten, sie streichelten die Karosserie wie ein Pferd, klopfend. Helene war froh, dass Carl und sie endlich aufstanden und die Wespe sich selbst überließen.

Carl fasste sie jetzt an der Hand. Seine Hand war unerwartet schmal und fest. Es ging sich leicht an seiner Hand. Kein bleierner Schatten mehr, nichts lastete grabesschwer, die Welt war noch längst nicht an ihrem Ende. Ein Knattern am Himmel ließ sie stehen bleiben. Helene legte ihren Kopf in den Nacken.

Darf ich Ihnen auch etwas anvertrauen, Helene?

Nur zu. Helene hielt sich die Hand über die Augen, die Sonne blendete. Sie haben cine Schwäche für Flugzeuge, ist es das?

Carl trat einen Schritt auf sie zu. Junkers F 13. Sie spürte die Luft seiner Worte an ihrem Hals.

Ohne die Hand von der Stirn zu nehmen, senkte Helene ihren Kopf, mit ihrer Hand berührte sie fast Carls Augenbrauen.

Carl setzte den Schritt wieder rückwärts. So nah an Ihnen kann ich nicht sprechen. Nein, meine Schwäche für Flugzeuge wollte ich Ihnen nicht anvertrauen. Carl hielt inne. Ihr Mund ist schön. Und mir fällt kein Zitat ein. Warum auch die Worte eines anderen nehmen? Ich bin es, der Sie gerne küssen würde.

Vielleicht einmal.

Im nächsten Jahr? Wussten Sie, dass die Junkerswerke einen Flug über den Atlantik planen.

Schon oft gescheitert, Helene gab sich weltläufig.

Von Europa nach Amerika. Aber so lange kann ich nicht auf Ihren Kuss warten.

Helene ging voran, sie war froh, dass Carl ihr Lächeln nicht sah. Sie gingen lange schweigend. Jeder war für sich und wusste den anderen nah. Helene wunderte sich jetzt über ihren Anflug von Fremdheit im Lokal und hoffte, dass Carl ihn nicht bemerkt hatte. Sie fühlte sich der Fremdheit fern. Der Bootsverleiher saß auf einem Klappstuhl und las die Abendzeitung, die ihm vielleicht einer seiner Gäste gebracht hatte. Er bedauerte, aber alle Boote waren verliehen, die ersten, die jetzt zurückkamen, wollte er dabehalten. Nach achte kommt mir keiner mehr aufs Wasser, sagte er. Während sie am Ufer entlanggingen, ihre Schuhe auszogen und über die vom Tag gespeicherte Hitze des Sandes staunten, sprach Carl vom Theater. In kurzen Sätzen einigten sie sich auf eine gemeinsame Vorliebe für klassische Tragödien auf der Bühne und romantische Literatur zu Hause, doch die Verständigung, das Nicken und Jasagen, war vor allem ihrer Ungeduld geschuldet, sie wollten sich nicht näher verbergen, sie wollten sich nahe kommen und suchten einen Anschluss an ihr gemeinsames Denken. Die rötlichen Stämme der märkischen Kiefern gefielen Helene, nichts Heimatliches, nur Berlin. Die langen Nadeln lagen gut zwischen ihren Fingern. Warum waren sie immer zu zweit? Unter der hölzernen Kruste verband ein feines Häutchen die beiden Kiefernnadeln. Ihr schien es, als entzünde die Abendsonne den Wald. Der Tag neigte sich, die Kiefern dufteten schwer, Helene fühlte sich benommen, sie wollte sich auf den Waldboden setzen und da bleiben. Carl hockte sich neben sie, er sagte, er gestatte ihr nicht, im Wald zu bleiben, hier gebe es wilde Tiere und dafür sei sie schlicht zu zart.

Martha war es nur lieb, dass sich Helene eines Freundes annahm und sie umso unbehelligter mit Leontine leben konnte. Doch war es, als habe Carl Wertheimers Erscheinen die Sprache zwischen den Schwestern geraubt. Sie hatten sich nichts mehr zu sagen. Die bislang so geliebte Wohnung der Tante erschien Helene von Tag zu Tag unwirtlicher. Das lag weniger daran, dass die Tante einen Gegenstand nach dem anderen ins Pfandhaus brachte, erst den kleinen Samowar, der ihr angeblich nicht so lieb wie der große gewesen sei, dann das Bild von Corinth, welches ihr nie gefallen habe, sie habe die junge Frau mit Hut ekelerregend gefunden, wie sie jetzt behauptete, wäre ihr da sein Selbstbildnis mit Skelett schon lieber gewesen, und schließlich auch das Grammophon, dessen Wert sich so wenig verleugnen ließ wie ihre Liebe zu ihm.

An vielen Tagen saß Fanny mit Erich mittags in ihrer kleinen Veranda und zankte über die Pläne des Tages. Wenn er aufstand, weil er genug von ihr hatte und den Tag lieber ohne sie verbringen wollte, rief sie ihm hinterher, dass es durch die Beletage hallte: Ich wünsche mir eine Affenliebe! Erdrücke mich jemand!

Es klang bettelnd und spottend zugleich, und Helene sah zu, dass sie weder Erich noch Fanny über den Weg lief. Sie schloss die Tür zu ihrem Zimmer. Wie süß waren die Stunden gewesen, die sie einmal allein in der Wohnung verbracht hatte. Aber diese Stunden gab es anscheinend nicht mehr, wann immer Helene nach Hause kam, räumte jemand in der Küche, rief jemand laut ins Telefon, saß jemand auf der Chaiselongue und las.

Du liebst mich nicht! Schallte es durch die Zimmer, Helene konnte nicht anders als lauschen, die Stille kannte kein Erbarmen, es folgte die umfangreiche, schier nicht enden wollende Deklinierung ihrer Vermutung. Auf Zehenspitzen huschte Helene durch den Flur, sie musste zum Badezimmer. Erst wenn Fanny am Boden lag und behauptete, ohne Liebe nicht leben zu können, reichte Erich ihr seine Pranke. Er zog sie vom Boden zu sich herauf und stieß sie vor sich her bis in ihr Schlafzimmer. Helene rechnete ihre Ersparnisse zusammen, sie würden nicht einmal für einen Monat Miete einer Dachkammer langen. Die Bücher für den Gymnasialkurs waren teuer, und Fanny gab zu verstehen, dass sie dieses Geld nicht mehr aufbringen könne. Helene konnte froh sein, dass sie die ersten zwei Jahre Gymnasialkurs schon Anfang letzten Jahres bezahlt habe, denn jetzt sei ihr Geld auch mal alle, weiter wisse sie leider nicht. Helene hatte aufgehört, Gifte aus der Apotheke mitzubringen, das Vertrauen zwischen der Tante und Helene hatte sich nicht erzwingen lassen, und so wurde auch die Freundlichkeit im Umgang mit Helene etwas nachlässig. Es kam vor, dass Helene die Wohnung betrat, Otta ihr den Mantel abnahm und Helene ins Zimmer trat, um Fanny zu begrüßen, Fanny aber von ihrem Buch nicht aufsah oder sich tief schlafend gab, während der Tee aus ihrem Glas neben der Chaiselongue dampfte.

Die Nächte auf dem schmalen Bett neben Leontine und

Martha wurden eine Qual, da Liebe und Lust den beiden schier nicht langweilig wurde. Der Baron war dazu übergegangen, Helene bekümmerte Briefe zu schreiben. Er sehe sie nur noch selten, sein Herz blute und erkalte. Sein Leben sei fade ohne sie. Doch die Angebetete antwortete nicht. Nach anfänglicher Ratlosigkeit über seine Erwartung und die Bekundungen einer Liebe, die sie nicht teilte, steckte Helene die Briefe, die sie unter der Zimmertür fand, ungelesen durch den Spalt des großen Koffers, der unter ihrem Bett stand. Ein erster Versuch, mit zwei Junkers von Europa nach Amerika über den Atlantik zu fliegen, war noch im August gescheitert, die Herbststürme und die Wolkenfronten des Winters galten als unüberwindbare Hürden, und so wollte man für den nächsten Flugversuch bis zum Frühjahr warten. Allein Carl und Helene warteten nicht mehr.

Carl führte Helene in die Staatsoper Unter den Linden, sie hörten den Singenden Teufel und standen zwanzig Minuten klatschend, obwohl Pfiffe in ihren Ohren gellten, und während Helenes Hände vom Klatschen schmerzten, hoffte sie, dass Carl nicht den Menschen zur Tür folgen würde. Aber das Unvermeidliche trat ein. An der Garderobe bat Helene Carl, sie noch nicht nach Hause zu bringen. Helene wollte noch in die Nacht spazieren. Der Schnee fiel in dicken Flocken und blieb kaum auf dem nachtschwarzen Pflaster liegen. Carl und Helene gingen am Adlon vorbei. Der Schnee schmolz auf Helenes Zunge. Vor dem Eingang des großen Hotels hielten stattliche Karossen und ein Menschenauflauf verriet die erwartete Ankunft eines hohen Gastes.

Du frierst und bist müde, ich bringe dich nach Hause.

Bitte nicht. Helene blieb jetzt stehen. Carl suchte mit seinen Händen nach Wärme in ihrem felligen Muff.

Wir können hier nicht stehen bleiben, sagte Carl.

Ich komme mit zu dir, in deine Kammer. Sie hatte es gesagt, einfach so.

Carl zog seine Hände von ihr fort. Er traute seinen Ohren nicht. Wie oft hatte er Helene gedrängt, sie möge ihn begleiten, wie oft hatte er sie beruhigt, dass er alle Schlüssel habe und die Vermieterin schwerhörig sei. Ich freue mich, sagte er leise und küsste ihre Stirn.

Auf dem Weg zum Viktoria-Luise-Platz beharrte sie darauf, dass man nicht bei der Tante anrufen sollte. Dort kümmerte niemanden ihr Verbleib und falle es im Zweifel nicht mal auf, wenn sie nicht kam. Helene kannte Carls Kammer unter dem Dach. Sie hatte ihn schon tagsüber dort besucht. Dennoch erkannte sie das Zimmer kaum wieder. Das Licht der elektrischen Lampe ließ die Farben schal erscheinen, seine Bücher stapelten sich auf dem Boden, das Bett war nicht gemacht. Es roch nach Urin, als habe er den Nachttopf nicht geleert. Carl hatte nicht mit ihrem Besuch rechnen können. Er entschuldigte sich jetzt und schlug eilig die Decke über das Bett. Sie könne ein Nachthemd von ihm geliehen haben, ob er ihr vorlesen dürfe. Seine Stimme war trocken und die abgehackten Bewegungen verrieten, wie ungeheuer ihm ihre Anwesenheit, womöglich ihr ganzes Wesen und Dasein, war.

Liest du noch Hofmannsthal? Sie nahm das Nachthemd entgegen und setzte sich im geschlossenen Mantel auf seinen Stuhl am Schreibtisch.

Er wies auf die Bücher am Boden. Gestern abend Spinoza, wir vergleichen im Seminar seine Ethik mit der dualistischen Weltanschauung von Descartes.

Davon hast du noch gar nichts erzählt. Helene sah Carl misstrauisch an, sie konnte ihre glatte Stirn nicht runzeln, die feinen Falten, die sich über ihrer kurzen Nase bildeten, sahen einfach zu komisch aus.

Bist du eifersüchtig? Carl neckte sie, obwohl er wissen musste, dass es ihr ernst war und sie tatsächlich eifersüchtig auf sein Studium war, nicht, weil sie ihn für sich allein haben wollte und ihm das Studium nicht gönnte, sondern weil sie selbst gern daran teilgenommen hätte.

Deine Schuhe sind ganz nass, warte, ich ziehe sie dir aus. Carl bückte sich vor ihr zu Boden und zog ihre Schuhe aus. Und kalt sind deine Füße, eisig. Hast du keine Winterstiefel? Helene schüttelte den Kopf. Warte, ich bring dir heißes Wasser, du musst ein Fußbad nehmen. Carl verschwand, Helene hörte ihn auf der Treppe. Sie betrachtete das Nachthemd auf ihrem Schoß und verstand sein Hinausgehen als Aufforderung, sich umzuziehen. Ihre Kleider legte sie über die Stuhllehne, die Strümpfe rollte sie ein, nur das neue Höschen wollte sie nicht ausziehen. In der Ecke unter dem Fenster entdeckte Helene ein Terrarium, in dem eine Orchidee blühte. Eine blühende Orchidee in einer Dachkammer inmitten der stumpfen Farben des elektrischen Lichts. Von der Treppe hörte sie Geräusche, und schnell zog sie sich das Nachthemd über den Kopf. Es roch nach Carl. Der zweitoberste Knopf fehlte, sie schloss den obersten und hielt das Nachthemd an der zweifelhaften Stelle zu. Helene zitterte jetzt am ganzen Körper. Carl brachte ihr heißes Wasser. Die Schüssel stellte er vor das Bett und sagte ihr, sie möge sich auf sein Bett setzen. Er legte seine Decke um sie und rieb ihre Füße, damit sie ihre blaue Färbung an den Zehen verloren. Helene biss die Zähne aufeinander.

Während Carl geschäftig seine Bücher von einem Stapel zum nächsten legte, goss er ihr zweimal heißes Wasser auf. Erst dann war es gut, und er ging hinaus, um die Schüssel wegzubringen und sich einen Pyjama anzuziehen, den seine Mutter ihm zu Weihnachten von ihrer Reise aus Paris mitgebracht hatte. Helene lag schon unter der Decke, sie lag kerzengerade auf dem Rücken, es sah aus, als schlafe sie. Er schlug die Decke zurück und legte sich neben sie.

Wundere dich nicht, wenn du mein Herz hörst, sagte er mit seiner nicht mehr ganz so trockenen Stimme und löschte die Lampe.

Wolltest du mir nicht vorlesen?

Er stützte sich auf, schaltete das Licht wieder an und sah, dass sie die Augen jetzt geöffnet hatte.

Gut, ich lese dir vor. Er nahm die Ethik von Spinoza, die auf dem Nachttisch lag, und blätterte.

In der griechischen Antike entsprachen Zügellosigkeit und Freiheit, die vollkommene Ausschweifung in Lust und Verlangen der Glückseligkeit. Doch dann kamen die Stoiker und haben Gott zugearbeitet, Pflicht und Tugend, alles Geistige sollte sich über die niederen Gelüste erheben, das Fleisch wurde verbannt in seine Zeit. Ein einziges Jammertal, das Mittelalter. Für Kant, den alten Moralisten, gab es nur noch Pflicht – Ödnis, wohin man auch blickt.

Was redest du so abfällig. Du tust so, als läge das Glück allein in der körperlichen Vereinigung. Helene stützte ihren Kopf auf, sie vermutete, dass Carl zwar Kants Ödnis verdammte, selbst aber keinen noch so winzigen Gedanken mehr an den Kuss verschwendete, den sie ihm seit Monaten schuldete.

Carl übersprang ihren Einwurf. Ganz zu schweigen von Schopenhauer, der es als angeborenen Irrtum ansah, gewissermaßen eine Fehlbildung des Menschen, seine Vorstellung, er wäre da, um glücklich zu sein. Dabei kommt es nicht auf das Glück an, Helene, aber das weißt du, nicht? Gähne nur. Carl stieß ihr sacht mit dem Lesezeichen an die Stirn.

Helene nahm ihm das Lesezeichen aus der Hand. Wenn ich jedes Buch mit dir zusammen lesen könnte, wär ich glücklich, glaubst du das? Helene lächelte. Am liebsten mit deinen Augen, mit deiner Stimme, mit deiner Gelenkigkeit.

Gelenkigkeit, wovon redest du? Carl lachte.

Ich hör dir gern zu, du springst dabei manchmal zum Fenster raus und manchmal kriechst du unter einen Tisch.

Und du kletterst auf Bäume und springst, wie mir scheint, aus Prinzip auf den Tisch, wenn ich mich darunter verkrochen habe.

Tue ich das? Helene überlegte, was er meinte. Glaubte er sich von ihr geärgert, genoss er nicht ihrer beider Ausmessung, die Spannweite, die sich zwischen ihm dort und ihr hier ergab?

Und überhaupt, jetzt liegen wir unter einer Decke, ein Engel und ich, wie konnte das passieren? Carl blickte sie jetzt so herausfordernd an, sein Mund näherte sich um einen ganzen Millimeter, dass Helene den Mut verlor und ihre Angst vor dem Kuss plötzlich größer war als die Lust. Also, es kommt auf das

Glück nicht an, nein? Helene tippte auf Carls Buch. Keine Wollust und ausschweifende Zügellosigkeit?

Carl räusperte sich. Was willst du, Helene, willst du denken lernen?

Die Ellenbogen vor dem Buch, die Arme aufgestützt zum Kinn, lachte Carl jetzt in die Faust, die seine Hände vor seinem Mund bildeten. Schopenhauer kennt Trost, der geistige Reichtum überwindet selbst Schmerz und Langeweile – demnach war unser alter Lenz offenbar nicht klug genug.

Helene legte ihren Kopf auf das Kissen zurück, sie hielt ihm ihre Kehle hin, bewusst, sie drehte sich auf die Seite und beobachtete seinen Mund, während er sprach. Seine etwas aufgeworfenen Lippen bewegten sich viel zu schnell für sie. Er bemerkte ihren Blick und sein Augenlid flatterte wieder, als erwarte es, von ihr berührt zu werden, als wollte es nichts lieber als das. Plötzlich senkte er seine Augen, die Finger auf den Seiten zitterten ihm, Helene sah es genau, aber er las tapfer einen Satz vor, den er sich auf die erste Seite im Buch notiert hatte: Glückseligkeit ist nicht der Lohn der Tugend, sondern die Tugend selbst. Wir freuen uns ihrer nicht, weil wir die Gelüste hemmen, sondern weil wir uns ihrer erfreuen, darum können wir die Gelüste hemmen.

Das klingt wie ein guter Rat für angehende Priester.

Du irrst, Helene. Das ist der teure Rat für jeden jungen Mann. Teuer, weil wir dafür jahrelang studieren und erst wenn wir jahrelang studiert haben, wissen wir einen Funken von der Glückseligkeit. Carl biss sich auf die Zunge. Er wollte etwas darüber sagen, wie wichtig es dabei wäre, ein Mädchen neben sich im Bett zu wissen, eine Frau, nicht nur eine, sondern diese, seine Helene. Aber er fürchtete, eine solche Bemerkung könnte sie verscheuchen. Er wollte nicht, dass sie zurück in ihre nasskalten Strümpfe und Schuhe schlüpfte und durch die Nacht in die Achenbachstraße lief, sich dort in ein Bett neben ihrer Schwester legte. Also blätterte er zurück, dorthin, wo sein Zeigefinger die Seiten auseinandergehalten hatte, und las.

Die Begierde, die aus der Erkenntnis des Guten und Schlechten entspringt, kann durch viele andere Begierden erstickt oder eingeschränkt werden, die aus Affekten, welche uns bestürmen, entspringen. Carls Finger ließen die ganze Seite zittern.

Frierst du jetzt? Helene schob ihre Hand neben seine, ihre kleinen Finger berührten sich fast.

Die Vernunft kann die Leidenschaften überwinden, indem sie selbst zur Leidenschaft wird.

Helene hörte es und sagte: Du hast schöne Augen.

Beweis. Der Affekt gegenüber einem Ding, das wir uns als zukünftig vorstellen, ist schwächer als der gegen ein gegenwärtiges.

Sprichst du von uns, sprichst du von Liebe? Helene berührte jetzt mit ihrem Finger seinen und bemerkte, wie er zuckte. Er war so gefangen, dass er nicht einmal den Blick wendete, um sie anzusehen.

Du wolltest, dass ich vorlese, und ich lese vor. Liebe ist bei Spinoza nichts anderes als Fröhlichkeit, Fröhlichkeit verbunden mit der Vorstellung ihrer äußeren Ursache.

Deine Augen glühen. Ich könnte den ganzen Abend neben dir liegen und einfach dein Kinn ansehen, dein Profil, die Nase, wie sich die Lider über deine Augen senken. Helene zog ihre Knie an, da war noch die Decke zwischen ihr und Carl.

Carl wollte ihr etwas von der Begierde im Verhältnis zur Liebe und beider Verhältnis zur Vernunft erklären, aber er hatte die Logik vergessen, etwas anderes hatte Besitz von ihm ergriffen, etwas, das nicht mehr in sich ruhen, nicht mehr Gegenstand des Denkens sein konnte, nur über sich hinaus, aus sich heraus wollte er, zu ihr. Worte flogen vorüber, die Süße ihres Mundes. Er vermochte kein Denken, sein Wille war abhanden gekommen, es gab keine Zähmung mehr. Er fühlte sich nackt. Die Berührung mit der Decke, die ihn von ihr trennte, erregte ihn maßlos. Mit reiner Begierde sah er Helene an und küsste sie. Er küsste ihren Mund, ihre Wangen, ihre Augen, seine Lippen spürten die glatte Haut ihrer gewölbten Stirn, die Hand ihr seidiges Haar, durch die schmale Öffnung seiner Augen fiel Gold, der Lichtschein ihres Haars. Seine Hand ertastete ihr Schlüsselbein, die Wölbung ihrer Schulter, seine Fingerspitze fühlte ihre Grübchen, die er vom Sehen gut kannte. Ihre Arme schienen endlos lang, ihre Achselhöhle war feucht, er krümmte seine Hand in ihr, er schmiegte sich. Er hörte sein Keuchen an ihr. Helenes Duft lockte ihn, dass es wehtat. Ihre Arme verschränkten sich vor ihren Brüsten, er musste tief atmen, er sah die Zeit vor sich, wie sie sich entrollte, er mit ihr Ruhe gewinnen konnte, wenn er nur wollte, nur wollte, aber wo war er nur, der Wille. Vernunft, rief er still zu sich, er sah das Wort vor seinem Auge, schlicht, er kannte seine Bedeutung nicht mehr. Nichts als Buchstaben, ihr Laut fehlte. Klang und Bedeutung auf und davon. Doch sein Keuchen fing sich zwischen seinen Lippen und ihren Wölbungen und Höhlen und trug ihren Atem in sein Ohr.

Die Kerze knisterte, der Docht bog sich und versank. Die Dunkelheit kühlte angenehm. Carl starrte in das Dunkel. Helenes Atem war gleichmäßig, ihre Augen wohl geschlossen. Er fand kaum in den Schlaf, ihr Geruch hielt ihn wach und weckte ihn, wenn er für Sekunden träumte. Sie atmete kürzer als er, vielleicht schlief sie nicht. Er streckte seine Hand nach ihr aus.

Sie mochte seinen sanften Mund, die Lippen, die anders forderten als Marthas, und den Geschmack, der ihr neu war.

Es ist schön, wenn dein Haar länger wird, flüsterte Carl in die Stille. Warum war es so kurz?

Um dich kennenzulernen. Weißt du das gar nicht? Es war lang bis hier, wenige Stunden bevor ich dich das erste Mal gesehen habe. Leontine hat es mir abgeschnitten.

Carl verbarg sein Gesicht an ihrem Hals, mit dem Flügelschlag seiner Augen strich er ihr Ohr. Dein Haar schimmert wie Gold. Wenn wir nichts mehr zu essen haben, schneide ich es dir heimlich nachts ab und gehe es verkaufen.

Sie mochte es, wenn er wir sagte und sie in seinen Armen lag.

Das Frühjahr kam, die Stürme legten sich und der erste Flug von Ost nach West über den Atlantik gelang. Helene verbrachte seit jenem Wintertag ihre Nächte bei Carl. Nur manchmal ging sie in die Achenbachstraße und war erleichtert, dass es Martha besser ging. Leontine hatte sich mit ihr über Tage eingeschlossen. Martha sollte getobt und gelitten haben, der geschliffene Spiegel mit den Lilien über dem Waschtisch hatte einen Sprung, Bettwäsche war zerrissen und vom Schweiß durchnässt am Morgen und am Abend gewechselt worden, manchmal mitten am Tag; aber dann war sie ruhig, schwach und ruhig. Die Leere blieb, die Fragen, woher und warum und wer. Es war ein Wunder, wie Martha es schaffte, jeden Tag zur Arbeit ins Krankenhaus zu fahren. Leontine sagte, Martha sei zäh. Ihr Körper habe sich an sie gewöhnt. Die beiden Frauen hatten die Betten zusammengeschoben, und nur der Koffer unter dem Bett war noch ein Hinweis auf Helene, auf ihr früheres Leben hier, er barg Helenes Habseligkeiten. Helene kam, öffnete den Koffer und schob die Briefe des Barons beiseite. Sie nahm den aus Horn geschnitzten Fisch und holte die Kette hervor.

Du kannst sie mitnehmen, sagte Martha. Martha machte sich nichts aus dem Koffer, sie wollte, dass er endlich verschwand. Ihr Hut war von Motten zerfressen, Helene fragte sich, wo ihrer war. Sie musste ihn an jenem Abend vor zwei Jahren in der Garderobe vergessen haben, der Garderobe der Weißen Maus.

Auf meiner Station wird eine Stelle frei, sagte Martha, du kannst dich bewerben. Helene lehnte ab, sie wollte nicht in den

Norden in ein Jüdisches Krankenhaus fahren. Der Apotheker bezahlte sie jetzt besser, und sie musste nicht mehr an ihn denken, wenn sie abends allein in der Apotheke stand und Tinkturen schüttelte. Carl wollte keine Miete von ihr, seine Eltern gaben ihm an jedem Monatsanfang einen Wechsel. Wenn er sie besuchte, nahm er Helene mit auf die Wannseebahn, er setzte Helene in das Gartenlokal am Stölpchensee, bestellte ihr eine Himbeerbrause und holte sie eine Stunde später wieder ab. Manchmal fragte er sie, ob sie ihn nicht begleiten wolle, er wollte sie seinen Eltern vorstellen. Sie scheute sich davor. Vielleicht mögen sie mich nicht, gab Helene zu bedenken und ließ weder Zuspruch noch Einwände gelten. In Wirklichkeit genoss sie die Sonntagnachmittage, an denen sie ungestört in dem Gartenlokal sitzen und lesen konnte.

Am Ende des Sommers ergatterten sie über Bernards nützliche Verbindungen Karten für das neue Stück am Schiffbauerdamm. Carl saß neben Helene und vergaß, ihre Hand zu halten. Er ballte die Hände im Schoß zu Fäusten und schlug sich mit der Hand an die Stirn, er weinte, und im nächsten Augenblick johlte er. Nur als auf Verlangen des Publikums der Kanonensong wiederholt wurde und in den hinteren Reihen Menschen aufstanden, sich unterhakten und schunkelten, lehnte sich Carl etwas erschöpft zurück und schenkte Helene einen Blick.

Gefällts dir nicht?

Helene zögerte, sie legte ihren Kopf schief. Ich weiß noch nicht.

Das ist genial, sagte Carl, sein Blick war längst wieder auf der Bühne und sollte im Laufe der Vorstellung nicht mehr zu Helene gelangen, gebannt lauschte er Lotte Lenya, fast benommen sah er dabei aus. Als auf die erste Strophe des Eifersuchtsduetts eine zweite folgte, prustete Carl, er hielt sich den Bauch vor Lachen.

Carls Wangen waren gerötet, als er schon aufstand und klatschte, ehe der letzte Vorhang fiel. Das Publikum brodelte.

Die Menschen wollten nicht gehen, ehe die Schlussstrophen der Moritat noch einmal gesungen wurden. Das Publikum grölte mit, selbst Harald Paulsen bewegte seine Lippen, nur war es im Lärm nicht mehr hörbar, ob er dieses Lied oder ein anderes sang. Der Beifall toste. Blumen wurden aus dem Rang und vom Parkett auf die Bühne geworfen. Wie Püppchen, so erschien es Helene, verbeugten sich die Schauspieler, kleine Stehaufmännchen, die, von ihren Claqueuren wieder und wieder in die Waagerechte genötigt, ihres Auftritts nicht müde wurden. Die Scheinwerfer ließen keinen der Schauspieler von der Bühne und keinen Zuschauer aus dem Saal. Sie beklatschen sich selbst, ging es Helene durch den Kopf, als sie sich vorsichtig umsah. Die frisch eingesprungene Roma Bahn riss sich ihre lange Perlenkette vom Hals und streute die Glasperlen ins Publikum, sie tat, als wolle sie die Bühne verlassen, aber die Männer pfiffen, ob aus Wut oder Freude, sie blieb. Die Leute brüllten, sie trampelten, ein Mann im Parkett warf mit Münzen um sich.

Helene hielt sich die Ohren zu. Sie war nicht aufgestanden, als einzige wohl weit und breit, sie beugte sich vornüber, das Kinn auf der Brust, das Gesicht ihrem Schoß entgegen und wollte am liebsten in ihrem Sessel verschwinden. Sie wäre gern gegangen. Es dauerte über eine Stunde, ehe sie den Saal verlassen konnten. Die Menschen verstopften die Ausgänge, blieben stehen, klatschten, liefen rückwärts, schoben sich und drängelten. Es war stickig geworden, Helene schwitzte. Der Aufruhr ängstigte sie. Jemand boxte ihre Schulter, es sollte wohl einem jungen Mann gelten, der rechtzeitig ausgewichen war. Helene ließ Carls Hand nicht los, Menschen drängten sich zwischen sie, immer wieder drohten sie auseinandergerissen zu werden. Helene war übel. Raus, dachte sie, nur raus.

Carl wollte die Friedrichstraße entlanggehen und unter die Linden. Das Wasser im Kanal war schwarz, oben fuhr eine S-Bahn vorüber. Helene beugte sich auf der Brücke über die steinerne Balustrade und erbrach sich.

Dir hat es nicht gefallen. Er fragte es nicht, er stellte es fest.

Du bist ja ganz verliebt.

Ich bin begeistert. Ja.

Helene suchte nach ihrem Taschentuch, sie fand es nicht. Der säuerliche Geschmack im Mund ließ die Übelkeit nicht vergehen. Ihr war ein wenig schwindelig, und so hielt sie sich am Stein der Balustrade fest.

Ist das nicht der Aufbruch, die wahre Moderne? Wir sind alle Teil des Ganzen, die Grenzen zwischen Wesen und Darstellung werden brüchig. Das Sein und sein Schein, sie nähern sich an. Die Menschen haben Hunger, hast du das nicht bemerkt, sie dursten nach der Welt, die sie selbst bestimmen.

Was redest du? Welche Welt bestimmen sie? Du sprichst von Begeisterung, der Pöbel brüllt. Mich ängstigt das, die gnadenlose Selbstherrlichkeit in allen Schichten. Helene musste aufstoßen, ihr Schwindel bäumte sich, auf und nieder, die Übelkeit, sie wandte Carl den Rücken zu und krümmte sich wieder. Wie schön rau und fest der Sandstein war.

Carl legte ihr jetzt seine Hand auf den Rücken. Liebe, bist du krank? Meinst du, die Königsberger Klopse waren schlecht?

Helene hing mit dem Gesicht gen Wasser und stellte sich vor, dort hineinzuspringen. Aus ihrem Mund zogen Fäden, ihre Nase lief, ihr Taschentuch fehlte.

Er konnte ja nicht wissen, dass ihr ein Taschentuch fehlte, bloß ein Taschentuch, um sich wieder aufzurichten. Also musste sie ihn fragen: Hast du ein Taschentuch?

Natürlich habe ich eins, hier. Komm, lass dir helfen. Carl sorgte sich um sie, aber Helene wurde wütend.

Wie kannst du so einfältig sein, wie das Begeisterung nennen? Du liest Schopenhauer und Spinoza und wirfst dich an so einem Abend in die Menge, als gäbe es kein Morgen, kein Gestern, einfach gar nichts als das große Bad des kleinen Mannes.

Was hast du gegen den kleinen Mann?

Nichts. Helene bemerkte, wie sie die Lippen aufeinanderpresste. Ich achte ihn. Sie überlegte, ob sie ihm sagen sollte, dass sie selbst eine kleine Frau war. Aber was nützte das? Also sagte sie: Der Kleine ist der Kleine nicht, der Große nicht der Große. Vielleicht muss man wie du aus großbürgerlichen Verhältnissen kommen, um sich auf diese Weise am kleinen Mann zu erfreuen. Öffne deine Augen, Carl.

Carl umarmte sie jetzt. Lass uns nicht streiten, bat er.

Warum nicht, fragte Helene leise, ihr war ein Streit lieber als die ihr offenbare Entgeisterung Carls als Begeisterung anzuerkennen. Das Stück war eine einzige Aneinanderreihung von Gassenhauern.

Carl hielt Helene beschwichtigend seine Hand auf den Mund. Psch, psch, sagte er, als weine sie und wolle er sie trösten. Ich könnte es nicht ertragen, wenn wir uns entzweien.

Das werden wir nicht. Helene strich den Kragen seines Mantels glatt.

Ich liebe dich. Carl wollte Helene küssen, aber sie schämte sich für ihren sauren Mund. Sie neigte ihren Kopf zur Seite.

Wende dich nicht ab, Liebe. Ich habe nur dich.

Helene musste plötzlich lachen. Ich wende mich doch nicht ab, lachte sie. Wie kannst du das denken? Ich habe mich übergeben, mir ist schlecht, und ich bin müde. Lass uns nach Hause gehen.

Dir ist schlecht, wir nehmen ein Taxi.

Nein, lass uns gehen, ich brauche Luft.

Sie gingen lange durch die Nacht und schwiegen ebenso lang. Die schmalen Holzbrücken im Tiergarten knarrten und verströmten ihren modrigen Geruch. Im Dickicht raschelte es, die Ratten flohen vor ihnen über den Weg. Unter der Linde nahe der Schleuse blieben sie stehen, sie hörten die Affen aus ihrem Gehege in die Nacht brüllen.

Carl erschien es seltsam, als Erster das Wort an sie zu richten. Was er sagen wollte, hätte ohnehin in keinem Gespräch Platz gefunden. Er bückte sich und hob ein Lindenblatt auf. Unverwundbar, gibt es das? Er hielt sich das Lindenblatt vor die Brust, etwa dorthin, wo die meisten Menschen ihr Herz vermuten. Helene legte ihre Hand auf seine und führte sie vorsichtig zur Mitte hin. Sie sagte nichts. Carl ließ das Blatt fallen, er nahm ihre beiden Hände in seine und glaubte, sie müsste sein Herz in seinen Handflächen schlagen spüren. Ich könnte dich fragen, ob du meine Frau werden möchtest, hörte er sich sagen. Du bist jetzt einundzwanzig. Deine Mutter ist Jüdin, meine Eltern werden nichts gegen meine Wahl vorbringen.

Du könntest mich fragen. Ihre Augen verrieten nicht, was sie dachte. Forschend sah er sie an.

Dein Schuh ist offen, sagte sie, ohne zu seinen Füßen zu schauen. Offenbar war ihr das schon vor längerer Zeit aufgefallen. Carl bückte sich, er band seinen Schuh zu.

Du kennst meine Mutter nicht, meinen Vater nicht, niemanden.

Ich kenne Martha. Was kümmern mich deine Eltern, meine kümmern dich ebensowenig. Das hier ist etwas zwischen uns beiden, nur zwischen uns. Versprichst du mir, meine Frau zu werden?

Der Schrei eines Affen gellte zu ihnen herüber. Helene musste lachen, aber Carl sah sie ernst an, er wartete auf Antwort.

Sie sagte Ja, sie sagte es schnell und leise und im ersten Augenblick fürchtete sie, er könnte es nicht gehört haben, im nächsten hoffte sie es, weil es so schwach geklungen hatte und sie es gerne frei und voll gesagt hätte. Ein zweites Ja hätte das erste noch unentschlossener und feiger erscheinen lassen.

Carl zog Helene zu sich und küsste sie.

Rieche ich nicht vergoren?

Carl stimmte zu. Ein wenig, ja. Vielleicht habe ich zu lange gewartet?

Er nahm ihre Hand. Das Eis war gebrochen. Vielleicht schenkst du mir Kinder, sagte er und stellte es sich schön vor, wenn sie zwei, drei Kinderlein bekämen.

Helene war wieder ins Schweigen verfallen, sie gingen nebeneinander.

Könnte es sein, dass dir übel war, weil du ein Kind erwartest? Carl freute sich über seinen Einfall.

Helene blieb auf der Stelle stehen. Nein.

Was macht dich so sicher?

Ich weiß es, ganz einfach. Sie lachte. Glaub mir, eine Krankenschwester wüsste auch gut, wie sie dem abhelfen könnte.

Während Helene noch fröhlich war, war Carl schon erschrocken.

So etwas sollst du nicht sagen. Das möchte ich nicht. Du willst doch auch Kinder?

Sicher, aber nicht jetzt. Ich möchte die Schule beenden, ich habe noch nicht die Hoffnung aufgegeben, dass ich studieren kann. Ich arbeite viel und bekomme kaum das Geld für eine Miete.

Wir. Du kannst dich auf mich verlassen. Schenkst du mir Kinder, schenk ich dir ein Studium. Carl meinte es ernst.

Willst du handeln?

Meine Eltern werden uns unterstützen.

Ja, vielleicht. Deine Eltern, die ich noch gar nicht kenne. Carl, ich muss dir etwas sagen. Ich schenke einem Mann keine Kinder. Kinder lassen sich nicht schenken. Die Christen schenken ihrem Herrn etwas, sie schenken Liebe. Vorhin, im Theater, da war vom Schenken die Rede. Ich halte das für Unsinn. Ich will mir auch kein Studium von dir schenken lassen.

Warum nicht? Mein Vater hat mir Geld in Aussicht gestellt, wenn ich das Examen mit Auszeichnung bestehe.

Dann ist es für mich doch längst zu spät. Helene spürte ihre Ungeduld. Wenn ich die Schule abgeschlossen habe, werde ich selbst für mein Studium arbeiten.

Vertraust du mir nicht?

Carl, bitte, mach es nicht zu einer Frage von Vertrauen.

Wenn unsere Kinder dein Haar haben, dein goldenes Haar, dann bin ich froh. Carl nahm ihr Gesicht in seine Hände.

Helene lächelte. Carl küsste sie wieder, ihm schien der saure Geschmack nichts auszumachen, er drückte sie gegen den Lindenstamm und kostete die Haut ihrer Wangen, er leckte mit der Zungenspitze um ihren Mund herum.

Spaziergänger kamen vorbei und Carl behauptete, man könne sie im schummrigen Licht der Laterne und im Schatten der Linde nicht sehen. Ein Blatt fiel vom Baum, es landete auf seiner Schulter.

Vielleicht werden unsere Kinder nur meine kleine Nase haben und deine mageren Knochen. Helene pustete, sie wollte das Blatt von Carls Schulter pusten.

Das wär mir egal. Carl streichelte mit beiden Händen ihr Gesicht. Er bedeckte ihr Gesicht. Lass uns nach Hause gehen. Er schob seine Hand in ihren Sommermantel und hielt ihren untersten Rippenbogen. Das ist dein schönster Ort. Helene fürchtete, er könne die Wölbung der Rippe für ihre Brust halten, unter so einem Mantel, war er auch noch so leicht, konnte man sich schon irren. Sie pustete wieder gegen seine Schulter, aber das Lindenblatt blieb hartnäckig liegen. Jetzt hob sie ihre Hand, sie wollte nicht, dass er das Lindenblatt bemerkte, sie strich seinen Kragen glatt und sah aus dem Augenwinkel, wie das Blatt zu Boden segelte.

Sie nahmen vom Bahnhof Zoologischer Garten die Straßenbahn zum Nollendorfplatz. Hand in Hand liefen sie die Treppe zu seiner Dachkammer hinauf. Er schloss die Tür auf, hängte seinen Hut an den Haken und half ihr, den Sommermantel auszuziehen, die Schuhe auszuziehen, das Kleid auszuziehen. Lass dich sehen. Sie zeigte sich. Dass sich ihm jemals eine Frau zeigen würde wie sie, darauf hatte er nicht hoffen können, ihm hatte schlicht die Vorstellung gefehlt. Sie lachte, als schäme sie sich, und er wusste, dass sie diese Scham nicht kannte. Er liebte sie für das Spiel. Sie legte ihre Hand auf ihren Bauch, wie es eine Frau tun könnte, die sich bedecken wollte. Doch sie schob ihre Hand zur Scham, in die Leiste, zwischen ihre Schenkel. Dabei wurde ihr Blick fester, ihre Nasenflügel bebten und ihr Mund deutete ein Lächeln an. Ihre Finger schienen den Weg zu kennen. Dann führte sie ihre Hand zum Mund, es sah aus, als müsse sie aus Verlegenheit an den Nägeln knabbern. Plötzlich drehte sie sich um, blickte über ihre Schulter, in der die Grübchen lockten, und fragte: Worauf wartest du?

Er legte sie auf das Bett und küsste sie.

Der Morgen graute, als sie voneinander ablassen konnten.

Carl stand auf und öffnete das Fenster. Es wird kühl, der Herbst liegt in der Luft.

Komm her, Helene klopfte neben sich auf das Kissen. Carl legte sich zu ihr. Er wollte keine Decke. Der Anblick seiner Nacktheit gefiel ihr. Er war erschöpft, der letzte Schlaf schon lange her. Sie hatte tagsüber noch gearbeitet, er studiert, sie waren in einer kleinen Gaststätte etwas essen gewesen, Königsberger Klopse, ihr Leibgericht, sie waren ins Theater gegangen und hatten auf der Brücke gestanden. Später gab es ihr schwaches Ja unter der Linde. Sie schämte sich, als sie daran dachte. Sie streichelte seine Brust und umkreiste seinen Nabel, von dem aus eine lange Narbe abwärts führte. Akuter Blinddarm, Darmverschlingung, Verschluss beinahe, beinahe Schluss. Ihre Hand berührte geschickt jeden Flecken seines Körpers rund um den Hof seines Geschlechtes, suchte seine Lenden und mied sein Geschlecht. Er wusste, dass sie mit ihm spielte und wie sie ihn an anderen Tagen eben dort anfassen konnte. Es gab nichts an seinem Körper, vor dem sie eine Scheu gehabt hätte. Das war ihm manchmal unheimlich, schließlich behauptete sie doch, er wäre ihr erster Mann. Was war schon der Erste? Der Letzte wollte er sein, also hatte er zu ihr gesagt: Du bist meine Letzte, hörst du, meine süße Allerletzte. Er legte seine Hand auf ihre Hüfte.

Am besten gefallen hat mir die Lenya, wie sie ihre Rache ankündigt. Gib zu, das geht unter die Haut.

Helene konnte nicht glauben, dass er wieder davon anfing.

Das arme Mädchen, sagte sie. Sie ließ Carl hören, dass sich ihr Mitleid in Grenzen hielt. Du lässt dich mitreißen. Helene schüttelte den Kopf, gütig, wie eine Mutter über ihr Kind.

Entfachen, ja. Die Oper hat gezündet, das hat Knall gemacht.

Und Puff. Helene blies ihm ins Ohr.

Seine Hände streichelten ihren Bauch, sein Mund suchte ihre kleinen Zitzen, die sein waren, sein allein, allein sein. Ehe Helene sich hingab, flüsterte sie in seinen Haarschopf: Ich möchte nur nicht, dass du erblindest.

Später, die Sonne fiel schon auf ihr Bett, wachte Helene über ihn, sie sah zu, wie er schlief. Seine Augäpfel bewegten sich unter den Lidern wie kleine Lebewesen, etwas Stimmhaftes aus seiner Kehle ließ ihn zusammenschrecken, dann atmete er ruhig. Helene flüsterte ihm etwas ins Ohr und hoffte, dass Worte, die sich im Schlaf in die Träume stahlen, diese Worte mit ihrer Stimme, tief in ihn sanken, in jede Zelle seines Daseins. Sie war zu müde zum Schlafen.

Man müsse Körper und Seele trennen, sagte Leontine, anders könne sie nicht arbeiten.

Den Affekt vom Ding lösen, das ginge wohl nur zugunsten des Dings. Denn ein Affekt ohne Ursache und Ding, dem es anhängt, das könne er sich nicht vorstellen. Carl stopfte seine kleine Pfeife nach und zündete sie an. Seine neue Hornbrille verschwand im Qualm, noch fehlte ihm beim Rauchen die Eleganz eines Alten. Wenn er sprach, sprach er in anregenden Gesprächen wie diesen so schnell, dass er einzelne Worte verschluckte und man sie sich denken musste, um zu erfassen, was er genau gesagt hatte. Nur wie könnte ein Ding ohne seinen Betrachter noch dinghaft sein? Auch das Ding besitzt ein Aussehen, eine Konsistenz und Temperatur; nicht zuletzt eine Funktion.

Leontine warf einen Blick auf Helene, die sich auf der Chaiselongue ausgestreckt und die Augen geschlossen hatte.

Vermutlich ist genau das die Herausforderung meiner Zunft, die Trennung. Allein die Sezierung des Körpers trennt einzelne Teile aus einem Ganzen. Wir können sie ansehen, die Leber und ihre Geschwulst. Wir können die Geschwulst von der Leber und die Leber vom Körper trennen.

Aber nicht vom Menschen, und es wird immer die Leber dieses Menschen bleiben. Die örtliche Entfernung und die funktionale Durchbrechung ihrer Symbiose beraubt weder die Leber des Menschen noch den Menschen seiner Leber.

Nehmen wir ein Bein. Carl war noch nicht sicher, ob sich sein

Gedanke Leontines anschließen oder widersetzen würde. Wievielen unserer Väter fehlt eines der äußeren Gliedmaßen. Sie leben ohne ihren Arm, ohne ihren Finger.

Martha stöhnte demonstrativ, ihr wurde das Gespräch zwischen Leontine und Carl zu lang, es war Leontine und ihr seit einiger Zeit zum ersten Mal gelungen, gleichzeitig einen freien Tag zu haben; mitten in der Woche wollten sie einen Ausflug machen und ein befreundetes Paar in Friedenau besuchen. Martha legte jetzt ihren Arm um Leontines Hals und drosselte sie damit.

Wenn ihr euch nicht trennen könnt, haben unsere Gastgeber den Kuchen verspeist, ehe wir dort eintreffen.

Leontine löste Marthas Arm von ihrem Hals. Allein das Wort Erkenntnis unterliegt einer gewissen Wesenswandlung. Die Hülle bleibt bestehen, aber was gestern noch die Erkenntnis Gottes und seiner Allmacht war, ist heute der Schnitt in die Geschwulst.

Carl rauchte, er hielt seinen Kopf steif, es lag ihm viel an seiner Haltung, daran, den Kopf noch nicht zu schütteln, ehe er seinen Gedanken klar vermessen und die richtigen Worte für den Widerspruch gefunden hatte.

Leontine nutzte indessen die Gelegenheit, ihren Affront auszuweiten. Carl, es ist nicht allein die Medizin, die der Erkenntnis so viele neue Attribute hinzugefügt hat, dass wir nicht mehr vom selben Charakter sprechen können. Ein Blick in den Himmel, die Technik der Flugzeuge, die Vernichtungen durch Gas bei Kriegsende, das alles spricht gegen Gott.

Nein, Carl senkte den Kopf, nein, das ist die falsche Herangehensweise, Technik und Wissenschaft sind unmittelbare Kinder der göttlichen Erkenntnis. Es ist nur konsequent, dass der Mensch sich nicht dem Licht allein entzieht, dem Licht der Erkenntnis. Das lässt sich nicht trennen. Der Mensch zieht Lehren. Ob deshalb Gebete zu einem Gott etwas nützen, das weiß ich auch nicht. Ich wollte Gott keine menschlichen Züge verleihen, er spricht nicht, wie es heilige Schriften vorschlagen, er richtet nicht. Jegliche moralische Kapazität, alles Menschliche würde ich Gott absprechen. Gott lässt sich besser als Prinzip beschreiben, er ist das weltliche Prinzip. Der Glaube an ihn als die Metamorphose einer Person ist allein den Affekten des Menschen anzulasten. Carl zog an seiner Pfeife.

Die Katastrophen verursacht heute der Mensch, schau dir den Krieg und seine Helden an. Konnten wir uns von ihm erholen? Und was war schlimmer, die materielle Einbuße, der Verlust von Menschenleben oder die Kränkung? Leontine stand auf, sie ging zu dem großen Samowar, der als einziger Gegenstand noch auf der langgestreckten Konsole stand, und drehte den Hahn auf. Die Helden des Krieges waren andere. Das Wasser war zu heiß, sie hielt das kleine Glas nur an die Lippen, ohne trinken zu können. Sie sprach über den Rand des heißen Glases hinweg: Keine zehn Jahre später und schau, wie die Menschen seit Tagen an den Kiosken lauern und ihrem Händler die Vossische aus der Hand reißen. Wenn sie sich auf Remarque stürzen und seine Kriegsschilderungen aufsaugen, betrachten sie ihr eigenes Machwerk. Wir sind uns selbst genug.

Eben nicht, wären sie sich selbst genug, so hätten sie keinen Hunger, weder geistigen noch physischen. Carls Stimme verlor ihre Leichtigkeit, seine sonst einfach schnell gesprochenen Worte wurden nur noch halb ausgesprochen. Ich möchte mich korrigieren, ich möchte nicht behaupten, dass wir dem Menschen und seinen Affekten auch nur das Geringste anlasten sollten. Eher sollten wir nach dem göttlichen Prinzip schielen, das meiner Ansicht nach wie gesagt kein moralisches ist. Hören wir auf, den Menschen auf sein Gutes und Schlechtes zu belauern, haben wir Mitgefühl mit dem Sein des Menschen.

Du bist verrückt, Helene sagte es freundlich und unbestimmt, sie war sich dieser Annahme keineswegs sicher, sie richtete sich auf, streckte sich auf ihrer Chaiselongue und machte einen Katzenbuckel. Dann breitete sie ihre Arme aus und ächzte befreiend.

Für mich als Ärztin ist das Maß von Mitgefühl entscheidend. Ich möchte dem Menschen helfen, dass er lebt, möglichst gesund. Der Schmerz ist schlecht, also belauere ich den Menschen, ich untersuche die Ursache des Schmerzes, ich will sie beheben. Leontine trank einen kleinen Schluck vom schwarzen Tee und setzte sich wieder. Sie fuhr sich mit der Hand durch das kurze schwarze Haar. Sie rückte vor, saß am Rande des Polsters und stellte ihre Beine in der Weise nach außen, wie sie es schon als junges Mädchen getan hatte. Es war ein Rätsel, wo sie diesen grob gewebten Hosenrock aufgetrieben hatte, er erinnerte an die Jupe-Culotte, die Helene nur noch aus alten Modezeitschriften kannte. Leontine stützte den einen ausgestreckten Arm auf ihr Knie und mit dem anderen hielt sie, angewinkelt, den Ellenbogen nach außen zeigend, das Teeglas. Eine Herausforderung lag in ihrem Sitzen, eine Haltung, die Helene heute so aufregend wie früher, aber zum erstenmal unweiblich erschien.

Helene stellte ihre Füße auf den Boden und bückte sich auf der Suche nach ihren Schuhen. Carl, sagte Helene, insbesondere wenn du die Moral für ein Kennzeichen des Menschen hältst, sollten wir dieses ursprünglich menschliche Maß nicht verachten.

Ich verachte es nicht, ich schlage lediglich vor, es zu missachten.

Den Kopf zum besseren Sehen auf den Boden gelegt, langte Helene mit dem Arm tief unter die Chaiselongue. Ihr Gesicht war von Anstrengung verzerrt, sie blickte hinauf zu Carl: Lass uns lieber noch ins Kino gehen. Morgen arbeite ich bis sechs und die Schule geht bis zehn. Helene hatte ihre Stiefel gefunden, zog sie an und schnürte sie zu. Der November machte die Stadt grau, man musste sich warm anziehen und möglichst mehrmals in der Woche ins Theater oder Kino gehen, um die Farblosigkeit der Tage zu erdulden. Carl blieb auf seinem Stuhl sitzen und rauchte weiter. Es war unklar, ob er überhaupt gehört hatte, dass Helene ihm einen Vorschlag gemacht hatte.

Ich bewundere Sie, Leontine, deshalb lassen Sie mich Ihnen noch etwas erwidern. Meines Erachtens ist der Schmerz der einzige Zustand, den wir nicht mit den gewöhnlichen Affekten gleichsetzen dürfen. Der Schmerz ist es, der den Menschen dazu veranlasst, sich eine Zukunft vorzustellen, und sei es die Utopie, das Paradies. Wenn Sie als Ärztin das Leid des Menschen verringern, ist das gut für den Einzelnen, aber schlecht für Gott. Das Prinzip Gott baut auf den Schmerz. Erst wenn der Schmerz in der Welt ausgelöscht wäre, könnten wir von der Vernichtung Gottes sprechen.

Was ist, wollen wir noch vor Einbruch der Dunkelheit in Friedenau ankommen? Martha stand schon in der Zimmertür und hoffte, dass Leontine sich endlich aus ihrem Gespräch mit Carl lösen konnte.

Leontine sah den mehr als zehn Jahre jüngeren Carl an, in ihren Ausdruck gelangte etwas von Traurigkeit und Ergeben. Ihre Stimme war zugleich tragend und fest, als sie sagte: Grausam. Sie machte eine Pause, schien sich besinnen zu müssen. Ihre Sicht ist grausam, Carl. Das ist der richtige Augenblick zum Aufbruch. In Leontines Stimme mischte sich eine gewisse Härte, die fast bitter klang. Wenn man Ihnen zuhört, möchte man meinen, dass die Priester, über Ihre Rabbiner weiß ich zu wenig, dass die Priester also mit ihrem Versprechen auf Linderung des Schmerzes die ersten Ketzer waren. Eine organisierte Bande, die Christen? Leontine schüttelte den Kopf. Verachtung trat in ihr Gesicht. Sie blickte weg, blickte zu Martha, die noch immer an der offenen Flügeltür wartete. Leontine stand auf, sie legte ihre Hand auf Marthas Arm. Komm, Martha, wir gehen.

Die beiden Frauen verließen das Zimmer. Man hörte sie im Flur leise, wenige und kurze Sätze reden. Dann fiel die Wohnungstür ins Schloss. Helene traute sich nicht, Carl anzusehen. Das Schweigen zwischen ihnen dehnte sich aus. Carl rauchte und saß da, seine schmale Gestalt sah im Gegenlicht wie die eines alten Männleins aus. Er war es nicht gewohnt, mitten im

Gespräch verlassen zu werden. Helene verschränkte die Arme. Sie überlegte, was sie Aufmunterndes zu ihm sagen könnte, zugleich spürte sie, dass sie ihn nicht aufmuntern wollte. Er hatte ihren Einwurf vorhin schlicht überhört, vermutlich hatte er ihr nicht einmal absichtlich das Gehör verwehrt.

Um sechs könnten wir Pat und Patachon sehen, das schaffen wir noch. Helene sagte es fast beiläufig, sie war jetzt ebenfalls zur Tür gegangen und hoffte, dass er endlich aufstehen und ihr folgen würde.

Leontine hat die Kränkung angesprochen, Carl sprach jetzt langsam und blieb im Satz hängen. Sein Blick ruhte auf dem Stuhl, auf dem Leontine zuvor gesessen hatte. Es fiel ihm schwer, mit dem Verlust seines Gegenübers zu denken. Sie hat den Wunsch genannt, den Wunsch nach Helden, zumindest Heldentum. Ich halte es nicht mit dem Heldentum eines Arthur Trebitsch. Es gibt weder die Erlösung einer nordischen Rasse noch die jüdische Weltverschwörung. Tragisch ist, dass mit der Beendigung eines persönlichen Leids, sagen wir durch den Tod, bestimmte Ideen niemals, und vielleicht sogar keine einzige jemals, verloren gehen. Sie entwickeln sich außerhalb des Einzelnen, der an ihnen auf die winzige Lebenszeit hin gedacht hat, weiter. Der Urheber lässt sich nicht feststellen, weil dieses Gebräu menschlichen Geistes, vom Leid geprägt und befruchtet, im Zweifel an sich selbst, keinen Beginn und kein Ende besitzt. Diese Uferlosigkeit macht mich ganz schwach. Es gibt keinen Saum der Menschheit. Der Mensch vertreibt Gott von seiner Erde. Und ab in die Glutenkiste.

Carl hatte für sich gesprochen und zur längst verschwundenen Leontine. Erschöpft ließ er jetzt seine Hände auf die Schenkel fallen.

Wie wäre es mit dem Zirkus von Chaplin? Helene verschränkte die Arme, sie lehnte sich gegen den Türrahmen.

Carl sah erstaunt hinüber zu ihr. Er brauchte einen Augenblick, ehe er antworten konnte. Kino, sagte er schroff, gehen wir ins Kino, jetzt nüchtern. Gibt es nicht diese Boxfilme? Alle Welt dreht Boxfilme, wir sollten uns einen ansehen. Combat de Boxe, das ist die junge Avantgarde Belgiens, mit einem Regisseur, der einen schier unaussprechlichen Namen hat, Dekeukeleire. Schon der Name reicht für einen Film, nicht? Oder dieser Engländer, sein Film heißt The Ring – die hiesigen Kinobetreiber haben daraus den Weltmeister gemacht. Ist das nicht lustig? Carl versuchte, sich selbst von der Lustigkeit seiner Bemerkung zu überzeugen.

Ein Film über das Boxen? Helene war nicht überzeugt, aber sie wollte alles tun, damit Carl endlich von diesem Stuhl aufstand und mit hinauskam.

Die Straße schimmerte dunkelgrau, zwischen den Häusern hing kalte Feuchtigkeit. Die Laternen brannten schon, und an den Ecken wurden die Abendzeitungen verkauft.

Warst du in Leontine verliebt?

In Leontine? Carl grub seine Hände in die Manteltaschen. Gut, ich gebe es zu. Er sah Helene nicht an, und sie wollte nicht weiter fragen, was er damit meinte.

Helene war die letzten Meter zur Charité gerannt. Sie hatte ihre Schule an diesem Abend ausfallen lassen, in den letzten Wochen ging es dort nur um die möglichen Fragen im Abitur. Es war Ostern, der Apotheker hatte ihr für den Rest der Woche freigegeben. Ihr kleiner Koffer war ochsenblutrot und leicht, sie hatte ihn vor wenigen Tagen erstanden und nicht viel eingepackt. Helene atmete noch heftig, als sie gegen die Zimmertür von Frau Doktor klopfte. Leontine öffnete ihr, sie küssten sich über die Schulter.

Du bist dir sicher?

Ja. Helene zog ihren Mantel aus. Ziemlich. Mir ist nicht übel, gar nichts, nur auf die Blase drückt es nachts.

Wie lange ist die letzte Periode her?

Helene wurde rot. So häufig sie im Krankenhaus während ihrer Ausbildung bettlägerigen Frauen die Binden gewechselt hatte, so genau sie sich an das Waschen von Marthas kleiner Wäsche erinnern konnte, sie hatte noch nie über ihre Periode gesprochen. Und nun galt diese erste Frage danach sogleich ihrer letzten.

Neunundzwanzigster Januar.

Sie könnte sich verzögert haben. Leontine blickte Helene fragend an, kein Vorwurf, kein Richten.

Das habe ich auch gehofft.

Ich werde keine von Aschheims Mäusen holen müssen? Leontine arbeitete Schulter an Schulter mit Aschheim in seinem Laboratorium, aber sie hätte für den Versuch Helenes Morgenurin benötigt. Sie hätte eines der kleinen, noch nackten Mäusemädchen nehmen und ihm Helenes Urin subkutan injizieren müssen. Dann hätte sie zwei Tage warten und die Maus obduzieren müssen. Wenn das winzige Mäusemädchen mit einer Ovulation reagierte, war sicher, dass die Frau schwanger war. Leontine half Aschheim, eine Abhandlung darüber zu verfassen, sie sollte gegen Ende des Jahres fertig sein, so alles gut ging, und im kommenden Jahr veröffentlicht werden.

Ich gebe dir einen kleinen Schlaftrunk.

Und ich merke nichts?

Nein. Leontine drehte sich um, sie hatte in einer Glaskanne eine Flüssigkeit angerührt und goss diese Helene in einen Becher. Ich kenne die Arbeit der Anästhesisten.

Kein Zweifel. Helene hatte jetzt Angst. Sie hatte keine Angst vor dem Abbruch, sie hatte Angst vor der Bewusstlosigkeit. Sie setzte sich auf den Stuhl und trank das Glas in einem Zug. Durch ihre Arbeit bei dem Apotheker wusste sie selbst, welche Substanzen sich für eine wohldosierte zeitlich begrenzte Abwesenheit eigneten.

Es klopfte, und Martha trat ein. Sie drehte den Schlüssel in der Tür um und ging zum Fenster, um die Rollläden zu schließen.

Es muss ja niemand sehen, sagte sie und kam auf Helene zu. Jetzt atmen. Nur wenig Äther. Helene sah, wie sich Marthas Schritte bis zur Zeitlupe verlangsamten und Martha ihre Hand ergriff. Sie konnte Marthas Hand nicht spüren. Martha stellte sich neben sie und legte einen Arm um ihre Schulter. Ich bin bei dir.

Es gab keinen Traum, kein Licht am Ende des Tunnels, keine Ahnung von dem, was hätte sein können, und auch keinen Zeigefinger eines Gottvaters, der sich drohend über Helene erhoben hätte.

Als sie aufwachte, bemerkte sie noch immer die Taubheit am ganzen Körper, erst nach und nach konnte sie das Brennen spüren. Sie lag auf dem Rücken, einen Gurt fest über der Brust. Wie hatten die beiden Frauen sie auf die Liege geschafft? Helene traute sich nicht, sich zu bewegen. Am Schreibtisch brannte eine Lampe, davor saß Leontine und las.

Ist es weg? Helenes Stimme zitterte.

Leontine drehte sich zu Helene um, sie blieb auf ihrem Stuhl sitzen und sagte: Schlaf, Helene. Wir bleiben heute Nacht hier.

Ist es weg?

Leontine vertiefte sich wieder in ihr Buch, sie schien Helenes Frage nicht gehört zu haben.

Ein Junge oder ein Mädchen?

Jetzt drehte sich Leontine abrupt zu ihr um. Da war nichts, sagte sie ärgerlich. Du sollst schlafen. Da war kein Embryo, kein befruchtetes Ei, du warst nicht schwanger.

Auf dem Gang waren Schritte zu hören, die sich wieder entfernten. Helene wurde jetzt wacher. Das glaube ich dir nicht, flüsterte sie und spürte, wie ihr Tränen über die Schläfe und ins Ohr liefen, lauwarm.

Leontine schwieg, sie hatte sich über ihr Buch gebeugt und blätterte eine Seite um. Im Gegenlicht, das sich unter den Tränen wie ein Prisma brach, sah es aus, als gebe es Leontine tausendfach. Sollte das eine Brille sein, die sie da trug? Helene bewegte ihre Zehen, das Ziehen in ihrem Leib wurde jetzt so heftig und schneidend, dass sie eine leichte Übelkeit empfand.

Martha hat Nachtdienst? Helene versuchte, den Schmerz zu unterdrücken, sie wollte nicht, dass man ihn aus ihrer Stimme hörte.

Die ganze Woche schon. Sie kommt nachher, und wir bringen dich nach Hause. Bis dahin hast du noch sieben Stunden, die solltest du schlafen.

Hätte Helene nicht diese Schmerzen gehabt, wäre es ihr gelungen, Leontine zu sagen, dass sie nicht schlafen wolle. Aber der Schmerz ließ nur wenig Worte und keinen Trotz zu. Gibt es eine Wärmflasche?

Nein, Wärme würde es nur schlimmer machen. Leontine deutete ein Lächeln an. Sie stand auf und kam zu Helene, um ihr die Hand auf die Stirn zu legen. Du weinst. Ich könnte dir Morphium geben, zumindest wenig.

Helene schüttelte heftig den Kopf. Auf keinen Fall. Niemals wollte sie Morphium nehmen, sie würde den Schmerz ertragen, jeden Schmerz, auch wenn sie es nicht laut sagte. Sie biss sich auf die Lippen, ihr Kiefer klemmte zusammen.

Vergiss das Atmen nicht, jetzt lächelte Leontine wirklich, sie streichelte Helenes Haar, das feucht wurde vom Schweiß, der ihr auf der Stirn stand. Die Tränen liefen, sie konnte sie nicht aufhalten.

Wenn du musst, sag mir Bescheid, das erste Mal tut weh. Aber der Urin hilft, es wird heilen. Du sollst nur liegen, möglichst viel. Weiß Carl inzwischen etwas?

Helene schüttelte wieder den Kopf, es machte nichts, dass sie weinte. Ich habe Carl gesagt, dass wir in die Ferien fahren, an die See. Wir fahren nach Ahlbeck, nicht wahr?

Leontine zog die Augenbrauen hoch. Und wenn er Martha oder mich zufällig trifft?

Das wird er nicht, er lernt für sein Examen. Er sitzt seit drei Wochen in seiner Kammer. Helene keuchte, das Lachen gelang mit Schmerz nicht gut. Er hat gesagt, es wäre bestimmt noch frisch am Meer, wir sollen uns nicht erkälten.

Leontine ließ Helenes Stirn los, sie ging zu ihrem Schreibtisch, zog die Lampe tiefer zu sich, damit der sonstige Raum noch dunkler wurde, und las. Im Schein der Lampe sah es aus, als habe Leontine einen Flaum auf der Oberlippe.

Ich wusste gar nicht, dass du eine Brille hast.

Verrat es keinem, sonst verrat ich dich.

Am Morgen nahmen Martha und Leontine Helene in ihre Mitte. Martha trug den kleinen, ochsenblutroten Koffer, in den sie Helenes Wäsche gelegt hatten. Helene musste immer wieder stehen bleiben, ihr Leib zog sich zusammen, sie wollte sich nicht auf offener Straße krümmen. Blut floss aus ihr, es schien dicker als sonst. Der Wind pfiff, die Mädchen hielten ihre Hüte fest. Helene fühlte sich von innen nach außen durchnässt, bis zu den Nieren kroch die Nässe, sie zog sich an den Beinen entlang, und es war Helene, als erreichte sie ihre Kniekehlen.

Leontine sagte zu Martha: Du wartest hier mit ihr. Und Martha wartete mit Helene, sie legte einen Arm um Helenes Hüfte. Helene erschien Marthas Arm unangenehm schwer, ihr schien, als reize die Berührung den Schmerz und locke ihn. Marthas Arm war ihr lästig. Aber sie konnte nicht sprechen, sie wollte Martha nicht von sich stoßen. Plötzlich musste sie an ihre Mutter denken, ihr wurde schlecht. Sie hatten lange nichts von der Mutter gehört. Der letzte Brief vom Mariechen war zu Weihnachten gekommen, alles sei in bester Ordnung, der Mutter ginge es besser, sie könne manchmal mit ihr spazieren gehen. Ein Ziehen riss Helenes Leib auseinander, sie knickte fast unmerklich ein. Martha hob jetzt ihren Arm und legte ihre Hand um Helenes Schulter, ungefragt versicherte sie Helene, dass sie es gleich geschafft hätten. In Marthas Gesicht war ein sonderbarer Ausdruck, den Helene noch nie gesehen hatte. War es Furcht?

Engelchen. Martha zog Helene an sich, sich an Helene. Sie streichelte Helene über das Gesicht. Helene wollte ihr sagen, dass das nicht nötig sei, es war ja nur Schmerz, nichts sonst. Sie musste ihn nur überwinden, ihm standhalten, warten. Leontine winkte vorn an der Straße, endlich hatte ein Taxi gehalten. Es begann zu regnen, die Passanten schlugen ihre Schirme auf. Leontine ruderte jetzt mit dem Arm, sie sollten hinüberkommen. Das Blut zwischen Helenes Beinen war kalt geworden. Martha und Leontine brachten Helene in das kleine Zimmer in der Achenbachstraße. Dort hatten sie die Betten wieder je an eine Wand geschoben und versicherten, dass es ihnen nichts ausmachte, für diese Woche in einem Bett zu schlafen. Sie brachten ihr Wasser und sagten, es sei wichtig, dass Helene möglichst viel ruhe. Es duftete nach Bergamotte und Lavendel. Helene wollte sich waschen, aber sie sollte nicht aufstehen. Im Flur schlugen Türen. Vielleicht der Baron?

Nein, Heinrich Baron sei wegen seiner Tuberkulose nach Davos gereist. Es sei ihm in der letzten Zeit so schlecht gegangen, dass Leontine ihm Empfehlungen und Rezepte ausgestellt habe. Statt seiner hätte jetzt das Ehepaar Karfunkel das Zimmer gemietet. Fanny sei froh, eine gute Miete zu bekommen, sie habe sich immerhin das Grammophon zurückholen können.

Helene legte sich auf das schmale Bett und schloss die Augen, es war zu hell.

Besser ist es, wenn du dich auf den Bauch legst, Engelchen, dann kann sich die Gebärmutter leichter senken. Helene drehte sich auf den Bauch. Das Kissen und die Matratze, einfach alles hier roch nach Leontine. Helene schloss wieder die Augen. Das Ziehen war nicht schlimm. Sie war nicht schwanger, das war gut.

Sie lag die ganze Woche auf dem Bauch und sog Leontines Geruch ein und übte Geduld.

Martha hatte herausgefunden, dass der Autobus von Ahlbeck nach Heringsdorf fuhr und der Schnellzug vom Bahnhof Heringsdorf Seebad um halb drei in Berlin am Stettiner Bahnhof ankommen würde. Also telefonierte Leontine mit einer Freundin in Ahlbeck und bat um Telegrammaufgabe: An Carl Wertheimer. Ankunft Sonntag halb drei, Stettiner Bahnhof. Küsse, Helene.

Am Sonntag hatte Leontine Dienst im Krankenhaus. Martha und Helene fuhren allein mit der Elektrischen hinaus nach Bernau. Dort warteten sie eine gute halbe Stunde auf die Eisenbahn. Einige der Zeitungsjungen liefen dem einfahrenden Zug entgegen und priesen den Menschen an den Fenstern ihre Sonderausgaben an. Der Zug dampfte und zischte, auch als er schon hielt. Berlin, alle einsteigen. Er war so überfüllt, dass Martha und Helene nur mit Mühe aufsteigen konnten. Die Pfeife trillerte. Und – Abfahrt. Der Zug war voller Berliner, die ihre Ostertage an der See und anderswo im Nordosten verbracht hatten und jetzt in ihre Stadt zurückkehrten. Sie ergötzten sich an ihren Zeitungen und tauschten Meinungen über die jüngsten Vorfälle in Schleswig-Holstein. Ein alter Mann sagte: Die hatten in Wöhrden gar nichts zu suchen. Was wollten die da überhaupt? Um den alten Mann herum fielen jetzt heftige Worte. Feiglinge sind das.

Von wegen Feiglinge, es geht um die Gerechtigkeit.

Mit Messern spielt man nicht.

Helene hielt sich an der Stange fest. Sie hatten keinen Platz mehr bekommen. Der Schmerz war jetzt geradezu sanft, er hatte sich vom Unterleib in den tiefen Rücken zurückgezogen, dort pochte er in Maßen, die Helene gut ertrug. Die Menschen um sie her konnten gar nicht aufhören, jeder sprach zu jedem. Offenbar war dieser Eifer ansteckend, jeder Mann und selbst jede Frau wollte seine Meinungen und Argumente zum Besten geben.

Hinterrücks nenne ich die. Die Frau, die das sagte, wirkte beleidigt.

Wir lassen uns doch keine Versammlung verbieten, rief ein Mann und sein Nachbar stimmte ihm zu, abschlachten erst recht nicht. Martha und Helene blieben bis zum Stettiner Bahnhof an der Tür stehen.

Carl wartete am Bahnhof, er winkte mit den Armen, als habe er Flügel. Der Zug ächzte und stand schließlich. Sie stiegen aus, Carl rannte auf sie zu, er gab Martha die Hand und schloss Helene in seine Arme.

Hab ich dich vermisst.

Helene drückte ihr Gesicht fest an ihn, die Glätte seines Pelzkragens, sie wollte nicht, dass er sie ansah. Die Menschen strömten an ihnen vorbei.

Eine ganze Woche an der See und ich sitze in meiner Kammer und frage mich, ob Hegel die deutsche Sprache von ihrem ursprünglichen Gebrauch entfremden musste, um seine Gedanken adäquat zu äußern. War das nötig? Carl lachte. Wo habt ihr Leontine gelassen?

Sie musste eher zurück, ihr Professor Friedrich hat ihr telegraphiert, er benötigte sie dringend.

Lass dich ansehen, erholt siehst du aus. Carl betrachtete Helene wie eine zu kaufende Aprikose, er kniff ihr zärtlich in die Wange. Vielleicht kleine Augenringe. Ihr werdet doch nicht ohne mich getanzt haben?

Und ob. Martha drückte Carl den kleinen Koffer in die Hand.

Frühling und Sommer vergingen wie im Flug. Helene arbeitete in der Apotheke, legte ihre Reifeprüfung ab und wartete auf die Ergebnisse. Carl saß von früh bis spät zwischen den Büchertürmen an seinem Schreibtisch, ging er hinaus, so nur um eine der schriftlichen und mündlichen Prüfungen hinter sich zu bringen. Am Ende des Sommers glaubten sie beide, dass ihnen das Leben zu Füßen lag. Zwei Professoren buhlten um Carls Aufmerksamkeit, er musste sich nur entscheiden, ob er lieber weiter Hegel lesen oder doch der allgemeinen Strömung folgend sich tiefer mit Kant und Nietzsche auseinandersetzen wollte. Er schrieb Briefe nach Hamburg und Freiburg, wo er von Professoren wusste, deren Arbeit ihn begeisterte. Nachdem sein summa cum laude bekannt geworden war, erreichte ihn eine Einladung aus Dresden, er möge sich doch dem Problem der Allgemeingültigkeit in Kants Ästhetik widmen. Aber Carl wartete noch auf Antwort aus Hamburg und Freiburg.

Du weißt, dass wir heiraten müssen, ehe ich aus Berlin weggehe?

Carl drückte Helenes Hand in seiner. Sie überquerten die Passauer Straße. Es roch nach Laub. Das lichte Gelb der Lindenblätter holte die Herbstsonne in die dunklen Äste. In der Nürnberger Straße war das Laub zu Haufen gekehrt. Helene lief mitten durch einen der Haufen, dass die Blätter über ihre

Schuhspitzen flogen und das dürre Laub raschelte. Der Ahorn glühte grün und rot, gelb und grün leuchteten die Blattadern, brauner Brand vom Rande her. Braunes Gold von Kastanienblättern. Helene bückte sich und hob eine der Kastanien auf. Schau mal, wie glatt die ist und was für eine schöne Farbe. Sie strich mit dem Daumen über die Rundung und hielt Carl die Kastanie hin.

Carl nahm ihr die Kastanie aus der Hand und wartete auf ihre Antwort. Ihre Augen waren hell, in dem gelben Licht der untergehenden Sonne wirkten ihre Augen fast grün. Ihre Augen lächelten. Wir müssen?

Er nickte, er konnte es nicht erwarten. Werd meine Frau.

Helene musste sich kaum strecken, um ihn auf den Mund zu küssen. Ich bin dein, flüsterte sie.

Im Frühjahr? Er wollte sich versichern, er nahm ihre Hand und ging voran.

Im Frühjahr, bestätigte sie. Sie ließ sich nicht ziehen, sie holte auf und ihrer beider Schritte wurden immer schneller. Sie waren eingeladen. In der Achenbachstraße brannten schon die Lichter. Fanny war noch mit Vorbereitungen beschäftigt, sie brauchte die Hilfe ihres Personals und bat Carl und Helene, mit Cleo eine Runde zu gehen. Als sie später zurückkehrten, war die Wohnung voller Gäste. Aus dem Trichter klang eine knarzige Stimme und beklagte ihre Zeit. Der Vetter aus Wien, den Helene nur flüchtig kannte, stürzte sich schon beim Eintreten an der Tür auf sie. Er freue sich so sehr, Helene zu sehen, und habe ihr schönes Gespräch vor zwei Jahren nie vergessen können. Helene überlegte, welches Gespräch er wohl meinte. Sie erinnerte sich nur vage, es ging um Kindererziehung. Es sei zu schade, sagte der Vetter mit seiner feuchten Aussprache, dass sie kein Französisch spreche. Jetzt legte er seine große weiche Hand auf Helenes Arm. Er habe schon überlegt, ob er ihr ein Angebot als Privatlehrerin für seine Töchter machen könnte. Erstaunt sah Helene ihn an. Es wäre zu schön, wenn Sie nach Wien kämen. Sie könnten unser Mädchenzimmer haben, wir sind doch Verwandte.

Ob sie die Mäntel abnehmen dürfe? Otta fragte offenbar nicht zum ersten Mal. Helene drehte sich erleichtert zur Seite, zog ihren Mantel aus und tauschte mit Carl, der geduldig neben ihr wartete, einen Blick. Helene ergriff seine Hand.

Wie ich von Fanny gehört habe, ist Ihnen die Reifeprüfung prächtig gelungen? Na, wer hätte was anderes erwartet. Ich bin sicher, dass Sie meine Töchter wunderbar unterrichten werden, es sind zwei.

Mein Verlobter, Carl Wertheimer, sagte Helene jetzt mitten in den Satz des Vetters hinein. Der Vetter schluckte, sein Blick fiel zum ersten Mal auf Carl.

Freut mich. Der Vetter streckte Carl die Hand entgegen. Sie haben also das Glück, der Vetter musste offenbar nachgrübeln, welches Glück er annahm, dass Carl es hätte. Das Glück, hob er ein zweites Mal an, diese schöne junge Frau in die Ehe zu führen.

Carl verheimlichte weder Freude noch Stolz. Es war das erste Mal, dass Helene ihn als ihren Verlobten vorgestellt hatte. Wir werden Sie zur Hochzeit einladen, sagte Carl freundlich. Sie entschuldigen uns? Carl schob Helene vor sich her, um durch die im Flur wartenden Gäste in den Salon zu gelangen. Dort saßen und standen die Menschen dicht beieinander. Martha unterhielt sich mit den neuen Untermietern, sie wirkte neben den Leuten groß und blass und nüchtern. Sie hielt ein Glas in der Hand und Leontine veranlasste, dass ihr Wasser nachgeschenkt wurde. Zu Helenes Überraschung entdeckte sie neben Leontine die wohlbekannte Stirnglatze des Barons. Er stand mit dem Rücken zur Tür und sah Helene nicht kommen.

Wie schön, Sie zu sehen, sagte Helene, sie tippte ihm an die Schulter.

Helene, der Baron breitete mit leicht gekrümmten, nach oben geöffneten Händen seine Arme aus, eine Geste, die zugleich Distanz ausdrückte. Er nahm Helenes Hand und küsste sie.

Geht es Ihnen besser, konnten Sie sich erholen?

Keine Spur. Bei meiner Ankunft diagnostizierte der Arzt: Erkältung des Herzens, Helene, was sagen Sie dazu? Einen Augenblick sah es so aus, als wolle sich der Baron vor allen Leuten bloßstellen. Der Baron sah forsch in die Runde, doch schon beeilte er sich herzhaft zu lachen. Davos ist längst nicht mehr, was es war. Ein paar Siechende, denen man besser nicht begegnen will, und viele Hysteriker, die den lieben, langen Tag Krankengeschichten austauschen und wie getrieben durch die Kurparks eilen. Sie pilgern in Grüppchen zum Waldsanatorium.

Nicht wahr? Sagte jetzt eine kleine schmale Person, die Helene noch nicht kannte. Offenbar bewunderte das zarte Wesen den Baron, es lauschte mit dem Finger am Ohr.

Aber dort erhält der Normalsterbliche ja nicht einmal Einlass. Der Baron freute sich, endlich Zuhörer zu haben. Da behauptete ich einfach mit wichtiger Miene, ich sei mit einem Monsieur Richter verabredet. Der Name fiel mir gerade so ein. Der Portier nickte, ihm war das recht, und er ließ mich eine Zeitlang in einem großen Sessel versinken. Ich tat, als würde ich warten. Unerträglich, diese Gesellschaft dort, furchtbar.

Wie wahr, sagte das zarte Wesen jetzt und schob eine kupferne Haarsträhne aus dem Gesicht.

Die Aufgekratztheit des Barons freute Helene, seine Erholung war sichtbar.

Carl Wertheimer, sagte der Baron jetzt, er bemühte sich um einen erfreuten Ausdruck. Wie schön, dass Sie auch gekommen sind.

Wir haben uns verlobt. Helene blickte den Baron herausfordernd an.

Ja, äh, ja, das habe ich schon gehört. Der Baron kratzte sich am Ohr. Leontine hat mir davon erzählt. Da möchte ich Glückwunsch sagen. Als falle ihm eben dies schwer, legte der Baron nun seine flache Hand auf die Stirnglatze und zupfte selbstvergessen mit Zeige- und Mittelfinger im dünnen Haar. Das zarte Wesen neben ihm trat unruhig von einem Bein auf das andere, es schaute freundlich in die Runde.

Mein Gott, ja, was wollte ich gerade sagen? Ich wollte Ihnen von dem philosophischen Symposium erzählen, dem Streit, der uns in Davos nicht erspart geblieben ist. Aber vielleicht stelle ich Ihnen zuerst das Fräulein Pina Giotto vor, wir haben uns in Arosa kennengelernt.

Dieselbe Pension, ja, das zarte Wesen pflichtete ihm jetzt erleichtert bei.

Das war so, nun, die Preise in Davos, davon machen wir uns hier keine Vorstellung. Und Arosa, ach, das gehört ja fast dazu. Der Baron nestelte an seinem Haar, sein Blick hing an Helene, er vergaß das Blinzeln.

Und liegt noch höher, behauptete das zarte Wesen jetzt.

Der Baron riss sich aus seiner Betrachtung und sah seine Begleitung unsicher an. Nur vorsichtig wagte er eine sanfte, aber abwehrende Handbewegung in ihre Richtung und ergriff das Wort.

Sie wissen sicherlich davon, Carl, der Streit zwischen Cassirer und Heidegger hat den ganzen Ort in Aufregung versetzt.

Schrecklich, ja, nickte das Fräulein Giotto. Der eine ist einfach abgereist.

Heidegger kündigte an, Cassirers Philosophie zu vernichten.

Ja, und da ist der eine einfach abgereist. Wo gibts denn sowas? Ich habe zum Heini gesagt, der ist ein Feigling. Kneifen tut man nicht.

Der Baron errötete jetzt und Schweiß brach auf seiner Stirn aus. Ihm war die Äußerung von Fräulein Giotto wohl nicht ganz geheuer. Nun, es war etwas anders. Entschuldigend blickte der Baron von Carl zu Helene und wieder zurück zu Carl. Ich möchte Ihnen das erklären. Der Baron fuhr sich mit dem Taschentuch über die Stirn und die glänzende Schneise auf seinem Kopf entlang. Es ging um Kant. Heideggers verwandelte Seinstheorie ist fundamental, sie ist radikal, er ließ Cassirer kaum zu Wort kommen, vielleicht fühlte sich Cassirer nicht ernst genommen. Ihm ging es um die symbolischen Formen. Er sprach immerzu vom Symbol. Vielleicht erschien seine übereilte Abreise den meisten deshalb als Zeichen, als Symbol seiner Niederlage.

Helene vermied es, mit Carl Blicke zu tauschen. Sie wollte ihn nicht verraten. Waren es nicht eben diese zwei Herren, denen Carl nach Hamburg und Freiburg Briefe geschickt hatte und auf deren Antwort er seit einigen Wochen wartete?

Als die Gesellschaft später um den großen Tisch Platz genommen hatte und nach vielen Gängen schließlich ein Soufflé auf Äpfeln gereicht wurde, unterhielt sich Carl mit Erich über die jüngsten Entwicklungen der Wirtschaft.

Kaufen, sage ich Ihnen, kaufen, kaufen, kaufen. Erich saß Carl und Helene an der Tafel gegenüber. Er hatte seinen Arm auf Fannys Stuhl abgelegt und schwenkte ein Glas mit Cognac. Erichs Sportlerhals erschien Helene heute noch massiger als sonst. Wir werden davon profitieren, glauben Sie mir. Das Platzen der Spekulationsblase ist für uns in Europa nur von Vorteil.

Sie sehen keine Gefahr?

Ach, New York. Sie sind noch jung, Carl. Sie haben vermutlich kein Geld. Aber hätten Sie welches, ich würde Ihnen den guten Rat geben. Der Zusammenbruch in Amerika wird uns nutzen. Erich beugte sich über den Tisch und sagte hinter vorgehaltener Hand, damit Fanny, die neben ihm saß und sich mit dem Herren zur anderen Seite unterhielt, ihn nicht hörte: Sie wird bald wieder eine reiche Frau sein. Ich konnte sie überreden, eine Hypothek auf die Wohnung aufzunehmen. In Kürze wird sie das ganze Haus kaufen, glauben Sie mir.

Fanny stand jetzt auf und erhob ihr hohes Kristallglas. Sie schlug den Löffel dagegen, aber das Glas war so dick, dass es kaum klirrte. Sie bat ihre Gäste um Aufmerksamkeit. Fanny lobte ihre Freunde, sie zählte die Jubiläen und Ehren einiger aus den letzten Wochen auf, nach jeder Preisung klatschte die Gesellschaft. Helene und Carl waren froh, dass sie ihre Prüfungen und Ergebnisse nicht erwähnte, sie nicht aufstehen, würdig in die Runde nicken und sich stolz zeigen mussten.

Carl lehnte sich zu Helene und sagte leise: Stolz ist etwas für Philister. Helene schlug die Augen nieder, sie gab ihm recht. In ihren Augen widersprach das behaglich stolze Nicken der Herren jeder Würde, obwohl es gerade um deren Darstellung ging.

Am fortgeschrittenen Abend stand Helene zwischen dem Baron und Pina Giotto. So sehr sie deren Geplauder nicht mehr ertragen konnte, so wenig wollte sie von ihrer Seite weichen, weil Erich sie über den ganzen Abend mit seinen gierigen Augen verfolgte. Durch die offene Tür der Veranda sah Helene, dass Carl dort mit Leontine, Martha und einem unbekannten Paar saß und sich unterhielt. Pina Giotto wollte den Baron überreden, mit ihr am nächsten Tag in eines der großen Kaufhäuser zu gehen, sie wünschte sich eine Federboa. Der Baron suchte Ausflüchte, vermutlich ahnte er, wie teuer eine solche Boa war. Boa Boa, Pina Giotto gab keine Ruhe. Feder Boa Boa Feder. Lange Federn, leichte Federn, glänzend oder matt? Pfauenfedern, fremde Feder, Federkleid. Helene musste vor lauter Federn an ihre Mutter denken. Im letzten Brief hatte es geheißen, es ginge ihr etwas besser. Keine Verwirrung mehr, Spaziergänge möglich. Es war gegen elf, als sich die ersten Gäste in den Flur begaben, sie ließen sich ihre Mäntel bringen. Die einen wollten zur Mitternachts-Revue, die anderen lockte es ins Ballhaus. Ihr kommt mit, bestimmte Fanny und verlor eine eingemeindende Geste über den Köpfen vom Baron, seinem Fräulein Giotto und Helene. Als Fanny unter ihren späten Gästen Helene erkannte, rief sie mit Lallen: Du auch, du alte Kanaille!

Helene hielt Ausschau nach Carl, doch in der Veranda saßen jetzt zwei Männer, die an dem niedrigen Tisch Armdrücken übten. Während das Fräulein Giotto dem Baron deutlich machte, dass der Brillant, den sie heute Mittag beim Juwelier gesehen hätten, eine schöne Größe habe und gut für eine einfache Kette geeignet sei, erfasste Helene eine Unruhe. Wohin sie auch sah, sie konnte weder Carl noch Martha und Leontine erblicken. Trotz der Gefahr, dass Erich ihr folgen würde, entschuldigte sie sich fast unhörbar und schlenderte so gelassen wie möglich durch die angrenzenden Zimmer. Nirgends konnte sie die Vermissten entdecken. Gerade als sie das Berliner Zimmer durchquert hatte und sich noch einmal umsah, zurücksah, entdeckte sie sich in Erichs Fadenkreuz. Er war ihr schon gefolgt und kam jetzt mit großen Schritten auf sie zu. Helene öffnete die Tür in den hinteren Teil der Wohnung. Das Licht im Flur ließ sich nicht anzünden, sie hastete an den ersten zwei Türen vorbei, als sie hinter sich Schritte hörte. Für einen Augenblick verschwand der Lichtkegel, der aus dem Berliner Zimmer zu ihr in den Flur fiel. Erich hatte die Tür geschlossen. Plötzlich panisch tastete Helene mit der Hand an der Tapete entlang, bis sie den Türrahmen und die Klinke spürte. Es musste ihr altes Zimmer sein, das, in dem Leontine und Martha wohnten. Stimmen und Lachen drangen durch die Tür. Erich hatte am anderen Ende des Flures offenbar die Orientierung verloren. Sie hörte sein Schnaufen. Doch die Tür ließ sich nicht öffnen. Helene rüttelte an der Klinke.

Einen Augenblick, sagte eine Stimme aus dem Inneren des Zimmers. Es dauerte Sekunden, bis ihr geöffnet wurde. Martha ließ Helene eintreten.

Du bist es, Martha war offenbar erleichtert und bat Helene, sie möge schnell eintreten. Hinter Helene verschloss Martha die Tür. Ohne sich weiter um Helene zu kümmern, setzte sie sich auf das schmale Bett, auf dessen Rand Leontine mit der fremden Frau saß, die vorhin unter den anderen auf der Veranda gesessen hatte. Die fremde Frau trug die Federboa, von der Pina Giotto träumte. Dunkle, violette Federn brachten ihre markanten Wangenknochen und die schattigen Augen gut zur Geltung, eine feine Dauerwelle lag schmal am Schädel, ein wohlgeformter Schädel, lang. Carl saß mit dem Rücken zu Helene am Waschtisch, er stand jetzt auf und zeigte sich erstaunt, Helene zu sehen. Helene bemerkte, wie er die kleine silberne Dose unter seiner Hand auf dem Tisch zu dem fremden Mann schob, den Helene vorhin mit Blick auf die Veranda für den Ehemann der Frau gehalten hatte, die nun allerdings auf dem Bett saß und sich mit Leontine küsste. Die violetten Federn verdeckten Leontines Gesicht. Helene erschrak, als sie sich bewusst wurde, wie sie ihre Augen aufriss, beiläufig versuchte sie in eine andere Richtung zu sehen. Nur wohin jetzt? Sie wusste, um welche Dose es sich handelte, und das heimliche Zuschieben dieser Dose zwischen Carl und diesem Mann konnte nur bedeuten, dass Carl Helene nicht ins Vertrauen ziehen wollte.

Die anderen brechen auf. Fanny möchte, dass wir mitgehen, tanzen.

Sie will immer in diesen Königsklub, sagte Martha etwas enttäuscht. Lasst uns ins Silhouette gehen, da ist es schöner. Martha schloss die Tür auf.

Gut, gehen wir. Carl sagte das förmlich. Kaum hörbar zog er die Nase hoch. Er trat jetzt zu Helene und fasste sie am Arm. Gehen wir tanzen, meine Liebe.

Helene stimmte zu, sie wollte sich nichts anmerken lassen.

Erst als sie später in einem schwach beleuchteten Ballsaal tanzten und Carl seine Hände nicht von ihren Hüften nahm und sie überall dort streichelte, wo er es sonst im Beisein anderer nicht tat, er sie bestürmte, als hätten sie sich seit Tagen nicht gesehen und sich nicht noch am Morgen geliebt, konnte sie ihre Gedanken nicht beruhigen und sich nicht länger zurückhalten. Also rief sie ihm zum Trotz der lauten Musik ins Ohr: Schnupfst du öfter?

Carl hatte sie verstanden, er musste ahnen, dass sie die Dose gesehen hatte. Carl hielt Helene jetzt mit ausgestreckten Armen von sich weg, senkte die Stirn leicht und sah sie an, er schüttelte den Kopf. Es war ihm ernst, sie musste ihm glauben. Sie glaubte ihm, nicht nur, weil ihr nichts anderes übrig blieb. Ihre Körper gehörten zueinander, wie er sie hielt beim Tanz, wie sie einander losließen und wiederfanden, sein Blick in ihre Augen, die Suche und Ungewissheit, in das Innere, zum Vertrauten, sein Kuss auf ihren Lippen, und die Zugehörigkeit, die sie zwischen ihm und sich spürte, war eine, die kleine Geheimnisse und Verschiedenheiten nicht zugestand oder gestattete, sie feierte die Geheimnisse, unbedingt.

Helene tanzte mit ihm bis in den Morgen. Einmal rief sie ihm zu: Hamburg oder Freiburg?

Helene, rief Carl zurück. Er zog sie an sich und flüsterte ihr ins Ohr, wo du bist, will auch ich sein, seine Zunge berührte ihre Ohrmuschel, wenn meine Frau mich begleitet, gehen wir nach Paris.

An einem Februartag, an dem die Sonne von einem blauen Himmel strahlte und der auf den Straßen liegende Schnee schon rotbraun von der Asche war, stand Helene in der Apotheke vor ihrer Waage und wog für eine Kundin Salbeiblätter. Ein Pfund sollte es sein. Helene stieß die kleine Schaufel in das Glas und schüttete eine Schaufel nach der anderen in die Waagschale. Vielleicht wollte die Kundin in dem Salbei baden. Die Glocke läutete mit der sich öffnenden Tür. Helene blickte auf. Der kleine Junge, der lange vor den Bonbongläsern gestanden hatte, verließ, die Hände in den Hosentaschen, die Apotheke. Von draußen drang der Brandgeruch von Kohle und Benzin herein. Es war mittags, außer ihrer Kundin wartete nur noch eine ältere Dame auf Bedienung. Das Telefon klingelte. Der Apotheker erschien in der Tür des Hinterzimmers. Für Sie, Helene, rief er und sah sie erfreut an. Es war der erste Anruf, den er in all den Jahren für sie entgegennahm. Ich übernehme, gehen Sie nur. Der Apotheker drängte Helene zur Seite, Helene ging zum Telefon.

Ja bitte? Sie sagte es wohl zu leise und jetzt rief sie in das Rauschen: Ja bitte?

Hier ist Carl. Helene, ich muss dich sprechen.

Ist etwas passiert?

Ich will dich sehen.

Wie bitte?

Kannst du früh Schluss machen?

Es ist Mittwoch, da geh ich doch mittags. In einer Viertelstunde komm ich hier weg.

Helene musste sich ihr linkes Ohr zuhalten, um ihn besser zu verstehen.

Ausgezeichnet. Carl schrie. Wir treffen uns am Romanischen Café.

Wann?

Ein lautes Rauschen unterbrach sie.

Liebe! Um eins am Romanischen Café?

Um eins am Romanischen Café. Helene hängte den Hörer auf. Sie hatte den Hörer so fest auf ihr Ohr gepresst, dass jetzt die Schläfe wehtat. Als sie wieder nach vorne kam, wickelte der Apotheker eine Schachtel Veronal ein und nahm die Münzen der älteren Dame entgegen.

Sie dürfen sich schon umziehen, Helene, sagte er freundlich und mit einem listigen Lächeln, als stünde es in seiner Macht, ihr ein Treffen mit dem Liebsten zu ermöglichen.

Helene überquerte den Steinplatz. Tauwetter, unbeständig. Sie fragte sich, warum Carl sie so dringend sehen wollte. Es konnte sein, dass ihm der Philosoph aus Hamburg geantwortet hatte. Der aus Freiburg hatte ihm kurz vor Weihnachten eine ablehnende Antwort beschieden. Von Carls summa cum laude wäre er zwar beeindruckt, von Hegel dagegen weniger. Seine Assistentenstellen seien alle besetzt. An der Fasanenstraße blieb Helene stehen. Hinter ihr klingelte ein Fahrrad. Plötzlich glaubte sie, es könne Carl sein, der bei jedem Wetter fuhr. Sie drehte sich um, es war aber nur ein Bäckersjunge, dem die Straße zum Fahren wohl zu matschig erschien. Helene trat einen Schritt zur Seite, sie stellte sich auf einen kleinen Eishügel, dessen Ränder schmolzen, und ließ den Bäckersjungen vorbei. Die Räder spritzten ihr Schneeasche auf den Mantel. Nun stand noch die Antwort Cassirers aus. Schon im Januar hieß es, dass Carl in Berlin alle Türen offen stünden. Er konnte wählen, zwei Professoren rissen sich um ihn. Noch lieber aber wollte er einen eigenen Forschungsplatz aufbauen. Es hatte in den letzten Wochen nicht so ausgesehen, als warte er noch ernsthaft auf eine Antwort von diesem Cassirer aus Hamburg. Was konnte es sonst sein, das Carl so eilig erschien, weshalb er nicht bis zum Abend warten wollte? Vielleicht wollte er sie treffen, um den am Wochenende anstehenden Besuch bei seinen Eltern mit ihr zu besprechen? Sie fürchtete sich vor dem Besuch. Am Abend zuvor hatten sie sich fast gestritten. Helene hatte gesagt, sie könne nicht mit leeren Händen zu seinen Eltern, sie wolle ihnen ein Geschenk kaufen. Carl hatte das nicht richtig gefunden. Das Geld bräuchten sie dringend für andere Dinge, für Essen, Bücher und nicht zuletzt für das gemeinsame Leben, einen Umzug, eine richtige Wohnung. Helene wollte seinen Eltern eine kleine grüne Vase schenken, die sie bei Kronenberg vorn an der Ecke im Schaufenster gesehen hatte. Eine grüne Vase, hatte Carl ungläubig gefragt, und es hatte Helene so geschienen, als spotte er. Noch heute Morgen, als sie sich verabschiedeten, hatte Carl zu ihr gesagt, seine Eltern erwarteten kein Geschenk. Carl hatte sie geküsst. Seit Jahren seien sie neugierig, Helene endlich kennenzulernen. Schließlich wüssten die Eltern, dass sie nicht gerade reich waren. Carl hatte mit dem Rücken zu ihr seine Bücher zusammengesucht und für den nächsten Morgen bereitgelegt und dabei etwas gemurmelt. Was hast du gesagt? Das hatte Helene nachfragen müssen, und er hatte sich umgedreht und mit einem beiläufigen Tonfall gesagt: Sie wissen nur nicht, dass du bei mir wohnst. Helene hatte sich hinsetzen müssen. Es waren gut drei Jahre, die sie jetzt mit ihm in seiner Kammer lebte. Jeden Monat versuchte sie, von ihrem Geld soviel Essen wie nur möglich für den gemeinsamen Haushalt zu kaufen, wo doch Carl kein Geld für die Miete von ihr annehmen wollte, weil seine Eltern dafür aufkamen. Was sollte sie seinen Eltern also am Sonntag vorspielen? Dass sie noch bei ihrer Tante lebte?

Carl hatte sie beruhigen wollen und ihr versichert, dass er es ihnen sagen wolle, an diesem Sonntag.

Aber das war in Helenes Augen das Schlimmste. Er konnte unmöglich die langangekündigte Verlobte zum ersten Mal mit nach Hause bringen und während des Essens sagen, wir kennen uns erst vier Jahre und haben uns vor zwei Jahren die Ehe versprochen, aber wir wohnen übrigens schon mehr als drei Jahren zusammen. Helene rieb sich die Augen.

Schau, du wolltest mich nie zu ihnen begleiten, wie hätte ich ihnen erklären sollen, dass du zwar mit mir lebst, sie aber nicht kennenlernen möchtest?

Jetzt bin ich schuld?

Nein, Helene, mit Schuld hat das nichts zu tun. Es wäre ihnen unhöflich erschienen. Wie hätte ich ihnen erklären sollen, dass du dich nicht traust?

Helene hatte etwas erwidern wollen, es war ihr unangenehm, dass sie sich nicht traute. Sie hatte ihre Augen gerieben, bis Carl zu ihr kam und ihre Hände festgehalten hatte. Was glaubten seine Eltern, wer Carls Wäsche wusch und flickte, wer dafür sorgte, dass er am Abend ein warmes Essen bekam und die Wohnung belebte, die Spatzen auf dem Dachsims fütterte und die Orchidee in ihrem Glaskasten goss, während Carl jeden Sommer mit seinen Eltern in die Ferien über die Monti della Trinità an den Zürichsee fuhr, wo sein Vater an der Eidgenössischen Sternwarte seine Forschungen verfolgte, Zykloiden errechnete und Sonnenflecken kartographierte, während die Mutter mit ihrem Sohn Konzerte besuchte? Seine Schwester begleitete diese Reisen seit ihrer Heirat nicht mehr. Carl hatte Helenes Hände geküsst und ihr versichert, dass sie am Sonntag alles klären würden. Gemeinsam. Es wäre doch nur eine Bagatelle, die sie da am Sonntag klären müssten, gemeinsam, schließlich ging es um ihr gemeinsames Leben und all das, was noch vor ihnen lag.

Helene musste beim Gehen aufpassen, dass sie nicht ausrutschte. Unter dem schmelzenden Schnee lag an manchen Stellen noch Eis. Vor der Gedächtniskirche musste sie lange warten, die Autos fuhren langsam, sie schlidderten auf der Fahrbahn. Carl war ein guter Fahrradfahrer, er würde aufpassen, vielleicht hatte er das Fahrrad auch an der Bibliothek stehen lassen. Die große Uhr am Kurfürstendamm zeigte auf zehn vor eins. Helene war unruhig, sie stellte sich unter die Markise vor die riesigen Schaufenster des Romanischen Cafés.

Bestimmt wollte Carl ihr eine frohe Botschaft übermitteln. Vielleicht war ihm eine andere Stelle angeboten worden? Noch war er nicht entschieden, und er hätte sie gewiss gefragt, welche sie für die beste halte. Aber wenn er den Vormittag in der Bibliothek gewesen war, wie er es am Morgen angekündigt hatte, so konnte sich dort nichts Weltbewegendes ereignet haben. Helene lächelte nervös. Ihr fiel ein, wie Carl sie abends manchmal beim Lesen unterbrach, weil er ihr einen ungeheuerlichen Gedanken mitteilen wollte. Helene schaute an beiden Seiten der Gedächtniskirche vorbei, auf die andere Seite der Kreuzung. War dort nicht ein Mann auf dem Fahrrad mit einer Mütze, wie Carl sie trug? Aber es konnte sein, er war längst aus der Bibliothek zurückgewesen und hatte vom Viktoria-Luise-Platz aus angerufen. Weil er den Postboten getroffen hatte. Und der Postbote hatte ihm den Brief aus Hamburg gebracht. Hamburg sollte eine schöne Stadt sein. Manchmal träumte Helene davon, in einer Stadt mit Hafen zu leben. Sie liebte große Schiffe. Es erschien ihr als eine Benachteiligung ihrer Geburt, weder am Meer noch in den hohen Bergen geboren worden zu sein. Sie kannte die Berge nur aus der Ferne, und es waren kleine Berge, die Lausitzer Berge, eher Hügel. Das Meer stand ihr klar und deutlich vor Augen. Sie hatte es sich für Carl in den prächtigsten Farben ausgemalt. Aber gesehen hatte sie es noch nie.

Helene trat unter der Markise hervor, sie wandte sich einige Schritte nach links zum Tauentzien, zur Fahrbahn hin, er mochte von dort kommen, prüfend sah sie sich um, mochte er bloß kommen, vier Himmelsrichtungen langten nicht an diesem Ort, sie wusste nicht, woher er kommen würde. Sie kannte die großen Schiffe von der Elbe bei Dresden. Die Uhr zeigte fünf nach eins. Plötzlich glaubte Helene zu wissen, warum er sie so eilig treffen musste. Erleichtert musste sie lachen. Er hatte die Ringe gekauft. Helene rückte ihren Hut zurecht. Dass sie daran nicht gedacht hatte! Er wollte sie überraschen, kein Zweifel. Womöglich wollte er sie drinnen treffen, drinnen im Lokal, und sie hatte es bloß nicht verstanden? Zur Feier des Tages wollte er sie zum Essen einladen. Helene schaute sich um. Sie konnte schlecht reingehen, dann würde sie womöglich seine Ankunft verpassen. Ein Auto hupte. Konnte diese Frau mit ihren zwei Kindern nicht schneller gehen? Die Verkehrsverhältnisse wurden aber auch immer schlimmer, und wenn dann noch so ein Wetter hinzukam. Helene sah zur Uhr hinauf. Es war viertel nach eins. Vielleicht war er aufgehalten worden. Es war nicht Carls Art, zu spät zu kommen. Wenn sie verabredet waren, stand er meist schon am ausgemachten Ort und erwartete sie. Helene blickte wieder in jede Richtung, sie wandte sich einige Schritte nach rechts, auch aus der Budapester Straße konnte er kommen. Der Platz um die hohe Kirche, die Gehwege, die Fahrbahnen, alles war unübersichtlich, trotz Sonnenschein. Litfaßsäulen, Menschen, die vor den Kiosken Schlange standen. Der Schneematsch ließ die Wagen und Passanten schliddern, ein Kutscher musste seine Peitsche immer wieder schwingen, damit sich sein Pferd bewegte. Helene trat von einem Fuß auf den anderen, ihre Füße waren nass und kalt. Ihr fiel das gestürzte Pferd ein, am ersten Tag, als sie gerade in Berlin angekommen waren. Ob das Pferd gestorben war? Infarkt des Herzens, des Hirns, der Lunge. Eine Embolie. Sie hatte sich vorgenommen, ihre Schuhe noch diese Woche zum Schuster zu bringen. Heute wäre ein guter Tag gewesen, heute hätte sie Zeit gehabt. Weil sie kein zweites Paar Stiefel besaß, würde sie beim Schuster warten müssen, bis er sie genäht und frisch besohlt hätte.

Wenige Minuten vor halb zwei beschloss Helene, drinnen im Lokal zu schauen, wenn Carl bis um halb nicht da sein sollte. Vielleicht wollte er ihr einen Wunsch erfüllen und endlich mit ihr Rollschuhlaufen gehen, er war hinüber zu der großen Rollschuhbahn gegangen, um sich nach den Modalitäten einer Miete und eines Billets zu erkundigen. Es sollte teuer sein. Die russischen Mädchen aus Helenes Gymnasialkurs hatten häufig über die Rollschuhbahn und ihre neuesten Bekanntschaften gesprochen, sie trafen sich regelmäßig dort und drehten Pirouetten. Die Mädchen waren alle jünger als Helene, sie kamen aus guten jüdischen Familien. Rollschuhlaufen musste ein Vergnügen sein. Helene wartete, bis der lange Zeiger auf der Sechs, auf der Sieben und schließlich noch, bis er auf der Acht stand. Dann ging sie hinein.

Der Saal war gut besucht. Die Gäste saßen an den kleinen Tischen, sie vermehrten sich in den Spiegeln, die hoch hinauf bis unter die Decke reichten. Es war Mittagszeit, manche speisten Rouladen und Kartoffeln, es roch nach Wirsingkohl. Ein vornehmer Herr in Schwarz winkte einem zweiten, auffallend lässig gekleideten Herrn mit heller weiter Hose, Hosenträgern über einem ungebügelten Hemd und flachem, weißen Hut, es fehlte nur die Palette in der Hand; hier zog man sich gerne in eins der vornehmen Séparées zurück. Aus hohen Gläsern wurde Wein getrunken. Helenes Hals schnürte sich zu, sie blickte sich um, tatsächlich saß an manchem Tisch ein einzelner Gast, ältere und jüngere, aber kein Carl. Die Uhr über der getäfelten Bar zeigte Viertel vor zwei. Warum schlug ihr Herz so heftig? Es gab keinen Grund, sich Sorgen zu machen. Helene trat aus dem Lokal hinaus auf den Kurfürstendamm. Es gab einen kleinen Menschenauflauf, eine ältere Dame rief immer wieder Dieb, Dieb. Andere hielten einen Jungen fest, er war wohl erst zehn oder zwölf. Er wehrte sich nicht, er weinte. Lausbengel, sagte einer der Männer, die ihn festhielten. Aber der alten Dame war das zu wenig. Sie schimpfte: Bengel wie dich sollte man einsperren, warte nur, bis die Polizei da ist!

Helene wollte nicht länger warten. Sie wusste, dass Carl nicht mehr kommen würde.

Vielleicht hatten sie sich missverstanden und er hatte eine

andere Uhrzeit gemeint? Sie wusste genau, dass er um eins gesagt hatte. War es nicht möglich, er hatte etwas anderes gemeint? Vielleicht einen anderen Ort? Sie hatten sich schon häufig an dieser Ecke hier getroffen. Vielleicht wollte er sie heute woanders treffen und hatte versehentlich diesen Ort genannt, dabei aber an einen anderen gedacht? Helene wusste nicht, wohin sie sich wenden, wohin sie gehen sollte, sie spürte Angst und sagte sich doch, sie müsste keine Angst haben. Sie ging zum Kiosk und kaufte Zigaretten. Es war das erste Mal, dass sie sich Zigaretten kaufte. Sie hätte das Geld dringend für den Schuster benötigt, aber sie wollte jetzt nicht an einen Schuster denken, sie wollte eine Zigarette rauchen. Eine Zigarettenspitze besaß sie nicht, sie würde ohne rauchen müssen. Zwei Zündhölzer brachen ab, ehe es ihr gelang, die Zigarette anzuzünden. Ein Tabakstückchen löste sich und schmeckte bitter auf der Zunge. Es war nicht leicht, es mit den behandschuhten Fingern zu fassen zu kriegen. Helene wusste nicht mehr, in welche Richtung sie schauen sollte. Sie stand inmitten der vorübereilenden Menschen, deren Mittagspause wohl zu Ende war und die an ihren Arbeitsplatz zurückeilen mussten, manch einer mochte verabredet sein und musste hinüber zum Bahnhof laufen und einen Zug nach Westen bekommen.

Der Wind blies ihr entgegen, Westwind, von der Gedächtniskirche her. Helene wollte tief atmen, den Rauch einsaugen. Süden, Osten, Norden. Doch ehe sie den Rauch bis tief in die Lunge ziehen konnte, verschlossen sich schon die Bronchien und Helene musste husten. Also paffte sie. Wölkchen kamen aus ihrem Mund. Der etwas säuerlich bittere Rauchgeschmack verursachte eine angenehme Übelkeit. Sie nahm schnelle, kurze Züge, blähte ihre Backen so weit es ging und ließ schließlich den Stummel in den Matsch zu ihren Füßen fallen, wo er sofort erlosch.

Helene wusste nicht, wohin sie gehen und nach Carl suchen sollte. Sie lief den Tauentzien hinab zur Nürnberger Straße, sie lief um verschiedene Blöcke, vorbei an ihrer Schule, die sie seit einigen Monaten nicht mehr besuchen musste, und bog erst bei hereinbrechender Dunkelheit in die Geisbergstraße ein. Schon von der anderen Seite des Platzes her sah sie das schwarze Dach, kein noch so schwaches Licht brannte oben in der Kammer.

Dennoch ging sie hinauf und prüfte, ob jemand gekommen war. Die Tür zur Kammer war verschlossen. Das Zimmer lag so da, wie sie es am Morgen verlassen hatten. Helene zog ihren Mantel nicht aus. Sie ging die Treppe wieder hinunter, vorbei an jenem jungen Mann, der im dritten Stock wohnte und häufig seinen Schlüssel vergaß, weshalb er mit einem Stapel Papier, auf das ein zu bearbeitendes Theaterstück oder Drehbuch geschrieben sein mochte, bei seinen Vermietern vor der Tür saß und wartete, bis jemand kam und ihm aufschloss. Meist hielt er einen Stift in der Hand und kritzelte etwas an den Rand der vollgetippten Seiten. Helene lief die Bayreuther Straße hinunter bis zum Wittenbergplatz und über die Ansbacher Straße wieder zurück bis zur Geisbergstraße, zum Viktoria-Luise-Platz, hinauf bis unter das Dach und wieder raus auf die Straße. Der Untermieter aus dem dritten Stock hatte wohl inzwischen Einlass gefunden.

Helene fragte sich nicht mehr, weshalb Carl sie heute Mittag so dringend sprechen wollte, sie hoffte nur noch, dass er auftauchen und sie einander in die Arme fallen konnten. Er musste aufgehalten worden sein. Helene rauchte eine zweite Zigarette, bei der dritten Runde eine dritte, und schließlich hatte sie acht Zigaretten geraucht. Ihr war speiübel, Hunger verspürte sie keinen.

Sie sagte sich, sie wolle zu Hause sein, wenn er käme. Wenn er käme, könnten sie gemeinsam essen; er würde seine Hand auf ihre Wange legen, wenn er nur käme.

Sie zog ihre Schuhe aus. Die Vermieterin wollte sie nicht mehr stören und um heißes Wasser bitten. Also setzte sie sich ins Bett, wickelte ihre kalten Füße in die Decke und versuchte in dem neuen Buch zu lesen, das Carl ihr vor zwei Tagen mitgebracht hatte, doch kam sie über das erste Gedicht nicht hinweg. Sie las es immer wieder, jede Zeile mehrmals, und hatte sie die letzten Zeilen laut vor sich hingesagt, Von fernen Stunden krank / und leerst die Schale, / aus der ich vor dir trank, begann sie wieder mit den ersten: Was dann nach jener Stunde / sein wird, wenn dies geschah, / weiß niemand, keine Kunde / kam je von da. Helene verstand nur einen Bruchteil der Worte, ihr Sinn hing irgendwo dazwischen, halb noch in Gedanken, halb ganz verschlossen, wo doch ihr Herz klopfte und sich die Augen verengten. Als gäbe das eine Gewissheit, die sich ihr mit dem wiederholten Lesen aufdrängte und Besitz von ihr nahm. Einmal stand Helene auf. Sie fror. Unter dem Waschtisch befand sich ein Korb und über dem Korb hing das Unterhemd von Carl, das gewaschen werden musste. Sie zog sein Unterhemd auf die Haut, seinen Pyjama darüber. Über Nacht zählte sie den entfernten Glockenschlag. Als aus dem Morgendunkel die ersten Geräusche im Haus zu hören waren, blieb sie an der Wand auf dem Bett sitzen und dachte, es müsse etwas geschehen, damit sie aufstehen, sich waschen und ankleiden könne. Der Apotheker hatte gestern zu ihr gesagt: Bis morgen. Sie konnte ihn nicht warten lassen. Helene hörte Schritte auf der Treppe, ihrer Treppe, der letzten, die nur zu ihr hinauf in die Dachkammer führte. Es klopfte leise. Helene wusste, dass Carl nicht vergesslich war, er hatte den Schlüssel stets bei sich, sie wollte nicht öffnen. Es klopfte lauter, Helene schaute auf die Tür. Ihr Herz schlug schwer, es war über Nacht ganz müde geworden vom Schlagen. Helene wusste, dass ihr nichts anderes übrig blieb, sie musste aufstehen, sie stand auf, sie musste zur Tür gehen, sie ging zur Tür, sie musste öffnen, sie öffnete.

Vor der Tür stand die Vermieterin, sie trug noch ihren Morgenmantel. Fräulein Helene, sagte sie und blickte dabei seitwärts zum Boden. Helene hielt sich an der Türklinke fest, sie war so schwach, dass der Boden sich ihr leicht entgegenwölbte und bewegte, er drehte sich, er tanzte vor und zurück. Die Vermieterin hatte Mühe, so früh am Morgen sprachen manche Menschen nur ungern. Mein Telefon hat geklingelt, Herr Wertheimer hat mir gesagt, dass sein Sohn nicht mehr kommen werde, er sei verunglückt.

Welcher Sohn, ging es Helene durch den Kopf.

Sie wusste, dass Carl es war, der verunglückt war, sie ahnte es schon, ehe sie die Schritte auf der Treppe gehört hatte und die Tür hatte öffnen müssen. Aber welcher Sohn, von welchem Sohn sprach die Vermieterin jetzt? Helene sagte Ja, sie wollte ihren Kopf nicht unnötig bewegen, kein Nicken, kein Zurseitelegen, schließlich konnte er beim Drehen von ihren Schultern fallen.

Ich habe den Professor Wertheimer gefragt, ob Sie bereits informiert sind. Er sagte, das könne er sich nicht vorstellen. Ich sagte ihm, ich würde mich darum kümmern, ich könne zu Ihnen hinaufgehen. Der Professor Wertheimer sagte, er wisse nicht, wo Sie wohnen, aber wenn ich mich kümmern könne, dann wäre das gut. Er fragte mich, ob ich eine Adresse von Ihnen hätte, ich sagte, ich müsse da erst nachschauen. Er weiß wohl noch immer nicht, dass Sie hier wohnen?

Helene hielt sich mit beiden Händen an der Klinke fest.

Er ist tot. Die Vermieterin sagte es wohl für den Fall, dass diese Nachricht untergegangen wäre. Das wollte ich Ihnen gesagt haben.

Helene atmete tief ein, einst würde sie ausatmen müssen. Ja.

Helene schob, sich noch immer mit beiden Händen an der Klinke festhaltend, die Tür zu, bis das Schloss hörbar schnappte.

Wenn ich etwas für Sie tun kann, hörte sie die Vermieterin auf der anderen Seite der Tür sagen, Helene, lassen Sie es mich wissen?

Helene antwortete nicht mehr. Sie setzte sich auf das Bett und nahm das Buch auf ihren Schoß, sie musste blinzeln: Ich kannte deine Blicke und in des tiefsten Schoß sammelst du unsere Glücke, den Traum, das Loos. Sie las jetzt laut, als lese sie vor und gelange das Gedicht nur auf diese Weise aus ihr hinaus. Es glückte ihr nicht, die Stimme auch nur ein wenig zu heben oder zu senken. Helene las das Gedicht noch bis zum Ende, ein letztes Mal, die Nacht war ausgeklungen. Dann klappte sie das Buch zu und legte es auf den Tisch. Helene öffnete das Fenster. Kalte Luft kam herein. Am Himmel standen die ersten hellen Streifen des anbrechenden Tages. Ein Rosa leuchtete in diesen Streifen, blass und zart. Sein Unterhemd musste sie nicht ausziehen. Helene wusch sich und zog ihr Kleid wieder an. Ihre Schuhe waren noch nass, sie hatte vergessen, Zeitung hineinzustopfen. Der Mantel roch nach dem Rauch des gestrigen Tages.

Es sollte Helene an diesem Morgen nicht gelingen, bei ihrer Arbeit anzukommen. An der letzten Ecke, sie konnte schon das vertraute Schild der Apotheke sehen, bog sie ab. Sie ging die Straße hinunter, sie entfernte sich von der Apotheke. Es gab keinen Entschluss in ihr, wohin sie gehen wollte, auch keinen Gedanken, wohin sie gehen konnte. Sie setzte einfach einen Fuß vor den anderen. Wagen fuhren, Menschen gingen ihrer Wege, die Straßenbahn bewegte sich, womöglich quietschte sie, und doch erschien es Helene so, als liege die Stadt still. Ihr war nicht der Atem ausgegangen, sie war nur still.

Dass es so einfach war, einen Fuß vor den anderen zu setzen, weckte in Helene eine Erinnerung, die sogleich wieder verschwand. Helene überquerte Straßen, sie musste nicht mehr nach links und rechts schauen. Das Rosa hatte den Himmel erleuchtet, jetzt war die Welt in Rosa getaucht, ein gelbes Rosa, auch wenn es ihr nicht stand. Aus blauen Häusern wurden violette. Im nächsten Augenblick war der Morgen da, von Rosa keine Spur. Der Apotheker würde sich fragen, wo sie blieb. Aber sie war ja da. Sie konnte ihn über ein Telefon anrufen und sagen, dass sie heute nicht kommen könne. Sollte er sich nur wundern, sie war sonst nie krank, aber heute, heute konnte sie nicht. Helene setzte einen Fuß vor den anderen. Morgen? Was war das für ein Tag, morgen. Was konnte morgen sein? Helene wusste es nicht. Sie stand vor der breiten Steintreppe in der Achenbachstraße. Otta öffnete ihr und sagte, Martha schlafe noch, Leontine sei vor einer Stunde fortgegangen, sie habe zur Arbeit gemusst.

In Marthas Zimmer nahm Helene am Waschtisch Platz. Es würde nur wenige Stunden dauern, bis Martha aufwachte. Sie hatte Nachtdienst gehabt. Helene wartete nicht. Sie saß einfach da und ließ die Zeit vergehen. Sie wartete nicht auf Martha und nicht auf Leontine. Helene wartete auf nichts mehr. Es war beruhigend, dass die Zeit trotzdem verging.

Martha brachte ihr später einen Tee, sie holte ihr etwas zu essen, sie telefonierte für sie mit dem Apotheker. Wenn Martha saß, hielt sie sich am Tisch fest, wenn sie ging, berührte sie die Wand. Helene wusste, dass Martha ein Gleichgewicht fehlte, schon länger. Helene betrachtete den Dampf über dem Teeglas. Martha sagte etwas. Helene senkte ihren Kopf, bis ihr Kinn auf der Brust lag, so konnte sie ihn am besten riechen, Carl, dessen Geruch ihr aus ihrem Ausschnitt entgegenkam. Nur leicht, so, dass Martha es nicht bemerkte, hob sie einen Arm. Auch unter der Achsel saß sein Geruch. Mit seinem Unterhemd haftete er an ihr. Martha sagte ihr etwas jetzt lauter, so laut, dass Helene endlich zuhören sollte, sie müsse etwas trinken, sie solle auch etwas essen. Das konnte sich Helene nicht vorstellen.

Sie konnte sitzen, sie wusste nicht, ob sie schlucken konnte. Sie versuchte es, sie schluckte, sie stellte das Glas zurück. Das konnte für den Morgen reichen, vielleicht.

Mittags stürzte sie den kalten Tee hinunter und trank in einem Zug aus dem Wasserkrug vom Waschtisch. Der Krug war leer, ihr Hals schmerzte vom Dehnen und Schließen des Trinkens. Dann setzte sich Helene wieder und wartete nicht. Es vergingen Tage.

War Martha arbeiten, so lag Helene auf dem Rücken auf ihrem Bett und ächzte, manchmal weinte sie leise.

Als Martha und Leontine sagten, Helene solle den Mantel anziehen, zog sie den Mantel an und folgte ihnen. Martha ging hinüber zum Viktoria-Luise-Platz Nummer elf und holte Helenes Sachen von oben runter, sie gab Helenes Schlüssel der Vermieterin zurück und bat sie, den Eltern von Carl nicht zu sagen, dass Helene dort gewohnt hatte. Die Miete war von Carls Eltern bis zum Monatsende bezahlt.

Helene hatte sich auf dem Platz vor dem Haus auf die Bank gesetzt. Sie hatte in das Becken des leeren Springbrunnens geschaut und den Spatzen zugesehen, die am Rand der kleinen Pfützen hüpften und ihre Schnäbel ins Wasser stießen. Sie badeten, das Wasser musste eiskalt sein.

Martha und Leontine wollten, dass Helene möglichst viel rausging, sich bewegte. Helene bewegte sich. Martha sagte, Helene müsse etwas essen, Leontine widersprach, sie müsse gar nichts. Der Hunger käme von allein wieder. Es war nur gut, dass Helene auf nichts mehr wartete, auf den Hunger nicht, nicht auf das Essen. Der Sonntag kam. Helene dachte an die Verabredung, die Carl und sie für diesen Tag mit Carls Eltern gehabt hatten. Ob seine Eltern beteten? Gott war nicht da, sie hörte keine Stimme, kein Zeichen erschien. Helene wusste nicht, wann es eine Beerdigung gab. Sie fand nicht den Mut, zum Telefonapparat zu gehen, war sie doch eine Fremde und wollte sie seine Familie besonders jetzt nicht stören. Die Zeit zog sich zusammen, sie rollte sich ein und faltete sich.

Der Sonntag war vergangen, andere Sonntage würden vergehen.

Die Sonne schien wärmer, die Krokusse blühten auf den Rabatten der breiten Straßen. Leontine und Martha verabschiedeten sich, Leontine wollte Martha für einen Monat in ein Sanatorium bringen. Das Gleichgewicht, Balance klang soviel leichter. Sie müsse sich erholen und die Gifte sollten ihren Körper verlassen. Martha weinte beim Abschied, es tat ihr leid, dass sie ausgerechnet jetzt für ihr Engelchen nicht da sein könne.

Martha klammerte sich an Helene fest, sie umschlang sie mit ihren dünnen und langen Armen, dass Helene kaum noch Luft holen konnte. Wozu brauchte man schon Luft? Helene wehrte sich nicht. Leontine musste Martha mit sich fortziehen, Martha tobte, sie beschimpfte Leontine mit Ausdrücken, wie Helene sie noch nicht gehört hatte.

Wehe, du trennst mich von meiner Schwester, du Niederträchtige, du trennst mich nicht.

Aber Leontine war ihrer Sache sicher, es führte kein Weg daran vorbei, sie wollte Martha nicht verlieren, also musste sie sie aus der Stadt bringen, für einen Monat vielleicht, vielleicht für zwei. Leontine zog Martha mit sich fort, mit Gewalt erst, dann mit Strenge. Helene hörte, wie Leontine Martha noch beim Verlassen der Wohnung zuredete, wie man einem Tier zuredete, ohne Antwort. Ohne Martha empfand Leontine für sich allein wohl nicht das Recht, in Fannys Wohnung zu logieren. Helene fragte Leontine nicht, ob sie nun wieder bei ihrem Mann lebte.

Sie sah Leontine kaum noch. Einmal brachte Leontine Fanny Medikamente, ein anderes Mal holte sie ihre Winterschuhe ab, die sie vergessen hatte. Helene brachte Leontine zur Tür. Dort wandte sich Leontine zu Helene um und legte ihr eine Hand auf die Schulter. Martha braucht mich. Du weißt, dass ich mich jetzt um sie kümmern muss? Helene nickte, ihre Augen brannten. Sie wollte ihre Arme um Leontine legen, sie festhalten, aber sie errötete nur. Und Leontine ließ die Hand von ihrer Schulter gleiten, öffnete die Tür und ging.

Helene schlief jetzt allein in dem Zimmer zum Hof, sie hatte die Betten wieder auseinandergestellt. Sie ging in die Apotheke arbeiten und war froh, dass der Apotheker sein Beileid mit Zurückhaltung zeigte. Er drang mit keinerlei Fragen in Helene. Dabei konnte er kaum wissen, wie taub sich Helene fühlte. Im Frühling sagte der Apotheker zu Helene, sie werde immer schmaler. Helene nahm es zur Kenntnis, ihre Kleider hingen weit an ihr herab, sie vergaß das Essen, und wo man es ihr vorsetzte, empfand sie keinen Appetit.

Eines Tages erhielt sie einen Brief von Carls Mutter. Sie schrieb ihr, sie sei in tiefer Trauer, ein Leben ohne ihren Jüngsten falle schwer. Ob sie bewusst nichts von den beiden anderen Söhnen schrieb, deren Tod sie, wie Carl erzählt hatte, so beharrlich leugnete? Carl liege auf dem Friedhof in Weißensee. Die Entwicklungen der jüngsten Zeit bewirkten in ihrem Leben einige Änderungen. Ihr Mann habe ein Angebot aus New York und sie denken, sie würden es diesmal annehmen. Keines der Kinder lebe mehr in Berlin, die Tochter siedle in diesen Tagen mit ihrem Gatten nach Palästina über. Zuletzt schrieb Frau Wertheimer, sie wisse, Helene könne dieser Wunsch befremden, aber es wäre ihr ein Anliegen von Herzen, sie trotz Carls Tod kennenzulernen. Carl habe seinen Eltern voller Zuneigung und Begeisterung von Helene erzählt, so verliebt, dass sie sicher waren, er habe ihnen bei dem im Februar verabredeten Besuch von einer anstehenden Verlobung erzählen wollen. Vielleicht irre sie sich auch und die beiden seien lediglich befreundet gewesen? Sie wolle Helene mit diesem Brief herzlich einladen und bitte Helene, sie auf dem Telefon anzurufen. Falls Helene das, aus welchen Gründen auch immer, nicht wolle, werde sie Verständnis haben und wünsche ihr voller Zuversicht für ihr junges Leben viel Glück.

Helene wollte nicht. Von Wollen fand sie keine Spur in sich. Aber wie der Wille hatte sie auch die Furcht verlassen. Wenn es ein Herzenswunsch war, dann würde sie den Carls Mutter erfüllen. Von Fannys Telefonapparat aus rief sie am Wannsee an und verabredete einen Besuch Anfang Mai.

Sie kaufte weißen Flieder und fuhr damit hinaus an den Wannsee. Das Tor wurde ihr von einem Gärtner geöffnet. Am Hauseingang nahm ein Hausmädchen sie in Empfang. Ob sie etwas ablegen möge? Helene trug wegen der Wärme keine Jacke, nur den hauchdünnen Schal aus Organza trug sie, und den wollte sie nicht dem Hausmädchen geben. Das Hausmädchen nahm ihr den Flieder ab und so stand Helene mit leeren Händen da, als sie in ihrem Rücken eine Stimme hörte: Willkommen.

Guten Tag. Ich bin Helene. Helene trat der Dame entgegen.

Carls Mutter streckte ihre Hand aus. Frau Professor Wertheimer, mein Gatte wird jeden Augenblick hier sein. Wie schön, dass Sie sich den Weg gemacht haben. Ein zarter Hauch von Blütenduft umgab sie.

Keine Ursache, sagte Helene.

Wie bitte?

Helene überlegte, ob sie sich falsch ausgedrückt hatte. Ich bin gern gekommen. Die Lider von Frau Professor flatterten leicht, einen Augenblick erinnerte ihr Augenaufschlag an Carl. Helene sah sich um.

Mögen Sie Tee? Carls Mutter führte Helene durch die hohe Eingangshalle. An den Wänden hingen Gemälde. Im Vorübergehen erkannte Helene das Aquarell von Rodin, von dem Carl ihr erzählt hatte. Sie wollte sich umdrehen und stehen bleiben, aber sie fürchtete, seine Mutter hielte das nicht für angemessen. Das dunkle Bild konnte aus Spanien kommen. Carls Mutter schritt in ihrem langen vornehmen Gewand, das an die Abendgarderobe einer orientalischen Prinzessin erinnerte, durch ein anschließendes Zimmer mit hohen Fenstern, die den Blick in einen Garten freigaben. Rhododendron blühte auf, in Büscheln leuchtete das zarte Violett und ein Purpur aus dem dunklen Grün der glatten Blätter. Die Wiese stand hier oben hoch, sie war übersät von Blüten und Dolden, über denen Insekten taumelten. Helene wusste von Carl, dass der Garten bis an den See hinab reichte und sie über einen Bootssteg verfügten, an dem das Segelboot und ein Ruderboot lagen, mit denen noch vor mehr als fünfzehn Jahren sein im Krieg verschollener Bruder gesegelt und gerudert sein sollte.

Carls Mutter ging nun in den angrenzenden Saal. Meterhohe

chinesische Vasen und Möbel im Biedermeier-Stil standen dort. Die breite Flügeltür stand offen, die auf die Terrasse führte. Der See lag unter ihnen. Mit der lauen Feuchtigkeit des Frühlings stieg der Geruch von frischgeschnittenem Gras zu ihnen herauf, vermutlich schnitt der Gärtner, auch wenn man ihn nicht sah. Es war eher ein etwas wilder Park als ein Garten; wohin sie auch blickte, einen Zaun konnte Helene nicht erkennen. Einzig die hölzernen Bögen eines Rosengartens blinkten weiß aus dem etwas abwärts liegenden Rondell.

Setzen wir uns? Carls Mutter zog einen der Stühle zurück und rückte das flache Kissen zurecht, damit Helene Platz nahm. Der Tisch war für drei Personen gedeckt. In der Mitte des Tisches stand eine Schale voller Erdbeeren, die wohl aus einem südlichen Land kommen mussten, wo die einheimischen Erdbeeren noch nicht reif waren. Die Erdbeeren lagen auf einem Bett aus jungen Buchenblättern. Ein ausladender Sonnenschirm spendete Schatten. In den Rhododendren und den Wipfeln der alten Laubbäume zwitscherten Vögel. War das der Ort, den Carl an jenen Sonntagen aufgesucht hatte, wenn sie rausgefahren waren und Helene sich in das Gartenlokal zum Lesen gesetzt hatte? Helene hatte sich keine Vorstellung davon gemacht, wohin Carl verschwand, wenn er zu seinen Eltern ging. An der ockergelben Hauswand rankte Wein, die Blätter wirkten noch jung und weich. Kam Carl aus dieser Farbenpracht, wenn er sie im Gartenlokal abholte? Vielleicht hatte er an diesem Tisch und auf diesem Stuhl gesessen, und sein Blick fiel wie Helenes auf den verblühenden Apfelbaum. Roch seine Mutter schon immer nach diesem feinen, süßen und ungewöhnlich leichten Parfum? In den großen Kübeln und Töpfen, die auf der Terrasse standen, streckten Fuchsien ihre ersten Blüten empor und entlang der nach unten breiter werdenden Treppe in den zum Wasser abfallenden Garten wuchsen große Farne von einem nahezu unwirklich hellen Grün. Die Farben blendeten Helenes Augen. Helene setzte sich mit Bedacht, der Stuhl knarrte und wackelte leicht. Die Tischdecke war mit feinen Blumen bestickt, wie es das Mariechen nicht schöner hätte machen können. Helene strich vorsichtig mit ihrer Hand über die Stickerei.

Möchten Sie Ihre Hände waschen, sich ein wenig erfrischen?

Helene erschrak, sie beeilte sich, die Frage zu bejahen. Erst auf dem Weg zurück ins Haus warf sie einen heimlichen Blick auf ihre Hände, ihr fiel aber kein Schmutzrand unter den Nägeln und auch sonst nichts Verdächtiges auf.

Das Bad war aus Marmor, selbst der Badeofen hatte ein marmornes Gehäuse, die Seife duftete nach Sandelholz. Helene ließ sich Zeit. Man würde draußen auf sie warten. Auf dem Kaminsims lag eine Hornbrille. Helene erkannte die Hornbrille. Es sah aus, als habe Carl sie nur eben hingelegt, um sich auf dem Liegestuhl auszustrecken und die Augen zu reiben. Als Helene den Weg zurück zur Terrasse gefunden hatte, hörte sie schon von weitem eine männliche Stimme, die sie an Carl denken ließ.

Die äußere Ähnlichkeit von Carls Vater mit seinem Sohn verschlug Helene die Sprache, sie nickte nur zur Begrüßung, ihre Lippen formten ein Lächeln, während Carls Mutter ihren Gatten vorstellte und auch Helenes Namen nannte.

Die drei setzten sich. Viel Zeit habe ich nicht, sagte Carls Vater, als seine Frau ihm Tee einschenkte. Er sagte es nicht zu Helene, er sagte es in seine Tasse und warf einen Blick auf die große Armbanduhr, die er trug.

Sie sind sehr hübsch, sagte Carls Mutter, und etwas schüchtern ob ihrer Verwunderung fügte sie hinzu: Und so blond.

Blond ist sie, ja. Carls Vater schmatzte beim Trinken aus seiner Tasse, es klang, als spüle er sich den Mund mit dem Tee aus.

Und so hübsch, sagte Carls Mutter wieder.

Jetzt lass mal das arme Kind, Lilly, du machst sie ja ganz verlegen.

Studieren Sie, wenn ich fragen darf? Der Professor stellte auch diese Frage, ohne Helene anzusehen. Er nahm eine der

Erdbeeren und steckte sie in den Mund. Seine Frau schob ihm einen kleinen Obstteller mit einem noch kleineren Obstmesser zu, wohl, damit er beim nächsten Mal Verwendung dafür fand, und ehe Helene antworten konnte, sagte die Gattin: Nein, Carl hat es uns doch erzählt, sie hat Krankenschwester gelernt.

Krankenschwester? Der Professor brauchte einen Augenblick, ehe er weitersprechen konnte. Nun, als Krankenschwester sind Sie sehr nützlich. Eine Freundin von unserer Ilse ...

Ilse ist unsere Tochter, erklärte Carls Mutter.

Aber Carls Vater ließ sich nicht unterbrechen, ... hat auch Krankenschwester gelernt, heute ist sie Ärztin.

In London, ergänzte Carls Mutter und fragte, ob sie Tee nachschenken dürfe.

Helene trank ihren Tee, sie wollte nicht erzählen, dass sie in einer Apotheke arbeitete und ungefragt erklären, wie sie sich mit Carl eine Zukunft vorgestellt hatte. Sie hatten die Idee gehabt, gemeinsam nach Freiburg oder Hamburg zu gehen, dort hätte Helene studiert. Vermutlich Chemie, Pharmazie oder Medizin, Carl war für Chemie, sie für Medizin, das Naheliegende nach der Arbeit in der Apotheke wäre vielleicht Pharmazie gewesen. Helene allein fehlte das Geld für ein Studium. Aber unabhängig davon war ihre hehre Vorstellung zu studieren in weite Ferne gerückt, es schien Helene, als gehörte dieser Wunsch zu einem anderen, früheren Leben, nicht mehr zu ihr. Helene wünschte sich nichts mehr. Visionen, da sie gemeinsam entwickelt, gemeinsam erwogen und gemeinsam erkoren worden waren, gab es nicht mehr. Sie waren mit Carl verschwunden. Denjenigen, der ihr Gedächtnis teilte, gab es nicht mehr. Helene sah auf. Wie lange mochten sie schon schweigen? Carls Vater hatte die halbe Schale Erdbeeren ohne Benutzung des Obstmessers verspeist. Aus der Kanne tröpfelte ein letzter schwarzer Grund und die anfangs so spürbare Freude und Aufregung von Carls Mutter schien an diesem Tisch erloschen zu sein.

Nun, dann. Carls Vater nahm die Serviette ab, die er sich oben in das Hemd gesteckt hatte, er legte sie neben das unbenutzte Obsttellerchen und das kleine Messer.

Mein Mann arbeitet viel.

Das stimmt nicht, ich arbeite nicht viel, ich arbeite gern. Der Professor legte seiner Frau zärtlich die Hand auf den Arm.

Er hat dort oben eine kleine Sternwarte. Carls Mutter zeigte hinauf zu der höher liegenden Terrasse, über deren Brüstung einige Fernrohre ragten.

Eine kleine, sagte der Professor und stand auf. Er nickte beiden zu und wollte sich verabschieden, doch Helene stand mit ihm auf.

Sie können sich glücklich schätzen, dass Sie Carl zum Sohn hatten. Er war ein wunderbarer Mensch. Helene wunderte sich über die Fröhlichkeit und Zuversicht in ihrer Stimme. Es klang wie ein Glückwunsch zum Geburtstag.

Carls Mutter weinte.

Er war ihr Liebling, sagte Carls Vater zu Helene. Helene musste wieder an die anderen beiden Söhne denken, von denen die beiden kein einziges Mal gesprochen hatten.

Carls Vater stellte sich jetzt neben den Stuhl seiner Frau, er nahm ihren Kopf in beide Hände und drückte ihn gegen seinen Bauch. Sie verbarg ihr Gesicht hinter ihren langen, schmalen Händen. Etwas an dieser Geste erinnerte Helene an Carl, sein Nähertreten, wenn sie traurig und erschöpft gewesen war, die kalten, müden Füße, die er ihr gewärmt hatte.

Der Professor ließ seine Frau los. Ich werde Gisèle sagen, dass sie euch noch einen Tee bringt. Helene wollte ablehnen, sie wollte nicht mehr bleiben, sie konnte das Schweigen und die Farben nicht länger ertragen. Sie öffnete ihren Mund, aber kein Laut verließ ihre Kehle, und niemand bemerkte, dass sie aufgestanden war, um sich seinem Gehen anzuschließen. Der Professor gab ihr eine warme und feste Hand. Er wünschte ihr alles Gute und verschwand durch die Flügeltür ins Innere des Hauses. Helene musste sich wieder setzen.

Mein kleiner Liebling, sagte Carls Mutter mit einer Zärtlichkeit, die Helene einen Schauer über den Rücken scheuchte. Carls Mutter knetete ihr Taschentuch vor sich auf dem Tisch und beobachtete, in welchen Falten es auseinanderfiel. Am Ende ihrer langen Finger saßen ovale Nägel, deren weißer Halbmond schimmerte, sie waren von einer Ebenmäßigkeit, dass Helene nicht anders konnte, als auf die Hände von Carls Mutter zu starren.

Er wollte Sie heiraten, nicht wahr? Carls Mutter sah Helene mit einem offenen Blick an, einem Blick, der alles wissen wollte und auf alles gefasst war.

Helene schluckte. Ja.

Carls Mutter rannen die Tränen über das feine und schöne Gesicht. Carl konnte nicht anders, wissen Sie. Er war zum Lieben geboren.

Helene ging die Frage durch den Kopf: Sind wir das nicht alle? Aber vermutlich waren wir das nicht alle. Vermutlich stimmte es, dass manche Menschen inniger liebten als andere und Carl nicht anders konnte. Helene fragte sich, wie es passiert war, sie überlegte, ob sie danach fragen durfte, ob es der Mutter unangemessen und indiskret erschien, wenn Helene danach fragte. Wie genau ist er gestorben? Andererseits konnte Carls Mutter bis heute nicht wissen, dass sie an jenem Tag verabredet waren. Dass er auf dem Weg zu ihr gestorben war. Dass sie gewartet hatte, umsonst.

Helene hätte auch gern gewusst, ob Carl bei seinem Unfall Ringe bei sich gehabt hatte. Sie traute sich nicht, Carls Mutter danach zu fragen. Es stand ihr nicht zu. Seine letzte Absicht mochte ihm allein gehören, vielleicht noch seinen Erben, und seine Erben waren seine Eltern.

Es hat noch Schnee gelegen. Carls Mutter trocknete sich mit dem Taschentuch ihre Augen; neue Tränen quollen heraus und rollten über ihre Wange, unten am Kinn hingen sie, sammelten sich, bis sie so schwer waren, dass sie auf ihr orientalisches

Gewand tropften, wo sie immer größere, dunkle Flecken bildeten.

Helene hob ihren Kopf. Wir waren an dem Tag verabredet.

Kein Zwinkern, kein Blick, nichts verriet, ob Carls Mutter Helenes deutlich gesprochene Worte gehört hatte.

Die Sonne hat geschienen, sagte Carls Mutter, aber es lag noch Schnee. Er ist ausgerutscht und mit dem Kopf gegen den Kühler eines Wagens geprallt. Der Wagen konnte nicht so schnell halten. Sie haben uns das Fahrrad gebracht. Es war ganz zerbeult. Ich habe es abgerieben. An den Speichen klebte etwas Blut. Nur wenig. Das meiste war wohl auf der Straße geblieben.

Das Hausmädchen brachte eine Kanne mit Tee, fragte, ob noch etwas gewünscht sei. Aber da Carls Mutter sie nicht beachtete, entfernte sie sich wieder.

Die Schneeglöckchen, die er in der Hand gehalten hatte, waren noch frisch. Der Beamte hat uns alles gebracht. Die Schneeglöckchen, seine Brille, das Fahrrad. Er hatte eine Tasche mit Büchern bei sich. In seiner Brieftasche waren neun Mark, glatt, keine Groschen, keine Pfennige. Carls Mutter lächelte plötzlich. Neun Mark, ich habe mich gefragt, ob jemand Geld aus der Brieftasche genommen hat. Ihr Lächeln versiegte. Eine blonde Locke war darin. Von Ihnen? Er war sofort tot.

Carls Mutter tupfte ihre Augen, vergeblich. Es wirkte, als würde ihr Tupfen die Tränen nur umso heftiger hervorlocken. Sie schnäuzte sich, sie wischte mit einem noch halbwegs trockenen Zipfel des Tuchs die Augenwinkel aus.

Helene streckte ihren Rücken durch. Sie konnte nicht mehr lange hier sitzen bleiben, eins ihrer Beine war eingeschlafen. Mein herzliches Beileid, Frau Professor. Helene hörte ihre Worte, sie erschrak, über die Falschheit darin. Dabei meinte sie es, sie wollte es sagen, aber wie sie es gesagt hatte, klang es falsch, es klang unbeteiligt und kalt.

Carls Mutter hob jetzt ihren Blick und sah unter ihren schweren und nassen Wimpern hervor Helene an. Sie sind jung, Ihr

Leben liegt vor Ihnen. Carls Mutter nickte jetzt, als wollte sie ihren Worten Nachdruck verleihen, dabei war ihr Blick von einer Warmherzigkeit, wie Helene sie noch nie an einer Frau gesehen hatte. Sie werden einen Mann finden, der Sie lieben und heiraten wird. Schön wie Sie sind und klug.

Helene wusste, dass nicht stimmte, was Carls Mutter ihr da prophezeite, was sie sich selbst und Helene zum Trost sagte. Sie sagte es, und darin enthalten lag der Hinweis auf einen feinen Unterschied: Helene konnte sich einen anderen Mann suchen, sie würde ihn finden, nichts leichter als das. Doch niemand konnte sich einen anderen Sohn suchen. Dieses Gleichnis von Mann und Mann, die aufleuchtende Konkurrenz der Funktionen eines Menschen, die Reduzierung dieses Menschen auf seinen Platz im Leben der ihn Liebenden erschien Helene von Grund auf falsch. Aber sie wusste, dass jedes Kopfschütteln und jede Verneinung Carls Mutter kränken würde. Das Messen von Trauer war hier unmöglich und hätte etwas Grausames gehabt, sie beide weinten um einen anderen Carl.

Ich muss jetzt gehen, sagte Helene. Sie stand ungeachtet ihrer gefüllten Tasse auf. Der Stuhl erzeugte beim Zurückschieben ein raues Knirschen. Carls Mutter erhob sich, sie musste ihr Gewand mit einer Hand raffen. Womöglich war sie in ihrem Gewand geschrumpft. Mit der Hand wies sie auf die Tür, damit kein Zweifel daran aufkam, dass Helene den Rückweg durch das Innere des Hauses antrat. Helene wollte warten, sollte nun aber vorausgehen. Gehen Sie nur, sagte Carls Mutter, sie wollte nicht von Helene angesehen werden. Helene hörte, wie sie hinter ihr durch den Saal ging, vorbei an dem Kamin, auf dessen Sims Carls Brille lag, vorbei an den hohen Vasen und an gerahmten Seidenstickereien, die Helene erst jetzt sah, pastellene Bilder von Reihern und Nachtfaltern, Bambus und Lotusblüten. Sie gelangten in die Eingangshalle zurück. Zwei Frauen waren auf dem Rodin zu sehen, tanzende, nackte Mädchen.

Ich danke Ihnen für Ihre Einladung, Helene drehte sich zu Carls Mutter um und streckte ihr eine Hand entgegen.

Der Dank ist auf unserer Seite, sagte sie, und musste ihr Taschentuch in die linke Hand nehmen, um Helene ihre lange Hand zu reichen, die merkwürdig lauwarm und trocken und feucht zugleich war. Eine leichte Hand. Eine Hand, die nicht mehr gehalten werden musste und nichts mehr halten wollte.

Das Hausmädchen öffnete Helene die Haustür und brachte sie bis ans schmiedeeiserne Tor.

Kaum war das Tor hinter Helene ins Schloss gefallen und konnte sie gehen, die Straße hinunter, am Wald entlang und unter der Sonne, die erbarmungslos schien, weinte sie. Sie fand in ihrer kleinen Handtasche kein Taschentuch, deshalb trocknete sie die Tränen von Zeit zu Zeit mit ihren nackten Unterarmen. Als die Nase lief, pflückte sie ein Ahornblatt und schnäuzte sich damit. Junge Eichentriebe im Unterholz. Sie lief durch den Wald, vorbei an den rotfleckigen Stämmen der Kiefern, hinweg über wulstige Wurzeln, der sandige Waldboden staubte.

# Nachtfalle

Warum habt ihr gedacht, ich wäre tot? Carl legte seinen Arm um Helene und zog sie mit einer leisen Bewegung an sich. Wie warm er war. Sein Pelzkragen schimmerte grün. Helene steckte ihre Nase in glattes Haar, Fell, das nach Carl roch, fein würziger Tabak.

Alle haben das gedacht. Du warst verschwunden.

Ich musste untertauchen. Carl wollte wohl nicht weitersprechen. Helene dachte, es konnte Gründe geben, von deren Existenz sie nichts wissen sollte. Sie war froh, dass er da war.

Nur das Zwitschern des Vogels störte. Tschilp, tschilp. Steingrün. Die Vorhänge waren steingrün, flechtengrün, das Licht ließ das Grün fluten und die Vorhänge heller erscheinen. Helenes Herz hämmerte. Leichter Wind blies herein, die Vorhänge strauchelten. Das konnten nicht die Vorhänge im Hofzimmer der Beletage sein. Keinesfalls. Helene drehte sich um, ihr Herz raste, legte sie sich auf den Bauch, schlug es gegen die Matratze, pochte, als wolle es wohin, von hier nach dort, wälzte sie sich auf den Rücken, hüpfte es aus ihr hinaus, es überschlug sich, stolperte, Helene holte Luft, tief atmen, ruhig atmen, das Herz zähmen, nichts leichter als das, zu leicht das Herz, schon war es auf und davon. Helene zählte, Schlag für Schlag, sie zählte über hundert hinaus, ihr Hals wurde eng, das Herz rannte ihrem Zählen davon, sie legte sich die Finger an das Handgelenk, auch der Puls raste, Ruhepuls von hundertvier, fünf, sechs, sieben. Musste sie diese Decke kennen, war es ihre? Wo war die acht, es musste schon der zwölfte Schlag sein, hundertzwölf. Sie schloss ihre Augen fest, harte Augen, vielleicht konnte sie wieder zurück, zurück zu Carl. Aber es gelang nicht. Je unbedingter sie es wollte, desto ferner rückte er in den Traum, rückte in eine Welt, in der ihr Wille nichts war. Mit dem Betttuch trocknete Helene ihr Gesicht. Sonnenflecken auf der Matratze. Lichtmale einer Erinnerung, an was? Decken, Helene schob ihre Hand in das Licht, Sonne auf der Haut, das war schon etwas durchaus Feines. Ein feines Glück, so ein Tag mochte etwas bereithalten. Dunkle Flecken auf dem Laken, nasse, der Schweiß war ihr aus den Achseln geronnen, sie hatte aus den Poren unter ihren Armen geweint, Tränen, dünner Schweiß. Helene würde aufstehen, sie wurde erwartet, nach der Nachtschicht begann ihr Dienst heute erst um zwei. Helene stand auf, sie schwitzte nur noch mäßig, sie zog sich an. Am Abend zuvor hatte sie noch ihre Kleider gewaschen und sie über den Stuhl vor das Fenster gehängt, damit sie am Morgen trocken waren. Ihre Kleider rochen nach Fannys Seife, alle, außer seinem Unterhemd, das sie nach wie vor trug, sein Innen ihr Außen, wo er war, war jetzt sie, des Nachts. Sie wollte nicht, dass andere Menschen Carl rochen, das Gemisch, das Carl und sie mit der Zeit geworden waren.

Draußen war die Luft voll Sonne, der Postbote ging pfeifend seines Weges, er schwang die Tasche vor und zurück, ein leichtes Schlenkern, vielleicht war er schon alle Briefe los, sein Blick streifte Helene, er pfiff freundlich durch die Zähne und nahm es zum Anfang einer bekannten Melodie. Zwei Kinder hüpften mit ihren Schulmappen auf dem Rücken das Pflaster ab, das eine fiel, das andere hatte es geschubst und rannte jetzt unter hämischem Lachen davon. Überall gab es Pfeifen und Pflaster und Hüpfen und Kinder und Wege, all das war keine Absicht, hatte mit Helene im Besonderen gar nichts zu tun, würde vermutlich so sein, wenn sie nicht wäre. Niemand meinte es schlecht mit Helene.

Die Hitze des Sommers ließ die Luft über dem Pflaster flimmern, flüssige Luft, die Bilder verschwammen und Pfützen wurden sichtbar, wo schon seit Wochen keine mehr waren.

Es roch nach Teer, auf der anderen Straßenseite wurde ein Holzzaun schwarz gestrichen, und der Boden unter Helenes Füßen gab leicht nach. Die Straßenbahn quietschte in der Kurve, sie fuhr langsam, das Quietschen zog sich, man hörte die Biege, das Schleifen und Funken, es hörte lange nicht auf. Helene mochte in letzter Zeit das Vage, das Ungenaue, sie lauerte ihm auf, doch sobald sie es zu erkennen glaubte, verflüchtigte es sich. Die Hitze verlangsamte das Treiben der Stadt, sie weichte die Bewohner der Stadt auf, dachte Helene, machte sie biegsam und sanft, sie erlahmte die Menschen. Je leichter Helene wurde, desto drückender lastete die Hitze auf ihr. Das war ihr nicht unangenehm. Helenes Körper war schmal geworden, nicht schwach. Sie hatte auf Leontines Empfehlungen hin im Bethanien eine Stelle bekommen und arbeitete nach Jahren zum ersten Mal wieder als Krankenschwester. Der Apotheker war erleichtert, geradezu entbürdet, hatte er doch zuletzt kaum noch gewusst, wovon er sie bezahlen sollte. Auch im Bethanien erhielt sie vorerst kein Geld, die ersten drei Monate galten als Probezeit, der Lohn sollte kommen, sobald sie ihre restlichen Papiere gebracht hätte. Helene lieh sich fürs erste etwas Geld von Leontine.

Helene war freundlich zu jedermann und sprach doch mit niemandem. Guten Tag, sagte sie im Zimmer sechsundzwanzig zu dem aufgedunsenen Mann, der im Sterben lag. Geht es Ihnen heute besser?

Natürlich, dank Ihrer Pillen gestern abend konnte ich endlich aufhören, mir Gedanken um mein Erbe zu machen, und etwas schlafen.

Die Patienten sprachen gerne mit ihr, nicht nur über ihr Leid, auch über ihre Verwandtschaft, die sich im Umfeld eines Sterbebettes besonders komisch verhalten konnte. So traute sich die Ehefrau des aufgedunsenen Mannes nicht mehr allein an sein

Bett, stets kam sie in Begleitung seines jüngeren Bruders, dessen Hand sie mal suchte, mal verstieß, etwas war mit den Händen der beiden, und der Sterbende vertraute Helene an, dass er schon seit einigen Jahren von deren heimlichem Verhältnis wisse, sich aber nichts anmerken ließe, weil er sie guten Gewissens erben lassen wollte. Blieb so nicht alles in der Familie? Keiner der Patienten hätte es je gewagt, Helene zurückzufragen, wie es ihr ginge. Die Uniform schützte sie. Der weiße Kittel war ein stärkeres Signal als jede der Ampeln, die an immer mehr Kreuzungen der Stadt aufgestellt wurden und weithin leuchteten, anzeigten, wer gehen und wer stehen musste. Wer Weiß trug, durfte schweigen, wer Weiß trug, wurde nicht gefragt, wie es ihm ging. Die Höflichkeit war für Helene eine äußere Haltung, die ihre Verzweiflung kaum zähmte, eher fasste, die Anteilnahme am Leiden anderer stützte sie von innen. Sie dachte darüber nach, ob ihr aufgedunsener Patient wohl leichter sterben konnte, wenn er wusste, dass seine Frau ein Verhältnis mit dem Bruder hatte. Vielleicht bildete sich der Sterbende das Verhältnis nur ein, um den Abschied zu ertragen. Es fiel Helene leicht, sich die Namen der Patienten zu merken, ihre Herkunft, ihre Familiengeschichten. Sie wusste genau, in welchem Ton welcher Mensch gefragt werden wollte, und achtete es, wenn ein Kranker das Schweigen vorzog. Konnte Helene nachts einmal einschlafen, wachte sie vom Knirschen ihrer Zähne und vom Weinen auf. Nur wenn sie träumte, dass Carl zurückkam, sie umarmte und sich wunderte, weil er Helene und seine Familie in Schrecken und Trauer gestürzt hatte, und ein Missverständnis aufklärte, wo er doch gar nicht gestorben war, schlief sie gut. Doch war das Aufwachen nach solchen Nächten und die Rückkehr in ihr Leben, die Ankunft in so einen nächsten Tag ihres Lebens, einen selbstverständlichen, unerfragten, ungebetenen und gar nicht vorstellbaren Tag ihres Lebens schwer. Was war das, ihr Leben? Was sollte das sein, sollte es überhaupt etwas, es etwas, sie etwas? Helene versuchte zu atmen, leicht zu atmen, zu leicht. Ihr Brustkorb wollte sich nicht dehnen, kaum gelangte Luft hinein. Sie musste daran denken, wie es war, wenn man als Kind hinfiel, hinschlug, der Länge nach, und die Lunge durch den Aufschlag zusammenfiel, das Atmen wurde für eine Ewigkeit unmöglich, der Mund geöffnet, die Luft am Mund, aber der Körper sonst war dicht, verschlossen. Geläufig leben, äußerlich unbemerkt weiterleben, das fiel erstaunlich leicht. Sie war gesund, sie konnte jeden Finger einzeln strecken und beugen, sie streckte jeden Finger, alle Zehen beugen und strecken, weit auseinander, bis sie nach einer kurz geratenen Hand aussahen, den Kopf auf die Seite legen, ihr Körper gehorchte und die vegetativen Unregelmäßigkeiten waren keineswegs hinderlich, Helene konnte arbeiten, auch wenn sich das Herz manchmal überschlug und das Atmen schwerfiel.

Die anderen Schwestern verabredeten sich zu Bällen, sie unternahmen Mondscheinfahrten und fragten auch Helene immer wieder, ob sie mitkommen wolle. Im Umkleideraum probierten sie kurze Hosen an, mit denen man sich am Wannseestrand zeigen wollte.

Etwa so, die junge Schwester, die von allen kess genannt wurde, stellte ihre Hüfte aus und streckte dabei unverdrossen ihren Po aus. Die Geste gefiel Helene, sie musste an Leontine denken, etwas an der kessen Schwester erinnerte sie an Leontine. Burschikos, wie sie mit ihrem kurzen Haar und kurzen Hosen da stand und den anderen Schwestern ihren Po zeigte, dabei schaute sie streng und schelmisch in die Runde. Dann durfte eine andere das knappe Höschen anprobieren. Ob Helene nicht auch mal wolle, überhaupt müsse sie einmal mitkommen ins Strandbad. Helene lehnte ab, sie behauptete, sie habe bereits etwas vor. Sie erfand eine Tante, die sie pflegen müsse, sie wollte ihre Ruhe haben. Das Kichern und leichte Lachen der Schwestern war angenehm, solange es sie in Ruhe ließ, Hintergrund der Stille blieb, sobald es sie einbeziehen wollte, sich an sie wendete, Antwort und Teilhabe verlangte, strengte es an. Sie könne auch nicht schwimmen, gab die kesse Schwester preis, vielleicht vermutete sie, dass Helene nicht schwimmen konnte und sich aus Scham oder Unbehagen den Schwestern nicht anschließen wollte.

Das macht nichts, die meisten Mädels lernen in diesem Sommer erst schwimmen, nicht wahr? Ja, riefen die Schwestern unbeschwert im Chor. Helene mochte die anderen Schwestern, ihr gefiel deren Fröhlichkeit. Helene wollte kein Mitleid, kein ratloses Schweigen, sie erzählte keiner der Schwestern von Carl und seinem Tod.

Im Herbst sagte eine ältere Kollegin, Helene sehe ausgemergelt aus. Dürr. Man habe schon länger einen Blick auf sie. Ob sie krank sei. Aus dem Fragezeichen hörte Helene das Wort Schwindsucht. Sachte Hoffnung glomm auf. Helene verneinte, wurde aber zum Arzt bestellt, man wollte kein Risiko auf der Infektionsstation.

Helene war nicht krank, nur ihr Puls ging etwas schnell, das Herz manchmal unregelmäßig. Der Arzt fragte sie, ob sie Schmerzen habe, ob ihr etwas an sich auffalle. Helene sagte, manchmal habe sie Angst, ganz plötzlich, aber sie wisse nicht, wovor. Ihr Herz schlug schnell, so schnell, dass es sich überschlug und keinen Platz in ihrer Brust zu haben schien. Der Arzt hörte ein zweites Mal ihre Brust ab, fast zärtlich setzte er das kalte Metall auf ihre Brust, die sich nirgends mehr sanft erhob, unter der man die Rippen spürte, er lauschte auf ihr Herz und schüttelte den Kopf. Ein kleines Geräusch, das haben manche. Nichts Schlimmes. Die Angst, nun ja, vielleicht gebe es doch Ursachen? Helene schüttelte den Kopf. Sie wollte nichts von Carl erzählen. Nichts davon, dass sie seither nicht mehr blutete. Vielleicht trank sie einfach zu wenig. Wen ging das etwas an? Sie hatte Leontine im Frühjahr in der Charité besucht und sie gebeten, sie zu untersuchen. Aber Leontine hatte ihr versichert, dass sie nicht schwanger sei. Nur kurz hatte Helene eine Enttäuschung gespürt. Wovon hätte sie ein Kind auch ernähren sollen? Es war bloß ihr Herz, das manchmal verrückt spielte. Der Brustkorb, der zu eng schien. Ihre größte Angst war die Angst vor der Angst.

Wenns weiter nichts ist, sagte der Arzt mit einem Augenzwinkern. Helene ahnte, dass er an die Wiener Fallstudien von Hysterie dachte. Als Helene sich wieder angezogen hatte, fragte der Arzt sie mit einem feinen Lächeln, ob er sie einmal zum Kaffee einladen dürfe.

Helene sagte nein, herzlichen Dank, nein. Nichts weiter. Sie ging zur Tür.

Einfach so nein? Der Arzt zögerte, er wollte ihr nicht seine Hand geben, ehe sie ja gesagt hätte. Helene trat aus der Tür, sie wünschte ihm einen schönen Tag.

Martha sollte bis zum Winterbeginn im Sanatorium bleiben und Leontine suchte eine Wohnung, damit sie bei Marthas Rückkehr nicht mehr in die Achenbachstraße ziehen mussten. So kam es, dass Helene ein unbeobachtetes Zusammentreffen mit Erich kaum verhindern konnte. Ihr fehlte die Kraft und der Wille zur ständigen Voraussicht, damit diese Begegnungen hätten vermieden werden können. Er presste seine Lippen auf ihre, er küsste sie, wo und wie es ihm gefiel. Sie wehrte sich, aber ohne Erfolg. Er zog sie in ein Zimmer, er steckte ihr seine Zunge in den Hals und neuerdings knetete eine seiner groben Hände dabei eine ihrer Brustspitzen. Es war ihm egal, wenn Cleo dabei zusah und ängstlich fiepte und eher flehend als fröhlich mit dem Schwanz wedelte.

Helene war froh, wenn sie in solchen Augenblicken Otta hörte, meist ließ Erich dann von ihr ab. Noch besser war es, wenn Fanny von ihrem kurzen Einkauf oder einer anderen Erledigung heimkehrte und Erich Helene ohne ein weiteres Wort losließ. Es gab Tage, an denen wich Helene instinktiv nicht von Ottas Seite, begleitete sie in die Küche und zum Einkaufen. Aber es gab andere Tage wie diesen, an dem sich Helene allein in der Wohnung glaubte, eine Zeitung nahm und sich in den Wintergarten setzte, zu dem Fanny die Veranda durch das Einsetzen von Glasfenstern hatte umbauen lassen. Aus der Stille näherten sich beschwingte Schritte. Erich kam, setzte sich ihr gegenüber an den niedrigen Tisch und legte einen Fuß auf sein Knie, das Bein im großen Winkel. Mhm. Er machte von Zeit zu Zeit unbestimmte Geräusche, mhm, so als sage sie etwas, mhm und mhm, stimme er ihr zu, mhmhm, mhmhm, vielleicht war es eher ein ablehnendes mhm, ein erwartungsvolles mhm, mhmhm, mhm, ganz, als leide er unter einem Reflex, mhm, wie ein Meerschweinchen, mhm, er sah zu, wie sie Zeitung las. Zehn wortlose Minuten genügten, Erich stand auf, nahm ihr die Zeitung weg und sagte: Ich weiß, was dir fehlt.

Helene zog die Augenbrauen hoch, sie wollte ihn nicht ansehen.

Erich fuhr mit der Hand von oben in ihre Bluse. Helene wehrte sich. Die Knöpfe ihrer Bluse sprangen ab, der feine Stoff darunter riss.

Pass doch auf, keuchte er und lachte und jedes zuvor noch unterdrückte Seufzen gedieh zum Schnaufen, zum Stimmhaften, Erich lachte und hielt jetzt Helenes Handgelenke fest, er ließ sich auf die Knie fallen und stürzte sich mit einem nassen, sabbernden Mund auf ihren nackten Oberkörper. Torso, ging es Helene durch den Kopf, und sie musste an die anatomischen Modelle denken, anhand deren ihnen in der Ausbildung der menschliche Körper gezeigt worden war, wo das Herz schlug ohne Kopf und Denken. Gliedmaßen hatten mit ihrer Funktion ihre Bedeutung verloren. Purpur und Violett war eine Farbe vor den Fenstern.

Helene versuchte seine Schultern von sich wegzudrücken, mit dem ganzen Körper, sie wollte sich losmachen, aber Erich war schwer wie ein Stein und lutschte besinnungslos an ihrer Haut. Er wollte sie aussaugen, jeden Flecken ihres Körpers benetzte er mit seinem tranig riechenden Speichel. Da er ihre Handgelenke umklammert hielt und sie in den Sessel drückte, versuchte Helene durch ein Aufbäumen des Körpers, ihn von sich zu drücken. Doch es war, als reize ihn jede ihrer Bewegungen nur zu größerer Wildheit. Ungestüm leckte er mit der Zunge über ihr Gesicht, ihren Hals entlang und über ihre Brust. Helene wurde starr. Hab ich dich, hab ich dich, stammelte Erich ohne Unterlass.

Ich wollte die Alpenveilchen gießen, sagte plötzlich eine Stimme über ihnen. Fannys Stimme war nicht gerade fest, sie war schrill und klar. Fanny hielt eine Gießkanne aus Messing, klein, mit langer Tülle in die Höhe. Im nächsten Augenblick schlug sie mit der Gießkanne auf Erichs Kopf. Erich sackte nicht zusammen, verhinderte aber mit seinem Aufspringen, dass der nächste Schlag Helene erwischte, die Gießkanne flog jetzt auf den Boden. Erich hatte ihre Handgelenke losgelassen.

Fanny schrie. Was sie genau schrie, konnte Helene nicht verstehen. Es hatte mit Krethi und Plethi zu tun, wir sind hier doch nicht bei Krethi und Plethi, vermutlich hatte sie das geschrien. Das Purpur gewann Konturen, aber die Alpenveilchen ließen keins ihrer Blätter hängen. Helene hielt sich mit beiden Händen ihre Bluse zu, stand auf und machte, dass sie in ihr Zimmer kam. Dort presste sie ihre kalten Hände auf die glühenden Wangen, etwas stieß ihr von innen an den Schädel, zu weich war das, zu fest die Stirn.

Sie hörte Fanny und Erich noch bis spät in die Nacht streiten, aber das war nichts Ungewöhnliches. Helene ging arbeiten, sie kam nach Hause und ging Fanny aus dem Weg.

Helene verfluchte ihr Dasein, sie schämte sich für ein Leben, das sie ohne großes Dazutun atmen, arbeiten, und mit der Zeit wieder Flüssigkeit zu sich nehmen und schlafen ließ. Sie schämte sich, weil sie etwas dafür konnte, sie wusste, wie der Tod herbeizuführen war, schnell und unauffällig. Was war da schon ein Schmerz, was kleine Übelkeiten, wo sie doch endlich sein würden. Helene wusste, dass sie nicht überraschend gefunden werden wollte, man sollte sich weder mit ihr noch mit ihrem Tod auseinandersetzen, sie wollte nicht, dass Martha und Leontine und jemand, den sie nicht kannte, der ihr nicht einfiel, irgendjemand, aus Anlass ihres Todes über Verantwortung und gar Schuld nachdenken musste. Das unbemerkte Verschwinden, das endgültige Davonkommen, das war schon etwas schwieriger. Letztlich durften Leben und Gedenken der anderen nicht mehr interessieren, auch davon musste Abschied genommen werden, jeder blieb sich selbst der alleinige Verantwortliche. Wie oft hielt Helene die Gifte in ihren Händen, verabreichte sie das eine in kleinen schmerzstillenden und das andere in schlafförderlichen Dosen. Die Schachtel Veronal, die sie für alle Fälle aus der Apotheke mitgenommen hatte, war aus ihrem kleinen, ochsenblutfarbenen Koffer verschwunden. Helene hatte weniger Otta im Verdacht, sie vermutete, dass Fanny während ihrer Abwesenheit in ihren Sachen schnüffelte und beim Anblick der Schachtel nicht hatte widerstehen können. Aber im Krankenhaus gab es genug. Nicht nur Morphine und Barbiturate, schon das Spritzen von ein wenig Luft konnte, so es gelang, tödlich wirken. Das Leben erschien Helene als sinnloses Weiterleben, ein unabsichtliches Überleben, ein Überleben von Carl. Wollte sie die Scham begrenzen, weil es ihr anmaßend und kokett erschien, im Besitz des Lebens sich für selbiges zu schämen, so sagte sie sich, dass ihre Erinnerung an Carl dessen vollkommenes Verschwinden ein wenig aufhalten, hinauszögern würde. Die Vorstellung gefiel ihr – solange sie lebte und in Liebe an Carl dachte, wie auch seine Familie, so lange gab es noch eine Spur seiner Existenz. In ihr und mit ihr und durch sie. Helene beschloss, sie lebte, um ihn zu ehren. Sie wollte eines Tages wieder fröhlich sein und lachen, einzig aus Liebe zu ihm. Wenn er auch nichts mehr davon hatte. Helene glaubte an kein Wiedersehen in einer anderen Welt; es mochte sie geben, diese andere Welt, wohl aber ohne die hiesige Bindung einer einzelnen Seele an einen einzelnen Körper mit ihren ständigen Bedürfnissen nach einer Vereinigung mit anderen, einer Auflösung und Aufweichung der Verdammnis in das einzelne, alleinige. Deshalb ihr Denken, deshalb ihr Sprechen, deshalb ihre Umarmungen. Helene befand sich im Zwiespalt und Widerspruch. Sie wollte kein Denken, kein Sprechen, keine Umarmung mehr mit einem anderen Menschen, mit niemandem mehr. Aber sie wollte Carl weiterleben, nicht ihn überleben, ihn weiterleben; denn was anderes blieb von ihm als ihre Erinnerung. Wie sollte ein Weiterleben möglich sein, ohne Denken und Sprechen und Umarmen? Was zählte, war, den Mechanismus des Lebens nicht zu unterbrechen, das hieß, das Nötigste schlafen, das Nötigste essen, und Helene war erleichtert, dass ihr die Anstellung im Krankenhaus jeden Tag in überschaubare und regelmäßige Einheiten einteilte, ähnlich wie das Pendel der Uhr die Zeit überschaubar erscheinen ließ, ließ die Arbeit im Krankenhaus Helene ihr Leben überschaubar erscheinen. Sie musste nicht darüber nachdenken, wann ihr Leben ein Ende finden würde, sie konnte sich getrost an die Zeiten von Dienstbeginn und Dienstschluss halten. Dazwischen maß Helene Temperaturen, sie zählte Pulsschläge und reinigte Operationsbestecke. Helene hielt die Hände von Sterbenden und Gebärenden und Einsamen, sie wechselte Verbände, Binden und Windeln, ihre Arbeit war nützlich.

Sie lebte vor sich hin, von einem Dienstplan zum nächsten.

Auf der Suche nach einer Wohnung kam Helene an der Apostel-Paulus-Kirche vorbei, die Tür stand offen und ihr fiel auf, dass sie schon seit Jahren nicht mehr in der Kirche gewesen war. Sie ging hinein. Der Duft nach Weihrauch hing im Gestühl. Sie war allein in der Kirche. Helene ging nach vorne und setzte sich auf die zweite Bank, sie faltete ihre Hände, sie suchte nach einem Gebetsanfang, aber so sehr sie sich anstrengte, keiner wollte ihr einfallen.

Lieber Gott, flüsterte sie, wenn du da bist, Helene stockte, warum wurde Gott eigentlich mit du angesprochen? Ein Zeichen könntest du mir schicken, flüsterte Helene, ein kleines Zeichen. Ihr liefen Tränen aus den Augen. Nimm mir das Selbstmitleid und den Schmerz, sagte sie, bitte, ergänzte sie. Die Tränen versiegten, der Schmerz in der Brust blieb, etwas, das die Bronchien verengte und sie nur schwer Luft holen ließ. Wie lange noch? Helene lauschte, aber von draußen war nur das Knattern eines Autobusses zu hören. Vielleicht wenigstens das: Wie lange noch muss ich hierbleiben? Niemand antwortete, Helene lauschte in die Weite des Kirchenschiffs.

Wenn du da bist, begann sie von neuem, dachte aber jetzt an Carl und wusste noch immer nicht weiter in ihrem Satz. Wo sollte er schon sein, Carl? In ihrem Rücken hörte sie Schritte. Sie drehte sich um. Eine Mutter war mit ihrem kleinen Kind eingetreten. Helene neigte den Kopf, sie legte die Stirn auf ihre gefalteten Hände. Lass mich verschwinden, flüsterte sie, da war kein Selbstmitleid mehr, Helene spürte nichts als den klaren Wunsch nach Erlösung.

Wo? Hörte sie die hohe Kinderstimme hinter sich.

Da, sagte die Mutter, da oben.

Wo, ich sehe ihn nicht. Das Kind wurde ungeduldig, es jammerte, wo denn, ich kann ihn nicht sehen.

Man kann ihn auch nicht sehen, sagte die Mutter, nicht mit den Augen, du musst mit dem Herzen sehen, mein Kind.

Das Kind war jetzt stumm. Ob es mit dem Herzen sah? Helene starrte auf die Kerben der hölzernen Bank, ihr graute; wie konnte sie Gott um etwas bitten, wo sie ihn doch so lange vergessen hatte. Verzeih, flüsterte sie. Carl war nicht gestorben, damit sie sich nach ihm verzehrte. Er war grundlos gestorben. Sie würde ein Leben so verbringen können, mit der Hoffnung auf eine Antwort, die es nicht gab. Helene stand auf und verließ die Kirche. Auf dem Weg hinaus ertappte sie sich, wie sie weiter nach Zeichen suchte, nach Zeichen seiner Existenz und ihrer Erlösung. Draußen schien die Sonne. Sollte das schon ein Zeichen sein? Helene dachte an ihre Mutter. Vielleicht galten ihr all die Dinge, die sie entdeckte, die Baumwurzeln und Flederwische, als Zeichen? Das sei kein Tinnef, hörte Helene die Stimme ihrer Mutter. Mehr als Gedächtnis und Zweifel des Menschen, das hatte die Mutter einmal gesagt, brauche ein Gott nicht.

Die Miete der Dachkammern und Zimmer, die sich Helene ansah, war zu teuer. Ihr fehlte das Geld, und stets wurde nach ihrem Mann und ihren Eltern gefragt, wenn sie sich einer Wirtin vorstellte. Um Fanny nicht zur Last zu fallen und Erich besser aus dem Weg gehen zu können, bat Helene um ein Zimmer im Schwesternheim.

Ihre Papiere fehlen, bemerkte die Oberschwester freundlich. Helene behauptete, aus Bautzen wäre die Nachricht gekommen, dass es einen Brand gegeben habe und alles vernichtet sei. Die Oberschwester zeigte Mitleid und gewährte Helene, ein Zimmer zu beziehen. Nur möge sie rasch die neuen Papiere beschaffen.

Martha kehrte aus dem Sanatorium zurück und bezog eine Wohnung mit Leontine. Sie arbeiteten so viel, dass Helene Martha und Leontine nur alle paar Wochen, manchmal erst nach Monaten traf.

Die Wirtschaftskrise erreichte ständig neue Höhepunkte. Niemand blieb verschont. Es war gekauft und verkauft worden, spekuliert und ergattert, jeder sprach davon, er wolle jetzt auf keinen Fall Verluste realisieren, doch noch war die List nicht gefunden, das Realisieren zu vermeiden. Fanny feierte Erichs Geburtstag. Sie feierte ihn groß. Sie feierte ihn am größten, größer als sich selbst, größer als jedes bisherige Fest sollte das ihm zu Ehren werden. Erich hatte sich in den Monaten zuvor häufig von Fanny getrennt und war dennoch immer wieder und nun auch zum Geburtstag erschienen. Fanny hatte weitläufig eingeladen, Freunde und Unbekannte, solche, die nur Erich kannte, und solche, die nicht einmal wussten, dass sie mehr als seine Tennispartnerin war.

Helene hatte nicht kommen wollen, war aber von Leontine

und Martha genötigt worden. Vielleicht hatten die zwei ein schlechtes Gewissen, weil sie sich so lange nicht um Helene hatten kümmern können.

Fannys Einladung erschien Helene als Versuch einer Wiederbelebung, lebenserhaltende, lebensverlängernde Maßnahme, klägliches Zitat früherer Einladungen. Die Gäste waren noch prunkvoll gekleidet, da glitzerten die Glassteinchen, sie sprachen noch über Pferdewetten und die Kurse an der Börse, mehr als siebzigtausend Konkurse in diesem Jahr, und soeben wurde die Marke von sechs Millionen Arbeitslosen überschritten, es wurde eine Opium-Pfeife angesteckt, dem standen lediglich zwölf Millionen Beschäftigte gegenüber, kein Wunder, die Löhne mussten gekürzt werden, bis zu fünfundzwanzig Prozent, Ansichten und Meinungen zum Zusammenbruch der Piscator-Bühne wurden ausgetauscht, Helene wollte nicht zuhören. Sollte es ihr unangenehm sein, dass sie eine Beschäftigung hatte? Ein Leben ohne das Metronom ihrer Tätigkeiten im Krankenhaus war undenkbar. Helene schaute auch nicht hinüber zum Baron und seiner Pina, die noch im vorletzten Jahr geheiratet hatten und die sich seither in den Haaren lagen, nicht etwa über Brillanten und Federboas, sie stritten über ein Kleid, das Pina ohne sein Einverständnis vom nicht vorhandenen Geld erstanden hatte. Der Baron unterstellte ihr, sie beleihe seine Freunde und betrüge ihre Gütergemeinschaft. Sie stritt alles ab. Bald riss sie die Arme in die Luft und rief: Ich gestehe, ich habe gestohlen! Du wolltest es unbedingt wissen, hier ist die Wahrheit: Gestohlen. Eine Diebin bin ich. Im Kaufhaus des Westens. Was nun? Helene blickte zu den anderen Gästen, sie blickte auf ihre Schuhe und sie betrachtete ihre Hände. Einer der Nägel zeigte einen dunklen Schimmer. Helene erhob sich von der Chaiselongue, auf der sie bis eben allein und unbelästigt gesessen hatte, sie krümmte ihre Finger so gut es ging, rollte sie ein, damit niemand den schwarzrandigen Nagel sehen konnte, und ging hinaus in den Korridor, wo sie kurz vor dem

Badezimmer warten musste. Kaum öffnete sich die Tür und war das Bad frei, stürmte Helene hinein. Sie verriegelte die Tür. Der Badeofen war geheizt und Helene drehte den Hahn auf, das heiße Wasser kam weiß und dampfend heraus, Helene schrubbte mit der Nagelbürste unter fließendem Wasser ihre Nägel. Die Seife schäumte, Helene schrubbte, seifte, schrubbte, und seifte. Ihre Hände röteten sich, die Nägel wurden immer weißer. Sie wusch auch ihr Gesicht, und weil es die Wirbelsäule entlang juckte, musste Helene auch ihren Hals waschen, soweit sie konnte, ohne sich zu entkleiden. Jemand klopfte an die Tür. Helene wusste, dass sie den Wasserhahn zudrehen musste, ihre Hände wurden rot und warm und sauber, und röter und wärmer und sauberer, es fiel ihr nicht leicht. Unterhalb des Hahns war in der Wanne die bläulichgrüngelbe Maserung der Rückstände des Wassers zu sehen. Welche Salze das Wasser mit dem Kalk da wohl angeschwemmt und abgelagert hatte?

Zurück unter den Gästen hatte Helene gerade beschlossen, aufzubrechen, schließlich sollte man im Schwesternheim bis zehn Uhr nach Hause gekommen sein, die Nachtschicht erhielt erst morgens um sechs wieder Einlass, als ein junger Mann lächelnd vor ihr stand. Es sah aus, als würde er sie kennen, so unerschütterlich grinste er zu ihr herab.

Unser Wilhelm, sagte Erich, der hinter dem jungen Mann auftauchte.

Lass mich raten, sagte Wilhelm, lass mich raten, wie sie heißt.

Er rät heute Abend alle Namen, erklärte Erich und klopfte seinem Freund auf die Schulter. Erich lachte. Sein Name ist Hanussen.

Wilhelm schob Erichs Hand von seiner Schulter. Von wegen Hanussen.

Nur einmal lag er richtig, und das nicht mal bei einer Dame. Erich nagelte seinen Blick in Helene.

Wilhelm ließ sich von Erich nicht verunsichern, er sah Helene prüfend an. Keine Sorge, ist nur ein Spiel. Wilhelm neigte sich zur Seite, als stehe Helenes Name auf einem Schild an ihrer Schläfe. Jetzt nickte Wilhelm. Alice. Sie heißt Alice.

Erich lachte. Fanny, die sich zu ihrer Runde gesellt hatte, wischte sich Tränen aus ihren gereizten Augen und bat Erich, ihr einen Absinth einzuschenken. Erich reagierte nicht auf Fannys Begehren, seine Augen stachen in Helenes Gesicht, bohrten sich in ihre Augen, in ihre Wangen, in ihren Mund.

Und, ist sie nicht ein Frauenzimmer nach deinem Geschmack? Willy verehrt die blonden Mädel. Erich klopfte seinem Freund auf die Schulter, als müsse er ihn weich klopfen wie ein Schnitzel. Ist vielleicht nicht viel dran, an dem Ding, aber blond ist sie. Erich lachte, er glaubte, er habe einen Witz gerissen.

Schon Erichs Blick verriet, wie er Helene anpacken würde, wären sie allein. Wilhelm stand unschuldig mit dem Rücken zu seinem Freund und etwas wie Überraschung und bares Erstaunen lag in seinen Augen.

Zumindest sind Sie von einer berückenden Schönheit, mein Fräulein, stammelte Wilhelm. Alice. Sie verraten mir bestimmt Ihren Namen?

Helene bemühte sich um ein freundliches Lächeln, über Wilhelms Schulter hinweg sah sie die Uhr im Korridor, die weiße Standuhr zeigte halb zehn. Helene wollte aufbrechen.

Jetzt schon? Wilhelm konnte es nicht glauben. Das Fest hat doch gerade erst begonnen. Sie wollen mich doch nicht gleich verlassen?

Helene sagte mit dem freundlichen Lächeln: Ich muss.

Schwesternheim, Erich fuhr mit der Zunge über die Zähne, ließ dann in obszöner Geste die Zunge über die Lippen schnalzen. Sie wohnt im Schwesternheim.

Eine Nonne, Jungfrau Maria. Wilhelm glaubte es sofort.

Quatsch. Erich fiel ihm ins Wort. Keine Jungfrau, du Dussel, Krankenschwester ist sie.

Krankenschwester. Wilhelm sprach es ehrfürchtig aus, als bestehe kein nennenswerter Unterschied zwischen einer Nonne, der Jungfrau Maria und einer Krankenschwester. Ich begleite Sie.

Danke, das sollen Sie nicht. Helene setzte einen Schritt zur Seite und versuchte, an jenem großen jungen Mann namens Wilhelm vorbeizukommen. Er brachte sie zur Tür, half ihr in den Mantel und ließ sie mit Empfehlungen gehen.

Am nächsten Tag stand Wilhelm im Krankenhaus plötzlich vor ihr. Schwester, sagte er, Sie müssen mir helfen.

Helene war nicht nach gemeinsamem Lachen und Blicketauschen, sie wollte ihre Arbeit erledigen, die Betten im Zimmer Nummer zwanzig waren zu machen und der Patient in Zimmer einunddreißig, der nicht alleine die Toilette aufsuchen konnte, hatte schon vor zehn Minuten geklingelt.

Schwester Alice, hier auf dieser Bank werde ich Platz nehmen. Sie können von mir aus die Wache rufen oder den Oberarzt. Ich werde hier warten, bis Sie Feierabend haben. Das wird doch nicht mehr lange dauern?

Helene ließ ihn Platz nehmen. Sie ging ihrer Arbeit nach. Über zwei Stunden musste sie an ihm vorbeilaufen, die Frauen im Schwesternzimmer tuschelten. Der charmante Herr auf dem Flur sei wohl ein Verehrer. Was für ein stattlicher Mann, wie gut er aussehe mit seinem blonden Haar und den blauen Augen. Eine der Schwestern blieb bei Wilhelm stehen und begann ein Gespräch mit ihm. Später sagte sie im Vorübergehen zu Helene: Sag mir Bescheid, wenn du ihn nicht willst, dann nehm ich ihn.

Helene hätte ihr gerne gesagt, dass sie nehmen könne, was sie wolle. Aber eine Antwort auf die Tuschelei erschien Helene mühsam. Die Zunge lag ihr schlicht zu schwer im Mund. Schon während sie einem älteren Mann Geschlecht und Hintern wusch, musste sie ungeachtet des rohen Fleisches und des aufgebrochenen Furunkels, der vielen kleinen eitrigen Wunden, die sie mit Salbe und Puder versorgte, an Carl denken und daran, dass er nicht kommen und sie abholen würde. Niemals. Helenes Hals schmerzte, eng wurde er, fest schnürte er sich zusammen. Mit ihren Fingern voll Salbe und Puder konnte sich Helene nicht das Auge auswischen.

Ihre Hände, Schwester, die sind sanft und heilsam, dass ich immer nur nach Ihnen frage, ob Sie Dienst haben. Sie sind für diesen Beruf geboren, wissen Sie das, Schwester Helene? Der alte Mann, der mit dem Rücken zu Helene auf seinem Bett lag und vor Schmerzen schreien musste, wie Helene glaubte, wenn sie sein wundes Fleisch versorgte, verrenkte sich, um wenigstens in Helenes Richtung zu blicken. Er streckte seine Hand nach ihr aus, er zupfte an ihrem Ärmel. Dort, mit der Hand deutete er auf seinen Nachttisch. Schauen Sie, dort in der Schublade, Schwester Helene, da liegt etwas Geld, nehmen Sie es.

Helene schüttelte den Kopf, sie bedankte sich, sie wollte kein Geld. Wann immer ihr jemand etwas zusteckte, gab sie es zurück. Nur selten fand sie in ihren Kitteltaschen Münzen, die ihr jemand unbemerkt hineingesteckt hatte. Dieser alte Mann hier lag seit zwei Wochen auf der Station, sein Zustand verschlechterte sich. Er war enttäuscht, dass Helene sein Geld nicht wollte. Nehmen Sie es, forderte er sie auf. Wenn Sie es nicht nehmen, klaut es eine andere.

Soll sie. Helene verschloss die Puderdose, breitete die Decke über seinem Körper aus und brachte die Waschschüssel hinüber zum Waschbecken, dort reinigte sie das Waschgeschirr und ihre Hände. In ihrem Rücken stöhnte ein anderer Patient, er könne nicht mehr warten. Sie ging zu dem Bett des Mannes. Er benötigte die Bettpfanne und bat Helene, bei ihm zu bleiben, weil er sich nicht allein helfen konnte. Im Nachbarbett jammerte ein Mann wegen Schmerzen, er jammerte mit gepresster, heiserer Stimme, dass Helene wusste, er riss sich zusammen, so sehr er konnte.

Als Helene zwei Stunden später ihren Kittel in den Spind gehängt und sich ihren Rock, den Pullover und die Jacke angezogen hatte, wartete Wilhelm noch immer geduldig auf der Bank des Flurs.

Ob sie einen Kaffee trinken wolle? Helene war das recht, keine Frage des Wollens, eher eine des geringsten Widerstandes. Vor der Tür wollte sie ihren Regenschirm öffnen, doch er klemmte. Unter Lachen und ohne den Regen geschweige denn ihre Mühe mit dem Schirm zu beachten, erzählte Wilhelm ihr etwas von einer Rückkopplung im Volksempfänger, einem Rundfunkgerät, das man in wenigen Monaten zur Großen Deutschen Funkausstellung der Öffentlichkeit vorstellen werde. Von Verstärker zu Verstärker, breitete Wilhelm seine Arme weit auseinander, um ihr zu zeigen, wie wenig die neuen technologischen Entwicklungen zwischen seine Arme passten. Helene gefiel seine Begeisterung. Sie gingen zum Ufer am Spreekanal. Durch die Rückkopplung in der HF-Stufe gelinge es, die benötigte Empfindlichkeit zu erzeugen. Helene begriff nichts, blieb aber aus Höflichkeit mit ihm stehen, als Wilhelm mitten im Satz innehielt, um ihr mit Gesten verständlich zu machen, wie sie sich den Aufbau des Gerätes vorstellen müsse.

Helene wusste jetzt zwar, dass er Ingenieur war, aber es war nicht deutlich, ob er von seinen Entwicklungen oder denen anderer sprach. Helene verstand noch immer nicht, wovon er redete, sie mochte es, ihm dabei zuzuhören, zu sehen, wie er sich mit dem Taschentuch den Regen von der Stirn wischte, schließlich könne sie sich gewiss das Ausmaß der Erreichbarkeit und die Dimension der Informationsweitergabe noch gar nicht ganz vorstellen, schließlich würden dann alle Menschen zur selben Zeit dieselben Informationen erlangen, Ereignisse erfahren, die sie sonst oft nur mühsam und mit Tagen Verspätung aus der Zeitung erfahren haben – und aus welcher? Da gibt es ja inzwischen viel zu viele. Wilhelms wegwerfende Handbewegung war freundlich, aber bestimmt. Seine Freude hatte etwas Ansteckendes, Helene musste lächeln. Es war ihr gelungen, den Schirm zu öffnen. Ob er mit darunter wolle.

Selbstverständlich, sagte Wilhelm und nahm Helene den Schirm aus der Hand, damit sie ihren Arm nicht strecken musste. Süße Mädel brauchen süße Kuchen, wusste Wilhelm und steuerte geradewegs eine kleine Konditorei an. Es gab Apfelkuchen und Kaffee. Helene mochte weder das eine noch das andere, aber sie wollte sich nicht zieren, sie wollte keine unnötige Aufmerksamkeit erregen. Wilhelm sagte, und der Stolz in seiner Stimme war nicht zu überhören, man werde schon in den nächsten Wochen in Serie gehen können, um dann zur Funkausstellung genügend Exemplare der neuen Entwicklung verkaufen zu können. Was sie von dem Namen Heilssender halte, fragte Wilhelm und lachte. Kleiner Scherz, sagte er, es gibt bessere Namen. Helene folgte seinem Witz nicht, aber es war ihr angenehm, ihn so selbstgenügsam sprechen zu hören.

Hinter ihrem Lächeln versteckte sie ihre Müdigkeit, die sich nach dem langen Tag im Krankenhaus jetzt bei Kaffee und Kuchen in ihr ausbreitete. Ihr schien, sie machte im Zusammentreffen mit Wilhelm alles richtig, wenn sie aufmerksam blickte, mal staunend die Augenbrauen hochzog und mal nickte. Die Worte Sender und Empfänger erhielten eine eigenartige Bedeutung, wenn sie ihm so zuhörte. Ein Zeitungsverkäufer betrat die Konditorei. Hier waren nur wenige Menschen versammelt, aber er nahm seine Mütze ab und erhob die sonore Stimme. Die Schlagzeilen der Abendzeitungen spekulierten über die verantwortlichen Hintermänner des Brandes vom Reichstag.

In diesen Wochen wurde in der Straßenbahn und in der Untergrundbahn eine dumpfe Empörung laut. Überall, wo Menschen zusammentrafen, ihre Gesichter von der Kälte gerötet, ihre Mäntel nicht lang genug, weil vielleicht noch einem Kind eine Jacke hatte genäht werden müssen, wurde gemeckert, gemault und gestritten. Das wolle man sich nicht länger gefallen lassen. Nicht hinnehmen könne man das, nicht länger, nicht mit sich machen lassen wollte man das. Die Männer und Frauen waren aufgebracht.

Wilhelm holte Helene so oft er konnte vom Krankenhaus ab, ein Kommunist nach dem anderen wurde verhaftet, Wilhelm ging mit seiner blonden Alice spazieren und führte sie in die Konditorei. Er sagte, es gefalle ihm, wie sie den Kuchen verschlinge, es sehe immer so aus, als habe sie seit Tagen nichts Anständiges gegessen. Helene hielt erschrocken inne. Sie war sich nicht sicher, ob sie wissen wollte, was Wilhelm dachte, wenn er sie essen sah. Essen war für sie zur lästigen Angelegenheit geworden, sie vergaß es häufig bis zum Abend. Der Apfelkuchen schmeckte ihr nicht, sie hatte ihn nur so schnell wie möglich hinter sich bringen, ihn aus dem Weg schaffen wollen. Wilhelm fragte, ob er ihr noch ein Stück bestellen dürfe. Helene schüttelte den Kopf, sie bedankte sich. Ihre Grübchen seien herzallerliebst, sagte Wilhelm jetzt und sah beglückt in ihr Gesicht. Helene war ungern verlegen. Ob sie das Theater möge, das Kino? Helene nickte. Sie war lange nicht im Kino gewesen, ihr fehlte das Geld. Nur einmal hatte sie zugestimmt, als Leontine und Martha sie gefragt hatten, ob sie mitkommen wolle. Sie hatte während der Vorstellung weinen müssen, und es war ihr unangenehm gewesen. Früher hatte sie im Kino nicht geweint. Also schüttelte sie den Kopf.

Ja oder nein, fragte Wilhelm.

Nein, sagte Helene.

Wilhelm bat Helene, mit ihm tanzen zu gehen. Eines Tages war ihr der Widerstand zu mühsam, und sie willigte ein, und sie gingen zum Ball, und er nahm ihr Gesicht in seine Hände, und er küsste ihre Stirn und sagte ihr, er habe sich verliebt.

Helene war nicht froh, sie schloss ihre Augen, um nicht angesehen zu werden. Wilhelm verstand es als Anmut, als Einverständnis, als Ankündigung ihrer nahenden Hingabe. Es war nur gut, dass Wilhelm nicht wusste, mit welcher Leidenschaft Helene die Küsse von Carl erwidert und gelockt hatte. SA-Truppen stürmten den Roten Block in Wilmersdorf, Schriftsteller und Künstler wurden dort verhaftet, ein paar ihrer Bücher wurden verbrannt, und es wurde Frühling, und mehr Bücher wurden verbrannt. Über Martha hörte Helene, dass der Baron zu den Verhafteten gehörte, Pina wollte um jeden Preis etwas über die Gründe der Verhaftung in Erfahrung bringen und suchte jeden seiner Bekannten auf mit der Bitte, er möge ihr helfen. An einem Tag hieß es, er stehe im Kontakt mit der Kommunistischen Partei, am nächsten, er habe Flugblätter der Sozialdemokraten verteilt. Wilhelm wartete nicht, ob Helene seine Gefühle erwiderte, das eigene Begehren füllte ihn aus, das genügte ihm. Alice nannte er sie, obwohl er längst wusste, dass sie Helene hieß. Alice, das war sein Name für sie.

Im Frühling organisierte die neu gewählte Regierungspartei der Nationalsozialisten einen Boykott, es galt, unnütze Esser, gewisse Parasiten durch Aushungern darben zu lassen, niemand sollte beim jüdischen Händler kaufen und sich beim jüdischen Schuster seine Schuhe besohlen lassen, keiner einen jüdischen Arzt aufsuchen und niemand den Rat eines jüdischen Anwalts einholen. Es könne nicht sein, dass der deutsche Mann keine Arbeit finde und andere sich in Fettlebe rekelten, das erklärte der Oberarzt seinen Schwestern. Die Schwestern nickten, einigen fiel ein besonderes Beispiel für die ungerechte Verteilung ein. Die kesse Schwester, von der jeder wusste, dass sie jüdisch war, hatte letzte Woche überraschend ihre Kündigung erhalten. Niemand sah sich nach ihr um, keiner vermisste sie. War ihre Familie nicht wohlhabend genug, warum sollte sie noch arbeiten? Mit ihrem Verschwinden wurde nicht mehr von ihr gesprochen. Ihren Platz nahm jetzt eine andere Schwester ein. Überhaupt wurde viel von Platz gesprochen, vom Volk und seinem angemessenen Raum.

Wilhelm holte Helene vom Dienst ab, wie immer hatte sie zehn Stunden gearbeitet und war mit zwei Pausen elf Stunden lang im Krankenhaus gewesen, er führte sie am Arm in die Konditorei und obwohl es bereits sechs Uhr am Abend war, bestellte Wilhelm Kuchen und Kaffee. Er zog Helene über den Tisch zu sich heran, sie müsse ein Geheimnis wahren. Er sei nicht nur für den Bau der 4a Berlin–Stettin verantwortlich, sie werde sehen, eines Tages werde man bis nach Königsberg kommen! Wilhelms Augen glitzerten. Seine Stimme wurde jetzt noch leiser: Das Geheimnis sei aber dieses, die Wahl sei ausgerechnet auf ihn gefallen. Er habe den Auftrag erhalten, das unter seiner Aufsicht entwickelte Funkgerät dem Stettiner Flugplatz zu übergeben und den Peilsender an dem außerordentlich hohen Mast anbringen zu lassen. Der Flughafen sollte für die Luftwaffe ausgebaut werden. Wilhelm strahlte, er sah nicht stolz aus, eher verwegen und kühn. Seine Augen erkannten und versprachen Abenteuer. Wie selbstverständlich nahm Wilhelm ihre Kuchengabel, stach ein Stück des Kuchens ab und führte es zu ihrem Mund. Seine Tätigkeit habe sich so stark in Richtung Pommern verlagert, dass man ihm nahegelegt habe, seinen Wohnsitz dorthin zu verlegen.

Helene nickte, sie beneidete Wilhelm nicht um seine Lebensfreude und die Begeisterung, den Glauben, etwas Wichtiges für das Volk, die Menschheit, insbesondere den technischen Fortschritt tun zu dürfen. Seine Freude gefiel ihr, die Leichtigkeit, mit der er lachte und sich auf die Schenkel klopfte, die war angenehm rücksichtslos, wie das Kichern der Schwestern.

Freust du dich? Das fragte Wilhelm Helene und ließ den Arm mit der Gabel sinken, als er bemerkte, dass sie keine Miene verzog und auch den Mund für den Kuchen nicht öffnete.

Bitte frag mich nicht. Helene blickte von der Tasse Kaffee auf und zum Fenster hinaus.

Doch, ich muss dich fragen, sagte Wilhelm. Ich will auf dich in Zukunft nicht mehr verzichten, sagte er und biss sich auf die Lippen, weil er sich ein solches Geständnis für den Zeitpunkt nach einer gewissen Frage hatte aufheben wollen. Doch Helene schien das Geständnis nicht gehört zu haben.

Als Wilhelm im kommenden Frühjahr einmal nach einem guten Monat Planungsarbeiten aus Pommern zurückkehrte, kaufte er beim Juwelier am Bahnhof zwei Ringe zur Verlobung und holte Helene vom Krankenhaus ab. Er hielt ihr den Ring unter die Nase und fragte Helene, ob sie seine Frau werden wolle.

Helene konnte ihn nicht ansehen.

Sie überlegte, was sie ihm antworten sollte, sie wusste, wie es ging, das Strahlen, das Lächeln, es war ganz einfach, man musste nur die Mundwinkel hochziehen und die Augen dabei aufreißen, vielleicht war es mit dieser Mimik gar möglich, einen Augenblick Freude zu empfinden?

Da staunst du, was?

So etwas wie mich dürfte es gar nicht geben, platzte sie heraus.

Was willst du damit sagen? Wilhelm verstand nicht, was sie meinte.

Ich will damit sagen, dass ich keine Papiere besitze, keinen Ahnenpass, nichts, Helene lachte jetzt, und wenn ich einen besäße, stünde unter Bekenntnis der Mutter das Wort mosaisch.

Wilhelm blickte Helene scharf an. Warum sagst du so etwas, Alice? Deine Mutter lebt irgendwo in der Lausitz. Hat deine Schwester nicht gesagt, sie wäre ein schwieriger Fall? Es klang, als wäre sie krank. Hängst du an ihr, bedeuten dir deren Feiertage etwas? Ungläubig schüttelte Wilhelm den Kopf, Mutwille und Zuversicht traten in sein Gesicht: Folg mir, werd meine Frau und lass uns ein Leben beginnen.

Helene schwieg. Ein Wilhelm kannte keine Gefahr und keine Hürde. Helene blickte ihn nicht an, sie empfand eine seltsame Steife im Nacken; würde sie den Kopf schütteln, konnte er sie feige nennen, mutlos. Sie würde zurückbleiben. Nur wo?

Willst du mir sagen, du misstraust mir, weil ich Deutscher bin, weil ich von einer deutschen Mutter und einem deutschen Vater und die wiederum von deutschen Müttern und Vätern geboren worden sind?

Ich misstraue dir nicht. Helene schüttelte den Kopf. Wie konnte Wilhelm ihr Zögern nur als Misstrauen verstehen? Sie wollte ihn ja nicht ärgern. Sie zweifelte ein wenig, was blieb ihr anderes übrig. Auch ihre Mutter war Deutsche, nur verstand Wilhelm jetzt offensichtlich Deutschsein als etwas anderes, als etwas, das sich nach moderner Meinung in rassischen Merkmalen ausdrücken und im richtigen Blut beweisen lassen musste.

Dein Name ist Alice, hörst du? Wenn ich das sage, dann ist das so. Wenn du keinen Ahnenpass hast, werde ich dir einen besorgen, glaub mir, einen einwandfreien, einen, der keinen Zweifel an deiner gesunden Herkunft lässt.

Du bist verrückt. Helene war erschrocken. War es möglich, dass Wilhelm auf die neuen Gesetze anspielte, denen zufolge sie im Krankenhaus jede Missbildung protokollieren und anzeigen mussten, weil um jeden Preis erbkranker Nachwuchs verhindert werden sollte? Und galten nicht bestimmte geistige und seelische Erkrankungen, wie solche, in deren Verdacht sich ihre Mutter in den Augen mancher Nachbarn befand, ebenfalls als erblich und unbedingt zu vermeiden? Strotzende Gesundheit war oberstes Gebot, und wer nicht gesunden und strotzen konnte, sollte möglichst schnell sterben, ehe das deutsche Volk Gefahr lief, angesteckt oder durch kranken Nachwuchs verunreinigt, beschmutzt zu werden.

Glaubst du mir nicht? Ich werde alles für dich tun, Alice, alles.

Was meinst du mit gesunder Herkunft? Helene wusste, dass sie von Wilhelm keine schlüssige Antwort erhalten würde.

Eine saubere Herkunft, meine Frau wird eine saubere Herkunft haben, das ist alles, was ich meine. Wilhelm strahlte. Schau nicht so grimmig, mein Schatz, wer hat wohl ein saubereres und reineres Herz als diese bezaubernde blonde Frau mir gegenüber?

Helene staunte über seine Ansicht. Womöglich rührte sie von ihrer körperlichen Verweigerung her?

Die Menschen brechen auf und verlassen Deutschland. Fannys Freundin Lucinde begleitet ihren Mann nach England, sagte Helene.

Wer an seinen Wäldern und seiner Mutter Erde nicht hängt, der soll nur seiner Heimat den Rücken kehren. Sollen sie gehen, von mir aus. Sollen sie alle abhauen. Wir haben hier etwas zu tun, Alice. Wir werden die deutsche Nation retten, unser Vaterland und unsere Muttersprache. Wilhelm krempelte seine Ärmel auf. Wir haben das Darben nicht verdient. Mit diesen Händen hier, siehst du? Kein Deutscher darf jetzt seine Hände in den Schoß legen. Verzagen und Klagen, das ist unsere Sache nicht. Du wirst meine Frau, und ich gebe dir meinen Namen.

Helene schüttelte den Kopf.

Du zögerst? Du willst dich doch nicht aufgeben, Alice, sag mir das nicht. Er sah sie streng und ungläubig an.

Wilhelm, ich verdiene deine Liebe nicht, ich habe ihr nichts zu erwidern.

Das kommt noch, Alice, da bin ich sicher. Wilhelm sagte es ganz frei und klar, als läge es nur an einer Abmachung, einer Entscheidung, die sie einigen würde, nichts an ihrer Aussage schien ihn zu kränken oder auch nur gering zu verunsichern. Sein Wille würde siegen, der Wille, Wille schlechthin. Ob sie gar keinen habe? Natürlich braucht ein Weib eine gewisse Zeit nach so einem Verlust, sagte er. Ihr wolltet heiraten, du und dieser Junge. Aber das ist jetzt Jahre her, du musst die Zeit der Trauer einmal beschließen, Alice.

Helene hörte Wilhelms Worte, die ihr sogleich dumm und dreist erschienen, mit denen er über sie hinwegredete. Seine Erhabenheit und der Befehl, der in seinen Worten lag, empörte sie. Es gab Worte, die musste man sich aufheben. Etwas an seinem Heldenmut erschien Helene verdächtig, etwas schien ihr daran von Grund auf falsch. Im nächsten Augenblick erschrak Helene über sich selbst. War sie missgünstig? Wilhelm war frohgemut, sie würde von ihm lernen können. Helene bereute ihren Ärger wie ihre Ablehnung. War es nicht nur ihre Trauer um Carl, eine weibische Trauer, wie Wilhelm sie freundlich nannte, die Helene seinen Glanz und seine Lebenslust so schwer ertragen ließ?

Woran denkst du, Alice? Die Zukunft liegt zu unseren Füßen, wir wollen nicht nur an uns denken, denken wir an das Gemeinwohl, Alice, an das Volk, an unser Deutschland.

Sie wollte nicht kleinmütig sein, bestimmt nicht bitter. Das Leben hatte sie nicht gekränkt, es gab keinen Gott, der sie büßen lassen wollte. Wilhelm meinte es gut mir ihr, er meinte es gut mit sich, und das konnte sie ihm nicht verübeln. Wie konnte sie nur so hochmütig sein? Schließlich stimmte, was er sagte, sie musste das Leben wieder aufnehmen, da half die Pflege und Sorge um die Kranken vielleicht wenig. Allein, ihr fehlte eine Vorstellung vom Leben, von dem, was es sein sollte und konnte. Sie würde sich für diesen Zweck einem Menschen zuwenden müssen. Und warum nicht einem, der es gut mit ihr meinte, der froh über ihr Ja wäre und sie retten wollte? Immerhin wusste Wilhelm offenbar, was er wollte, er zielte vor und war dem Glauben nicht nur nah, er glaubte. Das Wort Deutschland klang aus seinem Mund wie eine Losung. Wir. Wer waren wir? Wir waren wer. Nur wer? Bestimmt konnte sie das Küssen wieder lernen, vor allem einen Geruch wahrnehmen und mögen, ihre Zähne und ihre Lippen öffnen und die Bewegungen seiner Zunge in ihrem Mund spüren, vielleicht kam es darauf an.

Wilhelm umwarb Helene unermüdlich. Es wirkte, als würde jede Ablehnung ihrerseits ihm neue Kraft verleihen. Er fühlte sich zu großen Taten, am liebsten zum Retten geboren, und als Erstes lag ihm daran, dieses in seinen Augen schüchterne und anmutige Wesen für ein gemeinsames Leben zu gewinnen.

Ich habe zwei Karten für die Krolloper, die verdanken wir meinen guten Beziehungen. Du möchtest sie doch sehen, die ersten Fernsehbilder?

Helene ließ sich nicht überreden. Sie hatte in der Woche fast ausschließlich Nachtdienste, daran führte kein Weg vorbei.

Als Martha die Nachricht überbrachte, dass das Mariechen einen gewissen Vorfall nicht hatte verhindern können, und die

Polizei auf dem Kornmarkt in Bautzen eine erst weinende und dann tobende Frau aufgelesen und mitgenommen hatte, wurde Helene unruhig. Leontine telefonierte nach Bautzen, erst mit dem Mariechen, dann mit dem Krankenhaus und schließlich mit der Gesundheitsbehörde. Sie erfuhr, dass Selma Würsich zum Schloss Sonnenstein nach Pirna gebracht worden war, wo man herausfinden wollte, welches Leiden sie quälte, und mittels neuer Untersuchungen klären wollte, ob dieses Leiden erblich war.

Helene packte ihre Sachen, und Wilhelm sah seine Stunde gekommen. Er würde sie nicht allein fahren lassen, sie brauchte ihn, das sollte sie wissen.

Im Zug setzte sich Wilhelm Helene gegenüber. Ihr fiel auf, wie zuversichtlich er sie ansah. Schöne Augen hatte er, was für schöne. Wie lang hatte sie ihre Mutter schon nicht gesehen, zehn Jahre, elf? Helene fürchtete sich, ob sie die Mutter erkennen würde, wie sie aussehen mochte und ob die Mutter sie erkannte. Wilhelm nahm ihre Hand. Sie neigte ihren Kopf und legte ihr Gesicht an seine Hand. Wie warm seine Hand war. Dass er bei ihr war, empfand sie als Geschenk. Sie küsste seine Hand.

Meine tapfere Alice, sagte er. Sie hörte die Zärtlichkeit aus seinen Worten und doch fühlte sie sich durch die süßen Worte nicht gemeint.

Tapfer? Das bin ich nicht. Sie schüttelte den Kopf. Ich habe wahnsinnige Angst.

Jetzt legte er beide Hände auf ihre Schultern und zog ihren Kopf an seine Brust, dass sie fast von ihrem Sitz rutschte. Mein süßes Mädchen, ich weiß, sagte er, und sie spürte seinen Mund an ihrer Stirn. Aber du musst nicht immer widersprechen. Du fährst hin, das ist tapfer.

Eine andere Tochter wäre schon vor Jahren gefahren, eine andere Tochter hätte ihre Mutter nicht erst im Stich gelassen.

Du konntest nichts für sie tun. Wilhelm streichelte Helene über das Haar. Wilhelm roch nicht unangenehm, fast vertraut.

Helene ahnte, sie wusste wohl, dass seine Worte Trost sein wollten. Sie drängte sich an ihn. Was konnte sie an Wilhelm mögen? Dass jemand sie litt, vielleicht.

Nur durch eine Sondergenehmigung der Gesundheitsbehörde, die Leontine über Bautzen in Pirna veranlasst hatte, war es Helene gestattet worden, ihre Mutter zu besuchen.

Das Gelände war sehr weitläufig und wären da nicht die hohen Zäune gewesen, so konnte man sich beinahe vorstellen, wie hier Könige vor Jahrhunderten residiert hatten und sich am Ausblick erfreuten; wo die Wesenitz von Norden und die Gottleuba von Süden in die Elbe mündeten, erstreckte sich eine liebliche Landschaft zu ihren Füßen. Der strahlende Sonnenschein und das laute Vogelzwitschern hatten etwas Unwirkliches. Hier sollte sich die Mutter als Kranke in Gewahrsam befinden?

Ein Pfleger führte Helene und Wilhelm eine Treppe hinauf, einen langen Gang hinunter, Gittertüren wurden aufgeschlossen und wieder hinter ihnen verschlossen. Der Besuchsraum befand sich am Ende des Flügels.

Die Mutter saß in einem Krankenhemd auf der Kante der Bank. Ihr Haar war vollkommen silbern, sonst sah sie aus wie einst, keinen Tag älter. Als Helene eintrat, wandte sie den Kopf zu Helene und sagte: Das habe ich dir gesagt, nicht wahr, du wirst mich pflegen. Zuerst hier raus, die Hände zerwühlen mir meine Eingeweide. Dabei gibt es keine Ableger in mir, keine Birnen aus Äpfeln. Nichts wird da gemischt. Der Arzt sagt, ich habe Kinder. Das konnte ich ihm ausreden. Geschlüpft und entflohen. Solche Kinder hat man nicht. Die müssten einem aus dem Kopf wachsen, von hier nach da. Die Mutter haute sich mit der flachen Hand an die Stirn und gleich darauf gegen den Hinterkopf, wieder an die Stirn und an den Hinterkopf. Rausgeschüttelt, so einfach ist das.

Helene ging auf ihre Mutter zu. Sie nahm eine ihrer kühlen Hände. Haut und Knochen. Die alte Haut fühlte sich weich an, außen spröde und weich, innen weich und glatt.

Nicht anfassen. Der Pfleger, der an der Tür stand und den Besuch überwachte, drohte jetzt näher zu kommen.

Haben Sie keine Schwestern hier? Helene rief es, sie erschrak über die Lautstärke ihrer eigenen Stimme.

Doch, Schwestern gibt es auch. Aber für bestimmte Patientinnen benötigt man etwas mehr Kraft, wenn Sie verstehen?

Es könnte sein, es könnte sein, ich beiße, könnte sein, ich beiße, könnte sein, ich kratze, klein und fein. Die Mutter sang mit der Stimme eines jungen Mädchens.

Ich habe dir etwas mitgebracht. Helene öffnete ihre Tasche. Eine Bürste, einen Spiegel.

Wenn Sie erlauben, der Pfleger streckte seine Hand aus. Ich nehme die Sachen gerne an mich und verwahre sie. Aus Schutz und Sicherheit dürfen die Kranken keinen eigenen Besitz hier haben.

Doch hatte die Mutter schon die Bürste ergriffen und begann, sich ordentlich das Haar zu bürsten. Zwischen Berg und tiefem, tiefem Tal saßen einst zwei Hasen, fraßen ab das grüne, grüne Gras. Sie sang unbeirrt, trällerte mit der Stimme des jungen Mädchens, das sie einmal war.

Der Pfleger stampfte mit dem Fuß auf. Es reichte ihm.

Weiß Gott, woher sie all die Lieder kennt.

Der Pfleger griff nach der Bürste und riss sie der Mutter aus der Hand. Dabei rutschte der Spiegel von ihrem Schoß und zerbrach, als er auf den Boden schlug. Und den auch, rief der Pfleger, als er den Spiegel und die Scherben vom Boden aufhob. Kaum hatte der Pfleger der Mutter die Bürste entrissen und den Spiegel an sich genommen, ließ sich die Mutter von der Bank auf den Boden gleiten. Sie lachte. Schwarze Lücken klafften. Helene erschrak, als sie die Zahnlücken im Gebiss der Mutter sah. Die Mutter lachte, dass es gurgelte, und konnte sich nicht mehr beruhigen.

Es hat keinen Zweck, Fräulein, das sehen Sie!

Was meinen Sie mit Zweck? Helene fragte es, ohne sich zu

dem Pfleger umzusehen, sie bückte sich und legte ihre Hand auf den Kopf ihrer Mutter, das graue Haar war trocken und struppig. Die Mutter wehrte sich nicht, sie lachte. Meine Mutter ist nicht verrückt, nicht so, wie Sie meinen. Sie gehört hier nicht her. Ich möchte sie mitnehmen.

Tut mir leid, wir haben hier unsere Anweisungen, und an die halten wir uns. Sie können diese Frau nicht einfach mitnehmen, selbst wenn es Ihre Tochter wäre, dürften Sie nicht.

Komm Mutter, Helene packte ihre Mutter unter den Armen und wollte sie hochziehen.

Der Pfleger sprang mit einem Satz auf sie zu und trennte Mutter und Tochter. Hören Sie nicht? Das sind Anweisungen.

Ich möchte den Professor sprechen. Wie war sein Name, Nitsche?

Der Professor befindet sich in einer wichtigen Besprechung.

So? Dann werde ich warten, bis die Besprechung vorüber ist.

Tut mir leid, Fräulein. Er wird Sie trotzdem nicht sprechen. Sie müssen ihn schriftlich um einen Termin bitten.

Schriftlich? Helene suchte in ihrer Tasche, sie fand das schwarze Notizheft, das Wilhelm ihr vor wenigen Tagen geschenkt hatte, und riss eine Seite heraus. Von ihren Händen strömte ihr der Geruch ihrer Mutter entgegen, ihr Lachen, ihre Furcht, der Talg ihres Haares und der Schweiß ihrer Achseln. Mit dem Bleistift schrieb sie: Sehr geehrter Herr Professor.

Fräulein, ich muss Sie bitten. Wollen Sie, dass wir Sie auch hierbehalten? Ich denke, der Professor hätte unter diesem Gesichtspunkt ein gewisses Interesse – schließlich untersucht er die Erblichkeit solcher Erkrankungen. Wie ist Ihr Name noch gleich?

Respekt, junger Mann, Wilhelms Augenblick war gekommen, er mischte sich ein. Sie werden das Fräulein jetzt gehen lassen. Die junge Frau ist meine Verlobte.

Der Pfleger öffnete die Tür. Wilhelm hielt Helene seinen Arm hin. Kommst du, Schätzchen?

Helene wusste, dass ihr keine andere Möglichkeit blieb. Sie nahm Wilhelms Arm und ging zur Tür hinaus. Am Ende des Flurs hörten sie hinter sich ein gellendes Schreien. Es war nicht deutlich, ob es das Schreien eines Tieres oder eines Menschen war. Auch konnte Helene nicht erkennen, wessen Schreien es war; es konnte das Schreien ihrer Mutter gewesen sein. Ein Pfleger schloss ihnen die Tür auf. Wilhelm und Helene gingen schweigend den folgenden Flur entlang. Die Stille an diesem Ort war unheimlich, sie hatte etwas Endliches.

Im Zug nach Berlin nahmen Wilhelm und Helene schweigend Platz. Der Zug fuhr durch einen Tunnel. Helene spürte, dass Wilhelm auf ihren Dank wartete.

Bitte, sagte sie, nenn mich nicht mehr Schätzchen.

Aber du bist doch mein Schätzchen. Wilhelms Augen hafteten an Helenes Gesicht. Morgen muss ich wieder für eine Woche nach Stettin. Ich will dich nicht länger in Berlin allein lassen.

Warum sollte ich allein sein? Meine Patienten warten auf mich, sie brauchen mich.

Glaubst du, es gibt in Stettin keine Patienten, die auf dich warten? Die findest du auf der ganzen Welt. Aber mich gibt es nur einmal. Alice, mein süßes Fräulein, deine Enthaltsamkeit ist edel, um die Wahrheit zu sagen, sie macht mich verrückt. Es muss auch mal Schluss damit sein. Ich brauche dich.

Helene nahm seine Hand. Du musst mich nicht überreden, sagte sie, sie küsste seine Hand. Es war gut zu hören, dass sie gebraucht wurde. Wie sollte sie darüber sprechen?

Mit welchen Urkunden kann ich dich heiraten? Sie flüsterte. Ich besitze keine, keine einzige.

Das lässt sich machen, behauptete Wilhelm leichthin. Hast du nicht einmal erzählt, dass du Druckpressen bedient hast?

Helene schüttelte den Kopf. Das Papier, die richtigen Lettern, Stempel und Siegel. Urkunden sind alles andere als einfach zu drucken.

Lass das meine Sorge sein, versprochen?

Helene nickte, es war gut, wenn er sich darum kümmern wollte. Wilhelm erwähnte einen Bruder in Gelbensande, der seit der Heirat einen Hof bewirtschafte, sich aber mit dem Herstellen von Papieren auskenne.

Im Krankenhaus drohte man Helene seit geraumer Zeit, sie möge endlich ihre Unterlagen beibringen, den Ausweis, wenigstens die Geburtsurkunde und die Geburtsurkunden ihrer Eltern, am liebsten ein Familienbuch ihrer Eltern, das wollte man sehen. Helene hatte behauptet, sie besitze keinen Ausweis, und immer wieder gab sie sich überrascht, sie habe ihre Unterlagen vergessen. Man hatte ihr eine Frist gesetzt. Bis zum Monatsende sollte sie die Unterlagen beibringen, andernfalls würde man sie entlassen.

Erst als Helene aus dem Korb einen schon leicht schrumpeligen Apfel holte, ihn an ihrem weißen Rock abrieb und ihn mit dem Messer teilte und entkernte, um Wilhelm ein Viertel zu reichen, und ihr Blick weit hinüber zum Odertal und zu den anliegenden Höhenzügen, den Hafenanlagen und bis zum Dammschen See reichte, dann etwas näher schweifte, über die Rabatten der Hakenterrasse bis hinunter zur Oder, wo gerade einer der weißen Bäderdampfer anlegte und Menschen mit Sonnenschirmen und Regenschirmen zum Ausflug einlud, denn jeder hatte sich an diesem frühen Maitag für ein anderes Wetter entschieden, fiel ihr auf, dass sie sich nie eine Hochzeit vorgestellt hatte. Das war sie. Helene zog sich den Mantel, der ihr lose über den nackten Schultern lag, vor der Brust zusammen. Frisch war es hier, man roch das Meer in der Luft, die Küstennähe. Helene leckte sich über die Lippen, sie glaubte das Salz zu schmecken. Der Standesbeamte hatte am Morgen den Wind in seine Wünsche einbezogen, weil die Ehe der sichere Hafen sei vor solchen Winden, und die Frau dem Mann, der sie schütze, ein behagliches, sicheres Heim bereiten solle. Er hatte gelacht und ihnen zu einem Schnaps an diesem frühen Maientag geraten. Ein kühler Wind wehte zu ihnen herauf. Wilhelm kaute den Apfel, er kaute kräftig, und Helene hörte sein Malmen, den Saft zwischen seinen Zähnen, den Speichel, die Lust, er beugte sich vor, sah Helene prüfend an, strich ihr die wehende Haarsträhne aus dem Gesicht und küsste ihre Stirn. Jetzt hatte er ein Recht dazu und zu noch mehr. Eine Möwe lachte. Auf dem Weg etwas unterhalb schob eine junge Frau einen Kinderwagen, sie schob ihn mit der Hüfte vorwärts, Stoß um Stoß, das Kind hielt sie mit beiden Armen fest an sich gedrückt, es schrie, ein breites Tuch umflatterte sie, sie versuchte, das Tuch um das Kind zu stecken, doch das Tuch stand wieder waagerecht im Wind und das Kind schrie, als habe es Hunger und Schmerzen.

Unglaublich, nicht? Wilhelm schaute hinab.

Bestimmt hat es Bauchweh.

Den Verkehr hier meine ich. Das Apfelstück in der Hand, zeigte Wilhelm mit ausgestrecktem Arm auf ein langes Schiff. Bald kommen auf unserer Autobahn Tonnen Mecklenburgische Rüben hier an, werden verladen und ab in die Welt. In diesem Jahr brechen wir den Rekord von 1913, unser Güterumschlag wird seine Höchstmarke erreichen, achteinhalb Millionen Tonnen, das ist gigantisch. Nur richtig, dass wir die Internationalisierung unserer Wasserstraßen aufgehoben haben. Versailles kann uns nicht diktieren, was wir mit unseren Flüssen machen. Wilhelm stand auf und zeigte mit ausgestrecktem Arm nach Nordosten. Schau mal, der Klotz da vorne. Die stellen in den nächsten Wochen ihren zweiten Bauabschnitt fertig, der größte Getreidespeicher Europas. Wilhelm stand und staunte, er staunte stolz, die Fäuste auf die Hüften gestemmt, zweifellos gehörte der Speicher zu ihm und er zum Speicher. Wilhelm setzte sich wieder. Helene verzog den Mund und presste die Lippen aufeinander, nur mühsam unterdrückte sie ein Gähnen. Wenn Wilhelm in Fahrt kam, war es schwer, sein Frohlocken über neue technische Errungenschaften und Bauwerke zu unterbrechen. Siehst du den Mast, den das Schiff hat, da rechts? Das ist die Antenne, damit können wir Funkwellen, Radiosender empfangen und dort drüben, mit diesem Mast können wir senden.

Wozu?

Zur besseren Kommunikation, Alice. Da hinten kommt die Rügen, zwei Schornsteine, Mannomann, darunter macht es ein

Gribel nicht. Wilhelm ließ seinen Arm sinken und stützte sich damit im Gras auf. Er sah jetzt Helene an. Sie spürte, wie sein Blick über sie glitt und an ihrem Gesicht hängen blieb.

Die Aussicht auf die bevorstehende Hochzeitsnacht machte Helene verlegen. Den ganzen Tag hatte sie seine frohen Blicke auf sich gespürt und war ihnen ausgewichen. Jetzt musste sie die Augen zusammenkneifen, weil es hier auf der Anhöhe hell war und windig. Sie blickte zurück.

Schenkst du mir ein Lächeln? Wilhelm hob mit seinem Finger ihr Kinn an.

Heute erschien Wilhelm ihr noch größer als sonst, wie er eben gestanden hatte und sie jetzt selbst im Sitzen überragte. Helene bemühte sich um das Lächeln.

Wilhelm hatte sich nicht beirren lassen. Als im September das Blutschutzgesetz verabschiedet worden war, hatte er es kein einziges Mal angesprochen. Seine Bemühungen um die Papiere für Helene hatten sich in die Länge gezogen, sie hatte aufhören müssen, im Bethanien zu arbeiten, und man hatte sie aufgefordert, das Schwesternheim zu verlassen. Zurück in Fannys Wohnung war Helene froh gewesen, dass Erich Fanny offenbar endgültig verlassen hatte. Wilhelm traf Helene, sooft er konnte. Er entschuldigte sich, dass es so lange dauerte, und manchmal gab er ihr etwas Geld, das sie, erleichtert, von Fanny unabhängiger zu sein, in ihr Portemonnaie steckte. Einmal erwähnte Wilhelm, dass sein Kollege die Scheidung eingereicht habe, er wollte sich nicht länger als Rassenschänder bezeichnen lassen. Helene fragte sich, ob er ihr das sagte, damit sie wusste, welches Risiko er für sie einging, oder ob es schlicht ein Ausdruck beginnender Ausblendung war. Schließlich sagte er es so, als läge es ihm gänzlich fern, sich selbst als Rassenschänder zu begreifen. Kurze Zeit später hatten sie sich am Lietzensee nahe dem Damm, über den die Straße führte, verabredet. Die Platanenblätter lagen gelb und glatt am Boden. Wenn schon, denn schon, sagte Wilhelm und gab Helene einen Umschlag. Helene setzte sich auf eine

Bank neben den fleckigen Stamm. Wilhelm nahm neben ihr Platz. Er legte einen Arm um sie und küsste ihr Ohr. Sie öffnete den Umschlag, darin befand sich ein Schwesternzeugnis und ein bronzeschimmerndes Heft, ein Büchlein, ein Ahnenpass, etwas angestoßen, aber fast neu. Er roch noch. Sie blätterte. Ihr Name war Alice Schulze, ihr Vater war ein Bertram Otto Schulze aus Dresden, die Mutter eine Auguste Clementine Hedwig, geborene Schröder.

Wer sind diese Leute? Helenes Herz ging gleichmäßig, sie musste lächeln, weil ihr die Namen so neu, unbekannt und vielversprechend klangen, diese Namen sollten zu ihr gehören, ihre sein.

Frag nicht. Wilhelm legte ihr eine Hand auf den Mund.

Und wenn mich jemand fragt?

Die Schulzes waren unsere Nachbarn in Dresden. Einfache Leute.

Wilhelm wollte hier seine Erklärungen beenden, aber Helene ließ ihn nicht in Frieden. Sie kitzelte sein Kinn: Weiter, und lächelte, weil sie wusste, dass Wilhelm ihr ungern etwas abschlug.

Wir waren neun Kinder, sie hatten nur eins, ein Mädchen. Alice spielte oft allein auf der Straße, bis in die Dunkelheit. Am liebsten kam Alice zu uns rüber und saß dann mit an unserem großen Tisch, sie wollte aber nichts essen, sie wollte nur mit an unserem Tisch sitzen. Eines Tages verbreiteten ihre Eltern die Nachricht, Alice sei weggelaufen. Wir Kinder halfen suchen, aber Alice blieb verschwunden. Du siehst ihr ein wenig ähnlich.

Ich bin verschwunden? Helene lachte auf, die Vorstellung, eine Verschwundene zu sein, beglückte sie.

Sie hatte ungefähr dein Alter. Jeder in unserer Straße glaubte, dass Alice von ihren Eltern umgebracht worden war. Wie konnten sie sonst sicher behaupten, sie wäre weggelaufen?

Von ihren Eltern?

Wilhelm lüpfte mit dem Zeigefinger Helenes Kinn, wie er es gerne machte, wenn sie ihm zu ernst war. Wir haben uns einfach gewundert, dass sie weiterlebten wie immer, man sah keine Anzeichen von Trauer. Nicht mal die Polizei haben sie verständigen wollen. Jeder von uns hat mit dem Gedanken gespielt, zur Wache zu gehen. Alice sollte erst im Sommer in die Schule gehen, also fiel es auch keinem Lehrer auf. Mein Gott, sind nicht von deinen Geschwistern auch einige gestorben? Wer starb nicht alles ohne Urkunde. Bald darauf ist die Frau von der Treppe gefallen und war tot. Der Mann lebte noch bis vor einem Jahr, er ist sehr alt geworden, er war schon immer alt.

Das sollen meine Eltern gewesen sein?

Du wolltest es wissen. Wilhelm rieb sich die Hände, vielleicht war ihm kalt. Da kann man nichts machen, jetzt weißt du es.

Und deren Vorfahren? Die Großeltern, die Urgroßeltern – hier sind lauter Namen vermerkt, die keiner kennt.

Es gibt sie, sagte Wilhelm. Mehr hatte er nicht gesagt, er hatte ihr den Ahnenpass aus der Hand genommen und ihn eingerollt in die Innentasche seines Mantels gesteckt. Er hatte nach ihrer Hand gegriffen und ihr vorgeschlagen, dass sie in Stettin heiraten sollten, wo er in der Elisabethstraße schon seit einigen Monaten eine Wohnung gemietet hatte und Dresdner Stempel und Siegel vielleicht noch weniger bekannt wären als in Berlin.

Helene hatte genickt, sie hatte schon immer einen richtigen, großen Hafen sehen wollen. Noch vor Weihnachten waren sie nach Stettin aufgebrochen. Der Abschied von Martha und Leontine war nicht leichtgefallen. Sie hatten sich am letzten Abend in Leontines Wohnung getroffen, die dicken Samtvorhänge waren zugezogen, Leontine bot einen irischen Whiskey und dunkle Zigaretten an, sie meinte, das wäre das Richtige für den Augenblick.

Wenn ich schreibe, hatte Martha gesagt, dann schreibe ich jetzt an Alice? Leontine hatte lachend eingeworfen, dass niemand einseitig eine Verwandtschaft aufkündigen könne. Jede Woche werde ich dir schreiben, das hatte Martha versprochen, als Elsa mit einer Bautzener Adresse.

In Stettin hatte Wilhelm sie beim Standesamt angemeldet, ihre Verlobung wurde beurkundet und das Aufgebot bestellt. Er ließ Helene in der Kammer neben der Küche schlafen, sie war froh über seine Rücksicht. Die Hochzeit sollte Anfang Mai sein. Helene sollte nicht arbeiten, Wilhelm gab ihr Geld, sie kaufte ein und legte ihm die Kassenzettel auf den Tisch, sie kochte, sie wusch und bügelte, sie heizte. Sie war dankbar. Wünschte sich Wilhelm zum Abendessen Rinderrouladen, konnte es sein, dass Helene den halben Vormittag von Fleischerei zu Fleischerei eilte, um das richtige Fleisch für die Rouladen zu finden. Wilhelm wollte nicht, dass sie vorne in der Bismarckstraße bei Wolff kaufte. Da konnte er noch so freundlich sein und Helene noch so günstige Preise machen. Solche Leute muss man nicht unterstützen, sagte Wilhelm und Helene wusste, was er mit solche meinte und fürchtete, er könne ihr nachgehen und beobachten, ob sie sich an seine Anweisungen hielt. Einmal hatten sie einander zufällig getroffen, Helene war gerade mit zwei Büchern unter dem Arm aus der Bücherei am Rosengarten getreten, als Wilhelm sie von der anderen Straßenseite her zu sich gerufen hatte. Er hatte einen flüchtigen Blick auf ihre Bücher geworfen. Buber, muss man das lesen? Die Stunde und die Erkenntnis, huh, da krieg ich Angst. Welche Erkenntnis versprichst du dir davon, fragte er lachend. Er hatte den Arm um ihre Schulter gelegt und ihr ins Ohr gesagt: Auf dich muss man ja aufpassen. Ich möchte nicht, dass du in diese Bücherei gehst. Die Volksbücherei ist doch gleich um die Ecke. Die paar Meter bis zur Grünen Schanze wirst du schon noch laufen können.

Legte Wilhelm ihr sein Hemd hin, wo ein Knopf abgerissen war, lief Helene von einem Kurzwarenhändler zum nächsten, bis sie nicht den einen richtigen Knopf, wohl aber, zurück im ersten Geschäft, ein ganzes Dutzend passender Knöpfe gefunden hatte, so dass sie die übrigen Knöpfe für den einen fehlenden komplett austauschte. Helene empfand eine Dankbarkeit, die sie fröhlich werden ließ.

Einmal sagte Wilhelm, dass man erst mit dem Eintreten in ihre Wohnung bemerken würde, wie schmutzig der Hausflur wäre. Er meinte es als Kompliment. Du bist wunderbar, Alice. Nur über eins muss ich mit dir sprechen, streng sah er sie an, unsere Nachbarin aus dem Erdgeschoss hat mir erzählt, sie hätte dich letzte Woche in der Schuhstraße zur Tür dieses Kurzwarenhändlers treten sehen. Bader heißt er? Helene spürte, wie sie rot wurde. Baden, Herbert Baden, ich kaufe seit Weihnachten bei ihm, er hat sehr feine Waren, solche Knöpfe gab es nirgends sonst. Wilhelm hatte Helene nicht angesehen, er hatte einen großen Schluck aus seinem Bierglas genommen und gesagt: Mein Gott, dann kaufst du eben andere Knöpfe, Alice. Bist du dir im Klaren, dass du uns gefährdest? Nicht nur dich, mich auch.

Am nächsten Morgen, kaum hatte Wilhelm die Wohnung verlassen, machte sich Helene an die Arbeit. Sie schrubbte und scheuerte die Treppe vom Dach bis hinunter zum Eingang. Zuletzt bohnerte sie, dass es glänzte und alles an ihr nach Wachs roch. Als Wilhelm am Abend der saubere Hausflur nicht aufgefallen war, sagte Helene nichts. Sie war froh, dass sie etwas zu tun hatte, sie gehorchte nicht einfach gut, sie gehorchte gern. Was gab es Besseres als die feste Aussicht auf Dinge, die erledigt werden mussten, Aufgaben, Erledigungen, vor deren Erfüllung die Zeit nur noch als Sorge erschien, dass sie nicht langen könnte. Auch wusste Helene, woran sie denken musste, an die braune Schuhwichse und an den durchwachsenen Speck für das Abendessen. Am liebsten erledigte sie die anstehenden Arbeiten, ehe Wilhelm etwas vermissen oder bemängeln musste. Wenn Wilhelm von seiner Arbeit kam, sagte er, er wäre schon glücklich, sie zu Hause zu wissen und sie um sich zu haben. Mein Heimchen, nannte er sie neuerdings. Eine Kleinigkeit fehle ihm, das hatte er lächelnd gesagt. Er hatte nur auf den Mai gewartet.

Der Wind drehte an der Hakenterrasse und fuhr ihnen jetzt von unten herauf unmittelbar ins Gesicht. Wilhelm wollte nicht, dass sie den zweiten Apfel schnitt und entkernte, er wollte richtig zubeißen. Sie reichte ihm den Apfel ganz.

Und der Dicke da, ist der nicht großartig? Wilhelm packte sein Fernglas aus. Er verfolgte den riesigen Frachter, er schwieg ungewöhnlich lang. Helene überlegte, ob sie ihm sagen konnte, dass sie fror; es würde ihm die Laune verderben, aber er verzog auch so den Mund. Der Name stört ein bisschen, Arthur Kunstmann. Du weißt, wer Kunstmann ist?

Helene schüttelte unbestimmt den Kopf. Wilhelm hob wieder sein Fernglas hoch. Größte Reederei Preußens. Na, das ändert sich schon.

Warum?

Fritzen & Sohn machen das bessere Geschäft. Plötzlich brüllte Wilhelm: Tempo, Jungs! Er schlug sich auf die Schenkel, als könne irgendein Ruderer dort unten ihn von hier oben hören. Die sind zu langsam, unsere Jungs. Wilhelm ließ sein Fernglas sinken. Interessiert dich nicht? Verwundert und mit ein wenig Mitleid sah er Helene an, die auf die Entfernung gerade so erkennen konnte, dass es sich unten am gegenüberliegenden Ufer um einen Achter handelte. Vielleicht würde er ihr sein Fernglas reichen, damit sie an seiner Freude teilhaben konnte? Aber Wilhelm war zu der Überzeugung gelangt, dass Helene sich nicht für das Rudern interessierte. Er klemmte sich das Fernglas vor die Augen und jubelte. Gummi Schäfer und Walter Volle, die werden für uns siegen. Tempo, Tempo! Einfach schade, dass ich hier die letzten Handschläge überwachen muss, im August wär ich zu gern in Berlin.

Unsere Jungs? Warum siegen, was bedeutet dir das? Helene versuchte nicht weiter auf das Schreien des Säuglings zu achten und folgte Wilhelms Blick hinunter zum Wasser.

Das verstehst du nicht, Kind. Wir sind die Besten. Das schöne Geschlecht hat keinen Sinn für Wettkämpfe, aber wenn der Gummi erstmal Gold geholt hat, dann wirst du schon sehen, was los ist.

Was ist dann los?

Alice, Schätzchen? Wilhelm ließ das Fernglas sinken, er sah Helene streng an. Er sagte es drohend, er drohte Helene gerne aus Spaß, wenn sie ihm zu viele Fragen stellte. Helene konnte nicht lächeln. Schon, wenn sie an die bevorstehende Nacht dachte, ihre erste gemeinsame Nacht als Mann und Frau, gelang ihr der einfachste Blick nicht mehr. Womöglich empfand er ihr Nachfragen als Zweifel an dem, was er sagte, auch als Zweifel an seiner Freude. Gewiss sollte seine Frau nicht an ihm zweifeln, sie sollte ihn achten und hin und wieder freudig für ihn schweigen können. Ein wenig Jubel wäre auch nicht schlecht, so ein ganz klein wenig, so leiser, munterer, weiblicher Jubel, das hätte Wilhelm gewiss sehr gefallen. Helene schien es, als sähe er zufrieden aus, wenn sie anerkennend nickte und schlicht hinnahm, was er sagte. Und konnte sie nicht tatsächlich einfach mal etwas hinnehmen? Am Vorabend hatte er sich ein wenig beklagt, vielleicht war er nur gereizt gewesen, weil es die Nacht vor der Hochzeit war. Er hatte mit Blick in die Zeitung gesagt, ihn beschleiche manchmal der Verdacht, seine Alice wäre eine freudlose Natur. Als Helene keine Antwort eingefallen war und sie schweigend weiter den Herd abgewischt hatte, hatte er hinzugefügt: Nicht nur Freudlosigkeit glaube er jetzt hin und wieder an ihr zu bemerken, sondern auch eine Spröde.

Jetzt sah Wilhelm durch sein Fernglas. Insgeheim schämte sich Helene. Wollte sie ihm etwa am Tag seiner Hochzeit den Blick auf das Schöne verübeln? Sie schwieg und fragte sich ernsthaft, was er meinte und was wohl los wäre, wenn die deutschen Ruderer in einigen Wochen bei den Olympischen Spielen siegen würden. Sie fragte sich auch, warum Martha auf ihre Briefe nicht mehr antwortete, und beschloss, Leontine zu schreiben. Leontine war zuverlässig, erst zu Fastnacht hatte sie Helene geschrieben, wie froh sie sei, ihr mitteilen zu können, dass sie vermutlich eine Entlassung der Mutter vom Sonnenstein bewirken könne. Zum Glück habe das greise Mariechen im Hause ausgeharrt und würde sich über die Rückkehr ihrer Dame gehörig freuen. Leontine hatte mit Leo unterzeichnet und Helene war erleichtert, immer wieder las sie den Brief und den Namen Leo und war glücklich.

Der Bäderdampfer unten an der Landungsbrücke legte ab, Möwen umkreisten das Schiff, wohl in der Hoffnung, die Ausflügler könnten Essbares über Bord werfen. Aus dem Schornstein dampfte es schwarz. Helene spürte einen Tropfen auf ihrer Hand. Wilhelm öffnete die Bierflasche. Ob sie ihre Limonade nicht trinken wolle? Helene schüttelte den Kopf. Helene wusste, dass sie sich ihm heute Nacht hingeben sollte, ganz, so, wie er sie noch nicht besessen hatte. Das machte ihn froh. Sie dachte langsam, in großen Sprüngen. Sie dachte, sie würde ihr gutes altes Unterhemd nicht tragen können an diesem Abend. Wären sie in Berlin geblieben, hätte es ein Hochzeitsfest geben können, geben sollen, aber wen hätten sie einladen dürfen? Martha und Leontine und Fanny wären keine geeignete Gesellschaft, es wäre bald bekannt geworden, dass mit ihren Papieren etwas nicht in Ordnung war, womöglich hätte Martha bei den Worten des Standesbeamten gekichert. Auch Erich hätte auftauchen und die Feierlichkeit stören können. Besser, man zog weit weg und umging ein solches Fest.

Helene nahm die Papiertüte aus dem Korb und griff hinein. Wenn sie Rosinen aß, war sie glücklich.

Sie würden noch eine kleine Hafenrundfahrt mit Hanni oder Hans machen, je nachdem, welches der beiden betagten Passagierschiffe, auf denen wahre Häuser thronten, sie heute aufnehmen konnte. Die gestreiften Schornsteine von Maris kannte jedes Kind in Stettin, Helene hatte sich schon länger gewünscht, einmal mit einem der beiden zu fahren.

Auf gehts. Helene packte Messer und Apfelgriebsch ein, stellte die leere Bierflasche zurück in den Korb und legte die kleine Decke obenauf. Sie machten sich auf den Weg hinunter zum Bollwerk. Wilhelm fasste sie bei der Hand und Helene ließ sich von ihm ziehen. In seinem Rücken schloss sie die Augen, er sollte sie wie eine Blinde führen. Was konnte schon geschehen? Sie spürte eine große Müdigkeit, eine überwältigende Schwäche, sie hätte auf der Stelle schlafen wollen, aber der Hochzeitstag war noch nicht zur Hälfte um. Wilhelm kaufte zwei Karten für die Hanni von der Gotzlow-Linie. Das Schiff schwankte, Helene hielt sich von Zeit zu Zeit die Hand vor den Mund, damit niemand ihr Gähnen sah.

Auf der Rundfahrt und bei zunehmendem Wind und Schaukeln des Bootes gab es kein Gespräch zwischen Wilhelm und ihr, ihre Verbindung war nicht einfach abgeflaut, sie war verschwunden, durchtrennt. Zwei Fremde saßen nebeneinander und schauten jeder in seine Richtung.

Erst als sich Wilhelm beim Kellner ein Würstchen mit Senf bestellte, richtete er wieder das Wort an sie: Hast du Hunger? Helene nickte. Sie saßen zwar unter Deck, die Schauer schlugen außen an die Scheiben und Wasserperlenfäden zogen herab, der Himmel erschien gebrochen, aber Helene war von dem Schaukeln übel geworden und sie hatte kalte Füße. Alles war so dreckig auf diesem Schiff, die Griffe der Geländer klebten, selbst der Teller, auf dem Wilhelm sein Würstchen bekommen hatte, schien in Helenes Augen einen Schmutzrand vom Senfklecks des Vorgängers aufzuweisen. Mit Mühe hielt Helene sich zurück, Wilhelm darauf aufmerksam zu machen. Was nützte es? Ihm schmeckte die Wurst. Helene entschuldigte sich, sie wollte sich die Hände waschen. Das Schaukeln machte einen ganz krank, wenn man es nicht schon längst war. Helene hangelte sich von Geländer zu Geländer. Wie hatte sie nur ihre Handschuhe vergessen können? Ein Ausflug ohne Handschuhe war ein Abenteuer ganz besonderer Art. Womöglich hätte Wilhelm sich über sie lustig gemacht, warum sie im Mai Handschuhe trage, Handschuhe zur Hochzeit, wo sie schon auf das traditionelle Brautkleid verzichtet und ein in seinen Augen gewiss einfaches weißes Kostüm bevorzugt hatte, eigensinnig wie sie war. Doch die Tür zu der kleinen Kabine, hinter der Helene neben der Fallklappe einen Wasserbehälter zum Waschen der Hände erhofft hatte, trug das Schild defekt, so dass Helene unverrichteter Dinge zurückkehren musste. Auf dem Schiff wurden schon Vorkehrungen für das Anlegen getroffen, Taue wurden ausgeworfen, Männer riefen anderen Männern zu, der Dampfer wurde von zwei kräftigen Schiffsjungen an den Pier gezogen. Helene spürte ein Kratzen im Hals.

Meine Frau, fahren wir zum Essen und dann heim? Wilhelm ergriff beim Aussteigen ihre Hand. Seine Worte klangen wie die Einleitung zu einem Theaterstück, dazu verbeugte er sich vor ihr. Sie wusste warum. Er hatte sich vom Standesamt am Morgen über einen kleinen Ausflug in seinem neuen Automobil, mit dem er sie nach Braunsfelde gefahren hatte und ihr eine Baugrube in der Elsäßer Straße zeigte, die bald das Fundament ihres Hauses bergen sollte, bis zum Picknick am Mittag und nun die ganze Hafenrundfahrt hinweg ordentlich in Geduld geübt. Helene setzte sich in das Automobil, band das neue Kopftuch um, obgleich es ein überdachtes Automobil war, und hielt sich am Türgriff fest. Wilhelm zündete den Motor.

Du musst nicht immer den Türgriff festhalten.

Ich möchte aber.

Die Tür könnte sich öffnen, Schätzchen. Lass sie los.

Helene gehorchte, sie vermutete, dass weiterer Widerspruch ihn unnötig reizen würde.

Wilhelm hatte im Gasthof am Fuß des Schlosses einen Tisch bestellt, doch schon nach den ersten Bissen vom Eisbein sagte er, das reiche. Wenn sie nichts mehr wolle, wolle er die Rechnung verlangen. Er verlangte die Rechnung und fuhr seine Braut nach Hause.

Sie hatte am Morgen das Bett bezogen, das Ehebett, das er vor einer Woche hatte kommen lassen.

Wilhelm sagte, sie solle nur in ihre Kammer gehen und sich dort umziehen. Sie ging in ihre Kammer und zog sich um. Sie trug ein weißes Nachthemd, das sie in den letzten Wochen mit kleinen Röschen und schlanken Blattranken verziert hatte, Röschen und Blattranken in Stichen, die ihr das Mariechen einst beigebracht hatte. Als sie zurückkam, hatte er das Licht im Zimmer gelöscht. Ein starker Hauch kölnisch Wasser wehte ihr entgegen. Es war finster im Schlafzimmer. Helene tastete sich vorwärts.

Hier bin ich, sagte er und lachte. Seine Hand griff nach ihr. Du brauchst keine Angst haben, mein Schätzchen, sagte er und zog sie zu sich auf das Bett. Es tut nicht weh. Er knöpfte ihr Nachthemd auf, er wollte ihre Brüste fühlen, er tastete eine Weile, blind hoch, blind runter, blind seitlich, bis zum Rücken und wieder zurück, als würde er nicht fündig, dann nahm er seine Hände von ihrer Brust und umfasste ihren Hintern. Da ist ja was, sagte er. Er lachte über seinen Witz und sie spürte seine raue Hand zwischen ihren Beinen. Dann bemerkte sie ein gleichmäßiges Rütteln, ihre Augen gewöhnten sich an die Dunkelheit, er atmete nur flach und fast ohne jedes Geräusch, das Rütteln wurde heftiger, offenbar bearbeitete er sein Geschlecht, vielleicht war es nicht steif genug oder er zog es vor, ohne Helene Erleichterung zu finden. Helene spürte, wie seine Hand wieder und wieder gegen ihren Schenkel stieß, sie streckte ihre Hand aus und berührte ihn.

Schön, sagte er, schön. Er sagte es ins Dunkel, noch immer atmete er fast geräuschlos, und Helene erschrak, meinte er sich oder sie? Helene suchte mit ihrer Hand seine, sie wollte ihm helfen, sein Geschlecht war hart, heiß das Gemächt. Ihre Nase an seiner Brust, das war kein Ort zum Verweilen, das kölnisch Wasser ätzte ihre Nasenschleimhäute, wie konnte man nur die Nase verschließen, durch den Mund atmen, durch den Mund, ihr Mund an seinem Bauch, die paar Haare im Mund sollten nicht stören, Helene neigte ihren Kopf, weiter unten konnte es nur besser werden, sie suchte ihn mit ihren Lippen. Er roch nach Urin und schmeckte salzig und sauer und schon ein wenig bitter, sie würgte, aber er sagte wieder schön und schön und das musst du nicht, mein Mädchen, aber sie saugte schon an seinem Geschlecht, dass es schmatzte, sie lutschte, sie gab ihm ihre Zunge, er zog sie an den Schultern zu sich hinauf, vielleicht war ihm ihr Saugen unangenehm. Alice? Ein Zweifel klang in ihrem Namen, als wäre er unsicher, wen er bei sich hatte. Sie suchte seinen Mund, sie kniete sich über ihn. Alice. Empörung schien ihn zu erfassen. Er packte ihre Schultern, warf sie unter sich und drückte mit zitternder Hand, jetzt so laut keuchend, als habe er die Beherrschung verloren, sein Geschlecht zwischen ihre Beine.

So geht das, behauptete er und fuhr in sie. Schön, sagte er noch, und wieder, schön.

Helene wollte sich aufrichten, aber er presste sie auf die Matratze, er kniete, wohl, um sich selbst zu sehen, wie er in sie fuhr, ein und aus, eine Hand auf ihre Schulter gestützt, fest, sie konnte sich nicht drehen, und plötzlich seufzte er hoch und ließ sich erschöpft auf sie sinken. Sein Körper war schwer.

Helene spürte das Glühen in ihrem Gesicht. Jetzt war sie froh, dass Wilhelm das Licht gelöscht hatte. Wilhelm fand es albern, wenn Menschen weinten. Sein Atem ging ruhig und gleichmäßig, Helene ertappte sich beim Zählen, sie zählte seine Atemzüge und um sich davon abzubringen zählte sie seinen Herzschlag, der auf ihrem lag.

Da staunst du. Er strich ihr das Haar aus der Stirn. Was sagst du jetzt?

Seine Stimme war sanft und stolz, er fragte sie, als erwarte er eine ganz bestimmte und ganz besondere Antwort.

Du gefällst mir, sagte Helene. Sie war überrascht, wie sie auf diese Worte gekommen war. Aber es stimmte, sie meinte es allgemein und trotz der letzten Stunde. Es gefiel ihr, wie unverdrossen er an sich glaubte. Dennoch konnte Helene nicht anders als an Carl denken, an seine Hände, die mit ihren zu einem gemeinsamen Körper geworden waren, manchmal einem mit zwei Köpfen, manchmal einem ohne jeden Kopf, seine sanften

Lippen und das etwas kleinere, fast spitze Geschlecht, das ihrem Denken und ihren Bewegungen eingeschrieben war.

Und jetzt zeige ich dir, wie es noch geht. Wilhelm sagte es mit der Stimme eines Lehrers. Er wälzte sich auf den Rücken, griff Helene an den Hüften und zog sie auf sich. Hier, so. Er bewegte sie. Etwas schneller, genau.

Das viele Reden störte Helene. Es kostete Mühe, ihm immer wieder zuzuhören, zu hören, was er sagte, und es dann wieder zu vergessen, sich selbst zu vergessen, sich so zu vergessen, dass einem Hören und Sehen verging.

Dort. Pass auf. Jetzt nimm deine Hand, hier, halt mich fest.

Helene musste lächeln, erschöpft. Es war ein Glück, dass er sie nicht sah. Er stieß zu und redete dabei, kurze Worte, anleitende. Sie wollte ihm nicht widersprechen, ihn nicht herausfordern. Er kniff sie in die Hüften, er suchte Halt, um sie auf sich zu bewegen.

So ist es schön.

Helene ließ sich eine Zeitlang von ihm bewegen. Je weniger sie selbst wollte, desto besser schien es ihm zu gefallen. Eine Marionette, dachte Helene, es gefiel ihr nicht und sie wusste nicht, wie sie ihm die Fäden aus der Hand nehmen sollte. Plötzlich bäumte sie ihren Po auf, von ihm weg.

Pass auf, rief er, er seufzte. So kurz vorher, klagte er.

Helene nahm seine Hände und wollte sie festhalten, aber er machte sich los, warf sie von sich ab, unterwarf sie sich und machte sich erneut über sie her. Wie ein Hammer einen Nagel in die Wand trieb er sein Geschlecht Schlag um Schlag gleichförmig in sie. Kein weiteres Geräusch, nur sein Hammer, die Decke und die Matratze. Ein hohes Fiepen, dann rollte er ab. Helene starrte in die Dunkelheit.

Auf dem Rücken lag er und schmatzte wohlig. Das ist die Liebe, Alice, sagte er.

Sie wusste keine Antwort. Unvermittelt wandte er sich ihr zu, küsste sie auf die Nase und drehte ihr den Rücken zu. Du entschuldigst mich, sagte er, als er die Decke über sich zog, ich kann nicht schlafen, wenn ich den Atem einer Frau in meinem Gesicht habe.

Helene konnte lange nicht einschlafen, es interessierte sie nicht, welche Frauen ihm wann und wo ins Gesicht geatmet hatten, sein Samen lief als Bächlein aus ihr und klebte zwischen ihren Beinen, und dann war es, als hätte sie nur zwei Minuten geschlafen, als sie seine Hände erneut an ihren Hüften spürte.

So ist es gut, ja. Sagte er und drehte sie auf den Bauch. Er kniete hinter ihr, zog sie zu sich heran und stieß in sie.

Es brannte. Er stemmte ihr seine große Hand in den Rücken, dass es weh tat, er drückte sie vor sich auf die Matratze. Ja, beweg dich nur, du entkommst mir nicht.

Helene trat mit aller Kraft gegen seine Knie, dass er aufschrie.

Was soll das? Er nahm sie bei den Schultern, sie kamen zur Ruhe. Gefällt es dir nicht?

Soll ich dir zeigen, wie es mir gefällt? Sie fragte es aus Notwehr, ihr war keine Antwort eingefallen, sie hatte ihn nicht kränken wollen, aber er stimmte zu. Ja, zeig es mir. Sie näherte sich ihm, seinem großen Körper, er kniete auf der Matratze, saß auf den Fersen, das Geschlecht lag ihm schwer und schlaff auf den kräftigen Schenkeln. Soll ich mich etwa hinlegen? Da war ein gewisser Hohn in seiner Stimme, vielleicht war er nur unsicher.

Helene sagte ja, ja, leg dich hin. Sie beugte sich über ihn, sie schnupperte seinen Schweiß, jenseits von Brust und kölnisch Wasser, Schweiß, der etwas fremd roch. Sie nahm das Laken und trocknete seine Brust und seine Stirn, seine Schenkel, erst außen, dann innen. Er lag auf dem Rücken, der Körper steif, als fürchte er sich.

Mit der Zunge leckte sie seine Haut, bis er lachte.

Er bat sie, aufzuhören, es kitzele. So geht das nicht, sagte er.

Sie nahm seine Hände, legte sie auf ihre flache Brust, wo sie unschlüssig liegen blieben, nicht wussten, was sie tun sollten,

Helene legte sich auf ihn und bewegte sich, sie presste ihren Körper an seinen, sie tastete mit ihren Lippen nach seiner Haut, ihre Zähne berührten ihn, weiche Fingerkuppen und Nägel, sie rieb ihre Scham und nutzte seine aufkommende Erregung, um sich auf ihn zu setzen. Sie ritt ihn, sie beugte sich vornüber, um ihm näher zu sein, sie lehnte sich nach hinten, um die Luft zu spüren, sie lauschte seinem Atem, seiner Lust und empfand selbst welche.

Was machst du nur mit mir? Wilhelms Frage klang erstaunt, fast misstrauisch. Er wartete nicht auf ihre Antwort. Ein Tier bist du, ein richtiges Tier. Er nahm ihr Gesicht in seine Hände und küsste ihre Stirn. Meine Frau, sagte er. Er sagte es zu sich, bekräftigend und vergewissernd. Meine Frau.

Ob er ihren Mund nicht mochte? Helene fragte sich, warum er sie nicht küsste, er mied ihren Mund. Er stand auf und ging hinaus. Helene hörte das Wasser rauschen, offenbar wusch er sich.

Als er zurückkam und sich schwer und zaghaft neben sie auf die Matratze legte, fragte er heiser: Darf ich das Licht anzünden?

Natürlich. Helene fröstelte angenehm, sie hatte sich die Decke bis unter das Kinn gezogen. Im Licht sah er zerknittert aus, die Schatten zeigten Falten, die Helene noch nicht an ihm kannte. Vermutlich sah auch er an ihr jetzt Furchen, kleine Dellen, Gräben, Krater, die ihm bislang unbekannt gewesen waren.

Ich muss dich etwas fragen. Er hatte die andere Decke über sich gezogen. Ernst blickte er sie an. Forschten seine Augen, hatte er Angst?

Es gibt Methoden, sagte sie, keine Sorge.

Methoden?

Um eine Schwangerschaft zu vermeiden, ergänzte sie.

Das meine ich nicht. Wilhelm war sichtlich verwirrt. Warum sollte ich eine Schwangerschaft vermeiden wollen? Oder du? Nein, ich muss dich etwas anderes fragen.

Was?

Ich war eben draußen und habe mich gewaschen.

Ja?

Nun, wie soll ich es sagen. Normalerweise hätte ich da, wäre da, also hatte ich gedacht, da müsste. Wie um sich selbst zu ermutigen, lüpfte er mit seinem Zeigefinger ihr Kinn. Du hast gar nicht geblutet.

Helene blickte in sein ratlos gespanntes Gesicht. Hatte er erwartet, dass sie ihre Menstruation hatte oder dass sie aus anderen Gründen hätte bluten müssen? Sie zog jetzt ihrerseits fragend eine Augenbraue hoch. Und?

Du weißt selbst, was das bedeutet, er sah sie jetzt verärgert an. Du bist Krankenschwester, tu also bitte nicht so naiv.

Ich habe nicht geblutet, nein. Hätte ich geblutet, wäre ich verletzt.

Ich dachte, du wärst noch Jungfrau. Die Schärfe in Wilhelms Stimme überraschte Helene.

Warum?

Warum? Willst du dich über mich lustig machen? Ich lasse dich seit drei Jahren in Ruhe, besorge dir einen Ahnenpass, verlobe mich, verdammt, warum ich das gedacht habe? Hör mal, woher sollte ich wissen, dass ... Wilhelm schrie. Er hatte sich aufgesetzt und schlug mit der Faust vor Helene auf die Matratze, Helene wich unwillkürlich zurück. Sie sah jetzt, dass er sich eine Unterhose angezogen hatte, eine kurze, weiße, er saß da in seiner Unterhose und schlug erneut auf die Matratze. Zwischen Beinsaum und Schenkel erkannte sie sein Geschlecht, das dort wie unbeteiligt auf seinem Schenkel ruhte und nur leicht gehüpft war, als er auf die Matratze geschlagen hatte. Warum ich das gedacht habe, fragst du? Ich frage mich, warum ich das gemacht habe. Was für eine scheinheilige Schmiere, das Ganze hier, was für eine idiotische. Wieder rammte seine Faust die Matratze, hüpfte sein schlaffes Geschlecht in der Unterhose. Was ist, warum schreckst du zurück? Hast du etwa Angst? Er schüttelte den Kopf, seine Stimme wurde leiser und abfälliger. Deine Tränen sind doch ein einziges Theater, Mädel. Bitter schüttelte Wilhelm den Kopf, bitter schnaubte er durch die Nase, ein trockenes Schnauben, eines, das nichts als Verachtung war, mit Verachtung sah er sie an. Wieder schüttelte er den Kopf. Ich Dummkopf, er schlug sich mit der flachen Hand an die Stirn, Ochse ich. Er zischte durch die Zähne. Was für ein Theater. Er schüttelte den Kopf, schnaubte trocken, schüttelte den Kopf.

Helene wollte verstehen, was ihn so wütend machte. Sie musste mutig sein. Warum ...?

Das ist ungeheuer, weißt du das? Wilhelm fiel Helene ins Wort, keinen Satz sollte sie beginnen, keine noch so zaghafte Stimme erheben. Was willst du eigentlich von mir, Helene? Er brüllte sie an, er bellte.

War es das erste Mal, dass er sie Helene nannte? Ihr Name klang wie ein Fremdwort aus seinem Mund. Das Befremden, mit dem er Helene jetzt ansah, machte Helene einsam. Sie lag in seinem Ehebett, die Decke bis unter das Kinn, ihre Finger hatten sich unter der Decke zu kalten Krallen gekrümmt, Klauen, die sie nicht mehr öffnen konnte, selbst wenn sie wollte, sie musste die Decke festhalten, die sie barg, ihren Körper vor ihm verbarg; das leichte Brennen der Schamlippen war nicht schlimm, in seinem Ehebett lag sie, das er sich für die Ehe mit einer Jungfrau gekauft hatte, in dem er einer Jungfrau die Liebe beibringen wollte. Was hatte er gedacht, wer sie war? Welches Missverständnis hatte sie miteinander in dieses Bett gebracht?

Wilhelm stand auf. Er nahm seine Decke, legte sie sich um die Schulter und verließ das Zimmer. Er schloss die Tür hinter sich; sie sollte bleiben, zurück. Helene suchte nach sinnvollen Gedanken. Die kamen ihr nicht gerade leicht. Frau Alice Sehmisch, sagte sie in die Dunkelheit und zu sich selbst. Ihre Füße waren so kalt wie ihre Krallen, Klauen und Krallen, kalt im Mai.

Als alles still war, schlich sich Helene in die Küche, sie wusch ihre Hände, setzte Wasser auf und mischte in der Emailleschüssel das heiße mit dem kalten, ein Schuss Essig, sie hockte sich über die Schüssel und wusch sich. Ein wenig Seife sollte nicht schaden, vielleicht etwas Jod? Mit der hohlen Hand schöpfte sie das Wasser und tastete nach ihren Lippen, ihrer Öffnung, den zarten und glatten Falten, spülte sich aus, spülte seins aus sich heraus. Weiches Wasser, hartes Wasser. Sie wusch sich lange, bis das Wasser kalt war, dann wusch sie am Ausguss ihre Hände.

Zurück im Bett blieben die Füße kalt. Sie konnte ohnehin nicht schlafen, sie stand gerne auf und bereitete das Frühstück vor. Sie hatte Eier gekauft, Wilhelm mochte Eier, sie durften nur nicht zu weich sein. Ob er mit ihr sprechen würde? Was würde er sagen?

Die erste halbe Stunde, in der Wilhelm aufgestanden war, sich gewaschen, rasiert und gekämmt hatte, sah es aus, als würde er nicht mehr mit ihr sprechen, vielleicht nie mehr. Helene überlegte, welche Zettel sie ihm in Zukunft schreiben würde und er ihr. Sie konnten die Gebärdensprache üben. Er würde ihr Zettel schreiben, auf denen stand, was sie für ihn erledigen sollte und welches Abendessen er sich wünschte. Sie würde ihm schreiben, warum sie keinen Aal bekommen hatte und dass die Fischfrau ihre Schollen heute im Angebot hatte. Helene konnte gut schweigen, er würde schon sehen.

Wilhelm hatte sich an den Tisch gesetzt und einen Schluck Kaffee probiert. Ist das Bohnenkaffee? Das sagte er plötzlich und sie nickte. Sie wusste, dass er kaum etwas so sehr wie Bohnenkaffee schätzte. Bohnenkaffee kam unmittelbar nach den Automobilen, gewiss noch vor den Funkmasten der Schiffe, nur mit dem Rang der Ruderer und Skispringer war sie sich etwas unsicher.

Zur Feier des Tages, dachte ich. Der erste Morgen in der Ehe.

Guter Gedanke, sagte er, nickte mit gespielter Anerkennung und musste lächeln. Er lächelte für sich, er hob den Blick nicht zu ihr.

Riecht es nach geröstetem Brot, oder täusche ich mich?

Du täuschst dich nicht, sagte Helene, setzte einen Schritt zur

Seite, öffnete die Klappe des Rösters und reichte ihm das schwarzbraune Brot.

Vielleicht setzt du dich?

Helene gehorchte, sie zog ihren Stuhl zurück und setzte sich ihm gegenüber.

Da hab ich mir was eingefangen, stellte Wilhelm fest. Die Katze im Sack. Er schüttelte den Kopf. Keinen Begriff von Ehre. Und dafür habe ich mir die Hände schmutzig gemacht, Papiere gefälscht, dir eine verfluchte Identität besorgt. Wilhelm schüttelte den Kopf und biss in das geröstete Brot.

Helene ahnte jetzt, welche Schmach er empfinden musste.

Wir versuchen es trotzdem. Helene sagte den Satz, in der Hoffnung, dass ihm das Jungfräuliche bald lächerlich erschien.

Wilhelm nickte. Hörner aufsetzen lasse ich mir nicht, damit das klar ist. Er hielt ihr die Tasse entgegen, damit sie ihm Milch eingoss.

Wilhelm hatte ihr die Papiere besorgt, er hatte sich strafbar gemacht, sie konnten jetzt einander fürchten, jeder konnte den anderen auffliegen lassen. Zum ersten Mal begriff Helene, was sie beide grundsätzlich unterschied. Er gehörte zur Gesellschaft, er war wer, er hatte sich etwas aufgebaut. Wilhelm hatte etwas zu verlieren, sein Ansehen, seine Ehre, zu der gewiss die Ehrbarkeit seiner Frau zählte, seinen Glauben, seine Vereinbarungen mit einem Volk, einer deutschen Nation, zu der sein Blut gehörte und der er mit seinem Blut dienen wollte.

Wir könnten heute hinausfahren nach Swinemünde, Helene begann den Satz aus lauter Schreck, weil sie fürchtete, dass Wilhelm sonst erkennen könnte, welche Gedanken sich in ihr ausbreiteten, wie Entsetzen sie erfasste und Scham und nichts.

Tu mir einen Gefallen, Alice, schone mich heute. Ich weiß, du liebst das Meer, den Hafen. Sag bloß, die Rundfahrt gestern genügte nicht.

Die Nacht war nicht leicht, sagte Helene. Sie wollte Verständnis zeigen.

Vergessen. Die Nacht ist vergessen, hörst du? Wilhelm kämpfte um eine feste Stimme und Helene entdeckte Tränen in seinen Augen. Es tat ihr leid. Ich wusste nicht, dass ...

Was? Was wusstest du nicht?

Helene konnte es ihm nicht sagen. Sie schämte sich für ihre Unbesonnenheit. Keinen Augenblick war ihr der Gedanke gekommen, dass seine Liebe auf ihre Unschuld bauen könnte.

Ich war schon mit Frauen zusammen. Aber die Ehe ist, Wilhelm schüttelte den Kopf ohne Helene anzusehen, ist etwas anderes. Wilhelm biss sich auf die Lippe, er ahnte wohl, dass sich darüber nachträglich kein Konsens mehr finden ließ. Es gab heute Nacht Augenblicke, da warst du wie ein Tier, eine wilde Katze.

Die Träne löste sich aus seinem Auge. Aus dem Auge eines Mannes, den Helene noch nie weinen gesehen hatte.

Sie hätte ihn umarmen wollen, aber welchen Trost hatte sie?

So warst du wohl schon mit vielen? Jetzt blickte Wilhelm sie abfällig an, sie konnte seinen Blick nur schwer ertragen, sein Blick wurde weicher, ein Flehen sprach aus seinen Augen, er wollte offensichtlich, dass sie ihm sagte, er sei einzigartig, was für ein großartiger Liebhaber, nicht einer, der, der einzige.

Helene streckte ihre Finger, krümmte sie, streckte sie, es knackte unhörbar. Sie wollte ihre Hände waschen. Was machte es schon aus, ein bisschen lügen? Sie sah ihn über den Tisch hinweg an, noch hatte sie Zeit. Es war einfach. Er würde es nicht merken. Sie schüttelte den Kopf und schlug die Augen nieder. Als sie die Augen vorsichtig öffnete, sah sie, dass er ihr glauben wollte.

Wilhelm stand auf, er trug das Hemd, das sie heute morgen frisch gebügelt hatte. Er sah aus, als müsse er zur Arbeit gehen. Er berührte ihre Schulter, dankbar und zugleich wütend. Tief atmete er ein und aus, dann klopfte er ihren Rücken. Mein Mädel. Er sah auf die Uhr. Ich muss nachher nochmal raus zur Baustelle, die Arbeiter machen am Wochenende alle schlapp. Es ist eine geheime Besprechung vorgesehen, wenn du im Wagen wartest, darfst du mit.

Helene nickte, Wilhelm griff ihr Handgelenk. Aber zuerst gehen wir ins Bett. Ein feiner Triumph stand in seinem Gesicht. War das der Kränkung entsprungene Willkür in seinen Augen, Trotz und Lust? Und hatte ein Mann nicht ein Recht auf seine Frau? Er schob sie vor sich her ins Schlafzimmer, zog die Vorhänge zu, öffnete mit einer Hand seine Hose und griff mit der anderen nach ihrem Rock. Heb den Rock hoch, sagte er.

Helene hob ihren Rock, was nicht einfach war. Sie hatte sich den Rock erst vor einigen Wochen nach einem Muster aus Mode und Wäsche genäht, er wurde nach unten hin schmaler und hatte nur einen kurzen Schlitz, sie hatte einen schönen Stoff gefunden, cremefarbene Baumwolle mit blauen Blüten bedruckt, es war ein gewagter Rock, der schlank zwischen Wade und Knöchel endete. Wilhelm wurde ungeduldig, er atmete tief durch. Gleich würde sie es geschafft haben und der Rock hoch genug sein. Sie musste daran denken, dass die Wäsche zu lange in der Lauge lag, dass sie für das Mittagessen noch den Fisch ausnehmen und bald die Suppe aufsetzen musste, wenn sie am Abend Bohneneintopf haben wollten, dass sie kein Bohnenkraut bekommen hatte. Wilhelm sagte ihr, sie solle sich auf das Bett knien.

Mit dem 27. September kam der große Tag. Es war der Tag, dem nicht nur Wilhelm entgegenfieberte wie keinem sonst, es war der Tag, auf den ganz Deutschland wartete.

Schon am Morgen, Helene hatte sich gerade angezogen, fiel Wilhelms Blick auf ihren Hintern. Er umfasste ihre Hüfte und fuhr mit der Zunge über ihren Mund. Du bist die erste Frau, die ich gerne küsse, weißt du das? Helene lächelte unsicher, sie griff nach ihrer Handtasche. Wilhelm mochte es von Tag zu Tag mehr, sie unsicher zu sehen. Da sie seine entstandene Vorliebe kannte, gab sie sich hin und wieder unsicher. Nichts leichter als das. Zeig mir deine Strumpfbänder, trägst du die mit den kleinen Ankern? Wilhelm tastete durch den festen Wollstoff nach ihrem Strumpfhalter.

Wir müssen los, Wilhelm.

Keine Sorge, ich habe die Uhr im Auge. Er sagte es sanft, er bewegte sich weich. Besonders vor einem Aufbruch und ganz besonders an einem großen Tag wie diesem wollte Wilhelm sein Heim nicht verlassen, ehe er sich ihrer nicht wenigstens kurz bemächtigt hätte. Er nahm ihren Rock, schob ihn nach oben, zog ihr Höschen soweit es ging hinunter; sie kam seinem Wunsch nicht nach, das Höschen über dem Strumpfband zu tragen. Helene spürte, wie er in sie eindrang, und während er mit kurzen schnellen Stößen in sie trieb, musste sie daran denken, dass Carl sie bis zuletzt entkleidet hatte. Er hatte ihre Brüste liebkost, ihre Arme, ihre Finger. Wilhelm genügte es nach der ersten Nacht, ihren Rock zu heben.

Wilhelm hatte keine Minute lang in sie gestoßen, da schob er Helene, die noch ihre Handtasche über dem Handgelenk trug, gegen den Tisch. Kurz hielt er inne, dann klopfte er ihr auf den Hintern. Offenbar war er fertig. Sie wusste nicht, ob er gekommen war oder ihn die Lust verlassen hatte.

Wir können, sagte Wilhelm. Er hatte seine zu Boden gerutschte Hose wieder nach oben gezogen und den Gürtel geschlossen. Wilhelm betrachtete sich im Spiegel. Er öffnete sein Hemd und verteilte großzügig kölnisch Wasser auf seiner Brust.

Helene wollte sich waschen, aber Wilhelm sagte, dafür sei jetzt leider keine Zeit. Ihr ständiges Waschen mache ihn verrückt. Er nahm seinen Mantel und zog ihn an. Im Spiegel prüfte er sein Aussehen mit Mantel. Aus der Innentasche holte er den kleinen Kamm und fuhr sich durch das Haar.

Meinst du, das geht?

Natürlich, sagte Helene, du siehst gut aus. Sie hatte sich ihren Mantel übergezogen und wartete.

Was ist das hier hinten? Wilhelm verrenkte den Hals, um sich besser von hinten sehen zu können.

Was bitte?

Na, das? Siehst du diese seltsame Falte? Und überhaupt, der Mantel ist voller Fusseln. Würdest du bitte?

Natürlich, sagte Helene, sie nahm die Bürste aus der Konsole und bürstete Wilhelms Mantel.

Hier an den Armen auch. Nicht so doll, Kind, das ist ein feiner Stoff.

Endlich konnten sie aufbrechen. Helenes Unterhose war nass, Wilhelm floss aus ihr, während er etwa drei Meter voraus zum Wagen lief. Vielleicht war es auch schon etwas Blut, seit drei Monaten blutete sie wieder, und es musste morgen soweit sein, vielleicht schon heute.

Die Eröffnung der Reichsautobahn war ein nicht enden wollender Festakt mit Reden und Belobigungen, Schwüren auf die Zukunft, Deutschland und seinen Führer. Heil. Helene glaubte, dass jeder um sie herum sich wundern müsste, wie stark sie nach Samen roch, nach Wilhelms Samen. Es gab Tage, da empfand sie den Geruch seines Samens wie eine Marke an sich. Offenbar nahm Wilhelm den Geruch nicht wahr. Er streckte den Arm und stand mit ausgebreitetem Kreuz stundenlang bewegungslos neben ihr. An diesem Tag wurde seine bislang größte Arbeit der Öffentlichkeit übergeben. Es wurde all den Arbeitern gedankt, auch denen, die ihr Leben riskiert, und denen, die es gelassen hatten. Wobei sie es gelassen hatten, wurde nicht gesagt. Vielleicht war mal einer von einer Brücke gefallen, ein anderer unter eine Walze gekommen. Helene malte sich die möglichen Todesarten aus. In jedem Fall war es ein Heldentod, wie der ganze Bau heldenhaft war. Ein Verweis auf die gesunkenen Arbeitslosenzahlen sollte der Behauptung Nachdruck verleihen, dass unter anderem durch den Bau dieser und folgender Autobahnen die Arbeitslosigkeit in Deutschland ruhmreich bekämpft werde. Als Wilhelm vortreten und ihm die Ehrung überreicht werden sollte, blickte er sich nicht mehr zu Helene um, vermutlich hinderten ihn die vielen Schulterschläge seiner Kollegen. Wilhelm schüttelte Hände, reckte den Arm gen Himmel und blickte mit einem gewissen Stolz in die Runde, seine Aufregung schien so groß, dass er das Lächeln vergaß. Vielleicht erschien ihm Ort und Gelegenheit auch zu heilig, um ein Lächeln zu wagen. Er dankte mit fester Stimme, er dankte jedem, vom deutschen Vaterland bis hin zur Sekretärin des ersten deutschen Automobilclubs für Damen. Heil, Heil, Heil, jedem sein Heil, ein Heil, das Heil. Im Gegensatz zu den sechs Herren, die vor ihm geehrt und ausgezeichnet worden waren, hatte Wilhelm nicht die winzige Lücke erspäht und genutzt, seiner Frau zu danken. Vielleicht lag es daran, dass sie keine Kinder hatten, schließlich konnten die Vorredner ihren Familien danken, für ihre besondere Unterstützung in der vergangenen Zeit.

Ehe die geladenen Ehrengäste nach dem gemeinsamen Mittagsbankett zur Rundfahrt im Konvoi aufbrachen, verabschiedete sich Helene, wie die meisten Gattinnen. Schließlich musste sie das Abendessen vorbereiten und die Wäsche waschen. Wilhelm sagte beim Abschied zu ihr, er käme hoffentlich vor sechs Uhr nach Hause, aber wenn er nicht rechtzeitig zum Abendessen da sei, möge sie nicht auf ihn warten. An einem solchen Tag könne es mal spät werden.

Helene wartete trotzdem. Sie hatte Graupensuppe mit Möhrchen und Speck, Wilhelms Leib- und Magenspeise, eigens für diesen Tag gekocht. Die Kartoffeln wurden kalt, frische Leber und Zwiebeln lagen bratfertig neben dem Herd. Da Helene Graupen und Leber hasste, sie schlechterdings weder essen noch hinunterwürgen konnte, erschien es ihr unsinnig, die Suppe später am Abend noch einmal aufzuwärmen. Helene schrieb zwei Briefe nach Berlin, einen an Martha alias Elsa und einen an Leontine, sie wollte wissen, warum Martha sich nicht meldete. Einen dritten Brief schrieb Helene nach Bautzen, der Brief würde den Stettiner Poststempel tragen, aber als Absender vermerkte sie lediglich ihren Vornamen: Helene, das schrieb sie in einer krakeligen Kinderschrift, damit der Postbeamte annehmen konnte, es handele sich um den herzigen Gruß eines kleinen Mädchens, und keinen Verdacht schöpfte. Sie hatte ihrer Mutter und dem Mariechen noch nicht mitgeteilt, dass sie einen neuen Namen angenommen und geheiratet hatte. Gemeinsam mit Martha und Leontine waren sie übereingekommen, dass eine solche Nachricht die Mutter nur unnötig beunruhigen konnte. Also schrieb Helene, dass es ihr gut gehe und sie aus beruflichen Gründen nach Stettin gefahren sei, um sich hier eine Anstellung zu suchen, die sie in Berlin derzeit nicht finden könne. Sie erkundigte sich nach dem Wohlergehen der Mutter und bat darum, die Antwortbriefe wie gehabt an Fannys Adresse zu senden. Helene öffnete Wilhelms Sekretär und nahm die Kassette mit dem Geld heraus. Sie wusste, dass Wilhelm es nicht gerne hatte, wenn sie allein an sein Geld ging. Aber nachdem sie ihn vor drei Monaten einmal um Geld für ihre Mutter gebeten und Wilhelm sie verständnislos angesehen hatte, schließlich kenne er diese Leute nicht und würde nicht davon ausgehen, dass Helene diese Leute noch als Verwandtschaft bezeichnen wolle, wusste sie, dass er ihr kein Geld für die Mutter geben würde. Es mochte mangelnde Verwaltung und mögliche Enteignung sein, die genauen Gründe kannte Helene nicht, weshalb zuletzt aus Breslau keine Mieten mehr nach Berlin gekommen waren. Zuletzt hatte Martha einmal gesagt, sie könne der Mutter nur noch alle drei Monate Geld schicken, es lange hinten und vorne nicht. Das Mariechen hatte in einem Brief nach Berlin um Naturalien gebeten, Kernseife bräuchte sie und Lebensmittel, auch getrocknete wären ihr lieb, Erbsen, Früchte, Hafer und Kaffee, von Stoffen für Kleider ganz zu schweigen. Helene nahm einen Zehner aus der Schachtel, sie zögerte, ein zweiter Zehner lag dort verlockend über einem dritten. Aber Wilhelm zählte sein Geld. Auch für diesen Zehner würde sie sich eine glaubhafte Geschichte einfallen lassen müssen. Die einfachste Lüge war, sie hätte das Geld für das Einkaufen, das er ihr am Vorabend abgezählt gegeben hatte, verloren. Aber Helene hatte schon einmal behauptet, sie habe Geld verloren. Sie nahm den Zehner, steckte ihn in das Kuvert nach Bautzen und klebte den Umschlag zu. Ob und wo genau das Geld ankommen würde, war eine andere Frage, Helene wusste nicht einmal etwas über den Verbleib ihres letzten Briefes.

Helene nähte, bügelte und steifte Wilhelms Kragen, ehe sie kurz vor Mitternacht zu Bett ging. Wilhelm kam nach vier Uhr morgens. Ohne das Licht anzuzünden ließ er sich in voller Montur auf das Bett neben Helene fallen und schnarchte friedlich. Helene unterschied sein Schnarchen, es gab das heisere, leichte Schnarchen des unbekümmerten Wilhelm, es gab das trotzige Schnarchen des schwerarbeitenden und noch nicht ganz auf seine Kosten gelangten Wilhelm, jedes Schnarchen war ein besonderes und verriet Helene, welcher Stimmung Wilhelm war. Helene ließ ihn schnarchen, sie dachte an ihre Schwester und sorgte sich ein wenig, schließlich konnte es sein, dass es Martha gesundheitlich nicht gut ging, vielleicht war Martha und Leontine etwas zugestoßen und niemand verständigte Helene darüber, weil man von öffentlicher Seite gar nicht wusste, dass es eine Schwester gab, geschweige denn unter welchem Namen.

Nach einer Stunde wurde Wilhelms Schnarchen unruhig, plötzlich verstummte es und er stand auf, er trottete hinaus und ging auf die halbe Treppe. Als er zurückkam, lauschte Helene mit dem Rücken zu ihm auf das Einsetzen des Schnarchens. Doch das Schnarchen sollte nicht beginnen. Stattdessen spürte sie plötzlich Wilhelms Hand auf ihrer Hüfte. Helene drehte sich zu ihm um, ein Dunst von Bier und Schnaps und süßem Parfüm schlug ihr entgegen. Sie hatte ihn schon zuvor gerochen, aber nicht so stark.

Was für ein großer Tag für dich, du musst erleichtert sein. Helene legte ihre Hand in Wilhelms Nacken, das frisch rasierte Haar fühlte sich sonderbar an.

Pff, erleichtert. Jetzt geht es erst richtig los, Kindchen, jetzt fängts an. Wilhelm konnte die Worte nicht mehr deutlich artikulieren, er schob seine Hand zwischen Helenes Beine, drückte seine Finger in ihre Schamlippen. Komm, sagte er, als sie seine Hand wegschieben wollte. Komm, du kleines Tier, du süßes Fötzlein, komm. Er drückte Helenes Arme zur Seite und wendete ihren Körper. Sie sträubte sich, das reizte ihn, vielleicht glaubte er, sie sträubte sich für ihn, um ihn zu locken, wild zu machen. Was für ein Arsch, sagte er. Helene zuckte zusammen.

Jede gottverdammte Frau, hatte er einmal gesagt, glaube, in das Herz der Menschen schauen zu können, dabei könne er in ihre Scham sehen, er könne tief in ihr Geschlecht blicken, den wohl tiefsten Schlund ihres Körpers, den saftigsten, ein Schlund, der ihm allein gehöre, ein Schlund, wie sie selbst ihn wohl nie sehen könne – so unmittelbar, so geradewegs. Vorhin erst mochte Wilhelm mit den Kollegen bei einer Hure gewesen sein, Helene hatte das blumige Parfüm gerochen. Selbst ein Spiegel erlaubte den Blick nur über Bande. Eine Frau würde nie Herrin des Blickes sein können. Möge sie nur Herzen schauen, so viele sie wollte.

Zum Abschluss klopfte Wilhelm Helene auf das Hinterteil. Das war gut, seufzte er, sehr gut. Er ließ sich auf die Matratze sinken und rollte sich zur Seite, nachher fahren wir nach Braunsfelde, murmelte er.

Wir könnten auch ans Meer, schlug Helene vor.

Meer, Meer, Meer. Immer willst du ans Meer. Da blll, blll, Wilhelm musste lachen, bllläst ein kalter Wind.

Es ist doch noch fast Sommer, gestern waren bestimmt zwanzig Grad.

De, de, de, de, de. Wilhelm lag in der Mitte des Bettes, den Rücken Helene zugewandt, und schmatzte. Meine Frau, die Ilsebill. Ich sollte dich Ilsebill nennen. Du weißt alles besser, was? Aber das macht nichts. Wir fahren nach Braunsfelde.

Ist das Haus fertig?

Das Haus ist fertig, ja. Aber wir nehmen es nicht.

Helene sagte nichts, vielleicht war das einer der Späße, die sie nicht immer gleich verstand.

Da staunst du. Wir fahren nach Braunsfelde und treffen den Architekten und die Käufer. Wir unterzeichnen alles. Ich hab damit nichts mehr am Hut.

Du machst Scherze.

Vielleicht ist das doch ne Frage der Rasse, Kindchen, mit dem Scherzen. Wilhelm drehte sich jetzt zu ihr um. Wir verstehen uns nicht. Warum sollte ich hier ein Haus kaufen, wenn die neuen Aufträge noch nicht ausgehandelt sind?

Helene schluckte. Das Wort Rasse in Bezug auf sie und ihn, das hatte er noch nie so deutlich gesagt.

Für Pölitz sind bedeutende Neuerungen geplant, das wär schon was. Wilhelm schnarchte, unmittelbar nach dem letzten Wort setzte das Schnarchen ein. Helene war es ein Rätsel, wie ein Mensch mitten aus dem Satz heraus in den Schlaf fallen konnte.

Nach dem langen Winter litt Wilhelm unter seiner Haut. Sie hatten zu Abend gegessen, Helene hatte den Tisch abgeräumt und Wilhelm hatte sich mit dem Waschlappen gewaschen. Helene überlegte, wie sie das Gespräch beginnen könnte, ein Gespräch, das ihr wichtig war.

Ekelhaft, diese Unreinheiten, findest du nicht? Wilhelm stand vor dem Spiegel und blickte sich abwechselnd über die linke und die rechte Schulter. Es war nicht einfach für ihn, sich trotz diesem breiten Kreuz von hinten zu sehen. Mit der flachen Hand fuhr er über seine Haut, die Schultern, den Nacken. Hier hinten, eine richtige Beule, schau mal.

Helene schüttelte den Kopf, mir machen sie nichts. Sie stand am Ausguss und wusch in einer Schüssel das Geschirr.

Dir nicht, nein. Ein gequältes Lächeln entglitt Wilhelm. Dir ist es egal, wie ich aussehe. Wilhelm konnte den Blick von seinem Rücken nicht abwenden. Kann man das heilen?

Heilen? Du hast einen schönen, kräftigen Rücken, was willst du heilen? Helene schrubbte den Boden des Topfes, an dem schon seit Wochen die Soßen hakten und anbrannten. Pickel hat man oder hat sie nicht, sagte sie und spülte den Topf jetzt unter klarem Wasser ab.

Das sind ja schöne Aussichten. Wilhelm zog sich ein Unterhemd über, er neigte sich mit der Stirn dem Spiegel zu und betastete seine Haut.

Zink könnte helfen. Helene war unsicher, ob er ihren Ratschlag hören wollte. Sie musste an das andere denken, das, weshalb sie mit ihm sprechen wollte. Allein, wenn sie sich im Stillen den ersten Satz vorsagte, als Mitteilung, als Nachricht, als einfache Abfolge von Worten, spürte sie, wie ihr das Blut ins Gesicht schoss. Die Pickel dagegen machten ihr tatsächlich nichts aus, sie hatten sie noch nie gestört. Ekel, das war etwas anderes.

Als sie damals die Maden in der Wunde ihres Vaters gesehen hatte, war sie erstaunt. Wie sie sich im Fleisch krümmten und wanden. Vielleicht bildete sie sich die Erinnerung ein, ihr Gedächtnis war gut, nur keineswegs untrüglich. Aber Ekel? Helene dachte an das Erstaunen, das sie angesichts der Wunde ihres Vaters empfunden hatte. Die Versehrung eines Körpers. Die Juden als Gewürm, der Parasit bin ich, Helene dachte es nur, sie sagte es nicht. Körper und Volkskörper hielten keinem Vergleich stand. Vielleicht konnte sie Wilhelms Leid lindern.

Würdest du den Eiter ausdrücken? Wilhelm lächelte sie an, unsicher und vertraulich, wen konnte er sonst um diesen Gefallen bitten?

Natürlich, wenn du das möchtest. Helene zog die Augenbrauen hoch, sie reinigte die Pfanne. Aber das hilft nicht viel, die Haut wird verletzt, neue Pickel entstehen.

Wilhelm zog sich das Unterhemd wieder aus, stellte sich dicht vor sie und zeigte ihr seinen Rücken.

Helene hängte die Pfanne an ihren Haken, nahm ihre Schürze ab und wusch sich die Hände. Sie machte sich an die Arbeit.

Wilhelms Haut war dick, er hatte eine großporige, feste und sehr helle Haut.

Wilhelm zog die Luft zwischen den Zähnen ein, er musste Helene bitten, etwas vorsichtiger zu sein. Das reicht, sagte er plötzlich und drehte sich zu ihr um.

Helene sah zu, wie Wilhelm sich ein Kleidungsstück nach dem anderen anzog und schließlich seine Schuhe holte, mit genauem Blick prüfte er, ob sie gut geputzt waren, und zog sie an. Offenbar wollte er noch rausgehen. Es war schon spät.

Wir bekommen ein Kind.

Helene hatte sich fest vorgenommen, es Wilhelm an diesem Abend zu sagen. Etwas war schiefgegangen, ganz sicher hatte sie sich nicht verrechnet. Helene konnte sich erinnern. Es musste in der Nacht passiert sein, in der Wilhelm spät nach Hause gekommen war und sie aus dem Schlaf geholt hatte. Sie hatte gewusst, dass dieser Tag gefährlich war, sie hatte versucht, ihn von sich abzubringen, aber es war ihr nicht gelungen. Später hatte sie sich stundenlang gewaschen und eine Spülung mit Essig gemacht, aber offenbar hatte es nichts genutzt. Als ihre Periode ausblieb, hatte sie an einem Wochenende, als Wilhelm beruflich nach Berlin fuhr und sie unter keinen Umständen mitnehmen wollte, eine Flasche Rotwein gekauft und diese bis zum letzten Tropfen leer getrunken. Sie hatte ihre Stricknadeln genommen und gestochert. Irgendwann blutete sie und schlief ein. Aber es kam keine Periode mehr. Schon seit Wochen wusste sie es, sie hatte nach Auswegen gesucht. In Stettin kannte sie niemanden, aus Berlin kam seit Monaten kein Brief. Einmal wollte Helene bei Leontine anrufen. Es hatte niemand abgenommen. Als sie bei der Vermittlung Fannys Nummer verlangte, sagte ihr die Vermittlerin, dass diese Nummer nicht mehr vergeben sei. Vermutlich hatte Fanny ihre Rechnungen nicht bezahlen können. Es gab keinen Ausweg mehr, nur noch Gewissheit. Wilhelm schaute von seinen Schuhen auf.

Wir?

Helene nickte. Sie hatte damit gerechnet, zuerst gefürchtet, zuletzt vielleicht gehofft, dass Wilhelm sich auf die Brust klopfen würde, sie hatte geglaubt, er erwarte nichts sehnlicher als diesen Umstand.

Wilhelm stand auf, er nahm Helene bei den Schultern. Bist du dir sicher? Sein Mundwinkel zuckte, da war doch ein Stolz, da war der erste Anflug von Freude, ein Lächeln.

Ganz sicher.

Wilhelm strich Helene die Haare aus der Stirn. Er blickte dabei auf seine Armbanduhr. Womöglich war er verabredet und wartete jemand auf ihn. Das freut mich, sagte er. Aufrichtig. Wirklich sehr.

Wirklich sehr? Helene blickte zweifelnd zu Wilhelm hinauf, sie suchte seinen Blick. Wenn er vor ihr stand, musste sie den Kopf in den Nacken legen, um ihm in die Augen zu sehen, und auch dann war es nur möglich, wenn er bemerkte, dass sie ihn ansah und er zu ihr hinunterblickte. Er blickte nicht zu ihr hinunter.

Was soll die Frage? Passt dir etwas nicht?

Es klingt nicht so, als ob du dich freust.

Wilhelm warf einen zweiten Blick auf seine Armbanduhr. Deine Zweifel sind entsetzlich, Alice. Ständig erwartest du etwas anderes. Ich muss jetzt dringend zu einer Verabredung. Reden wir später weiter?

Später? Vielleicht war es eine der geheimen beruflichen Verabredungen, die Wilhelm in den letzten Wochen immer häufiger abends aus dem Haus befahlen.

Mein Gott, jetzt ist nicht der Augenblick. Wenn ich zu spät zu Hause bin, dann morgen.

Helene nickte, Wilhelm griff schon seinen Mantel und seinen Hut vom Haken.

Kaum war die Tür ins Schloss gefallen, setzte sich Helene an den Tisch und vergrub ihr Gesicht in den Händen. Sie musste gähnen. Die vergangenen Monate hatten für sie aus Warten bestanden, sie hatte auf Post aus Berlin gewartet, sie hatte auf Wilhelm gewartet, dass er von seiner Arbeit zurückkam und sie Worte hören konnte, vielleicht nicht mit jemandem sprechen, aber immerhin Laute. Wenn sie ihn darum gebeten hatte, ihr die Bewerbung im Krankenhaus zu erlauben, hatte er jedes Mal abgelehnt. Die Worte, du bist meine Frau, die waren in seinen Augen Erklärung genug. Seine Frau musste nicht arbeiten, seine Frau sollte nicht arbeiten, er wollte nicht, dass seine Frau arbeitete. Schließlich hatte sie im Haus genug zu tun. Langweilst du dich etwa? Das hatte er manchmal zurückgefragt und ihr gesagt, dass sie auch die Fenster mal wieder putzen könne, schließlich wären die bestimmt schon Monate nicht geputzt worden. Helene putzte die Fenster, obwohl sie sie erst vor vier Wochen geputzt hatte. Sie rieb sie mit zusammengeknülltem Zeitungspapier ab, bis die Scheiben glänzten und ihre Hände trocken, rissig und grau von der Druckerschwärze waren. Die einzigen Menschen, mit denen sie tagsüber ein Wort wechselte, waren die Gemüsehändlerin, der Fleischer und manchmal die Fischhändlerin unten am Bollwerk. Der Krämer sprach mit Helene nicht, zumindest sagte er nicht mehr als den Preis. Ihre Begrüßung und ihr Abschied blieben unbeantwortet. Die meisten Tage vergingen, ohne dass Helene mehr als drei oder vier Sätze gesagt hatte. Wilhelm war am Abend nichts besonders gesprächig. War er zu Hause und ging nicht noch einmal hinaus, was in den letzten Wochen oft nur an ein, zwei Abenden in der Woche der Fall war, so antwortete er Helene einsilbig.

Helene saß am Tisch und rieb sich die Augen. Gewaltige Müdigkeit überkam sie. Sie musste noch die Hemden von Wilhelm waschen und die Bettwäsche mangeln. Im kühlen Vorratsschrank unter dem Fensterbrett lag der Suppenknochen. Eine kleine Luftblase in Helenes Bauch platzte. War es Luft? Sie hatte nichts Gärendes und Blähendes gegessen. Vielleicht war es das Kind. Sollte sich so eine Bewegung des Kindes anfühlen? Mein Kind, flüsterte Helene. Sie legte sich die Hand auf den Bauch. Mein Kind, sie musste lächeln. Es gab keinen Ausweg mehr, sie würde ein Kind bekommen. Vielleicht war es schön mit einem Kind? Helene dachte darüber nach, wie es aussehen würde. Sie sah ein Mädchen mit schwarzen Haaren, es sollte so dunkle Haare und glühende Augen haben wie Martha und ein so schwarzes Lachen wie Leontine. Helene stand auf, sie legte Wilhelms Hemden in den großen Wäschetopf und stellte ihn auf den Herd. Dann wusch sie die Möhren, schrappte sie und legte sie zusammen mit dem Knochen in einen Topf voll Wasser. Ein Lorbeerblatt und wenig Piment. Helene schälte die Zwiebel, steckte eine Nelke hinein und legte sie zu dem Knochen in den Topf. Sie bürstete den Sellerie, schnitt ihn entzwei und stopfte ihn zwischen Möhren und Knochen. Zuletzt wusch sie den Lauch und die Petersilienwurzel. Den Lauch durfte sie später nicht vergessen. Sie mochte es nicht, wenn der Lauch über

Nacht weich in der Suppe wurde und am nächsten Tag zerfiel, sobald man ihn herausfischen wollte.

Wilhelm kam erst nach Hause, als Helene schon schlief. Am nächsten Morgen war Sonntag, und da Wilhelm von sich aus nicht auf das Kind zu sprechen kam, sagte Helene ungefragt: Es kommt Anfang November.

Was? Wilhelm schnitt sein Marmeladenbrot mit Messer und Gabel, eine Besonderheit, die Helene erst vor kurzem aufgefallen war. Erschien ihm das Brot, das sie ihm schnitt, nicht sauber aus ihren Händen?

Unser Kind.

Ach das, das meinst du. Wilhelm kaute, dass man den Speichel hören konnte. Er kaute lange. Er schluckte und legte das Besteck beiseite.

Noch eine Tasse Kaffee? Helene nahm schon die Kanne und wollte ihm nachschenken.

Wilhelm antwortete nicht, das vergaß er häufig, sie schenkte ihm Kaffee ein.

Weißt du, was ich denke ...?

Hör zu, Alice. Du erwartest ein Kind, das ist richtig so. Wenn ich gestern gesagt habe, ich freue mich, dann freue ich mich, hörst du? Ich freue mich, dass du bald etwas Gesellschaft hast.

Aber?

Fall mir nicht ins Wort, Alice. Wirklich, das ist eine Unart von dir. Wir gehören nicht zusammen, das weißt du auch. Wilhelm nahm einen Schluck Kaffee, stellte seine Tasse ab und nahm sich eine zweite Scheibe Brot aus dem Korb.

Er meinte gewiss ihre Verbindung, die Ehe, sie als Frau und ihn als Mann. Etwas an dieser Nachkommenschaft störte ihn wohl. Nahm Helene an, dass er sich freute, so freute er sich offenbar nur für sie, für die Aussicht, dass sie Gesellschaft hätte und ihn nicht länger belästigte. Aber er freute sich nicht für sich selbst über ein Kind. Da war weder Freude noch Stolz in seinem Gesicht. Mochte er die Verbindung mit ihrer unreinen Rasse nicht? Helene wusste, dass er aufbrausen würde, wenn sie ihn darauf anspräche. Er wollte darüber nicht sprechen, vor allem nicht mit ihr.

Schau mich nicht so an, Alice. Du weißt, was ich meine. Du glaubst, du hast mich in der Hand? Aber du täuschst dich. Ich könnte dich hochgehen lassen. Ich lasse dich nicht hochgehen, weil du ein Kind erwartest.

Helene spürte, wie sich ihr Hals zusammenzog, sie wusste, dass sie nichts sagen sollte, aber sie musste. Weil ich ein Kind erwarte? Ich erwarte ein Kind von dir, es ist unser Kind.

Reg dich nicht so auf, hörst du, brüllte Wilhelm jetzt und schlug mit der Faust auf den Tisch, dass die Tassen auf ihren Untertassen klirrten.

Du hast das Kind gezeugt, Wilhelm.

Das behauptest du. Wilhelm schob Teller und Tassen beiseite, er sah sie nicht an, in seiner Stimme lag mehr Empörung und Rechtfertigung als Betroffenheit. Plötzlich fiel ihm etwas ein. Spott trat in sein Gesicht. Wer sagt mir, dass du nicht noch mit anderen schläfst, du, du …? Wilhelm stand jetzt auf, ihm wollte das Wort nicht einfallen, mit dem er sie passend beschimpfen konnte. Hündin, fiel es ihm wirklich nicht ein? Seine Lippen waren fest und man konnte die Zähne sehen, die in geraden Reihen übereinander standen. Es machte ihn böse, einfach nur böse. Ich sage dir etwas, Alice: Es ist mein Recht, hörst du, mein gutes Recht, dir beizugehen. Du hast das auch genossen, gibs zu. Niemand hat dir gesagt, dass du dabei schwanger werden sollst.

Nein, sagte Helene leise, sie schüttelte den Kopf, das hat mir niemand gesagt.

Na also. Wilhelm faltete seine Hände auf dem Rücken, er ging auf und ab. Du solltest dir so langsam Gedanken machen, wovon du deine Brut ernähren möchtest. Ich bin nicht bereit, allein für dich und dein Kind aufzukommen.

Helene hörte das gar nicht ungern, wie oft hatte sie in den vergangenen Monaten um seine Erlaubnis gebeten, wie gerne wollte sie wieder in einem Krankenhaus arbeiten. Ihr fehlten die Kranken, die Gewissheit, dass das, was sie tat, einem Menschen half, dass sie nützlich war. Aber Helene fand jetzt keine Ruhe, darauf einzugehen. Sie musste etwas anderes sagen, er würde ihr an den Hals gehen, aber sie musste es ihm sagen. Helene blickte zu ihm auf. Ich weiß, warum du mich nicht hochgehen lässt. Weil du die Papiere gefälscht hast, weil du mich gar nicht hochgehen lassen kannst, ohne selbst dabei aufzufliegen.

Wilhelm sprang auf sie zu, sie hielt sich noch schützend die Hände über den Kopf, er packte ihre Arme, hielt sie an den Armen fest und zwang sie, vom Stuhl aufzustehen. Der Stuhl krachte unter ihr zu Boden. Wilhelm schob sie durch die Küche bis an die Wand. Er presste sie an die Wand, ließ sie mit einer Hand los, nur um mit der flachen Hand ihren Kopf gegen die Wand zu drücken, dass es weh tat. Niemals, hörst du, niemals sagst du das noch einmal. Schlange, du. Ich habe nichts gefälscht, gar nichts. Ich habe dich als Alice kennengelernt. Wo du die Papiere her hast, geht mich nichts an. Niemand wird dir glauben, damit das klar ist. Ich werde sagen, dass du mich angelogen hast, Helene Würsich.

Sehmisch, ich heiße Sehmisch, ich bin deine Frau. Helene konnte ihren Kopf nicht bewegen, sie drehte sich und wendete sich unter Wilhelms starken Pranken.

Er legte ihr seine Hand auf den Mund, seine Augen blitzten: Halt den Mund. Er wartete, sie konnte nichts sagen, weil er ihr die Hand auf den Mund presste. Du schweigst, damit das klar ist. Ich sage das kein zweites Mal.

An einem Abend im September hatte Wilhelm zwei Kollegen eingeladen, mit denen er an den großen Werken in Pölitz arbeitete. Helene sollte von den Umbauten und Planungen nichts wissen, nur beiläufig hatte sie das eine und andere aufgeschnappt, sie hütete sich, Wilhelm Fragen zu stellen. Mit diesen beiden Kollegen plante er wahrscheinlich die neue Gestaltung des Geländes. Arbeiter mussten untergebracht werden, ganze Kolonnen sollten in dem Lager auf dem Gelände Platz haben. Das Hydrierwerk benötigte einen Bauplan, der über die chemische Aufbereitungsanlage hinaus eine sinnvolle Verkehrs- und Versorgungslogistik verlangte. Wilhelm stellte den beiden Kollegen Helene als seine Frau vor. Sie hatte auf sein Geheiß hin einen Aal grün zubereitet und bediente jetzt die drei Männer, die um den Tisch saßen.

Bier, rief Wilhelm und hielt seine leere Flasche hoch, ohne sich nach Helene umzudrehen. Beinahe stieß er mit der Flasche gegen Helenes Bauch. Helene nahm ihm die Flasche ab. Die Herren?

Einer der beiden hatte noch, der andere nickte, nur zu, Bier könne nicht genug fließen.

Mensch, Wilhelm, kochen kann deine Frau.

Aal grün, das war die Spezialität meiner Mutter, schwärmte der andere.

Zu irgendwas ist jede gut, Wilhelm lachte und nahm einen ordentlichen Schluck aus seiner Flasche. Sein Blick streifte flüchtig Helenes Schürze. Da wächst ja was, lachte er und griff übermütig mit einer Hand an ihre Brust. Helene wich zurück. Hatten es seine Kollegen gesehen und gehört? Helene drehte sich um, niemand musste sehen, dass sie rot wurde.

Wann ist es denn so weit? Der junge Kollege blickte auf seinen Teller, als befrage er den Aal.

Alice, wann ist es so weit? Wilhelm war bester Laune, vergnügt blickte er sich nach Helene um, die die letzten dampfenden Kartoffeln in eine Schüssel füllte und sie auf den Tisch stellte.

In sechs Wochen, Helene wischte sich die Hände an ihrer Schürze ab und nahm den Löffel, um den Männern die Kartoffeln auf die Teller zu laden.

In sechs Wochen schon? Es war nicht klar, ob Wilhelm wirklich überrascht war oder nur so tat. Kinder, wie die Zeit vergeht.

Und da bewirbst du dich nach Berlin? Der ältere Kollege war erstaunt. Helene wusste nichts von einer Bewerbung Wilhelms nach Berlin.

In den jetzigen Zeiten wird man doch überall gebraucht, Königsberg, Berlin, Frankfurt, Wilhelm prostete seinen Kollegen zu. Pölitz ist bald durch, da muss man schon sehen, was als nächstes zu tun ist.

Richtig, sagte der jüngere Kollege und trank.

Helene gab zuletzt Wilhelm Kartoffeln auf den Teller. Sie dampften noch, vielleicht war es zu kalt in der Küche. Sie musste Kohlen nachlegen. Seit Helene das Kind erwartete, fror sie nicht mehr und merkte erst spät, wenn die Wohnung ausgekühlt war.

Lass man, Alice, das schaffen wir hier schon allein. Du kannst dich jetzt zurückziehen. Wilhelm rieb sich die Hände über dem dampfenden Teller.

Es stimmte, die Männer hatten ihr Essen und Wilhelm wusste, wo das Bier stand, er konnte selbst aufstehen und für Nachschub sorgen. Als Helene aus der Küche ging, hörte sie ihn zu den Kollegen sagen: Kennt ihr Renate-Rosalinde mit dem Drahtverhau?

Die Kollegen grölten schon, ehe Wilhelm fortfahren konnte.

Fragt sie den Urlauber: Was sagst du zu meinem neuen Kleid? Fabelhaft, der Gefreite, man kann es geradezu mit einem Drahtverhau vergleichen.

Die Männer lachten tosend. Helene stellte im Schlafzimmer nebenan das Bügelbrett auf.

Drahtverhau, fragt die Schöne, wieso denn? Na, der Gefreite schmunzelt und lässt die Augen rollen, schützt die Front, ohne sie den Blicken zu entziehen.

Lachen. Helene hörte die Flaschen klirren und wie auf den Tisch geklopft wurde. Einer der Kollegen, vermutlich der ältere, sagte: Verdient ist verdient.

Wilhelms Lachen übertrumpfte das seiner Kollegen.

Helene nahm das Hemd, das Wilhelm am nächsten Tag anziehen würde, aus dem Korb und bügelte es. Wilhelm hatte ihr vor einigen Wochen zum Geburtstag ein elektrisches Bügeleisen geschenkt. Das Bügeleisen war seltsam leicht, Helene glitt damit so schnell über den Stoff hinweg, dass sie sich ermahnen musste, langsamer zu bügeln. Nebenan wurde laut gelacht, immer wieder hörte Helene, wie die Flaschen aneinanderklirrten. Das Kind in Helenes Leib strampelte, es stieß gegen ihre rechte Rippe, die Leber schmerzte, und Helene nahm eine Hand, um zu spüren, wie hart sich die Beule ihres Bauches anfühlte. Vermutlich war es der Steiß, den es nur noch mit Mühe von der linken Seite hinüber zur rechten wenden konnte, dabei drückte sich die Beule unter der Bauchdecke entlang. Das Köpfchen in ihr saß jetzt manchmal so schmerzhaft auf ihrer Blase, dass Helene ständig hinaus auf die halbe Treppe musste. Wilhelm störte es, wenn sie während der Nacht den Topf benutzte, sie sollte hinausgehen, wenn sie musste. Das lange Tröpfeln, zu dem sich ihr Strahl in den letzten Wochen verändert hatte, musste Wilhelm unerträglich sein, vielleicht ekelte er sich jetzt vor ihr. Seit jener Auseinandersetzung im Frühjahr hatte Wilhelm sie nicht mehr angerührt, kein einziges Mal mehr. Anfangs dachte Helene, er sei nur etwas ärgerlich, aber seine Lust würde sich schon wieder regen. Sie kannte ihn doch, sie wusste zu gut, wie häufig ihn das Verlangen, die unstillbare Gier überkam. Doch nach Tagen und Wochen wurde Helene bewusst, dass sein Verlangen nicht mehr an sie gerichtet war. Ob es daran lag, dass sie ein Kind erwartete und er mit keiner Frau schlafen wollte, die ein Kind erwartete, weil er das Kind in ihr nicht aufstören wollte und ihm ihr Leib zunehmend missfiel, oder ob er schlicht die Folge seiner Lust so erschreckend und schlimm fand, das Bewusstsein dafür, dass ein Kind gezeugt worden war, das fragte sich Helene nur selten. Einmal war sie gegen Morgen aufgewacht und hatte ihn in der Dunkelheit auf der anderen Seite des Bettes flach atmen hören. Seine Decke bewegte sich rhythmisch, bis irgendwann die Andeutung eines hohen Fiepens zu hören war, wie er die angestaute Luft hinausließ. Helene hatte so getan, als schliefe sie, und es sollte nicht das einzige Mal bleiben, dass sie ihn nachts so hörte. Er tat ihr nicht leid, sie war auch nicht enttäuscht. Eine angenehme Gleichgültigkeit erfasste Helene in Bezug auf ihren Ehemann. In anderen Nächten blieb er lange fort und roch sie die Süße eines Parfüms noch so eindeutig, wenn er morgens betrunken in ihr Zimmer stolperte und auf das Bett sackte, dass Helene wusste, er war bei einer anderen Frau gewesen. Auch in solchen Nächten gab sie sich schlafend. Es war nur gut, wenn sie einander in Ruhe ließen. Tagsüber, wenn Helene vom Einkaufen zurückkam, saubergemacht und die erste Wäsche eingeweicht und aufgesetzt hatte, las sie gern eine halbe Stunde. Jeder Mensch macht mal eine Pause, sagte sie sich. Sie las das Buch eines Jungen, der in Berlin eine Dienerschule besucht. Benjamenta heißt sein Institut. Gut denken, gut meinen. Die vollkommene Tilgung eines eigenen Willens, was für eine köstliche Idee. Öfter musste Helene schallend in sich hineinlachen, lautlos. Kaum jemals hatte sie sich von einem Buch so innig unterhalten gefühlt. Wenn sie lachte, wurde ihr Bauch ganz fest und hart, die Gebärmutter spannte sich, der große Muskel schützte das Kleine vor jeder heftigen Erregung. Sie hatte sich das Buch aus der verbotenen Bibliothek am Rosengarten ausgeliehen, weil es in der Volksbücherei keine Bücher mehr aus diesem Verlag gab. Helene dachte an das zauberhaft schwarze Lachen von Leontine, an die köstliche Zärtlichkeit von Carls Lippen, seine Augen, seinen Körper. Es war gar nicht so leicht, mit dem Arm an dem dicken Bauch vorbeizulangen, auch konnte sie nicht mehr, wie früher so gerne, sich ein Kissen zwischen die Schenkel drücken und auf dem Bauch liegend die Bewegungen suchen, der Bauch war zu dick, als dass sie auf ihm liegen konnte, jetzt streichelte Helene sich nur und dachte an gar nichts.

Es war mitten in der Nacht, als Helene von einem Ziehen im Leib aufwachte. Wilhelm war den November über in Königsberg, wo er wichtige Bauvorhaben besprechen und planen musste. Wieder zog es und der Bauch wurde hart. Helene zündete das Licht an, es war drei Uhr. Mit einem heißen Bad ließ sich noch so manche Geburt aufhalten oder vorantreiben. Helene kochte Wasser und füllte es in den großen Zuber aus Zink, in dem sonst nur Wilhelm hin und wieder ein Bad nahm. Helene stieg in den Zuber und wartete. Die Wehen kamen jetzt häufiger. Sie versuchte zu tasten, aber ihr Arm langte nicht weit genug um den Bauch und die Hand reichte nicht tief genug in die Öffnung, nur das weiche, offene Fleisch konnte sie spüren. Helene zählte die Pausen, alle acht Minuten, alle sieben Minuten, dann wieder alle acht Minuten. Sie goss heißes Wasser nach. Sieben Minuten, siebeneinhalb, sechs Minuten. Die Abstände wurden kürzer. Helene stieg aus dem Zuber und trocknete sich ab. Sie wusste, wo das Krankenhaus war. Oft war sie dort vorbeigegangen, eine falsche Erlaubnis in der Tasche, mit der sie versucht hatte, Wilhelms Schrift nachzuahmen, und hatte sich bewerben wollen. Obwohl Wilhelm ihr gesagt hatte, sie möge sich Gedanken um die Ernährung ihrer Brut machen, war er dagegen, dass sie sich schwanger eine feste Stelle suchte. Früher oder später hätte er es erfahren, womöglich hätte er sie an den Ohren aus dem Krankenhaus geschleift. Er hatte sie einmal am Ohr gezogen, als er wütend gewesen war, dass sie eine Falte in seinem Hemd übersehen hatte. Er hatte ihr Ohr zwischen seine Finger genommen und sie am Ohr aus der Küche ins Schlafzimmer geschleift. Wieder eine Wehe, das Ziehen war jetzt so schmerzhaft, dass Helene sich unmerklich über dem angespannten Bauch krümmte. Sie nahm Carls Unterhemd aus dem Schrank, das nur deshalb so lange von Wilhelm unbemerkt dort liegen konnte, weil Wilhelm es Helene überließ, ihm seine Sachen zum Anziehen rauszulegen. Sie zog Carls Unterhemd über, es spannte am Bauch und rutschte hoch. Atmen musste man, trotz der Wehe, tief atmen. Lange Unterhosen zog sie an, Wehe, den Strumpfhalter, der unter dem Bauch klemmte, Wehe, Strümpfe, Wehe, das Kleid darüber. Ihren Ahnenpass und das Familienbuch durfte sie nicht vergessen, beides nahm sie aus Wilhelms Sekretär. Auch etwas Geld nahm sie. In der Nacht fror es, die Gehwege waren vereist, Helene musste aufpassen, dass sie nicht rutschte, bloß nicht das Gleichgewicht verlieren. Auf der menschenleeren Straße musste Helene alle paar Meter stehen bleiben. Atmen, tief atmen. Was war schon dieser Schmerz, Helene lachte, der Schmerz war endlich, ihr Kind sollte geboren werden, heute, ihre Kleine, ihr kleines Mädchen. Helene ging weiter, blieb wieder stehen. Es schien ihr, als sitze der Kopf der Kleinen schon zwischen ihren Schenkeln, sie konnte kaum noch mit geschlossenen Beinen laufen. Tief atmen und weiter. Breitbeinig stapfte Helene über das Eis.

Im Krankenhaus half ihr eine Hebamme, sie tastete vorsichtig, erst am Bauch, der sofort fest wurde, steinhart, die Wehe dauerte. Und jetzt mit der Hand in die Vagina.

Da ist das Köpfchen.

Das Köpfchen, haben Sie Köpfchen gesagt? Helene musste lachen, sie lachte nervös und ungeduldig.

Die Hebamme nickte. Ja, ich kann schon die Haare spüren.

Die Haare? Helene atmete tief, tief, noch tiefer bis in den Bauch. Sie wusste, wie sie atmen musste, aber die Hebamme sagte es ihr jetzt.

Wollen Sie sich hinlegen, Frau Sehmisch?

Vielleicht. Atmen, atmen, atmen; frei atmen, tief atmen, Atem anhalten und ausatmen.

Wollen Sie Ihren Mann nicht anrufen, damit er sie wenigstens abholt?

Ich habe doch gesagt, er ist in Königsberg. Tief atmen. Helene fragte sich, wie es wohl für einen Fötus sein mochte, wenn alles um ihn her so fest und steinig wurde. Vielleicht fühlte er noch gar nicht. Wie begann das Sein? War man, wenn man nicht fühlte? Tief geatmet. Ich habe keine Nummer dort. Er kommt Ende des Monats zurück.

Die Hebamme füllte ihre Karteikarte aus.

Verzeihen Sie, mir ist übel.

Es ist gut, wenn Sie noch einmal zur Toilette gehen. Die Hebamme zeigte Helene die Toilette. Helene wusste, dass die Übelkeit ein sicheres Zeichen war, jetzt konnte es nicht mehr lang dauern. Ein bestimmter Nerv wurde gereizt. Nervus Vagus. Sieben Zentimeter Öffnung waren noch drei zu wenig. Die Stimulation des Parasympathicus, was sonst.

Bei ihrer Rückkehr sollte sich Helene auf die Liege legen. Sie sollte es sich bequem machen, aber nichts war bequem. Der Arzt wollte, dass sie auf dem Rücken lag. Die Wehen kamen seltener, nur noch alle vier Minuten, alle fünf, dann wieder häufiger. Helene schwitzte, atmete und presste. Sie wollte sich auf die Seite drehen, sie wollte aufstehen, sie wollte hocken. Die Hebamme hielt sie fest.

Schön liegen bleiben.

Ihr Gefühl für Zeit ging verloren, es war Tag geworden, an die Stelle der Hebamme aus der Nacht war eine andere Hebamme getreten. Ein guter Schmerz, sagte sich Helene, ein guter Schmerz, sie biss die Zähne aufeinander, sie wollte nicht schreien, keinesfalls, ganz bestimmt nicht so laut wie die Frau in dem anderen Bett, die ihr Mädchen schon geboren hatte. Helene presste, es brannte, Tränen standen ihr in den Augen.

Sie müssen atmen, atmen, so atmen Sie doch. Die Stimme der Hebamme klang seltsam verzerrt. Sie atmete ja.

Sie schaffen das, los, los, Sie schaffen das. Jetzt schlug die Hebamme den Ton eines Offiziers an. Helene wünschte, sie wäre nicht in das Krankenhaus gegangen. Sie ertrug diese Schwester und ihren Marschton nicht. Los, los, noch einmal, und ein, halten, halten. Hören Sie nicht? Sie sollen halten, nicht pressen! Jetzt wurde sie auch noch wütend, die Offizierin. Helene kümmerte sich nicht um die Befehle, sie konnte gebären, wie sie wollte, die Offizierin hatte ihr gar nichts zu sagen. Atmen, tief atmen, das war bestimmt gut, und pressen, natürlich, pressen, pressen, pressen. Die Hebamme tastete mit ihren Händen an ihrer Vagina, sie tastete und es kratzte, als wühle sie ihre Nägel in das weiche Fleisch, das aufgeweichte, völlig unbestimmte, in jede Richtung dehnbare Fleisch. Was machte die Offizierin dort nur mit ihren Händen? Es drückte auf den Darm, es drückte so sehr, dass Helene sicher war, die Hebamme könne nichts als Exkremente auffangen, Blut und Fäkalien in die Hände der Offizierin. Keine Zeit für Scham, sie musste atmen.

Jetzt schlug ihr die Offizierin auf den Arm, packte sie. Aufhören, Sie sollen aufhören zu pressen, sonst reißen Sie noch ganz auf.

Helene hörte es und hörte doch nicht hin, sollte sie nur reißen, ihretwegen, ganz auf, ihretwegen, mochte reißen, was reißen musste, sollte reißen, was reißen wollte, es würde schon etwas übrig bleiben, das Kind schon herauskommen. Helene atmete, guter Schmerz, nur warum tat er so weh? Nein, das hätte sie sagen wollen, sie spürte die Zunge an ihrem Gaumen, nnn, sie würde es nicht sagen, nie, niemand sollte sich wundern, niemals.

Atmen Sie! Die Offizierin verlor offenbar die Nerven. Schreien Sie einfach, los, jetzt pressen, ja.

Das Ja war knapp, die Hände der Offizierin schnell, der Arzt rückte etwas zwischen Helenes Schenkeln zurecht, es knirschte. Der Arzt nickte. Da war der Kopf.

Der Kopf? Ist der Kopf draußen? Helene konnte es nicht fassen. Sie spürte etwas Dickes zwischen ihren Beinen, etwas, das nicht zu ihr gehörte, nicht mehr, sie spürte es zum ersten Mal, nicht mehr nur in ihr, der Körper ihres Kindes, an ihr. Der Arzt beachtete sie nicht. Helene tastete mit ihrer Hand nach unten. Sie wollte es anfassen, das Köpfchen. Waren das Haare, die Haare des Kindes?

Hände weg! Helenes Arm wurde fortgerissen, man packte sie am Handgelenk, fest am Handgelenk. Sie sollen atmen, hören Sie? Die Offizierin mischte sich ein. Und bei der nächsten Wehe pressen Sie. Tief Luft holen, holen Sie Luft, jetzt. Helene hätte auch ohne den Befehl der Offizierin Luft holen müssen.

Es glitt hinaus, mit einem Schwung. Die Hebamme fing es geschickt mit ihren Händen auf.

Das Kind war da. Wie sah es aus? War es grau, lebte es? Es wurde sofort weggebracht. Röchelte es nur, hatte es geschrien? Es schrie. Helene hörte ihr Kind schreien und wollte es an sich drücken. Helene wand sich, sie wollte einen Blick erhaschen. Die weißen und braunen Schürzen der Schwestern versperrten ihr die Sicht, lauter Rücken. Es wurde gewaschen, gewogen und angezogen.

Mein Kind, flüsterte Helene. Tränen rannen aus ihren Augen, sie sah die Kittel der Schwestern und der Hebamme. Meine Kleine. Helene war glücklich. Die Hebamme kam zurück und befahl, sie möge noch einmal pressen.

Noch einmal?

Ich denke, Sie sind Krankenschwester.

Aber warum noch einmal, ist da noch eins?

Die Plazenta, Frau Sehmisch. Und jetzt pressen Sie noch einmal richtig. Frau Sehmisch, Helene wusste, sie war gemeint. Helene tat wie ihr befohlen.

Sie musste eine Ewigkeit warten, ehe man ihr das Kind

brachte. Dreitausendeinhundertundfünfzig, ein Prachtkerl. Die Säuglingsschwester reichte Helene das kleine Paket. Helene sah sich ihr Kind an, seine Augen waren faltige Schlitze, der Mund noch ganz klein, über der Nase hatte es eine Furche, eine tiefe Furche, und auf der Nase saßen lauter kleine Grießpünktchen. Es weinte. Helene drückte das Kind an sich. Meine Kleine, meine süße Kleine, sagte Helene. Was für schöne lange schwarze Haarc sie hatte, wie seidig und wie glatt ihre Haare waren.

Sie müssen das Köpfchen so halten. Die Säuglingsschwester drückte Helenes Hand zurecht. Helene wusste, wie man ein Kind halten sollte, es machte ihr wenig aus, dass die Schwester sie berichtigte, gar nichts. Sollte sie nur ihre Hand kneten und drücken. Nichts und niemand konnte Helenes Glück etwas anhaben.

Wollen Sie ihn stillen?

Helene schaute erstaunt der Schwester ins Gesicht. Ihn?

Ja, Ihren Sohn, ob Sie Ihren Sohn stillen wollen, frage ich.

Es ist ein Sohn? Helene blickte in das kleine graue Gesicht. Ihr Kind öffnete jetzt seinen Mund und schrie. Er wurde dunkelrot. Damit hatte Helene nicht gerechnet. Sie hatte nie an einen Jungen gedacht, immer an ein Mädchen.

Entscheiden Sie sich jetzt, sonst geben wir ihm ein Fläschchen.

Ich stille es, natürlich. Helene öffnete ihr Nachthemd, sie wollte das Kind an ihre Brust legen, aber jetzt fuhr die Offizierin wieder dazwischen.

Hier, so müssen Sie das machen. Grob und mit zwei Fingern fasste die Offizierin Helenes Brust an und stopfte sie dem Kind in den Mund. So, sehen Sie? Sie müssen aufpassen, dass das Kind richtig anliegt. Und ob das mit Ihren Brüsten was wird, na, das werden wir noch sehen.

Helene ahnte sogleich, was die Offizierin meinte. Ihre Brüste waren in den vergangenen Monaten so groß und prall geworden, wie Helene es sich nie erträumt hatte, aber groß war eben nur relativ. Im Verhältnis zu den Brüsten anderer Wöchnerinnen waren sie klein, geradezu winzig, Helene wusste das.

Das Kind an ihrer Brust schluckte und atmete schwer durch die winzige Nase, es hatte sich festgesaugt, es saugte, dass es kribbelte, und saugte, dass es drückte, es saugte um sein Leben. Das Kind öffnete die Augen nicht, es saugte so stark, dass Helene überlegte, ob es wohl schon Zähne hatte.

Name? Jemand war an Helenes Bett getreten. Warum nur war die Offizierin so streng? Sicher, sie hatte viel Arbeit, gewiss gab es Gründe. Womöglich hatte Helene etwas falsch gemacht. Welche Demütigung, als Krankenschwester in einem Krankenhaus zu liegen.

Name?

Sehmisch. Alice Sehmisch.

Nicht Ihren Namen, den haben wir. Wie soll Ihr Sohn heißen?

Helene betrachtete ihr Kind, wie es durch die Nase atmete und an ihrer Brust sog, als wolle es sie aufsaugen, ganz und gar. Was für zarte, schmale Hände er hatte, zierliche Fingerchen, die vielen Falten, die dünne Haut, seine Hand umklammerte ihren Zeigefinger wie einen Ast, als müsse es sich um jeden Preis festhalten. Wie konnte sie ihm einen Namen geben, er gehörte ihr nicht. Welche Anmaßung, einen Namen für ein Kind. Wo sie doch selbst keinen Namen mehr hatte, zumindest nicht mehr den, der ihr für das Leben gegeben worden war. Er konnte sich umbenennen, später, wenn er wollte. Das beruhigte Helene. Und sie sagte: Peter.

Erst als die Schwester weggegangen war, flüsterte sie ihrem Kind zu: Ich bins, deine Mutter. Das Kind blinzelte, es musste niesen. Wie gerne hätte Helene es Martha und Leontine gezeigt. Sah es nicht aus wie ein Mädchen? Goldblatt, flüsterte Helene an seine Wange und streichelte ihm über das weiche, lange Haar.

Vor Weihnachten kam Wilhelm nach Hause. Sie hatten in der Zwischenzeit telegraphiert. Er war nicht überrascht, dass sie niedergekommen war. Ein Junge, Wilhelm nickte, er hatte nichts Geringeres erwartet. Peter? Warum nicht. Sie solle den Jungen mal ordentlich füttern, riet er ihr wenige Stunden nach seiner Ankunft. Das Kind habe Hunger, ob sie das nicht höre? Und warum es in der Wohnung so merkwürdig rieche, ob das die Windeln des Kindes seien, das wollte er wissen und sein Blick fiel auf die gelblich verfärbten Windeln, die zum Trocknen auf der Leine hingen. Was ist, kannst du nicht mehr waschen? Siehst du nicht, dass die Windeln noch dreckig sind?

Sie werden nicht sauberer, sagte Helene und dachte, wenn die Sonne schiene, hätte sie sie im Licht bleichen können. Aber draußen wurde es kaum hell, es schneite seit Wochen.

Als der kleine Junge nachts schrie und Helene aufstand, um ihren Peter zu sich ins Bett zu holen, sagte Wilhelm mit dem Rücken zu ihr: Ich glaube, dir gehts zu gut. Setz dich in die Küche, wenn es sein muss. Ein arbeitender Mann braucht seinen Schlaf.

Helene tat, was er befahl. Sie setzte sich mit ihrem Kind in die kalte Küche und stillte es dort, bis es schlief. Doch sobald sie es in sein Körbchen legen wollte, wachte es auf und weinte. Nach zwei Stunden schlich sie erschöpft in das Schlafzimmer. Aus dem Dunkel kam Wilhelms Stimme. Mach, dass das Kind still ist und nachts schläft, sonst reise ich morgen wieder ab.

Nicht alle Kinder schlafen durch.

Du weißt wohl alles besser, wie? Wilhelm drehte sich zu ihr um und schrie ihr entgegen: Hör mal, Alice, ich lass mir von dir nicht die Welt erklären.

Helene tupfte sich im Dunkel den Sprühnebel seiner Worte vom Gesicht. Hatte ihr jemals daran gelegen, ihm die Welt zu erklären?

Es wird Zeit, dass du arbeitest, sagte er ruhig, als er ihr wieder den Rücken zukehrte. Wir können uns keine Schmarotzer leisten.

Helene blickte zum Fenster, nur ein matter Lichtschein erhellte den Vorhang. Wilhelm begann zu schnarchen, abgehackt und fremd. Wer war dieser Mann in ihrem Bett? Helene sagte sich, dass er vermutlich recht hatte. Vielleicht war sie an das Schreien ihres Kindes schon zu sehr gewöhnt, um zu erkennen, dass es Hunger hatte. Ihm reichte die Milch nicht, es hungerte, gewiss. Gleich am nächsten Morgen musste sie Milch holen. Das arme Kind; wenn es nur schlief. Peterle, flüsterte Helene, die sonst Kosenamen nicht mochte, Peterle. Tonlos bewegte sie die Lippen. Ihre Lider waren schwer.

Als Helene aufwachte, schmerzte ihre linke Brust, die Brust war steinhart und ein roter Fleck breitete sich auf der Haut aus. Sie wusste, was die Symptome bedeuteten. Also ging sie hinüber zum Körbchen, nahm das Peterle heraus, trug es in die Küche und legte es an. Das Peterle schnappte zu, es war, als werde ihr ein Messer in die Brust gerammt, stochernd, bohrend, gleißend, der Schmerz ließ das Denken versiegen. Helene biss die Zähne aufeinander, ihr Gesicht glühte. Das Peterle wollte nicht trinken, immer wieder drehte es den Kopf weg, schnappte nach Luft lieber als nach Milch und spuckte und weinte, es ballte die Fäustchen und krümmte sich.

Was ist hier schon wieder los? Wilhelm stand in der Tür und schaute auf Helene und ihr Kind herab. Kannst du mir verraten, was das soll? Sein empörter Blick blieb an ihrer Brust hängen. Das Kind schreit, Alice, und du sitzt hier, womöglich schon seit Wochen, und lässt es hungern, ja?

Ich lass es nicht schreien. Sollte sie das sagen? Das Peterle brüllte jetzt, sein Kopf war rot und rund um das Näschen zeigte sich ein weißer Abdruck.

Bist du jetzt verstummt? Du wirst das Kind doch nicht verhungern lassen? Hier, Wilhelm reichte ihr einen Schein. Du ziehst dich jetzt auf der Stelle an, gehst Milch kaufen und fütterst es, verstanden?

Helene hatte verstanden. Ihre Brust pochte, der Schmerz war

so ungeheuer, dass ihr übel wurde und sie kaum über Wilhelms Anordnung nachdenken konnte. Sie würde machen, was er sagte, natürlich, einfach folgen. Sie legte das Kind auf das Bett und zog sich an. Ohne Wilhelm anzusehen, wickelte Helene eine Decke um ihr Kind, sie nahm das Bündel auf den Arm und lief die Treppen hinunter.

Ihre Augen sind ganz glasig, sagte die Krämerin, haben Sie Fieber, Frau Schmisch?

Helene bemühte sich um ein Lächeln. Nein, nein.

Sie nahm die Flasche Milch und das Töpfchen Quark und stieg mit dem brüllenden Kind die Treppen hinauf. Auf halber Treppe musste sie stehen bleiben. Ihr Wochenfluss war noch nicht versiegt, der Schmerz in der Brust setzte die Fähigkeit zur Entscheidung außer Gefecht. Sie stellte Milch und Quark ab und legte das Kind in seiner Decke auf die Stufen. Helene ging auf die Toilette. Als sie wieder herauskam, sah sie schon das fröhliche Gesicht der neuen Nachbarin, die ihre Tür geöffnet hatte und den Kopf heraussteckte. Kann ich Ihnen helfen?

Helene schüttelte den Kopf, nein. Sie nahm das Bündel auf den Arm und setzte den Weg die Treppe hinauf fort. Als sie an der Nachbarin vorbeiging, fiel ihr Blick auf das Namensschild. Kozinska. Es war jetzt am leichtesten, sich die nebensächlichen Dinge zu merken. Kozinska, so hieß die neue Nachbarin.

Oben angekommen, hatte Wilhelm schon seinen Mantel an. Er müsse hinaus nach Pölitz fahren, das Werk besichtigen. Sie solle nicht auf ihn warten. Helene legte das Kind in sein Körbchen und erwärmte auf dem Feuer die Milch. Sie füllte die Milch in ein Fläschchen, das bis zu diesem Morgen nur mit Tee gefüllt worden war, packte sich einen Umschlag aus Quark auf die Brust, der kühlte, und fütterte ihr Kind. Am Nachmittag war ihr Körper so schwer und heiß geworden, dass sie kaum noch aufstehen und hinunter auf die halbe Treppe gehen konnte. Das Kind brüllte. Man konnte die Blähungen des Kindes hören, Blähungen, die die Milch und das Schreien verursachten, geschluckte Luft, aber es würde bald satt sein, gewiss, bald würde es satt und zufrieden sein. Helene konnte auf keiner Seite ihres Körpers mehr liegen, die Haut juckte, sie war so dünn, dass Helene das Laken als Reiben und die Luft als unsägliches Kitzeln spürte, sie wollte raus aus ihrer Haut, Helene fror, sie schüttelte sich, Schweiß stand ihr auf der Stirn. Alle Stunde erhob sie sich und ging auf zitternden Beinen, sie machte sich einen neuen Umschlag, sie konnte kaum noch die Tücher und Windeln wringen, so schwach war sie. Das Fieber blieb über Nacht. Helene war froh, dass Wilhelm nicht kam. Sie wollte das Kind an ihre Brust legen, aber das Kind wand sich und schrie und biss auf die harte, heiße Brust. Es schrie empört.

Helene fütterte ihr Kind mit dem Fläschchen. Erst war es empört, spuckte vergorene Brocken Milch, verschluckte sich, die Milch im Fläschchen war noch zu heiß und schon zu kalt, Helene biss die Zähne zusammen. Es würde trinken, ganz sicher, verhungern würde es nicht. Die Entzündung ging zurück, die Brust schwoll ab, und eine Woche später war noch nicht alles gut, nicht völlig, aber ziemlich, mit der Entzündung war die Milch versiegt; Wilhelm glaubte, dass er für Recht und Ordnung gesorgt hatte. Nur die Frage mit ihrer Arbeit wollte er noch geklärt wissen, ehe er Anfang des Jahres nach Frankfurt aufbrechen musste. Wilhelm begleitete Helene zum Städtischen Krankenhaus in den Pommerensdorfer Anlagen.

Ganz bestimmt können wir Ihre Frau einstellen, sagte die Personaldienstleitende zu Wilhelm. Sie wissen, dass wir nicht halb so viele Schwestern motivieren können, wie wir benötigen. Dazu hatten wir gerade eine Entlassung. Eine polnische Schwester, auch noch Mischling zweiten Grades, die sollen ihresgleichen pflegen. Ihr Familienbuch, das Zeugnis, wie schön, dass Sie alles gleich mitgebracht haben. Ein Gesundheitszeugnis kann bei uns im Hause ausgestellt werden. Die Personaldienstleitende sichtete die Unterlagen.

Erst als die Personaldienstleitende Wilhelm und Helene zur

Tür brachte, entdeckte sie den vor dem Gebäude an der Kellertreppe abgestellten Kinderwagen. Und das Kind, bleibt es bei der Großmutter?

Wilhelm und Helene sahen zum Kinderwagen. Wir finden eine Betreuung, sagte Wilhelm mit seinem strotzenden Lächeln. Die Personaldienstleitende nickte und schloss ihre Tür. Helene schob den Kinderwagen, Wilhelm lief mit langen Schritten neben ihr. Wie selbstverständlich schlug er nicht den Weg zurück zu seinem Wagen ein, sondern brachte Helene und das Kind zum Oberwiek. Die Oder war grau und schlug Wellen unter dem Wind. Wilhelm sah auf die Armbanduhr und verkündete mit Blick in die Richtung seines Wagens, dass er schon aufbrechen müsse, man erwarte ihn am Nachmittag in Berlin. Sicherlich werde die Straßenbahn bald kommen, sie werde es allein zurück schaffen, nicht wahr? Helene nickte.

In den ersten Monaten waren die feinen, glänzenden, dunklen Haare des Kindes ausgefallen, eins nach dem anderen, bis das Köpfchen schließlich kahl war und ein weißblonder Flaum wuchs, es wurden goldblonde Locken, goldblond wie Helene. Helene arbeitete laut Vertrag sechzig Stunden in der Woche im Schichtdienst, in Wirklichkeit waren es mehr als diese sechzig Stunden, alle zwei Wochen hatte sie einen Tag frei, sie holte ihr Kind von Frau Kozinska ab und hatte mit seinem dritten Geburtstag einen Platz im Kindergarten zugeteilt bekommen. Sie war froh darüber, weil sie manches Mal bei Frau Kozinska geklopft und niemand ihr geöffnet hatte. Dann hatte ihr Kind hinter der verschlossenen Tür geschrien, Mutter, hatte es geschrien, Mutter, manchmal hatte es auch nach der Tante geweint, wie es Frau Kozinska nannte. Helene hatte vor der verschlossenen Tür warten müssen, weil Frau Kozinska schnell hinuntergegangen war, um Besorgungen zu machen, und manches Mal erst nach einer Stunde zurückkehrte.

Wie heißt denn Ihre Kleine? Das hatte die Kindergärtnerin gefragt, als Helene ihr Kind zum ersten Mal brachte. Helene betrachtete seine goldenen Locken, die sich wie Korkenzieher weich über seine Schultern legten.

Peter. Sie hatte ihm noch kein einziges Mal die Haare geschnitten.

Wir kümmern uns um Ihren Jungen, sagte die Kindergärtnerin freundlich. So ein hübsches Kerlchen.

Helene würde ihm jetzt die Haare schneiden müssen. Die

Kindergärtnerin strich Peter über den Kopf und nahm ihn bei der Hand.

Helene lief zwei, drei Schritte hinterher, sie hockte sich auf den Boden und küsste Peters Wange. Sie drückte ihn an sich. Er weinte und hielt sich mit seinen kleinen Armen fest.

Ich bin bald zurück, versprach Helene, nach dem Abendessen hole ich dich ab.

Peter schüttelte den Kopf, er glaubte ihr nicht, er wollte nicht hierbleiben, er schrie, er klammerte sich an sie, die Tränen spritzten ihm aus den Augen, er biss in ihren Arm, damit sie bleibe oder ihn mitnehme, und Helene musste schnell ein Lächeln zaubern und aufstehen, ihn von sich losmachen, ihm den Rücken zuwenden und hinauseilen. Sie durfte vor Peter nicht weinen. Das machte es noch schwieriger.

Wenn Helene ihn abholte, war sein Blick ein fremder. Er fragte sie: Wo warst du, Mutter?

Helene musste an die verwundete Pflegerin aus Warschau denken, deren beide Beine fehlten. Sie war ihnen erst vor wenigen Tagen gebracht worden, sie war die erste Kriegsverwundete, die Helene sah. Am ganzen Körper waren ihre Lymphknoten dick geschwollen und an mehreren Stellen des Körpers hatte sie die typischen kupferfarbenen Knötchen, die sich in den Hautfalten schon zu großflächigen Papeln entwickelt hatten. Helene musste bei der Versorgung der Geschwüre Handschuhe und Mundschutz tragen, weil die Papeln bereits nässten und Ansteckung drohte. Nur gut, dass die Patientin keinerlei Juckreiz verspürte. Dank der Antibiose heilten die Wunden der Beinstümpfe gut, aber ihr Herzmuskel hatte sich noch nicht an das lange Liegen und den langsamen Kreislauf gewöhnt, und sie litt unter Schlaflosigkeit. Es konnte sein, dass das Prontosil auch gegen die Syphilis helfen würde, vielleicht.

Wo warst du, Mutter? Hörte Helene ihren Peter fragen. Sie saßen in der Straßenbahn nebeneinander. Sollte sie ihm erzählen, sie wäre in der Sternwarte gewesen oder im Schmetterlingshaus, ihm eine schöne Geschichte erzählen, die es in seinen Augen noch unverständlicher machen musste, weshalb sie ihn für zwölf Stunden abgegeben hatte?

Mutter! Sag was. Warum sagst du immer nichts?

Arbeiten, sagte Helene.

Was arbeiten? Peter zupfte an ihrem Ärmel, er sollte aufhören, an ihrem Ärmel zu zupfen. Was arbeiten?

Konnte er keine Ruhe geben, musste er immer weiterfragen? Helene sagte zu Peter: Frag nicht.

Eine ältere Frau stand von der Bank vor Helene auf, sie wollte wohl an der nächsten Station aussteigen und hielt sich an der Stange fest. Die Frau strich Peter über das frischgeschnittene Haar: Was für ein schmucker Pimpf, sagte die Frau. Helene blickte aus dem Fenster. Es kamen noch nicht viele Verwundete bis nach Stettin, die meisten blieben in den Lazaretten, und dank der Tatsache, dass Helene ein Kind hatte, wurde ein ums andere Mal davon abgesehen, sie zu versetzen. Schwesternmangel, hieß es, man suchte händeringend Freiwillige für die Lazarette, die Ausbildungen wurden verkürzt, die ledigen Schwestern wurden in die Lazarette verpflichtet und man griff zunehmend auf verheiratete zurück, um die Städtischen Krankenhäuser noch bewirtschaften zu können. Eines Tages wurden zwei Schwestern nach Obrawalde verpflichtet, auch Helene wollte man schicken, schon hieß es, eine erfahrene Schwester wie sie benötige man dort. Aber sie hatte Glück, über einen Arzt wurde bekannt, dass man auch in der Stettiner Frauenklinik dringend erfahrene Kräfte brauchte, und die Leitung sah ein, dass es für Helene schwierig sein würde, ihr Kind mit nach Obrawalde zu nehmen. Regen schlug gegen die Fensterscheibe. Es war längst dunkel geworden. Die Lichter der Autos verschwammen.

Gott sei Dank bekommen Frauen wie Sie wieder Kinder. Muss man sagen. Die Frau nickte jetzt anerkennend.

Helene sah die Frau nur flüchtig an, sie wollte nicht nicken, sie wollte nichts sagen, aber die Frau ließ sich nicht aufhalten.

Nur kurz musste sie an das sechzehnjährige Mädchen von heute Mittag denken. Was für schöne rötliche Haare das junge Mädchen hatte. Mandelbraune Augen, unter rotgoldenen Wimpern. Ihre Brüste waren schon groß wie Äpfel. Sie hatte das Lachen der Morgensonne, sie ging gerade erst auf, sechzehn Jahre. In Gebärdensprache hatte das Mädchen vor der Narkose Zeichen gemacht, von denen Helene ahnte, was sie bedeuten mochten. Es waren fragende Zeichen, auch ängstliche. Sie hatten ihr eine Vollnarkose gegeben. Helene hatte den Wundhaken gehalten. Keine konnte so still halten wie Helene. Der Chirurg durchtrennte die Eileiter. Beim Nähen musste man auf die Tube achten. Der Chirurg hatte Helene gebeten, zu halten. Er musste niesen und sich die Nase schnauben. Auf sie könne man sich verlassen, hatte der Chirurg zu Helene gesagt, und sie gebeten, die Naht zu beenden.

Sie können stolz sein, die Frau wechselte jetzt die Hand und hielt sich mit der anderen an der Stange fest, weil die Straßenbahn in die Kurve fuhr, wirklich, stolz sein, die Frau nickte wohlwollend. Sie meinte Peter. Helene empfand keinen Stolz. Warum sollte sie stolz darauf sein, dass sie ein Kind hatte? Peter gehörte ihr nicht, sie hatte ihn geboren, aber er war nicht ihr Eigentum und nicht ihre Errungenschaft. Helene war froh, wenn sie Peter lachen sah, aber sie sah ihn nur selten, meistens schlief er, wenn sie bei ihm war, er schlief in ihrem Bett, er hatte häufig Angst und wollte nicht allein schlafen. Schließlich waren die Menschen Säugetiere, oder nicht? Warum sollte ein Menschenkind irgendwo allein schlafen, während alle anderen Säugetiere ihre Kleinen bei sich wärmten? Helene sah Peter selten wach und noch seltener lachen.

Wissen Sie, wir würden sonst aussterben.

Helene starrte jetzt durch die Scheibe auf die Straße. Wen meinte die Frau mit wir? Die nordische Rasse, die Menschheit? Das Mädchen, dessen Eileiter heute mittag durchtrennt worden waren, war ein gesundes fröhliches Mädchen. Nur hörbar sprechen konnte sie nicht. Es hieß, man wolle vermeiden, dass sie taubstumme Kinder bekäme. Warum nur war es so schlimm, wenn jemand statt mit dem Mund mit Gesten sprach? Warum sollten die Kinder dieses Mädchens unglücklichere Kinder werden als ihr Peter, der auch nicht auf jede seiner Fragen eine Antwort erhielt? Später, als das Mädchen aufgewacht war, war Helene zu ihr gegangen und hatte ihr eine Apfelsine gebracht. Sie hätte ihr keine Apfelsine bringen dürfen. Die Apfelsinen waren für andere Patientinnen gedacht. Helene hatte ihr die Apfelsine heimlich gebracht. Den Wundhaken hatte sie gehalten, die Naht geschlossen. Hätte der Chirurg zu Helene gesagt, schneiden Sie, so hätte sie womöglich auch den Eileiter durchtrennt. Helene spürte das kühle Glas der Scheibe an ihrer Stirn.

Mutter, hörst du gar nicht zu? Peter kniff ihr jetzt in die Hand. Er sah zweifelnd, fast böse aus. Offenbar wollte er seit geraumer Zeit ihre Aufmerksamkeit erringen.

Ich höre, sagte Helene. Peter erzählte ihr etwas, er erzählte ihr, dass die anderen Kinder Mumeln dewerfen hatten.

Geworfen, sagte Helene, Murmeln geworfen, und musste wieder an das junge Mädchen denken.

Geworfen, Peters Augen strahlten. Er konnte deutlich sprechen, wenn sie ihn ermahnte. Das Mädchen würde jetzt allein in seinem Bett im Saal mit den achtunddreißig anderen Patientinnen liegen. Ob man ihr gesagt hatte, welche Operation an ihr vollzogen worden war? Helene konnte es ihr sagen, am nächsten Morgen, sie musste es ihr sagen. Sie durfte sich später nicht wundern, sie sollte es wenigstens wissen. Vielleicht würde sie am nächsten Morgen gar nicht mehr da sein.

Hunger, jammerte Peter jetzt. Sie mussten aussteigen. Helene fiel ein, dass sie am frühen Morgen das Einkaufen nicht geschafft hatte. Welches Geschäft öffnete schon vor Dienstbeginn? Vielleicht konnte sie bei der Krämerin klingeln. Die hatte es nicht gern, wenn abends noch jemand klingelte, aber Helene blieb häufig nichts anderes übrig, wenn sie nicht zum Einkaufen kam, heute hatte sie nichts zu essen zu Hause.

Von der Krämerin bekam sie zwei Eier und einen viertel Liter Milch und ein ganzes Pfund Kartoffeln. Die Kartoffeln hatten schon kleine Triebe, aber immerhin, Helene war froh, dass sie Kartoffeln bekommen hatte.

Toffeln meckt nich, klagte Peter, als Helene ihm den Teller mit den Kartoffeln hinstellte. Sie wollte nicht ungeduldig sein, sie wollte ihn nicht anschreien, dass er froh sein müsse und essen solle. Lieber sagte sie nichts.

Meckt nich, sagte Peter wieder und ließ ein Kartoffelstückchen von seinem kleinen Löffel auf den Boden fallen.

Helene riss ihm den Löffel aus der Hand und hätte ihn am liebsten auf den Tisch geknallt, sie musste an ihre Mutter denken, das böse Funkeln in den Augen ihrer Mutter, die Unberechenbarkeit, Helene legte den Löffel auf den Tisch. Wenn du keinen Hunger hast, ihre Stimme erstickte, musst du nicht essen. Sie griff Peter am Handgelenk und zog ihn zum Waschbecken. Er weinte, sie wusch ihn.

Sine esse. Peter wimmerte. Sine esse, Peter zeigte mit der Hand hinauf zu dem Bild, das über der Kommode hing. Darauf leuchtete ein gefüllter Obstkorb. Meinte er die Apfelsine? Hätte sie ihm vielleicht die Apfelsine aus dem Krankenhaus mitbringen sollen? Das Mädchen brauchte die Apfelsine, Peter hatte Kartoffeln.

Sine! Peter schrie jetzt, dass es in Helenes Ohr klirrte. Helene biss sich auf die Lippen, sie biss sich auf die Zähne, niemals wollte sie ihre Geduld verlieren, ihre Geduld war alles, sie war Fassung und Form. Helene nahm Peter auf den Arm, drehte im Vorbeigehen das Bild an der Wand um und trug ihn zu ihrem Bett.

An einem anderen Tag, flüsterte sie ihm ins Ohr. An einem anderen Tag gibt es eine Apfelsine. Peter beruhigte sich, er ließ sich gerne streicheln. Helene streichelte seine Stirn und sie steckte die Decke über ihm fest.

Mutter, singe?

Helene wusste, dass sie nicht singen konnte, sie streichelte ihn und schüttelte den Kopf. Eine Frau im Krankenhaus hatte sie heute am Arm gepackt, mit einer alten und knochigen Hand, sie hatte zu Helene gesagt, sie möge sie sterben lassen. Bitte, einfach nur sterben. Schlaf, Peterle.

Singe, bitte, singe? Peter wollte seine Augen nicht schließen.

Vielleicht musste sie sich nur ein wenig anstrengen, Helene wollte singen, sie konnte nur nicht. Gab es ein Lied, das ihr einfiel? Maria durch ein Dornwald ging. Weihnachten war längst vorbei. Ihre Stimme kratzte, kein Ton wollte sich vom anderen abheben. Peter beobachtete sie, Helene schloss ihren Mund.

Singe.

Helene schüttelte den Kopf. Ihr Hals war fest und dick, zu schmal die Öffnung, ihre Kraft gering, die Stimmbänder starr und morsch. Ob es eine krankhaft frühzeitige Alterung der Stimmbänder gab, das Versiegen der Stimme?

Tante singe, verlangte Peter jetzt und wollte sich wieder aufrichten. Helene wusste, dass Frau Kozinska manchmal für Peter gesungen hatte. Sie sang auch, wenn Helene ihr auf der Straße oder im Treppenhaus begegnete. Manchmal hörte man ihr Singen bis in die Wohnung hinauf. Helene schüttelte den Kopf. Frau Kozinska sang gerne, eine ungebrochene Fröhlichkeit, eine beneidenswerte, aber sie hatte Peter zu oft allein gelassen, und wenn sie abends da war, trank sie gerne. Es war ein Segen, dass es jetzt den Kindergarten gab. Nur in den Wochen mit Nachtdiensten war es schwierig. Helene ließ Peter dann allein, er schlief ja die längste Zeit. Sie hatte ihm vor dem Bett gesagt, dass sie wiederkommen werde, und schloss die Tür ab. Wenn sie morgens nach Hause kam, holte sie zuerst die Kohlen aus dem Keller, sie schleppte meist ein gutes Dutzend auf einmal, sie trug sie auf dem Rücken in einer Kiepe und links und rechts noch einen Eimer voller Briketts und Holzscheite. Oben angekommen heizte sie den Ofen an, Peter schlief in ihrem Bett, sie streichelte ihm über das kurze blonde Haar, bis er sich streckte und auf ihren Arm wollte, sie wusch ihn, zog ihn an, gab ihm etwas zu essen und brachte ihn in den Kindergarten, wo er wieder auf ihren Arm wollte, sie ihn aber nicht hochnahm, weil sie sich sonst nicht voneinander trennen konnten. Zurück zu Hause wusch Helene die Wäsche, sie nähte den Riemen der Lederhose an, seit Baden sein Geschäft hatte aufgeben müssen, kam sie an keine guten und günstigen Kurzwaren mehr, Baden war verschwunden, er war im Februar mit den anderen weggebracht worden, nach Osten, hieß es, Helene nähte also den Riemen der Lederhose fest und ersetzte das verlorene Edelweiß gegen einen bunten Knopf und schlief selbst einige Stunden, sie legte ein, zwei Briketts nach und holte Peter vom Kindergarten ab und brachte ihn nach Hause, an den Abendbrottisch und ins Bett und löschte das Licht und schlich sich aus der Tür, sie musste sich beeilen, um rechtzeitig die Straßenbahn zur Nachtschicht im Krankenhaus zu bekommen.

Wenn Helene alle zwei Wochen einen Tag frei hatte, ging sie mit Peter an der Hand hinunter zum Hafen. Sie sahen den Schiffen zu, nur selten kam ein Kriegsschiff herein. Peter bestaunte die Kriegsschiffe, und sie zeigte ihm die Vogelschwärme.

Enten, sagte sie und deutete mit ihrer Hand zu der kleinen Gruppe fliegender Vögel. Sie flogen zu fünft im V. Peter aß gerne Ente, aber Helene besaß nicht das Geld, um eine zu kaufen. Ab und an schickte Wilhelm aus Frankfurt Geld. Sie wollte sein Geld nicht; es war Schweigegeld, sie brauchte sein Geld nicht zum Schweigen. Alle paar Monate schickte er einen Brief mit Geld darin und einem Zettel: Meine Alice, kauf dem Jungen Handschuh und Mütze, stand darauf. Helene hatte Peter längst Handschuh und Mütze gestrickt, sie nahm das Geld, steckte es in einen Umschlag und schrieb darauf: Frau Selma Würsich, Tuchmacherstraße 13, Bautzen in der Lausitz. Sie schickte die Briefe ohne Absender nach Bautzen, bis zuletzt, bis zu dem Tag, an dem sie ein schmales, langes Päckchen aus Berlin erhielt. In dem Päckchen befand sich der aus Horn geschnitzte Fisch. Die Kette darin fehlte. Vielleicht hatte jemand Geld benötigt und die Rubine verkaufen müssen, womöglich war das Päckchen auf der Post geöffnet worden und hatte jemand Gefallen an der Kette gefunden. Im Innern des Fisches steckte ein Brief. Der Brief roch betäubend, er roch nach Leontine. Es war Leontines Handschrift. Meine kleine Alice, in Berlin regnet es immerzu, aber der Frost ist endlich vorüber. Ob du noch unter dieser Adresse wohnst? Martha war in den letzten Jahren sehr krank. Du kennst sie ja, sie klagt nicht, sie wollte nicht, dass du davon erfährst. Wir wollten dich nicht damit belasten. Sie verbot mir, dir zu schreiben. Sie musste die Arbeit im Krankenhaus aufgeben. Man hat ihr eine Arbeit in einem der neuen Arbeitslager zugewiesen. Mir sind hier die Hände gebunden. Einen Ehemann bräuchte sie jetzt, einflussreiche Eltern, einen unmittelbaren Verwandten. Sobald ich sie einmal besuchen darf, muss ich ihr mitteilen, dass gestern ein Brief der gemeinnützigen Stiftung für Anstaltspflege eingetroffen ist. Es heißt darin, ihre Mutter sei vor wenigen Wochen in Großschweidnitz an einer akuten Lungenentzündung gestorben. Es tut mir sehr leid für sie. Obwohl ich weiß, dass manche es als Gnadentod bezeichnen.

Die Sirenen der großen Schiffe waren tief, sie ließen das Zwerchfell vibrieren. Selbst in ihren Fußsohlen konnte Helene das Brummen spüren. Peter wollte von seiner Mutter wissen, wo die Kanonen der Schiffe seien. In Leontines Handschrift stand unter dem Brief: Gehab dich wohl. Deine Schwester Elsa. Als Postskriptum hatte sie folgenden Satz vermerkt: Erinnerst du dich noch an die alte Nachbarin Fanny? Sie ist abgeholt worden. In ihrer Wohnung lebt jetzt die Familie eines Obergruppenführers, seine Frau mit drei netten Kindern. Helene wusste, was dieser Brief bedeutete. Leontine musste die Spuren verwischen, sie gefährdete sonst ihrer beider Leben. Sie hatte die einzig möglichen Worte gewählt, um das Ungeheuerliche zu schreiben. Leontine hatte getrocknete Rosenblätter in den Brief gerollt. Die Rosenblätter waren Helene entgegengefallen. Helene musste weinen, aber sie konnte nicht. Etwas hinderte sie, sie konnte nicht anerkennen, was sie verstanden hatte. Ein süßer Duft ging von ihnen aus, vielleicht war es auch nur der Duft von Leontines Parfüm. Ihr wahrer Name sollte in keinen gefährlichen Zusammenhang mit Martha, Helene und sonst jemandem geraten. Ob sie noch am Krankenhaus arbeitete? Musste sie Eierstöcke durchtrennen, wollte man auch sie in ein Lazarett schicken? Schließlich war Leontine in der Zwischenzeit geschieden worden, sie hatte keine Kinder, man konnte sie schicken, wohin man wollte. Sie konnte sich Namen nehmen, so viele sie wollte, Leo, Elsa und ihretwegen auch Abaelard, Helene würde ihre feste und flüchtige Handschrift immer erkennen, sie hatte sich in Helenes Inneres gebrannt. Eine unbändige Sehnsucht ergriff Helene, ihr wurde schwindelig, sie schwitzte.

Kanonen? Peter zog ungeduldig am Ärmel seiner Mutter. Wo sind die Kanonen? Helene wusste es nicht.

Bist du traurig? Peter blickte zu seiner Mutter hinauf.

Helene schüttelte den Kopf. Der Wind, sagte sie. Komm, wir gehen noch zum Bahnhof, wir sehen uns die Züge an. Helene musste daran denken, wie es wäre, wenn sie einfach eine Fahrkarte lösen und mit Peter nach Berlin fahren würde. Es sollte möglich sein, Leontine ausfindig zu machen. Es musste. Aber wer wusste, welche Gefahr darin lag?

Der Bahnhof lag unterhalb der Stadt an der Oder. Die Züge fuhren ein und aus. Der Wind fegte über den Bahnsteig und trieb ihnen viele Tränen aus den Augen. Sie hatten sich auf eine Bank gesetzt und hielten einander an der Hand. Im Krankenhaus gab es eine neue Schwester, Ida Fiebinger, sie kam aus Bautzen. Helene war seltsam zumute geworden, als sie Ida Fiebinger zum ersten Mal sprechen gehört hatte, die Melodie, die geschlossenen Vokale, das trichterförmige Schleppen der Sätze. Helene musste ständig Idas Nähe suchen. Eines Tages sagte Schwester Ida, als der Sturm einen Baum im Hof des Krankenhauses gefällt hatte: Weiß der Wind mal nicht wohin, weht er über Budissin. Schwester Ida hatte dabei gelacht und mit Blick aus dem Fenster zu dem gefallenen Baum zu den anderen Schwestern gesagt, sie müsse sich wohl um ihre Heimat keine Sorgen machen. Helene wäre bei dem Satz am liebsten im Erdboden versunken, nur mit Mühe hatte sie ein Lächeln unterdrückt. Wie lange hatte sie dieses Sprichwort nicht gehört?

Peter sagte, ihm sei kalt, er wollte nach Hause. Helene vertröstete ihn, noch einen Zug sollten sie abwarten. Einmal hatte sich Schwester Ida, als sie beim Mittagessen in der Schwesternküche mit ihren Tellern im Kreis standen, mitten im Satz zu Helene umgedreht und gesagt: Jetzt weiß ich, warum du mir die ganze Zeit so bekannt vorkommst. Du bist aus Bautzen. Helene hatte ganz ruhig ihre Gabel in den Teller gelegt, sie fühlte so plötzlich das Blut in ihrem Gesicht, dass sie einen Hustenanfall vortäuschen und sich entschuldigen musste. Bestimmt kennst du meinen Onkel, er war bis zur Pensionierung ein bekannter Richter in Bautzen, fügte Ida jetzt eifrig hinzu.

Helene schüttelte den Kopf. Nein, beeilte sie sich, aus Dresden komme ich, Bautzen habe ich nur einmal auf der Durchreise besucht. Gibt es dort nicht so einen schiefen Turm? Schwester Ida sah Helene enttäuscht an, etwas ungläubig, aber enttäuscht. Auf der Durchreise? Nach Breslau, behauptete Helene und hoffte inständig, dass keine der Schwestern aus Breslau kam und mit ihr über eine Stadt sprechen wollte, die sie tatsächlich nicht kannte. Seither fühlte Helene an manchen Tagen Schwester Idas prüfenden Blick auf sich. Der Wind jaulte und summte an den Telegrafenmasten. Helene schaute hinüber zur Lokomotive. Aus ihrem Schornstein dampfte es nur noch schwach. Es sah aus, als wollte sie sich heute nicht mehr aus dem Bahnhof fortbewegen. Niemand war gekommen und Helene würde keine Fahrkarte lösen. Helene stand auf, Peter hielt sich an ihrer Hand fest, sie gingen schweigend die Treppen hinauf in die Stadt zurück.

Dass Wilhelm sie noch einmal besuchen wollte und dafür just den Sommer nutzen würde, in dem Peter in die Schule kam, damit hatte Helene nicht gerechnet. Sie hatte die Wohnung hergerichtet, die Wand neben dem Küchenfenster neu gestrichen, weil es dort von oben reingeregnet hatte, sie hatte die Tapete im Schlafzimmer angeklebt und Nägel in den wackelnden Stuhl geschlagen, bis er fest und stabil am Küchentisch stand, und zuletzt hatte sie die Gardinen gewaschen, die Fenster geputzt und einen Strauß Cosmea gekauft. Alles sollte glänzen, wenn Wilhelm kam. Er sollte nicht den Kopf schütteln und glauben, sie schaffe das nicht allein mit dem Kind. Alles schaffte sie allein. Gemeinsam mit Peter trug sie das Sofa der alten Nachbarn von nebenan hinüber in ihre Küche. Sie erklärte Peter, dass er in der Woche wohl auf dem Sofa werde schlafen müssen. Aber dann zog Wilhelm es vor, selbst auf dem Sofa zu schlafen, und so konnte Peter in ihrem Bett bleiben. Wilhelm sagte, er habe Urlaub; er war im Anzug gekommen. So recht wusste Helene nicht, ob er überhaupt als Soldat diente. Er machte ein Geheimnis darum. Ein Drückeberger war er nicht, Helene schien es, als weise sein Stolz darauf hin, dass er für Höheres und Strategisches berufen sei. Auch kamen seine kurzen Briefe mit etwas Geld alle paar Monate stets aus Frankfurt oder Berlin. Neuerdings stopfte sie das Geld in einen einzelnen dicken Wollstrumpf, den sie zuunterst in ihrem Korb versteckt hatte. Einmal, als Peter sich das Knie aufgeschlagen hatte, weinte und gerne einen Verband haben wollte, und Helene ihm sagte, die

Wunde trockne am besten an der Luft, fiel Wilhelm Helene ins Wort, während er dem Jungen mit der Hand in den Nacken schlug: Heul nicht, Peter. Und merk dir eins, der Mann ist zum Töten da, die Frau heilt seine Wunden. Peter hatte den Kopf in den Nacken gelegt und zu seinem Vater hinaufgesehen. Vielleicht gab es ein Lächeln? Aber nein, der Ernst des Vaters galt ihm.

Wilhelm sah gut aus, kräftig und fröhlich. Er strotzte. Nachts schnarchte er laut und zufrieden, Helene konnte kein Auge zutun. Seine Kragen waren sauber, die Hemden gebügelt, in der Brieftasche trug er die Fotografie einer lächelnden Frau. Helene hatte seine Hose zum Waschen genommen, dabei war ihr die Brieftasche in die Hände gefallen. Es ging sie nichts an; sie fragte ihn nicht, wie auch sie nicht gefragt werden wollte. Am vierten Morgen erklärte Wilhelm, er wolle vor seiner Rückkehr am Sonntag mit dem Jungen einen kleinen Ausflug nach Velten machen. Womöglich komme sein Bruder aus Gelbensande hinzu. Helene hatte Wilhelms Bruder nie kennengelernt, bis heute wusste sie nicht, ob der es gewesen war, der ihr den Pass und das Zeugnis angefertigt hatte. Peter umschlang die Hüfte seiner Mutter, er wollte nicht ohne seine Mutter fahren. Aber der Vater sagte, er solle kein Weichling sein, ein Junge müsse auch mal ohne seine Mutter eine Reise tun. Velten? Wilhelm glaubte, in Helenes Blick Misstrauen zu erkennen.

Keine Sorge, halb lachte er, halb wies er sie zurecht, ich bring dir den Jungen schon zurück. Selbst im Urlaub muss man mal einen Arbeitskollegen treffen. Da Wilhelm seinen Wagen in Frankfurt gelassen hatte, nahmen die beiden einen Zug. Für Peter war es ein großer Tag, es sollte seine erste Reise im Zug sein. Womöglich wollte Wilhelm die gemeinsame Zeit mit seiner Frau verkürzen, indem er die Hälfte der angekündigten Urlaubswoche mit Peter einen kleinen Ausflug machte. Vielleicht stand die Reise auch im Zusammenhang mit seiner Arbeit.

Helene arbeitete in dieser Zeit auf der Wöchnerinnenstation, die Frauen konnten nicht genug Fürsorge erfahren, beständig mussten Vorlagen gewechselt und Bettpfannen ausgetauscht werden, kalte Wickel gegen das Kindbettfieber und solche aus Quark bei aufkommender Mastitis mussten stündlich erneuert werden. Die Risse versorgt, die Nabel gepudert. Helene brachte den Frauen ihre Säuglinge aus dem Säuglingszimmer und legte sie ihnen an die Brüste. Rosa gesunde Kinder saugten süße Milch aus den gefüllten Brüsten ihrer Mütter, während ihre Väter fern im Osten und im Westen, zu Land, See und Luft an der Front kämpften und die Aushungerung Leningrads überwachten. Helene wollte nicht denken, es gab Anweisungen, Abläufe, Zurufe, sie musste handeln, sie musste laufen, sie drückte die Säuglinge an die Brüste ihrer Mütter, sie wickelte sie, wog und impfte und schrieb einen letzten Brief an die alte Adresse, die sie von Leontine besaß. Sie würde keinen weiteren mehr schicken; auf keinen einzigen ihrer Briefe war eine Antwort gekommen. Die Fernmeldevermittlung sagte ihr, die Telefonnummer sei nicht vergeben und es sei keine Frau Doktor unter besagtem Namen bekannt. Nur zum Schlafen ging Helene nach Hause.

Am Sonntag, nach der Heimkehr aus Velten, erzählte Peter, sie hätten eine Gießerei besichtigt und in einer Pension übernachtet. Der Onkel habe nicht kommen können, vermutlich habe er keinen Urlaub erhalten. Sie aßen Heringssalat mit Zwiebeln, Äpfeln und Roten Beeten. Nur Kapern hatte Helene keine bekommen können. Peter leckte seinen Teller ab, sein Mund war von den Roten Beeten rosarot. Wilhelm musste zurück nach Frankfurt.

Davon habe ich mehr, als ich ausgeben kann, sagte Wilhelm, als er Peter zum Abschied an der Tür einen Zehner in die Hand drückte. Peter solle sich Karamellen davon kaufen. Helene war froh, dass Wilhelm wieder weg war.

Als Helene sich abends neben Peter ins Bett legte, war Peter noch nicht eingeschlafen. Er drehte sich zu seiner Mutter um.

Vater sagt, wir werden siegen.

Helene schwieg. Vermutlich hatte Wilhelm dem Jungen von den Bomben erzählt. Wilhelm war der festen Überzeugung, dass erst der Dienst an der Waffe einen Mann zum Mann werden ließ. Helene streichelte ihrem Sohn über die Stirn. Was für ein schöner Mensch er war.

Vater sagt, dass ich groß und stark werden soll.

Helene musste lächeln. War er das nicht schon, groß und stark? Sie wusste, dass er oft ängstlich war, aber wer konnte mutig sein, wenn er keine Angst besaß? In den Tagen, als Wilhelm mit Peter fort war, hatte sie ein Klappmesser für Peter gekauft. Sie wollte es ihm im November zum sechsten Geburtstag schenken. Sie wusste, dass er sich nichts sehnlicher als ein Klappmesser wünschte. Er wollte sich eine Angel schnitzen, und er wollte sein Brot schneiden.

Vater sagt, dass du immer schweigst, weil du kalt bist.

Helene blickte ihrem Peter in die Augen, die Leute sagten, er habe ihre Augen, glasklar und blau; es war schwierig, im Liegen den Kopf zu schütteln. Sie streichelte jetzt seine Schultern, und Peter drückte seine Stirn gegen ihre Brust.

Aber das glaube ich nicht, sagte Peter an ihrer Brust. Ich hab dich lieb, Mutter. Helene streichelte ihrem Jungen den Rücken. Es war schwer, den Arm zu bewegen. Vielleicht hatte sie über den Tag zu viele Kranke gehoben. Sie fühlte sich schwach. Was konnte sie ihrem Peter sein? Und wie konnte er ihr Peter sein, wenn sie ihm nichts sein konnte, nicht sprechen, noch erzählen, einfach nichts sagen konnte? Eine andere Frau würde weinen, vermutete Helene. Vielleicht stimmte, was Wilhelm behauptete, vielleicht war ihr Herz ein Stein. Kalt, eisig, eisern. Sie weinte nicht, weil ihr nicht zum Weinen war; ihre Füße taten ihr weh, der Rücken schmerzte, sie war den ganzen Tag gelaufen, sie wusste, dass sie nur noch fünf Stunden zum Schlafen hatte, ehe sie aufstehen, die Wäsche bügeln, die Küche wischen, für Peter das Frühstück richten, ihn wecken und zur Schule schicken würde, ehe sie selbst ins Krankenhaus arbeiten ging. Ihr Arm, mit dem sie Peter gestreichelt hatte, der jetzt auf ihm lag, auf ihrem schlafenden Kind, schmerzte. Eine Sehnenentzündung konnte sie nicht gebrauchen. Eine Schwester wurde nicht krank. Wilhelm hatte am Sonntag zum Abschied zu ihr gesagt: Alice, du bist eisern und zäh. Du brauchst mich nicht. Es war ihr nicht möglich, seine Worte zu deuten. War er stolz, war er beleidigt, war er zufrieden, weil seine Abkehr hierdurch eine gewisse Berechtigung erfuhr? Vielleicht kränkte es ihn, dass sie ihn nicht brauchte. Ein Mann wollte gebraucht werden, keine Frage. Die Eisenfaust wollte ihr Ziel nicht verlieren, nicht abprallen vom Ziel, Eisen auf Eisen, und gewiss nicht ihrer Existenzberechtigung beraubt werden. Und verhielt es sich mit einer Frau anders? Lag ihr nicht auch alles daran, jeden Tag rechtzeitig im Krankenhaus zu sein? Das Eiserne, war das ein Kriterium, eine Eigenschaft, eine Eigenart? Die eiserne Disziplin. Wie oft machte sie Überstunden. Keine Schwester ging, wenn sie sah, dass sich die Bettpfannen auf dem Wagen stapelten, wenn eine Patientin sich auf das Hemd gebrochen hatte und eine andere im Sterben lag. Das eiserne Mitgefühl. Auch Peter hatte sie angewöhnt, nicht krank zu werden. Die eiserne Vernunft. Als er klein war, hatte er die Windpocken und die Masern gehabt, sie hatte die Kozinska bitten müssen, auf ihn aufzupassen, damit sie selbst rechtzeitig zur Arbeit kam. Die Kozinska hatte es über den Tag nicht einmal geschafft, ihren Peter zu waschen, sie hatte vergessen, ihm die kalten Wickel zu machen, auch getrunken hatte er am Abend zu wenig. Vermutlich war sie mit dem Singen beschäftigt gewesen.

Helene wurde am Morgen von Peter geweckt, es war schon hell, er drückte sich an seine Mutter, er schlang seine Arme um sie, er flüsterte: Ich hab dich so lieb, Mutter. Plötzlich lag er auf ihr und vergrub sein Gesicht an ihrem Hals. Sein seidiges Haar kitzelte sie. Er sollte nicht auf ihr liegen, wusste er das nicht? Und während sie ihn von sich schob, sagte er: Deine Haut ist so weich, Mutter, du riechst so gut, ich will immer bei dir bleiben, immer, und er versuchte, sich nicht von ihr runterschieben zu lassen, er hielt sie fest, seine Hand berührte ihre Brust, und sie spürte etwas Kleines, Hartes an ihrem Schenkel, das nur eine Erregung sein konnte, seine Erregung. Helene stieß ihn von sich und stand auf.

Mutter?

Beeil dich, Peter, du musst dich waschen und in die Schule gehen, sagte sie mit dem Rücken zu ihm. Mehr sagte sie nicht, sie wollte sich nicht zu ihm umdrehen, sein Gesicht nicht sehen.

Viele schickten ihre Kinder jetzt im Krieg auf das Land, aber wenn sie ihn auf das Land schicken würde, würde man sie nach Obrawalde schicken, in ein Lazarett oder nach Ravensbrück. Helene wollte nirgendwohin geschickt werden, also konnte sie auch Peter nicht aufs Land schicken.

Die Sonne geriet in die Schieflage, herbstliche Schieflage zur Erde. Der Wind blies, er wimmerte, er pfiff. Einmal hängte Helene die Wäsche im Hof auf, als sie die Kinder spielen und rufen hörte. Sie jagten einander, sie ärgerten sich. Deutlich konnte Helene die Stimme von Peter aus den Stimmen der anderen Kinder heraushören.

Jude Itzig Lebertran
hat geschissen Marzipan
Marzipan ist ungesund
Jude ist ein Schweinehund.

Das Laken hing ihr im Weg, der Wind schlug es ihr ins Gesicht, der Wind war frisch, sie konnte die Kinder nicht sehen, nur ein Mädchen aus dem Nachbarhaus stand unschlüssig in der Toreinfahrt. Helene heftete die letzte Wäscheklammer an das Laken und drehte sich um. Wo war er nur, der Lausebengel? Oft war sie froh, wenn er allein um die Häuser rannte und sie in Ruhe ihrer Arbeit nachgehen konnte, er hatte Freunde, er wurde selbständig, er sollte sie eines Tages nicht mehr brauchen, aber jetzt wollte sie wissen, wo er war. Wie kam er nur auf diesen Reim? Marzipan ist ungesund. Wegen der Bittermandeln? Zyankali? Es gab seit fast drei Jahren keine Juden mehr in Stettin, keinen einzigen, sie waren alle weggebracht worden.

Hast du meinen Peter gesehen? Helene fragte das Mädchen in der Toreinfahrt. Sie schüttelte den Kopf, nein, sie wusste nicht, wo er hingelaufen war.

Helene wartete mit dem Abendessen auf ihn. Die Lebensmittel wurden rationiert, die Krämerin hatte ihr ein Ei gegeben und einen viertel Liter Milch und einen Salatkopf, von der Tochter der alten Fischfrau unten am Bollwerk hatte sie eine Makrele bekommen, die hatte sie mit dem letzten Stück Butter und einem getrockneten Salbeiblatt gestopft und im Ofen gebacken. Peter mochte gebackenen Fisch. Als er zur Tür hereinkam, waren seine Knie beide aufgeschürft, am Ellenbogen hatte er Schorf, der aufgesprungen war. Seine Hände waren schwarz, auf der Nase hatte er einen Strich aus Kohle. Seine Augen glitzerten, offenbar hatte er Spaß gehabt.

Du gehst dir jetzt bitte die Hände waschen, sagte Helene. Peter fiel es kaum ein, sich seiner Mutter zu widersetzen. Er wusch sich die Hände, schrubbte seine Fingernägel mit der Bürste und setzte sich an den Tisch.

Die Kohle im Gesicht, sagte Helene, wäschst du die bitte auch ab?

Schwarzer Peter, sagte Peter und lachte. Er liebte das Spielen, wenn sich die anderen über ihn lustig machten, lachte er mit ihnen.

Vorhin habe ich dich einen Spottreim rufen hören. Helene legte Peter die obere Hälfte der Makrele auf den Teller und schnitt den Kanten Brot entzwei.

Mich?

Weißt du eigentlich, was Juden sind?

Peter zuckte unsicher die Achseln. Er wollte seine Mutter nicht verärgern, nichts lag ihm ferner. Menschen?

Na also, warum machst du dann einen Spottreim auf sie?

Peter zuckte wieder mit den Schultern.

Ich möchte das nicht, Helene sagte es streng und nüchtern, ich möchte das nie wieder hören. Ist das klar?

Peter sah unter seinem Pony hervor, er musste lächeln, verschmitzt sah er aus, wenn er so lächelte, er mochte nicht glauben, dass seine Mutter wegen eines Spottreims so aufgebracht war.

Was sind Juden für Menschen? Peter lächelte noch immer. Er wollte es wirklich wissen, er fragte und würde sich damit abfinden müssen, dass Helene ihm nicht antwortete. Helene empfand ein Ungenügen, ein peinigendes Ungenügen. War sie feige? Wie sollte sie ihrem Sohn erklären, was die Juden für Menschen waren, wer sie war, warum sie nicht sprechen konnte? Niemand wusste, wohin so ein Kind sein Wissen trug, am nächsten Tag konnte es in der Schule mit dem Lehrer oder den anderen Kindern darüber sprechen. Das wollte Helene nicht. Sie wollte ihn in keiner Gefahr wissen. Er verstand schon, da war sich Helene sicher, Peter war ein kluges Kind. Menschen, das reichte doch als Erklärung, nicht wahr? Helene erwiderte sein Lächeln nicht, sie aßen schweigend den Fisch.

Mutter, sagte er, nachdem er den Teller abgeleckt hatte, danke für die Makrele, das war eine fabelhafte Makrele. Peter konnte die meisten Fische unterscheiden, er liebte die Unterschiede, ihre unterschiedlichen Namen und Geschmäcker. Helene mochte das Wort fabelhaft nicht. Alle benutzten es, dabei war es unklar, das Wort, vollkommen irreführend. Wenn sie ihm im November das Klappmesser schenken würde, würde es zum Angeln in Stadtnähe schon zu spät sein, die meisten Ufer waren dann gefroren, die Fische schwammen zu tief, er würde wohl kaum einen essbaren Fisch fangen können. Helene deutete ein Lächeln an. Woher nahm er nur die ausgesprochene Höflichkeit? Hatte sie ihm jemals gesagt, er müsse sich bedanken? Die Gräten würde die Katze unten im Hof bekommen. Niemand wusste, wem die Katze gehörte, es war eine schöne Katze, die aussah wie eine Siamkatze, weiß mit braunen Pfoten und strahlend hellen Augen. Peter sollte das Geschirr spülen, Helene dankte ihm dafür im Voraus. Das machte er gern, er half seiner Mutter, wo er konnte. Er konnte allein ins Bett gehen, Helene nahm ihren gebügelten Kittel und verabschiedete sich, sie hatte Nachtdienst.

Der Nebel lag schwer über dem Haff, die Schiffe tuteten, ihre Hörner fielen einander in den Nacken. Oben in der Stadt schien golden die Sonne und warf lange Schatten, der Tag brach erst an.

Wir gehen in die Pilze, erklärte Helene an diesem freien Sonntag, den man ihr nach wiederholtem Bitten aus Rücksicht auf das Kind zugestanden hatte, und packte ihren Korb. Es gab keine besseren Bedingungen, noch gestern hatte es geregnet, in der vergangenen Nacht war Vollmond gewesen. Die halbe Stadt konnte sonntags in den Wäldern sein, aber Helene kannte sich aus, sie würde sie finden, die einsamen Lichtungen. Ein Handtuch, zwei Messer, eine Zeitung, denn die Pilze sollten sich nicht stoßen und aneinander reiben, wenn sie übereinander lagen.

Sie fuhren mit der Bahn nach Messenthin, die strohgedeckten Fachwerkhäuschen hatten sie schnell hinter sich gelassen, Helene kannte ihren Weg in den Wald. Die Fichten standen dicht, dann drängten sich Buchen und Eichen vor. Die Luft war kühl. Es duftete nach frühem Herbst, nach Pilzen und Erde. Buchenblätter, glatt und manche schon bronzefarben, die trockenen kleinen Eichen. Helene ging voran, sie ging schnellen Schrittes, sie kannte ihren Wald und seine Lichtungen. Hunger verspürte sie, was nicht die beste Voraussetzung für das Finden war. Ihre Blicke streiften das Dickicht, das Unterholz, hier war es zu dunkel, zu trocken dort, sie mussten tiefer gelangen, dorthin, wo noch Bienen auf den Stämmen saßen und sich am Holz wärmten, langsam in ihren Bewegungen, die anbrechende Kälte lähmte sie.

Mutter warte, du gehst so schnell. Peter war bestimmt schon zwanzig, dreißig Schritte hinter ihr. Helene drehte sich zu ihm um, er war jung, er hatte flinke Beine, nicht träumen sollte er. Helene setzte ihren Weg fort, sie stieg über abgefallene Äste, die Zweige unter ihren Füßen brachen, Baumschwämme mochte sie nicht, sollten sie nur an ihren morschen Stümpfen wuchern, sie ging weiter, sie wollte Steinpilze finden, Steinpilze und Maronen. Das Licht brach durch die Bäume, weiter vorn sah sie Grün, das zarte, dürre Grün einer kleinen Lichtung, dort mochte es sein, dort musste es sein, sie würde einen finden, zwei, einen ganzen Kreis wollte sie plündern. Helene lief und hörte Peter kaum noch, der weit hinter ihr herstolperte und rief. Da war einer. Er hatte einen dicken alten Hut, braun, alles andere als das, was an so einem Morgen zu erwarten war. Hatte es nicht geregnet in der vergangenen Nacht und war nicht Vollmond gewesen? Der späte Tau hing noch an manchen Gräsern. Nur eins war möglich, dass jemand bereits vor ihnen hier gewesen war und gewildert hatte in ihrem Wald, an ihrem Saum, auf ihrer Lichtung. Helene blieb stehen, atemlos blickte sie sich um. Der Ast dort hinten, war der frisch gebrochen?

Warte, rief Peter, der die Lichtung noch nicht erreicht hatte, als sie sich umdrehen und ihren Weg ins Dickicht fortsetzen wollte. Sie wartete nicht, sie ging nur langsamer. Sie hörte das Bellen eines Hundes, es klang aus der Ferne, dann eine Trillerpfeife, eine zweite. Es würde doch kein Förster am Sonntag jagen? Kaninchen mit Pfifferlingen, Helene musste an das zarte Kaninchen denken, das sie einmal vor langer Zeit für Wilhelm geschmort hatte. Eine Flinte müsste man haben. Pfifferlinge, noch lieber Butterpilze, Steinpilze. Helenes Augen wanderten über den Boden, sie quollen über, ihre Augen wollten aus den Höhlen springen. Ein Fliegenpilz mit kräftigem Hut, jung und geschwollen wie für ein Bilderbuch. Helene lief weiter, Peter immer hinter ihr her. Sie kreuzten die Bahnlinie. Ein sinnesbetäubender Gestank wehte ihnen entgegen. Nach Aas stank es, nach Urin und Exkrementen. Auf der Strecke stand in einiger Entfernung ein Viehtransport. Die rostigen Waggons waren bis oben geschlossen. Helene ging an den Gleisen entlang, Peter folgte ihr, aus der Ferne erkannte sie einen Polizisten. Womöglich war die Lok ausgefallen, das Vieh darbte bei langdauernden Transporten. Ein Hund bellte und Helene sagte nur: Komm.

Sie schlug den Weg in den Wald zurück ein. Sie mussten den Zug umgehen, in großem Bogen umrunden, um seinem Gestank zu entrinnen und den Hunden nicht über den Weg zu laufen.

Warum rennst du, Mutter?

Roch Peter nicht den Gestank? Sie musste würgen, durch den Mund atmen, am besten gar nicht atmen, Helene lief, die Zweige brachen, schlugen ihr ins Gesicht, sie hielt sich schützend die Arme vor die Augen, unter ihren Füßen brach morsches Holz, es glitschte unter ihren Füßen, sie rutschte, da stand ein Pilz, womöglich nur ein Bitterling, sie wollte nicht stehenbleiben, sich nicht bücken, keinesfalls verweilen, nur weiter, dem Gestank entgegen. Wenn sie den Zug erst in nordwestlicher Richtung umrundet hätten, würde es besser werden, der Gestank trieb nach Südosten, mit dem Wind, der von der See kam. Wieder drang die Trillerpfeife an Helenes Ohr. Vielleicht war ihnen Vieh abhanden gekommen? Vielleicht jagten sie Kühe sonntags im Wald, kleine Ferkel. Helene verspürte Hunger, sie musste an Grüne Klöße mit Steinpilzen denken. Die Bucheckern sprangen unter ihren Sohlen davon. Nur nicht bücken, so hübsch sie auch waren, die dreikämmrigen borstigen Hütchen, die glatten dreifaltigen Kerne, Eckern, sie schmeckten nussig, wenn man sie röstete, sie wollte sie Peter zeigen, nur nicht jetzt.

Sie hatten es geschafft, offenbar hatten sie den Zug eingeholt, in großem Bogen umrundet, der Gestank war fort. Waldesstille, das Surren von Insekten. Ein Specht.

Mutter, ich seh ein Eichhörnchen.

Helene wischte sich mit dem Handrücken den Schweiß von der Stirn.

In ihrem Weg lag der dicke und lange Stamm einer Buche, die Rinde schimmerte noch silbergrau. Zwischen den Astnarben tummelten sich die flachen, schwarzrotgefleckten Käfer, die sich paarweise verhakelt hatten; kleine Stoßmich-Ziehdichs. Wenigstens das hätte sie ihrem Peter vorlesen können, wenn schon nicht das Kalte Herz, das gruselte ihn zu sehr, so die Geschichte von Doctor Doolittle, käme sie noch zum Lesen, er würde seine Freude haben, aber es war ja noch Zeit, gewiss, sie hatten noch Zeit, eines Tages, bloß musste sie einmal früher aus dem Krankenhaus kommen und es in die Bücherei schaffen und das Buch vorhanden sein und sie es ausleihen. So ein Stamm, der wollte überwunden werden. Helene stellte ihren Korb ab und stützte ihre Hände auf, bloß keinen der Käfer zerdrücken, der Stamm federte nicht ein bisschen.

Mutter, warte!

Helene tastete nach einer geeigneten glatten Fläche, stützte sich mit beiden Händen auf den Stamm und schwang ein Bein hinüber. Der Stamm war so breit und stand aufgrund seiner Krümmung so hoch, dass sie auf ihm sitzen musste. Nur wie jetzt hinunter? Es knackte. Der Stamm konnte nicht brechen. Es knackte ganz nah. Der Gestank, da war er wieder, Helenes Hals wurde eng, sie musste würgen, sie schluckte und wollte nicht mehr atmen, keinen einzigen Zug mehr. Ein Übel, der Geruch, nicht Aas, nur Jauche, elende Jauche. Wie konnte das sein, sie waren ihm schon entronnen, dem Viehtransport, er lag hinter ihnen, ganz sicher. Ein Niesen. Helene drehte sich um. Unterhalb des Stammes, in der Grube, die das in den Himmel ragende Wurzelwerk hinterlassen hatte, kauerte ein Mensch. Helene öffnete den Mund, sie konnte nicht schreien. Ihr Schreck saß so tief, dass kein Laut aus ihrer Kehle kam. Der Mensch hatte sich geduckt, Zweige lagen über dem Buckel, den er machte, sein

Kopf war nicht zu sehen, er bohrte ihn in die Erde, wohl, weil er hoffte, zu verschwinden und hoffte, man sähe ihn nicht. Er zitterte so stark, dass die welken Blätter an den Ästen, die er über sich gehäuft hatte, wackelten. Wieder knackte es. Offenbar fiel es dem Menschen schwer, stillzuhalten, dass nichts ihn rührte und er nichts rührte.

Mutter? Peter war keine zehn Meter mehr entfernt. Sein verschmitztes Lächeln breitete sich über seinem Gesicht aus. Wolltest du dich verstecken? Er fragte es, er musste nicht mehr rufen, so nah war er. Helene ließ sich vom Stamm gleiten, sie rutschte und lief ihm entgegen, sie griff seine Hand und zog ihn fort.

Ich kann dir helfen, Mutter, wenn du nicht über den Baum kommst, ich helfe dir, ich kann das, du wirst sehen. Peter wollte zurück zum Baumstamm, er wollte keine andere Richtung einschlagen, er wollte balancieren und seiner Mutter zeigen, wie man über so einen Stamm kletterte. Aber seine Mutter setzte unbeirrbar einen Schritt vor den anderen und zog Peter hinter sich her.

Lass mich los, Mutter, du tust mir ja weh.

Helene ließ nicht los, sie rannte, sie stolperte, Spinnweben klebten ihr im Gesicht, sie lief und hielt dabei den Korb vor sich, als könne er die Spinnweben beseitigen, der Wald lichtete sich etwas, Farne und Gräser standen hoch, hier war es fast windstill, sie durften nicht rasten, sie mussten fort. Das Vieh war ein Mensch, womöglich waren es Menschen, die dort auf den Gleisen standen und faulten und stanken. Gefangene, wer sonst krümmte sich in so leichter Kleidung zitternd unter Ästen? Ein Entflohener. Womöglich war es einer der Transporte, die nach Pölitz gingen, dort für Nachschub sorgen sollten. Seit Kriegsbeginn konnte nicht genügend Treibstoff hergestellt werden, nicht genügend Arbeiter verpflichtet, Gefangene geknechtet, hingekarrt werden. Selbst Frauen, so hieß es in Gerüchten, die Schwestern sich hinter vorgehaltener Hand erzählten, arbeiteten in den Fabriken, schufteten, bis sie nicht mehr arbeiten noch essen und trinken konnten und eines Tages nicht mehr atmen mussten. Hatte sie das Gesicht des Geflohenen gesehen, hatte er den Kopf gehoben und sie in seine Augen geblickt, ängstliche Augen, schwarze Augen? Es waren Marthas Augen, die Helene jetzt sah. Marthas ängstliche Augen. Helene sah Martha in dem Viehwaggon, sie sah, wie Marthas nackte Füße auf den Exkrementen ausrutschten, wie sie Halt suchte, das Stöhnen der Gepferchten, das Ächzen des Menschen, sein Zittern, sein Eichenlaub und das Niesen. Ein Schuss fiel.

Ein Jäger, rief Peter, er juchzte.

Hunde bellten in der Ferne, ein zweiter Schuss.

Warte, Mutter. Peter wollte stehen bleiben, sich umsehen, er wollte erkennen, aus welcher Richtung die Schüsse kamen. Aber Helene wartete nicht, seine Hand rutschte aus ihrer, sie hastete weiter, stolperte, fiel und stützte sich auf umgefallene Stämme, hielt sich an Ästen und Zweigen und hörte nicht auf, einen Schritt vor den anderen zu setzen, einen Schritt vor den anderen, sie konnte laufen. Kaninchen mit Pfifferlingen, etwas ganz Einfaches, Häschen in der Grube, zwischen Berg und tiefem, tiefem Tal. Vor allem, im Tal. Vieh. Wie konnte sie nur einmal Kaninchen gegessen haben?

Sie liefen eine unbestimmte Zeit durch den Wald, bis Peter hinter ihr rief, er könne nicht mehr, und einfach stehen blieb. Helene ließ sich nicht aufhalten, sie setzte ihren Weg fort, rastlos.

Weißt du, wo wir sind? Peter rief hinter ihr.

Helene wusste es nicht, sie konnte ihm nicht antworten, sie hatte die ganze Zeit über darauf geachtet, dass die Sonne, sobald sie durch das Blätterdach fiel, ihre Schatten nach rechts warf. Warf die Sonne Schatten oder die Bäume? Helene fand keine Gewissheit. Eine einfache Frage, doch unlösbar. Womöglich war es der Hunger, der sie trieb, der ihr Herz jagen ließ, sie schwitzen machte. Ja, sie hatte Hunger. In ihrem Korb befand sich noch kein einziger Pilz, nur gerannt war sie und wusste nicht einmal, wohin. Sie hatte darauf achten wollen, dass sie nach Westen liefen und der Zug hinter ihnen blieb. Vielleicht war das gelungen. Sie mussten weiter, Helene sah, dass es dort hinten aufhellte, eine Lichtung, eine Rodung, eine Straße, was auch immer.

Eine Hand griff nach ihrer, Peter hatte sie eingeholt, seine Hand war fest und klein und dürr. Wie konnte ein kleiner Junge bloß so viel Kraft in seiner Hand haben? Helene wollte sich losmachen, aber Peter hielt sie fest, fest an der Hand.

Voran, ein Bein und zwei und drei, Helene ertappte sich dabei, wie sie ihre Schritte zählte, sie wollte entkommen, wegkommen, nur weg. Peter klammerte sich an sie, griff nach ihrem Mantel, sie schüttelte ihren Arm, sie schüttelte heftig, bis er loslassen musste. Sie ging voran, er hinterher. Sie lief schneller als er. Der sich lichtende Wald entpuppte sich als Fata Morgana, nichts lichtete sich, immer dichter wurde der Wald, das Unterholz, über den Kronen hatten sich Wolken gebildet. Die Wolken da oben trieben, sie jagten landeinwärts. Wie spät mochte es sein? Später Vormittag, Mittag, Mittag vorbei? Ihrem Hunger nach musste es spät sein, zwei, vielleicht schon drei, dem Stand der Sonne nach. Mutter! Pilze gebraten mit Thymian, einfach in Butter geschwenkt, mit Salz, mit Pfeffer, mit frischer Petersilie, ein paar Tropfen Zitrone, Pilze gedünstet, gebacken, gekocht. Roh, den ersten wollte sie roh verspeisen, gleich hier und jetzt. Helene lief das Wasser im Mund zusammen, sie stolperte voran, besinnungslos. Blätter und Zweige, Dornen von Beeren, Brombeeren vielleicht, und wo waren sie eigentlich, die Pilze? Mutter! Die Buchen blieben zurück, eine alte Schonung, nur Fichten noch und niedrige, immer niedrigere Fichten, die Äste hingen tief, die Nadeln knisterten, der Waldboden sank. Eine kleine Lichtung, weiche Mooshügel ragten aus den Nadeln. Ein Fliegenpilz und noch einer, die giftigen Wächter. Und da stand er vor ihr, den Schirm gebogen, dunkel und glänzend. Schon mussten sich Schnecken gelabt haben, ein, zwei kleine Mulden kündeten von früheren Fressern. Helene kniete, ihre Knie drückten sich in das Moos, sie neigte sich über den Schirm und roch. Das Laub, der Pilz, es roch nach Wald, nach Essen im Herbst. Helene legte ihren Kopf in das Moos, sie besah ihn von unten, die Röhren waren noch weiß und fest, ein prächtiger Pilz. Mutter! Es klang wie aus weiter Ferne. Helene drehte sich um. Da standen sie Spalier in der Senke, ein Pilz am anderen, Jünglinge der letzten Nacht, Helene kroch auf allen vieren unter die Äste, bahnte sich mit den Händen den Weg, hielt Zweige zur Seite und robbte und legte sich auf den Waldboden. Wie es duftete. Mutter! Helene griff nach einem Pilz, brach ihn und steckte ihn ganz in den Mund, das mürbe, feste Fleisch zerfiel fast auf der Zunge, was für ein Genuss. Wo bist du? Peters Stimme knickte, er fürchtete sich, er konnte sie nicht sehen und glaubte sich allein. Wo bist du! Seine Stimme überschlug sich. Helene hatte ihren Korb auf der Lichtung stehen lassen. Der zweite Pilz war noch kleiner, fester, frischer, sein heller Stamm war bald dicker als der braune Hut. Mutter! Peter kämpfte mit den Tränen, sie sah seine dünnen Jungenbeine durch die Zweige, wie er über die Lichtung stapfte und an ihrem Korb stehen blieb, sich bückte und wieder aufrichtete. Beide Hände formte er vor dem Mund zum Trichter: Mutter!

Es gab kein Echo, oben in den Wipfeln rauschte der Wind, er peitschte die obersten Äste, er wollte die Erde erreichen. Der Junge schrie es in jede Richtung. Mutter!

War es nicht einfach, stillzuhalten? Die einfachste Übung schlechthin, kein Zittern, kein Knacken, nur Stille.

Der Junge setzte sich auf den Hosenboden und weinte. Es war kein Spaß. Wenn sie jetzt wenige Meter neben ihm aus dem Gebüsch käme, würde er wissen, dass sie ihn beobachtet und sich absichtsvoll versteckt hatte. Mit welcher Absicht, warum? Helene schämte sich und hielt still, und der Junge weinte. Sie atmete flach, nichts einfacher als das. Kein Niesen, kein Verrat.

Die Ameisen kitzelten sie, an der Hüfte brannte es schon, die winzigen Biester gelangten in ihre Kleider und bissen. Eine feingliedrige rote Spinne, nicht größer als ein Stecknadelkopf, krabbelte auf ihrer Hand. Der Junge stand auf, er blickte in jede Richtung, nahm ihren Korb und machte sich auf den Weg in südöstliche Richtung. Dumm war er nicht, es war die Richtung zurück zum Dorf und zur Stadt. Helene stopfte sich einen Pilz nach dem anderen in den Mund, wie süß war das Alleinsein, das Kauen, die Ruhe.

Als sie seine Schritte im Unterholz nicht mehr hörte, kroch sie aus ihrem Versteck. Nadeln und Borke klebten an ihrem kurzen Mantel. Sie klopfte sich den Rock ab. Es raschelte, ein Vogel flog auf. Helene lief zwischen den Fichten und den jungen Eichen in den Wald, in die Richtung, in der er verschwunden war. Sie rief, Peter, und er antwortete schon auf der zweiten Silbe seines Namens, mit hoher Stimme, erleichtert, glücklich, das Lachen voll Ungeduld, schrie er: Hier bin ich, Mutter, hier.

Eine feine Naht, die Haut über dem Auge so zart, das Auge des Verletzten, eines Vaters, des Krieges. Der Augapfel war unter dem geschwollenen Fleisch kaum erkennbar. Helene zupfte mit der Pinzette die Glassplitter aus dem Gesicht, aus der Stirn, aus der Schläfe, feinste Glassplitter aus der einen Wange, die noch erkennbar war, aus der anderen, die nur Fleisch und roh und blutig war. Der Verletzte rührte sich nicht, nach mehreren Anläufen war es dem Arzt trotz geringer Dosis gelungen, den Mann zu betäuben. Die Medikamente waren knapp, die meisten Menschen mussten ohne Narkosen behandelt werden. Sie lagen auf Pritschen, auf Bettgestellen, die andere aus den Häusern geschleppt hatten, manche kauerten auf dem Boden, weil es nicht gelang, genügend Liegestätten zu beschaffen, unter Zeltplanen und in den Remisen des Krankenhauses, das weitgehend zerstört war. Helene tupfte die rostrote Tinktur auf die Wunden, sie verlangte nach Gaze, aber keine der Schwestern hatte mehr welche. Das kleine Mädchen starrte sie stumm an, seit Tagen, sie hatte das Haar vorn etwas versengt, eine Beule, sonst nichts, und ihre Mutter verloren. Sie sprach kein Wort mehr. Man musste sie fortschaffen aus dem Krankenhaus, irgendwohin, aber wer fand schon Gelegenheit, sich Gedanken zu machen. Hier bekam sie Suppe, sobald es jemand schaffte, eine zu kochen, sobald das Gas wieder da war und wenn wieder Wasser aus dem Hahn kam.

Bald nach den letzten Angriffen war im März die Frauenklinik ins Seebad Lubmin bei Greifswald evakuiert worden.

Helene hatte versprochen, dass sie nachkommen werde, sobald sie die Not der Verletzten in der Stadt gemildert hätten; von ihrem Jungen sprach sie nicht mehr.

Die Zange, Schwester Alice, die Pinzette. Helene lief, sie reichte die Instrumente, sie öffnete das Bauchfell, sie schnitt, weil es schnell gehen musste und der Arzt jetzt im anderen Zelt eine junge schwangere Frau versorgte, die bloß ihren Fuß verletzt, vielleicht verloren hatte. Helene schnitt und sie nähte, sie stillte mit Tamponaden, ein Mädchen hielt ihr die Instrumente, das Skalpell und die Schere, die Zange und Nadeln. Helene arbeitete Tag und Nacht, manchmal schlief sie ein, zwei Stunden in dem Schuppen, den sich die Schwestern als Küche hergerichtet hatten. Nur selten dachte Helene daran, dass sie einmal zu Hause nach dem Rechten schauen musste. Peter sollte zur Schule gehen. Er widersprach, die Schule gebe es nicht mehr, dann eben zum Unterricht, mein Gott, er sollte sich etwas zum Essen besorgen, er hatte zwei Beine, oder nicht, er musste schauen, wo er blieb. Hatte er nicht Glück gehabt? Bei keinem der Angriffe war ihm etwas zugestoßen. Einmal im Winter hatte er eine Hand mitgebracht und nichts über die Hand sagen wollen. Womöglich hatte er sie auf der Straße gefunden, die Hand, eine Kinderhand. Helene hatte ihre Mühe gehabt, ihm die Hand abzunehmen. Er wollte sie nicht loslassen. Der Junge musste fort, keine Frage, sie konnte ihn nicht gebrauchen, er sollte seine Hausaufgaben machen, den Ofen heizen, er sollte selbst schauen, wo er Kohlen oder Holz fand, es lag doch überall herum, sie musste ihn allein lassen, seit Wochen, seit Monaten. Wenn sie nach Hause kam, sah er sie aus großen Augen an, immerzu wollte er etwas wissen, er fragte, er wollte wissen, wo sie gewesen sei, und er wollte, dass sie bei ihm blieb. Mit seinen Händen griff er nach ihr, legte sie sich zu ihm ins gemeinsame Bett, umschlangen sie seine Arme wie ein Krake. Tentakeln, er saugte sich fest. Seine Arme nahmen ihr die letzte Luft. Aber sie konnte nicht bleiben, sie hatte zu tun. Mit niemandem sprach sie mehr. Mutti! Eine alte Sterbende rief von ihrem Lager her. Das war Helene nicht, Helene war niemandes Mutti, sie musste sich nicht umdrehen, sie konnte schweigen und tupfen, nähen und verbinden. Sobald es Wasser gab, wusch sie die Verletzten, notdürftig, die Kranken, kaum hielt sie noch Hände von Sterbenden, es starben zu viele, zu viele Hände, zu viele Stimmen, das Ächzen und Stöhnen, schließlich das Verstummen, die Laken mussten geschlossen, die Leichen auf die Wagen geschleppt werden. Zurück zur Operation, ein Mann musste zum vierten Mal operiert werden, am Schädel, der Arzt wollte, dass Helene ihm zur Seite stand, ob da noch etwas zu retten war, das wusste niemand, aber es wurde operiert. Der Brückenkopf war gesprengt, vor der Stadt lauerte die Rote Armee, die Wut der Ausgehungerten, als erstes drangen die Geschichten ein, wie sie Blut geleckt hatten, wie sie sich vorwärtsschlugen, dass man sich fürchten sollte, schon drang sie ein, die Rote Armee, eine Mullbinde fehlte, eine Kompresse, irgendein Wundverband. Wie lang war es her, dass sie zu Hause gewesen war, ein Tag oder zwei? Sie konnte es nicht mehr sagen. Zuletzt hatte sie in der vorigen Nacht wenige Stunden auf der Liege im Schuppen geschlafen, im Wechsel mit anderen Schwestern, nur einmal hatte sie in diesen Monaten etwas geträumt, sie hatte Menschen aneinandergenäht, einen Menschen an den anderen, ein großes Menschengeflecht entstand da, und sie wusste nicht, welcher Teil davon lebendig und welcher schon tot war, nur genäht hatte sie, einen an den anderen, alle sonstigen Nächte und Stunden des Schlafs blieben traumlos, angenehm schwarz, Helene eilte nach Hause, es war schon dunkel, sie schaute nicht auf, betrachtete keinen Schaden, keinen sachlichen, was war diesem Haus geschehen, was jenem, sie eilte voran, sie musste Peter sagen, dass er ein neues Schloss besorgen sollte. Helene hastete, schneller sollten die Füße sie tragen, sie kam nicht vorwärts, der Boden unter ihren Füßen gab nach, sie rutschte, Steine, Geröll, Sand, sie trat, trat die Erde, rutschte tiefer, langsam immer tiefer, ihre Füße bohrten sich mit dem Sand in den Boden, sie nahm die Hände zu Hilfe, auf allen vieren musste sie hinaufkommen und rutschte doch wieder zurück. Ein Bombentrichter konnte zur Falle werden, zur Zeitfalle, zur Nachtfalle. Ein Schritt hinein und keine tausend führten hinaus, man konnte sich anstrengen, so sehr man wollte. Helene rief nicht, es waren zwar noch einige Menschen unterwegs, aber jeder auf seinem Weg, keiner auf ihrem. Ihre Hände tasteten, sie nahm neuen Anlauf, sie tastete oben und tastete unten, bis sie etwas Festes spürte und etwas greifen konnte. Es war so dunkel, dass sie nicht erkennen konnte, was es war. Sie hangelte sich an dem Festen entlang, einem Kabel vielleicht, ein festes Kabel, ein Wasserrohr, gebogen, dann etwas Weiches, das Weiche ließ sie los, es konnte ein Mensch sein, ein Leichenteil, an dem Festen hangelte sie sich, an ihm zog sie sich und kletterte hinauf. Die Straße war schwarz, dunkel der Himmel, in keinem der Häuser brannte Licht, Stromausfall vielleicht. Das Pflaster war vom Nieselregen glatt. Diebe! Aus der Ferne drang die Stimme einer aufgebrachten Frau, die sich über Plünderungen beschwerte. Wer wollte sich in dieser Nacht mit ihr ereifern, in der nächsten, in der übernächsten? Aus einem der schwarzen Fenster lehnte ein junger Mann. Mit ausgebreiteten Armen rief er in die Nacht: Der Erlöser, der Erlöser! Nur selten sah man noch junge Männer, sie mussten schon vom Erlöser sprechen, womöglich glaubte er daran, an die Erlösung. Was weg war, war weg. Helene musste aufpassen, dass sie nicht ausglitt. Helene hörte Männer hinter sich. Anzügliche Worte, sie ging schneller, sie lief. Bloß nicht umdrehen. Eine Verkleidung wäre gut; die Erde duftete nach Frühling, staubige Nacht im Frühling.

Sie musste etwas entscheiden, sie ahnte es; nein, es war keine Entscheidung, nur noch den Entschluss, den musste sie fassen. Alle Deutschen waren aufgefordert, die Stadt zu verlassen, hier war nichts mehr, kein Unterricht, kein Fisch für Peter. Wohin ihn schicken? Er würde sich nicht trennen, niemals, nicht freiwillig. Sie hatte keine Zeit für ausgedehnte Reisen, bringen konnte sie ihn nicht, auch wusste sie nicht, wohin. Unter keinen Umständen würde Peter sich schicken lassen. Jeden Vorwand ahnte er, entdeckte jede noch so zarte Fadenscheinigkeit. Dabei hatte sie nichts mehr für ihn, die Worte waren schon lange aus, sie hatte weder Brot noch eine Stunde, ihr blieb gar nichts für das Kind. Helenes Zeit bedeutete Linderung, Linderung für die Kranken, ein bisschen länger leben, ein bisschen schmerzloser. Es pocht eine Sehnsucht an die Welt, an der wir sterben müssen. Warum ihr diese Else immer im Kopf spukte? Nicht sterben, Else, nur erlöschen. Und das war gut so. Helene gab sich den Verletzten und Kranken, die fragten sie nichts; bloß Hand anlegen, das sollte sie, sie konnte das.

Zu Hause fand sie Peter in ihrem Bett. Er schlief schon. Sie zündete eine Kerze an und legte die Sprotte, die sie in einer Zeitung eingewickelt in ihrer Kitteltasche mitgebracht hatte, auf den Tisch. Er würde sich freuen, eine Sprotte zum Frühstück. Sie nahm den kleinen ochsenblutfarbenen Koffer aus dem Schrank und öffnete ihn. Auf den Boden des Koffers legte sie den Wollstrumpf, gefüllt mit Wilhelms Geld. Darauf zwei Hemdchen, zwei Unterhosen, einen Pullover, den sie ihm erst im Herbst gestrickt hatte. Der Schlafanzug, den er trug, war ihm schon viel zu kurz. Warum musste Peter ausgerechnet jetzt wachsen? Sie würde sich noch in dieser Nacht an die Nähmaschine setzen, die sie nach dem Brand aus der Nachbarwohnung hinüber in ihre geschafft hatte. Sie würde ihm einen neuen Schlafanzug nähen, nichts Aufwendiges, einen ganz einfachen. Stoff dafür gab es. Wozu sonst hatte sie all die Jahre einen Schlafanzug von Wilhelm aufgehoben? Sie legte zwei Paar Strümpfe in den Koffer und sein Lieblingsbuch, in dem er seit Monaten die Geschichten wieder und wieder las, die Sagen des klassischen Altertums. Ohne langes Überlegen schrieb sie auf einen Zettel: Onkel Sehmisch, Gelbensande. Es würde ihn doch geben, jenen Bruder von Wilhelm? Zumindest eine Frau, die auf ihren Mann dort wartete, der bald aus dem Krieg heimkehren würde. Auf dem Land gab es noch etwas zu essen. Sie sollten für Peter sorgen, Wilhelms Geld konnte vielleicht helfen. Sie legte den Zettel mit der Adresse vom Onkel und Peters Geburtsurkunde unter den Geldstrumpf, ganz nach unten, er durfte nicht vorzeitig entdeckt werden. Auch den Fisch sollte Peter bekommen, er sollte ihn in dem Koffer mitnehmen, den aus Horn geschnitzten Fisch. Was sollte sie noch mit dem Fisch? Leontines Brief verbrannte sie in einem Topf auf dem Herd, alle Briefe verbrannte sie jetzt. Sobald sie Stettin verlassen musste, würde sie sich auf den Weg machen und Martha suchen, sie musste Martha finden. Sie spürte genau, dass Martha noch lebte, natürlich lebte sie. Vielleicht war das Arbeitslager ein sicherer Ort gewesen. Ein sicherer Ort zum Leben? Auch Martha war zäh, zäh genug. Wer wusste schon, wohin es sie verschlagen würde? Helene wollte über Greifswald fahren, über Lubmin, ihre Patientinnen brauchten sie. Helene nähte den Schlafanzug für Peter, das gleichmäßige Treten ließ sie ruhiger werden. Es sollte ihm an nichts mangeln, deshalb musste er fort, fort von ihr. Helene weinte nicht, sie war erleichtert. Die Aussicht, dass er es besser haben würde und jemand mit ihm sprechen würde, über dies und jenes und die Sonne am Abend, das machte sie froh. Helene nähte das Bündchen doppelt, und eine kleine Tasche nähte sie in das Oberteil. In die Tasche steckte sie ihren Ehering. Ein wenig Gold, das konnte nicht schaden. Die Tasche nähte sie zu. Sie legte den Schlafanzug zuoberst in den Koffer. Sie durfte ihm nicht sagen, dass es um den Abschied ging. Er würde sie nicht gehen lassen.

# Epilog

Peter hörte, was ihm sein Onkel sagte. Jetzt kommt die, was sich deine Mutter nennt. Der Onkel schnaubte in sein kariertes Taschentuch und spuckte verächtlich in Richtung Misthaufen. Na, jetzt aber schnell, sagte er mit einem Blick gen Himmel zu den Kranichen. Die anderen waren schon vor Wochen nach Süden gezogen. Peter sollte dem Onkel helfen, den Stall auszumisten. Er sollte ja nicht glauben, er sei zum Faulenzen da. Nur weil er in der Schule so schlau tue, solle er sich nicht zu fein sein. Peter war sich nicht zu fein. Er half im Stall, er half beim Melken, er bekam seine Milch, und er hatte seinen eigenen Schlafplatz auf der Küchenbank. Er wurde gelitten.

All die Jahre meldet die sich nicht, schimpfte der Onkel. Hat sich einfach verdrückt. So was soll eine Mutter sein. Verächtlich schüttelte der Onkel den Kopf und spuckte wieder aus. Mit der Mistgabel stocherte der Onkel in dem großen Haufen. Sieh zu, dass der hier unten nicht in die Breite geht, Peter, immer schön oben drauf.

Peter nickte, er lief vor, zur Stalltür, die schon geschlossen gehalten wurde, weil es ein ungewöhnlich kalter Herbst war. Er öffnete die Tür. Den warmen Atem der Tiere mochte er, ihr Grunzen und Muhen, das Malmen und Schmatzen. Sie hatte sich für seinen Geburtstag angemeldet, für seinen siebzehnten. Peter wusste, dass der Onkel sich über seine Mutter ärgerte. Seine Frau und er hatten keine eigenen Kinder, offenbar wollten sie auch nie welche haben. Peter war zu einer guten Hilfe auf dem Hof herangewachsen, aber die ersten Jahre waren schwer, man glaubte, man müsse sich aneinander gewöhnen, und wusste nicht, ob es für einige Wochen oder einige Monate sein würde. Inzwischen war allen klar, dass es ein Bleiben für immer war, bis Peter alt genug sein würde. Niemand hatte sich an den anderen gewöhnt, sie ertrugen einander. Bei jeder Ausgabe für ein Kleidungsstück hatten Onkel und Tante geächzt. Das Fahrrad, mit dem Peter in die Schule erst nach Graal-Müritz und später zum Bahnhof und nach Rostock fuhr, hatte er sich aus tauglichen Einzelteilen zusammenbauen und die tauglichen Einzelteile selbst finden und im Notfall verdienen sollen. Er hatte verdient, indem er den ersten Feriensommer von früh bis spät Heu gewendet hatte. Danach konnte er es, er hatte Onkel und Tante bewiesen, dass er sich nützlich machen konnte. Das war gut so. Auch sollte er nicht viel essen, aß er einmal zuviel, wurde gesagt: Der frisst uns noch alle Haare vom Kopf. Immer wieder hatten Onkel und Tante die Hoffnung geäußert, dass jemand kommen und Peter holen werde, die Mutter, vor allem die Mutter sollte kommen, hatte die doch damals ihre Adresse angegeben. Onkel Sehmisch, Gelbensande. Einfach so, ohne zu fragen. Aber sie blieb lange verschollen. Auch der Bruder hätte sich mal blicken lassen können, der Bruder, der inzwischen mit seiner neuen Lebensgefährtin am Markt in Braunfels bei Wetzlar residierte, vornehm im Westen. Da war man wer und hatte keine Zeit für so ein Balg. Noch einer zum Füttern, so hatte man Peter in den ersten Jahren auf dem Hof genannt.

Woher kommt sie, kommt sie aus dem Westen? Peter wusste, dass seine Frage den Onkel nur zu neuem Ärger reizen würde, aber er wollte es wissen, er wollte wissen, woher sie kam.

Papperlapapp, Westen. Lebt in der Nähe von Berlin. Will dich mal sehen, pff. Der Onkel rümpfte die Nase und blickte Peter nicht an. Die Tante hat gleich geschrieben, ob sie dich zurückhaben will. Haben wir sie gefragt. Von wegen. Zurückhaben. So wären ihre Verhältnisse nicht, pff, lebt ganz bescheiden mit ihrer Schwester in einer Einzimmerwohnung, arbeitet viel. Pff.

Der Onkel bückte sich. Und arbeiten wir nicht alle viel? Hier, Peter, pack mal an. Peter hob den Trog an, der Onkel hob ihn am anderen Ende in die Höhe, gemeinsam trugen sie den Trog in den hintersten Stall, wo in diesen Tagen die stallälteste Sau werfen sollte.

Peter wusste jetzt, dass sie aus der Nähe von Berlin kam. Sie hatte keinen Mann, sie wollte ihn trotzdem nicht zurück. Nur sehen wollte sie ihn mal. Peter spürte, wie er die Lippen aufeinanderpresste, mit den Zähnen die spröde Haut löste, weichte, knabberte und abzog. Was fiel ihr nur ein? Nach all den Jahren. Er ließ sich nicht nur mal sehen, in gar keinem Fall. Sollte sie ruhig kommen.

Der Onkel holte die Mutter am Morgen vom Bahnhof Gelbensande ab, sie sollte mit dem Zug über Rostock eintreffen. Der Onkel fragte, ob Peter ihn zum Bahnhof begleiten wolle, aber die Tante sagte, die Sau habe in der Nacht geworfen, einer müsse sich um die Ferkel kümmern. Die Sau hatte zu viele Ferkel geworfen, es fehlten zwei Zitzen und die zwei überzähligen Ferkel drohten totgebissen zu werden oder zu verhungern, weil jedes einzelne Ferkel eifersüchtig über seine Zitze wachte. Peter ging gerne in den Stall, er kniete sich neben die liegende Sau und suchte unter den saugenden Ferkeln das kräftigste aus. Die hellen Borsten der Sau waren entlang der Milchleiste seltsam weich, ihre Zitzen waren unterschiedlich gefüllt, manche groß und knotig, andere klein und lang. Die Ferkel machten ihre Augen noch gar nicht auf. Peter zog das kräftigste Ferkel von seiner Zitze weg, es quietschte, als wollte man es erstechen. Er würde es eine Weile auf dem Arm tragen, so dass eines der zwei Schwachen in der Zeit an seiner Zitze liegen konnte. Mit dem Ferkel im Arm stapfte Peter durch das Stroh. Er kletterte die schmale Leiter hinauf zum Heuboden. Dort war es trocken und warm, noch wärmer als unten. Hier versteckte sich Peter manchmal, zum Träumen und Lesen. Durch die Ritze der Dachluke konnte man gut den ganzen Hof überblicken. Von hier oben war das Tor zu sehen, die Einfahrt, der Anfang der Pappelallee. Er nahm sein Klappmesser aus der Hose und ritzte in den schon reich verzierten Rahmen eine kleine Kerbe, noch eine, ein Muster, ein Ornament. Es dauerte nicht lang, bis es knatterte und der kleine Lastwagen in Peters Blickfeld erschien. Der Onkel stieg aus, öffnete das Tor, stieg wieder ein, fuhr auf den Hof und stieg wieder aus, um das Tor zu schließen. Hasso schlug an und sprang am Onkel hoch. Er war ein gutmütiger Schäferhund, scharf genug, um den Hof zu bewachen. Den letzten Hund, einen großen Mischling, den Peter sehr ins Herz geschlossen hatte, hatte der Onkel einschläfern lassen, weil er nicht laut genug angeschlagen hatte. Die andere Tür des Wagens öffnete sich und eine junge Frau stieg heraus. Von hier oben sah sie aus wie ein Mädchen, die schlanken Beine unter dem Rock, der modische Mantel im Pepitamuster, das blaue Kopftuch. Peter erkannte ihre blonden Haare wieder, die so hell schienen, als seien sie weiß geworden. Ihre vertraute Gestalt, wie sie ging, wie sie einen Fuß vor den anderen setzte, Peter bekam eine Gänsehaut. Sie trug ein kleines Täschchen und ein Einkaufsnetz in der Hand. Zögerlich blickte sie sich um. Vielleicht hatte sie ihm ein Geschenk mitgebracht. Wie alt mochte seine Mutter jetzt sein? Peter rechnete schnell, sie musste siebenundvierzig sein. Siebenundvierzig! Immerhin, sechs Jahre jünger als Onkel und Tante. Das Ferkel auf Peters Arm quietschte. Peter beobachtete, wie der Onkel mit der Mutter im Haus verschwand. Gewandt stieg Peter die Leiter hinunter und brachte das Ferkel zurück.

Peter! Das war die Stimme des Onkels. Er musste vor die Tür getreten sein, um nach Peter zu rufen. Peter hielt still, er antwortete nicht. Reinkommen, Kaffee trinken!

Noch nie hatte der Onkel ihn zum Kaffeetrinken gerufen. Nur heimlich hatte Peter sich einmal etwas aus der Kanne eingegossen und den Kaffee mit viel Milch und Zucker gekostet.

Peter wartete, bis er nur noch das Schnaufen und Atmen der

Tiere hörte, und kletterte wieder hinauf in sein Versteck. Durch die Ritze konnte er das Haus sehen, über die Eingangstür ragte ein hölzernes Dach, mit Bänken links und rechts, wo man sich die Gummistiefel ausziehen und in die Holzpantinen steigen konnte. Wenn es kalt war wie jetzt, dann legte Hasso sich auf die Bohlen zwischen die Schuhe und Bänke. Er fraß gerne an den Schuhen, das war sein einziges Laster, es wurde ihm verziehen, weil er so gut anschlug. Peter konnte durch die Ritze der Dachluke Hassos Schwanz erkennen, der in regelmäßigen Abständen auf die Bohlen schlug. Dann beobachtete er, wie Hasso aufsprang und mit dem Schwanz wedelte. Der Onkel erschien unter dem Vordach und brüllte: Peter!

Schon an dem vereinzelten Ruf seines Namens war erkennbar, dass Rücksicht auf den Besuch genommen wurde. Niemals wäre der Onkel sonst so geduldig, würde seinen Namen rufen, anstatt zu fluchen, über den Lümmel, und wo der schon wieder steckt. Peter musste lächeln. Gleich würde sie unter dem Dach erscheinen. Womöglich würde sie seinen Namen rufen? Peter spürte seine Erregung. Er würde sich nicht zeigen, niemals. Peter! Sollten sie nur rufen, auf ihn warten, hoffen, dass er käme. Mit einer Hand tastete Peter nach seiner Hose, überall an seiner Hose hing Heu und Stroh.

Wart nur, hörte er den Onkel zum Hund sagen, dem werd ich Beine machen. Peter musste mal, aber er wollte seinen Platz nicht verlassen, er wollte sie sehen, wie sie unter dem Dach erscheinen und nach ihm Ausschau halten würde.

Wo ist Peter? Hörte Peter den Onkel fragen. Fass, Hasso, fass. Der Onkel schlug sich ungeduldig auf den Oberschenkel. Gewiss hatte die Tante drinnen schon die Kartoffeln aufgesetzt. Die Mutter sollte zum Mittag bleiben. Die Tante wollte Kohlrouladen machen. Peter hatte vorgeschlagen, sie solle Saure Heringe machen. Er dachte sich, seine Mutter habe die genauso gern gemocht wie er. Rollmöpse und Saure Heringe. Aber die Tante mochte keinen Fisch. Sie wohnten acht Kilometer von der

Küste entfernt und die Tante hatte ihr Lebtag keinen Fisch gegessen. Also gab es nie einen. Peter musste daran denken, wie seine Mutter ihm früher öfter einen Fisch zubereitet hatte. Wacholder, das Wort kam ihm in den Sinn. Was für ein schönes Wort. Er sprach es laut: Wacholder. Das waren so kleine schwarze Beeren, mit denen seine Mutter den Fisch gegart hatte. Peter hatte gerne an ihren Händen gerochen; selbst, wenn sie den Fisch ausgenommen und gegart hatte, dufteten ihre Hände wunderbar. Vielleicht konnte er ihn eines Tages vergessen, den Geruch seiner Mutter. Erst gegen vier Uhr sollte ihr Zug von Gelbensande über Rostock zurück nach Berlin gehen. Hasso wedelte mit dem Schwanz. Offensichtlich nahm er den Suchbefehl des Onkels nicht ernst.

Peter holte sein Taschentuch aus der Hosentasche und wischte seine Hände ab. Er musste sich häufig die Hände abwischen, mehrmals am Tag. Die anderen Jungen in der Schule erzählten, man werde unfruchtbar davon. Das war gut. Peter konnte sich nicht vorstellen, selbst einmal Kinder zu zeugen. Jetzt erschien seine Mutter unter dem Vordach. Sie trug das Kopftuch nicht mehr, und auch den Mantel hatte sie drinnen wohl abgelegt. Ihr Haar war hochgesteckt. Sie musste frieren. Peter sah, wie sie ihre Arme verschränkte und unschlüssig auf der kleinen Treppe unter dem Vordach stehen blieb. Vor ihrem Gesicht stand weiß ihr Atem. Ein schönes Gesicht hatte sie. Ebenmäßig und groß. Ihre gewölbte, hohe Stirn, die schmalen Augen, von denen Peter noch genau wusste, wie hell sie leuchteten, so hell wie die Ostsee im Sommer. Der Onkel war in den Hof getreten und forderte Hasso auf, nach Peter zu suchen. Such, Hasso, such. Peter sah, wie der Onkel auf den Stall zuging, schließlich hatte man Peter heute Morgen ja gesagt, er solle auf die Ferkel aufpassen. Der Onkel verschwand aus dem Blickfeld und Peter hörte die Tür unter sich. Vorsichtig und leise zwängte er sich zwischen die Strohballen. Er hörte, wie der Onkel seinen Namen rief, und dann hörte er ein Klappern, ein Rumsen, als stampfe der Onkel mit dem Fuß und stoße einen Eimer um, das Quietschen der Ferkel, als trete er sie.

Die Schritte des Onkels führten unten durch den Stall, vielleicht vermutete er Peter hinten bei den Kühen. Noch einmal drang sein Name zu ihm herauf, dumpf durch das Stroh. Hasso bellte, diesmal nur kurz und weit weg.

Nachdem die hintere Stalltür zugefallen war und die Luft sauber schien, kroch Peter aus seinem Versteck. Die Ritze gab den Blick auf das Vordach frei, auf Hasso und den Onkel. Die Mutter war bestimmt wieder hineingegangen, in die Wärme. Ob sie etwas fragte, sich nach ihm erkundigte? Vielleicht war sie stolz, dass er auf die Oberschule ging. Onkel und Tante sprachen ungern darüber, sie hatten sich aber nicht getraut, dem Lehrer und seiner Empfehlung zu widersprechen. Na meinetwegen, hatte der Onkel nach dem Gespräch in der Schule gesagt. Solange Peter auf dem Hof half, sollte er noch zur Schule gehen. Peter wusste schon, wohin er später wollte. In Potsdam bei Berlin war vor wenigen Wochen eine Filmhochschule eröffnet worden, er hatte in der Zeitung darüber gelesen. Im Radio war eines Sonntags ein langer Bericht gekommen, dass man junge, talentierte Menschen ausbilden wolle. Wer weiß, vielleicht war er so einer. Sie würden sich noch alle umschauen, der Onkel und die Tante, der Vater und die Mutter.

Unten im Stall ging ein Schnattern und Flattern durch die Gänse. Jemand musste sie aufgescheucht haben, Gänse schnatterten nicht einfach so drauflos. Nur wenn sie Hunger hatten oder jemand sie ängstigte. Peter wäre gerne hinuntergestiegen und hätte nachgesehen, aber es war zu gefährlich. Drüben aus dem Schornstein stieg Rauch auf. Es war Mittagszeit, Peter hatte Hunger. Essen, rief diesmal die Tante unter dem schmalen Dach hervor, Peter, essen kommen!

Es war ihm eine Lust, dem Hunger und dem Angesicht der Mutter zu widerstehen, eine unbändige, eine zwingende, eine süß schmerzhafte Lust. Peter stellte sich vor, wie sie beim Essen saßen, der Onkel schimpfend, die Tante verlegen und nur leise fluchend, die Mutter schweigend. Ob die Mutter auf der Küchenbank saß, die ihm nachts als Bett diente? Gewiss würde sie nicht fragen: Wo schläft er denn? So etwas fragte sie nicht, sie musste dankbar sein, dass er die letzten Jahre hier hatte wohnen dürfen. Einmal hatte Peter gehört, wie Onkel und Tante nachts um Geld gestritten hatten, es hatte geklungen, als schicke sein Vater hin und wieder Geld für ihn. Aber Peter wusste davon nichts; was er wusste, war, dass er sich sein Bleiben verdienen sollte, und er verdiente es sich, sein Bleiben und die Zeit, die er auf dem Hof fehlte, wenn er zur Schule ging. Wie sie wohl von ihm sprach? Sagte sie mein Peter, sagte sie einfach nur Peter, oder gar der Junge? Vielleicht sprach sie gar nicht von ihm. Vielleicht schwieg sie. Sie mochte nicht verstehen, warum er nicht auftauchte. Es konnte ihr peinlich sein, dass ihr Sohn so ungezogen war und sie nicht sehen wollte. Sollte es sie peinigen. Peter stemmte die Faust auf die Beule in seiner Hose, er drückte sich, er boxte sich zärtlich. Sie sollte abhauen, die Mutter da unten, sie sollte endlich gehen. Begriff sie nicht, dass sie umsonst wartete? Sie würde ihn nicht mehr zu Gesicht bekommen, jetzt nicht, heute nicht, und nie mehr. Sollte sie ihre blonden Locken aus der Stirn streichen, ihre weißen Schürzen waschen und zu irgendeiner Schwester in die Nähe von Berlin zurückfahren. Weg mit ihr, nur weg!

Peter starrte durch die Ritze in der Fensterluke. Große und weich wirkende Flocken taumelten in der Luft. Man konnte nicht sagen, dass sie fielen, sie schwebten, sie tanzten aufwärts und östlich und blieben auf den buckligen Steinen unten im Hof liegen. Wie oft hatte er sich als Kind vorgestellt, dass er von Onkel und Tante weglaufe, hinaus auf den Acker, in den Schnee. Dass er sich dort in den Schnee legen und einfach warten würde, bis das Atmen aufhörte. Aber damit war es jetzt vorbei, den Gefallen würde er ihnen nicht tun, er wollte sie warten und zappeln lassen und einfach allein seiner Wege gehen. Er brauchte niemanden.

Hasso bellte und lief zum Tor, er wedelte mit dem Schwanz. Jemand mit einem Fahrrad und einem Milchkübel am Lenker öffnete das Tor und wischte sich die Schneeflocken aus dem Gesicht. Sie trug ihren roten Anorak, Bärbel. Bärbel war etwas Besseres, etwas viel Besseres. Zumindest glaubte sie das. Ihre Eltern schickten sie am Wochenende herüber, damit sie Milch holen kam. Bärbel war so alt wie Peter, sie lernte schon Verkäuferin in Willershagen. Im Sommer sah er sie manchmal in Graal-Müritz am Strand. Peter wurde es nur selten gestattet, mit dem Fahrrad durch die Rostocker Heide an die Küste zu fahren. Dabei ging das schnell. Manchmal fuhr er, ohne um Erlaubnis zu bitten. Am Strand konnte man die Mädchen und Jungen sehen, sie waren fast nackt. Auch Bärbel. Bärbel glaubte, dass ihr die Welt gehörte, weil der Strand und die Sommergäste ihr zu Füßen lagen. Niemand sah, wie sie jetzt im Winter mit ihrem Milchkübel über den Lenker auf den Hof kam und ausrutschte. Sie rutschte wirklich aus, sie fiel der Länge nach hin, das Fahrrad mit ihr, und Hasso bellte und wedelte mit dem Schwanz. Der Onkel erschien unter dem Vordach. Er konnte nicht wissen, wie Bärbel im Sommer am Strand aussah, weil er nie zum Strand fuhr. Trotzdem mochte er Bärbel und wollte nicht, dass Peter oder die Tante Bärbel die Milch abfüllten. Das wollte der Onkel lieber allein machen. Bärbel war eine blöde Pute. Sie hatte zu Peter gesagt, er sei ein Spätentwickler. Sie hatte recht, mit allem, was sie sagte, hatte sie recht.

Peter hörte, wie die Stalltür unter ihm geöffnet wurde. Abgehauen, hörte er den Onkel zu Bärbel sagen. Ausgerechnet heute. Ist das zu fassen. Bärbel kicherte. Bärbel kicherte meistens, wenn sie mit dem Onkel in den Stall ging. Sie kicherte auch auf dem Fahrrad und im Geschäft, wo sie als Lehrling schon an der Kasse stehen durfte, dort kicherte sie auch und stöhnte, wenn Peter fragte, wann es wieder echten Bienenhonig gebe.

Peter lauschte unter sich. Der Onkel und Bärbel sprachen jetzt leise. Sie wisperten. Vielleicht sprachen sie auch gar nicht.

Peter hörte die Milch aus dem großen Tank in Bärbels Kübel fließen. Dann hörte er die Stalltür und sah durch die Ritze, wie Bärbel dem Onkel die Hand gab, das Tor öffnete und ihr Fahrrad hinausschob. Der Onkel ging zum Haus zurück. Er drehte sich noch einmal um, zum Tor, dorthin, wo Bärbel jetzt das Tor schloss. Hasso stand vor dem Onkel, die Ohren aufgerichtet schlug er mit dem Schwanz und winselte. Gewiss roch er die Kohlrouladen, er konnte hoffen, dass etwas für ihn übrig geblieben war. Der Onkel schaute in verschiedene Richtungen. Er rief nicht mehr nach Peter, man konnte ja nicht wissen, dass er nur vorübergehend verschwunden war, gar nicht richtig. Es wurde blau und dunkler. Novembernachmittagdunkel; Zeit für die Mutter. Vielleicht waren es nur die Schneewolken, die den Abend ankündigten. Womöglich freute sich der Onkel schon, war erleichtert, dass Peter endlich fort war. Abgehauen. Gewiss wurde der Onkel wütend, wenn Peter am Abend auftauchen und seinen Schlafplatz auf der Küchenbank begehren würde. Auch noch Ansprüche. Das würde der Onkel sagen.

Was hatte sich die Mutter vorgestellt? Sie wollte ihn sehen, und dann? Wollte sie ihn womöglich um Verzeihung bitten, sollte er ihr vergeben? Er konnte ihr nicht vergeben, niemals würde er ihr verzeihen können. Das stand gar nicht in seiner Macht, selbst wenn er es gewollt hätte, er konnte nicht. Was wollte sie entdecken, wenn sie ihn sah? Mutig war sie. Kam jetzt, nach so vielen Jahren. Einfach so. Seinen siebzehnten Geburtstag hatte sie sich dafür ausgesucht. Den verbrachte er jetzt in seinem Versteck auf dem Heuboden. Er klemmte mit dem Auge an der Ritze, um nicht zu verpassen, wenn sie ging. Die anbrechende Dunkelheit erschwerte die Sicht. Die kleine Lampe an der Eingangstür war angegangen. Hinter dem Küchenfenster leuchtete Licht. Peter fror nicht. Nur der Hunger kam wieder auf. Peter kletterte leise die Leiter hinunter und schlich zum Milchtank. Die Dunkelheit hinderte ihn nicht, hier im Stall kannte er sich aus. Er öffnete den Hahn und trank. Das Schmatzen und leise Fiepen der Ferkel klang wohlig. Keines schrie und quietschte, vielleicht waren die zwei überzähligen schon tot. Draußen bellte Hasso kurz auf, Peter wischte sich mit dem Ärmel die Milch vom Mund, er musste sich beeilen; er wollte es nicht verpassen, wenn sie ging. Hastig stieg er die Leiter wieder hinauf. Er nahm seine Stellung an der Ritze ein und starrte hinaus in den dunkelblauen Hof. Im Stroh über den Tieren war es warm. Er hatte in die Ecke gepinkelt, vorhin, als er musste. Was war ihm anderes übriggeblieben? Hier im Stall konnte es keiner bemerken, niemand roch es. Peter pinkelte gerne ins Stroh. Was gab es Schöneres, als in Stroh zu pinkeln? Er pinkelte in hohem Bogen, so weit er konnte.

Vom Hof her hörte er Stimmen. Ob sie noch manchmal lächelte? Wenn sie gelächelt hatte, hatten sich Grübchen in ihren Wangen gebildet. Die hatte Peter im Gedächtnis, ihre Grübchen. Sie hatte selten gelächelt. Peter kniete sich an die Ritze. In der blauen Stunde sah er seine Mutter, wie sie über den dünnen Teppich frisch gefallenen Schnees lief, sie band sich ihr Kopftuch um und öffnete die Wagentür. Was war ihm von seiner Mutter geblieben? Peter musste an den Fisch denken, den komischen Fisch aus Horn. Niemand wusste etwas mit dem Fisch anzufangen, der Onkel nicht, die Tante nicht. Peter hatte den Fisch lange betrachtet, jeden Abend, er hatte ihn geöffnet und ihm in den Bauch geschaut, aber da war nichts, nur ein Hohlraum. Die Mutter dort unten hatte ihr Kopftuch zugeknotet. Von hier oben sah es nicht so aus, als lächele jemand, und die Abschiedsworte mussten kurz und knapp sein. In der Hand trug die Mutter ihr Täschchen und das Einkaufsnetz. Sollte sie das Geschenk wieder mitgenommen haben? Vielleicht hatte sie an kein Geschenk gedacht, und es war lediglich Proviant für die Reise, den sie in dem Netz trug. Peter war der Hohlraum im Bauch des Fisches unheimlich gewesen. Vielleicht war es drei Jahre her, vielleicht erst zwei, da hatte er den Fisch mit zur Küste genommen und ihn dort ins Meer geworfen. Blöder Fisch, er wollte nicht untergehen, er schwamm auf den Wellen. Die Krümmung des Horizonts, die gefiel Peter. Man konnte sie besonders gut von der Steilküste im Osten sehen, vom Fischland aus. Vielleicht war der Rücken der Mutter etwas gekrümmt? Ganz leicht nur, so, als gräme sie sich. Sie sollte sich grämen, Peter wünschte es sich. Er konnte sich nichts anderes denken, als dass sie sich grämte. Aber das sollte ihm gleichgültig sein, nur eines wollte er ganz sicher: Er wollte sie sein Leben lang nicht mehr sehen. Peter sah, wie die Mutter den Griff der Tür festhielt und hinaufstieg, in den Wagen. Der Onkel schloss ihre Tür und ging hinüber zur anderen Seite, um selbst einzusteigen. Peter hörte den Wind in den Pappeln. Die Tante öffnete die Pforten des Tors. Der Motor wurde gezündet, der kleine Lastwagen fuhr eine Schleife über den Hof und zur Ausfahrt hinaus. Die Tante sprach mit Hasso, sie schloss das Tor. Peter legte sich auf den Rücken. Das Stroh kitzelte ihn im Nacken. Die Dunkelheit besänftigte, er war ganz ruhig.